Hernandes Dias Lopes

JOÃO
As glórias do Filho de Deus

© 2015 Hernandes Dias Lopes

1ª edição: julho de 2015
8ª reimpressão: agosto de 2022

REVISÃO
Andrea Filatro
Josemar de Souza Pinto

DIAGRAMAÇÃO
Catia Soderi

CAPA
Claudio Souto (layout)
Equipe Hagnos (adaptação)

EDITOR
Aldo Menezes

COORDENADOR DE PRODUÇÃO
Mauro Terrengui

IMPRESSÃO E ACABAMENTO
Imprensa da Fé

As opiniões, as interpretações e os conceitos emitidos nesta obra são de responsabilidade do autor e não refletem necessariamente o ponto de vista da Hagnos.

Todos os direitos desta edição reservados à
EDITORA HAGNOS LTDA.
Av. Jacinto Júlio, 27
04815-160 — São Paulo, SP
Tel.: (11) 5668-5668

E-mail: hagnos@hagnos.com.br
Home page: www.hagnos.com.br

Editora associada à:

Dados Internacionais de Catalogação na Publicação (CIP)
Angelica Ilacqua CRB-8/7057

Lopes, Hernandes Dias

João: as glórias do Filho de Deus / Hernandes Dias Lopes. – São Paulo : Hagnos, 2015. (Comentários Expositivos Hagnos).

ISBN: 978-85-7742-173-2

1. Bíblia – NT – João   2. Jesus Cristo   3. Deus   I. Título

15-0663   CDD-226:5

Índices para catálogo sistemático:
1. Bíblia – NT – João

Dedicatória

DEDICO ESTE LIVRO ao presbítero Oto Jairo Lopes Vargas, homem bom, valoroso, amigo fiel, servo do altíssimo, cooperador incansável de meu ministério, bênção singular em minha vida e família.

Sumário

Prefácio 7

1. Introdução ao evangelho de João 9
2. Jesus, perfeitamente Deus, perfeitamente homem 21
   (Jo 1:1-18)
3. O testemunho sobre Jesus, o Messias 41
   (Jo 1:19-51)
4. Glória, autoridade e conhecimento 55
   (Jo 2:1-25)
5. Novo nascimento, uma necessidade vital 77
   (Jo 3:1-21)
6. A grande salvação 99
   (Jo 3:16)
7. Jesus, o noivo e a testemunha 111
   (Jo 3:22-36)
8. O testemunho de Jesus em Samaria e na Galileia 119
   (Jo 4:1-54)
9. O médico divino manifesta seu poder 151
   (Jo 5:1-16)
10. Jesus dá testemunho de si mesmo 163
    (Jo 5:17-47)
11. Uma multidão alimentada 177
    (Jo 6:1-15)
12. Um mar revolto acalmado 187
    (Jo 6:16-21)
13. Jesus, o pão da vida, um poderoso discurso 201
    (Jo 6:22-71)
14. Jesus, a água da vida 215
    (Jo 7:1-53)

15. Condenada pelos homens, perdoada por Jesus.................231
(Jo 8:1-11)

16. Jesus, a luz do mundo 245
(Jo 8:12-59)

17. Jesus, a verdadeira luz que traz luz ao cego 257
(Jo 9:1-41)

18. Jesus, o bom pastor 269
(Jo 10:1-42)

19. Jesus, a ressurreição e a vida...............................289
(Jo 11:1-57)

20. A manifestação pública de Jesus 311
(Jo 12:1-50)

21. Jesus, o servo onipotente....................................339
(Jo 13:1-38)

22. Jesus, o terapeuta da alma 363
(Jo 14:1-31)

23. A intimidade com Jesus e a inimizade do mundo.............381
(Jo 15:1–16:4)

24. O ministério do Espírito Santo 401
(Jo 16:5-33)

25. A oração do Deus Filho ao Deus Pai 413
(Jo 17:1-26)

26. Prisão, julgamento religioso e negação de Jesus 431
(Jo 18:1-27)

27. O julgamento de Jesus no tribunal romano 455
(Jo 18:28–19:16)

28. A crucificação, a morte e o sepultamento de Jesus...........471
(Jo 19:17-52)

29. A gloriosa ressurreição de Jesus 487
(Jo 20:1-31)

30. Manifestação, restauração e comissão 495
(Jo 21:1-25)

Prefácio

O EVANGELHO DE JOÃO é o pináculo da revelação bíblica. É o livro mais lido do mundo. Sua mensagem tem sido instrumento poderoso nas mãos de Deus para levar multidões sem conta aos pés do Salvador. Estudar esse livro é entrar no santo dos santos, além do véu, e contemplar as glórias do Filho de Deus.

Este evangelho foi escrito no final do primeiro século, depois que os demais apóstolos já estavam mortos pelo viés do martírio e depois que os Evangelhos Sinóticos já circulavam nas igrejas por mais de quarenta anos. Morando em Éfeso, capital da Ásia Menor, e já enfrentando todas as ameaças do gnosticismo emergente, uma ameaçadora heresia que atacou a igreja nos três primeiros séculos, João escreve esse livro para enfatizar a verdade incontroversa de que o Filho de Deus, o Verbo eterno, se fez carne e veio habitar entre nós.

O propósito de João foi deixar claro que Jesus é o Filho de Deus e levar seus leitores a uma confiança inabalável nele, como condição indispensável para receber a vida eterna. Para provar essa verdade indubitável, João seleciona sete milagres operados por Jesus: a transformação da água em vinho (2:1-11), a cura do oficial (4:46-53), a cura do paralítico em Betesda (5:1-9), a multiplicação dos pães e peixes (6:1-13), a caminhada sobre o mar (6:12-21), a cura do cego de nascença (9:1-7) e a ressurreição de Lázaro (11:1-44). Nessa mesma toada, João seleciona sete afirmações de Jesus, que remetem os leitores à revelação que Deus fez de si mesmo, quando disse a Moisés no monte Sinai: *Eu Sou o que Sou* (Êx 3:14). Desta forma, Jesus se identifica como o Deus Jeová que apareceu a Moisés no monte santo. Jesus disse: *Eu sou o pão da vida* (6:35); *Eu sou a luz do mundo* (8:12); *Eu sou a porta* (10:9); *Eu sou o bom pastor* (10:11); *Eu sou a ressurreição e a vida* (11:25); *Eu sou o caminho, a verdade e a vida* (14:6); *Eu sou a videira verdadeira* (15:1).

As obras de Jesus e suas declarações levam-nos inconfundivelmente à conclusão de que ele verdadeiramente é o Filho de Deus.

Recorrendo às conhecidas palavras de C. S. Lewis, em relação a Jesus, só temos três opções: ou ele é um mentiroso, ou é um lunático, ou é Deus. Se Jesus não é quem disse ser, então é um mentiroso; se não é quem pensou ser, então é um lunático. Mas, se Jesus é quem disse ser, então ele é Deus!

Hernandes Dias Lopes

Capítulo 1

Introdução
ao evangelho
de João

PRECISAMOS TIRAR AS SANDÁLIAS dos nossos pés. O território no qual vamos caminhar doravante é terra santa. O evangelho de João é o santo dos santos de toda a revelação bíblica. É o livro mais importante da história. Steven Lawson chama-o de o monte Everest da teologia, o mais teológico dos evangelhos.[1] Charles Erdman o considera o mais conhecido e o mais amado livro da Bíblia. Provavelmente, é a mais importante peça da literatura que há no mundo.[2] Para William Hendriksen, o evangelho de João é o livro mais maravilhoso já escrito.[3] Lawrence Richards o descreve como "o evangelho universal".[4]

Mateus apresentou Jesus como Rei, Marcos como servo e Lucas como homem perfeito. João, por sua vez, apresenta Jesus como Deus. Os três primeiros evangelhos são chamados sinóticos porque têm grandes semelhanças entre si. João, porém, distingue-se dos demais em seu conteúdo, estilo e propósito.

Charles Swindoll diz que não temos quatro evangelhos; temos apenas um evangelho, escrito de quatro pontos de vista diferentes. Temos uma biografia elaborada por quatro testemunhas, cada escritor provendo uma perspectiva peculiar.[5] Nessa mesma linha de pensamento, Andreas Kostenberger afirma: "Os quatro evangelhos bíblicos apresentam o único evangelho da salvação em Jesus Cristo, segundo quatro testemunhas importantes: Mateus, Marcos, Lucas e João".[6]

Destacaremos a seguir alguns pontos importantes para uma introdução ao livro.

O autor

Embora os quatro evangelhos sejam anônimos, ou seja, não tragam o nome de seu autor, há inconfundíveis e irrefutáveis evidências internas e externas de que esse evangelho foi escrito pelo apóstolo João, irmão de Tiago, filho de Zebedeu, empresário de pesca do mar da Galileia. Sua mãe era Salomé (Mc 15:40; Mt 27:56), a qual contribuiu financeiramente com o ministério de Jesus (Mt 27:55,56) e pode ter sido irmã de Maria, mãe de Jesus (Jo 19:25). Se essa interpretação for verdadeira, então João e Jesus eram primos.[7] Sem apresentar seu nome, o autor se identifica como testemunha, em sua conclusão do evangelho: *E é esse o discípulo que dá testemunho dessas coisas e que as escreveu* (21:24).

Junto com Pedro e Tiago, João formou o grupo mais íntimo dos três discípulos que estiveram com Jesus na ressurreição da filha de Jairo (Mc 5:37), na transfiguração (Mc 9:2) e na sua angústia no jardim de Getsêmani (Mc 14:33). Dos três, João era o mais íntimo de Jesus. Ele é conhecido como o discípulo amado (13:23). Foi João quem se inclinou sobre o peito de seu mestre durante a ceia pascal; foi ele quem acompanhou seu Senhor ao julgamento, quando os demais discípulos fugiram (Jo 18:15).[8] De todos os apóstolos, foi ele o único que esteve ao pé da cruz para receber a mensagem do Senhor antes de expirar (19:25-27) e cuidou de Maria, após a morte de Jesus (19:27). Depois da ascensão de Cristo, João tornou-se um dos grandes líderes da igreja de Jerusalém (At 1:13; 3:1-11; 4:13-21; 8:14; Gl 2:9).

De acordo com a tradição, João mudou-se para Éfeso, capital da Ásia Menor, onde viveu os últimos anos de sua vida, como líder da igreja na região. Foi banido para a ilha de Patmos, no governo de Domiciano, onde escreveu o livro de Apocalipse. Com a ascensão de Nerva, João recebeu permissão para retornar a Éfeso, onde morreu aos 98 anos, no início do reinado de Trajano (98-117). João foi o único apóstolo de Jesus que teve morte natural. Os demais morreram pelo viés do martírio.

A antiga literatura patrística faz referências ocasionais ao apóstolo, deixando evidente que ele era morador de Éfeso. Westcott cita Jerônimo, que relatou: "Permanecendo em Éfeso até uma idade avançada – podendo ser transportado para a igreja apenas nos braços de seus discípulos, e incapaz de pronunciar muitas palavras –, João costumava dizer não muito mais do que: *Filhinhos, amai-vos uns aos outros*. Por fim, os discípulos que ali estavam, cansados de ouvir sempre as mesmas palavras, perguntaram: – Mestre, por que sempre dizes isto? – É o mandamento do Senhor – foi

João — As glórias do Filho de Deus

a sua digna resposta – e, se apenas isto for feito, será o suficiente".[9]

F. F. Bruce diz que a evidência interna da autoria joanina para esse evangelho decorre do fato de que ele foi escrito: a) por um judeu palestino; b) por uma testemunha ocular; c) pelo discípulo que Jesus amava; d) por João, filho de Zebedeu.[10]

Tanto João quanto seu irmão Tiago foram chamados de *filhos do trovão*, possivelmente por causa de seu temperamento impetuoso. Eles queriam que fogo do céu caísse sobre os samaritanos que se recusaram a hospedar Jesus (Lc 9:54). Foi João quem relatou como ele e seus amigos tentaram impedir um homem de expulsar demônios em nome de Jesus, porque o tal não fazia parte de seu grupo (Lc 9:49). Certa feita, João e Tiago tentaram tirar vantagens de seu relacionamento mais próximo com Jesus, cobiçando um lugar de honra em seu reino futuro (Mc 10:35-45).

Na mesa da ceia (13:24), no túmulo vazio (20:2-10) e à beira do lago (21:7,20), João é associado de maneira especial com Pedro. Essa associação continua em vários episódios registrados no livro de Atos (At 3:1-23; 8:15-25). O apóstolo Paulo chama Pedro, Tiago (irmão do Senhor) e João de colunas da igreja de Jerusalém (Gl 2:9).

Pais da igreja como Papias, Irineu, Eusébio, Tertuliano, Clemente de Alexandria, dentre outros, deram amplo testemunho da autoria joanina para esse evangelho. O *Cânon muratoriano*, do segundo século d.C., também atribui esse evangelho a João.[11] F. F. Bruce escreve: "No fim do segundo século, o evangelho de João era reconhecido normalmente nas igrejas cristãs como um dos evangelhos canônicos. Nossa principal testemunha desse período é Irineu, que veio de sua terra natal, na província da Ásia, pouco depois

Introdução ao evangelho de João

de 177 d.C., para se tornar bispo de Lion".[12] Irineu era discípulo de Policarpo, que por sua vez era discípulo de João. Irineu tinha plena convicção tanto da autoria joanina como da canonicidade desse evangelho.

Os críticos, besuntados de soberba intelectual e dominados pelo ceticismo, questionam a autoria joanina desse evangelho; no entanto, as robustas evidências, tanto internas como externas, confirmam que o apóstolo João, o discípulo amado, foi seu autor.

Os destinatários

Mateus escreveu precipuamente para os judeus; Marcos, principalmente para os romanos; e Lucas, especialmente para os gregos. O evangelho de João, porém, é endereçado ao público geral, a judeus e gentios. O escopo desse evangelho possui abrangência universal.

Concordo com Joseph Mayfield no sentido de que os primeiros leitores do quarto evangelho provavelmente eram cristãos da segunda ou terceira geração. O que sabiam sobre a vida, o ministério, a morte e a ressurreição de Jesus aprenderam ou de ouvir falar, ou por meio da leitura dos primeiros relatos cristãos.[13]

Local e data

É consenso entre os estudiosos conservadores, estribados nas evidências históricas, que João escreveu esse evangelho da cidade de Éfeso, capital da Ásia Menor, onde morou por longos anos, pastoreou a maior igreja gentílica da época, liderou as igrejas da região e morreu já em avançada velhice, nos dias do imperador Trajano.

Não podemos afirmar a data precisa em que esse evangelho foi escrito; todavia, há fortes evidências de que tenha sido entre os anos 80 e 96 d.C. Para F. F. Bruce, "parece provável que o evangelho foi publicado na província da Ásia uns sessenta anos depois dos acontecimentos que narra".[14]

Propósito

O evangelho de João tem um propósito específico: apresentar Jesus como o Verbo divino que se fez carne, o criador do universo, revelador do Pai, o Salvador do mundo, por meio de quem recebemos, pela fé, a vida eterna (20:30,31). Concordo com John MacArthur quando ele diz que o objetivo de João era tanto apologético, "para que creiais que Jesus é o Cristo, o Filho de Deus, como evangelístico, *e que crendo tenhais vida em seu nome*" (20:31).[15]

O propósito de João nos capítulos 1–12 é apresentar o ministério público de Jesus e, nos capítulos 13–21, apresentar seu ministério privado. Os capítulos 1–12 abrangem um período de três anos; os capítulos 13–21, exceto o capítulo 21, abrangem um período apenas de quatro dias. A primeira parte do livro enfatiza os milagres de Jesus, enquanto a segunda parte recorda os discursos feitos aos seus discípulos.

F. F. Bruce diz com acerto que todo o evangelho enfatiza que Jesus é o Filho eterno do Pai, enviado ao mundo para sua salvação.[16] Gundry declara que, acima de qualquer consideração, João é o evangelho da fé. De fato, o verbo "crer" é a palavra-chave do presente evangelho.[17] A palavra grega *pisteuo,* traduzida por "crer", aparece 98 vezes no evangelho de João. Mas o que significa "crer"? Não se trata apenas de um assentimento intelectual acerca de Jesus. Significa confessar a verdade como verdade; e mais: significa confiar. Crer em Jesus, portanto, é colocar plena confiança nele como Salvador.[18] Isso quer dizer que devemos colocar nossa confiança nele, e não apenas em sua mensagem.

Peculiaridades

João não aborda os principais temas abordados nos Evangelhos Sinóticos, mas, por outro lado, traz uma gama enorme de material que nem sequer foi mencionado nos outros três evangelhos.

Diferentemente dos evangelistas sinóticos, João não trata da vida e do ministério de Jesus, nem faz um acompanhamento minucioso de sua trajetória na Galileia e Pereia. Não registra as parábolas nem as muitas curas operadas por Jesus. Antes, foca sua atenção em provar que Jesus é o Filho de Deus e que, crendo nele, recebemos a vida eterna.

Os quatro evangelhos conjugam as histórias narrativas de Jesus com os discursos, mas João enfatiza mais os discursos. João não traz as parábolas nem menciona o discurso escatológico. Não há nenhum episódio de expulsão de demônios e nenhum relato de cura de leprosos. Não encontramos nesse evangelho a lista dos doze apóstolos nem a instituição da ceia. João não faz referência ao nascimento de Jesus, a seu batismo, transfiguração, tentação, agonia no Getsêmani nem à sua ascensão. Na verdade, cerca de 90% desse evangelho não é encontrado nos Sinóticos.[19]

A vasta maioria do conteúdo do evangelho de João é peculiar a esse livro, como mostra a descrição do Cristo preexistente e sua encarnação (1:1-18), o milagre na festa de casamento (2:1-11), a conversa com Nicodemos sobre o novo nascimento (3:1-21), seu encontro com a mulher samaritana (4:1-42), a cura do paralítico no tanque de Betesda (5:1-15), o discurso sobre o pão da vida (6:22-71), a reivindicação de ser a água da vida (7:37-39), a apresentação de si mesmo como o bom pastor (10:1-39), a ressurreição de Lázaro (11:1-46), o lava-pés (13:1-15), o discurso do cenáculo (13–16), a Oração Sacerdotal (17:1-24), a pesca milagrosa depois da ressurreição (21:1-6) e a restauração e recondução de Pedro ao ministério (21:15-19). João, outrossim, dá maior ênfase à pessoa e obra do Espírito Santo do que os demais evangelistas.[20]

Ênfases

Bruce Milne afirma corretamente que o evangelho de João é explicitamente o mais teológico dos quatro evangelhos.[21] Desde o prólogo, João antecipa o conteúdo de todo o seu evangelho, mostrando-nos que Jesus é o Verbo eterno, pessoal e divino. Aquele que tem vida em si mesmo é o criador do universo. Sem descrever o nascimento de Jesus e sua infância, João apenas nos informa que o Verbo divino se fez carne e habitou entre nós.

Sete vezes em João, Jesus emprega a gloriosa expressão "Eu Sou", a mesma revelada por Deus a Moisés no Sinai.

Eu sou o pão da vida (6:35,48)

Eu sou a luz do mundo (8:12)

Eu sou a porta das ovelhas (10:7,9)

Eu sou o bom pastor (10:11)

Eu sou a ressurreição e a vida (11:25)

Eu sou o caminho, a verdade e a vida (14:6)

Eu sou a videira verdadeira (15:1,5).

Além dessas declarações diretas, Gundry ressalta aquelas que envolvem a expressão "Eu Sou", que sugerem a reivindicação de ser ele o eterno Eu Sou – o Iavé do Antigo Testamento (4:25,26; 8:24,28,58; 13:19).[22] Destacaremos, agora, algumas das principais ênfases desse evangelho.

Introdução ao evangelho de João

Primeiro, *a natureza e os atributos de Deus* (1:1,2; 1:14-18; 3:16; 4:24; 5:19-23; 6:45-46; 8:16-19; 10:27-30,34-38; 12:27,28,49,50; 13:3; 14:6-10; 16:5-15,27,28; 17:11; 20:20-22).

Segundo, *a humanidade, a queda e a redenção* (2:24,25; 3:3-8,19-21,36; 5:40; 6:35,53-57; 7:37-39; 8:12,31-47; 10:27-29; 11:25,26; 14:17; 15:1-8,18-25; 16:3,8; 17:2,3,6-9; 20:22,31).

Terceiro, *a pessoa e a obra de Cristo* (1:29,51; 2:19; 3:14,34; 4:22,42; 5:25,28; 6:33,40,44,51,53,62; 10:9,11,15; 12:24,32; 13:8; 14:3,18; 16:33; 17:2; 18:14,36; 20:1–21:14).

Quarto, *a pessoa e a obra do Espírito Santo* (1:13,32; 3:5; 4:24; 6:63; 7:39; 14:16,26; 15:26; 16:7-15; 19:34; 20:22).

Quinto, *a vida do novo mundo* (3:15,36; 4:14; 5:24; 6:27,37,39,47,51,58; 8:24,51; 10:28; 11:25; 12:25; 14:2).

Sexto, *a divindade de Cristo* (1:1,14,18,49; 2:11,19; 3:3, 13,18,19,31,34; 5:17,22,26,28; 6:20,27,33,35,38,45,54,69; 7:28; 8:12,16,23,28,42,55,58; 9:5; 10:7,11,14,18,30,38; 14: 4,25,27,44; 14:1,6,9,14; 16:7,15,23,28; 17:5,10,24,26; 18:5; 20:1-21,25; 20:28).

Sétimo, *a humanidade de Cristo* (1:14; 4:6; 6:42; 8:6; 11:33,35,38; 12:27; 19:5,30,31-42).

Oitavo, *a soberania de Deus na salvação*. De acordo com Steven Lawson, as grandes doutrinas da graça são fortemente apresentadas pelo apóstolo João nesse evangelho.[23] A depravação total é amplamente explorada, pois o homem sem Deus está cego (3:3) e alienado (3:5), incapaz (6:44), escravo (8:34), surdo (8:43-47) e tomado de ódio por Deus (15:23). A eleição incondicional é igualmente tratada, pois é Deus quem escolhe (6:37-39). Deus nos escolheu do mundo (15:19), e os eleitos são dados pelo Pai a Jesus (17:9). A expiação eficaz é clara, pois Cristo morreu por suas ovelhas (10:14,15) e dá a vida eterna a todos os que o Pai lhe deu (17:1,2,9,19). A graça irresistível é acentuada, uma vez que o novo nascimento é obra soberana do Espírito (3:3-8), os mortos espirituais ouvem a voz de Jesus e vivem (5:25; 6:63), e todos aqueles que o Pai dá a Jesus são atraídos irresistivelmente (6:37,44,65) e convocados individualmente (10:1-5,8,27). A perseverança dos santos é claramente ensinada, pois os que creem recebem vida eterna (3:15), salvação eterna (3:16), satisfação eterna (4:14), proteção eterna (6:38-44), segurança eterna (10:27-30), sustentação eterna (6:51,58), duração eterna (11:25,26) e visão eterna (17:24).

NOTAS DO CAPÍTULO 1

[1] LAWSON, Steven J. *Fundamentos da graça*. São José dos Campos: Fiel, 2012, p. 383.

[2] ERDMAN, Charles. *O evangelho de João*. São Paulo: Casa Editora Presbiteriana, 1965, p. 11.

[3] HENDRIKSEN, William. *João*. São Paulo: Cultura Cristã, 2004, p. 13.

[4] RICHARDS, Lawrence O. *Comentário histórico-cultural do Novo Testamento*. Rio de Janeiro: CPAD, 2012, p. 192.

[5] SWINDOLL, Charles R. *Insights on John*. Grand Rapids: Zondervan, 2010, p. 15.

[6] KOSTENBERGER, Andreas J.; PATTERSON, Richard D. *Convite à interpretação bíblica*. São Paulo: Vida Nova, 2015, p. 205.

[7] MACARTHUR, John. *The MacArthur New Testament Commentary – John 1-11*. Chicago: Moody Publishers, 2006, p. 7-8.

Introdução ao evangelho de João

[8] PEARLMAN, Myer. *Através da Bíblia*. Miami: Vida, 1987, p. 215.

[9] WESTCOTT, B. F. *The Gospel According to St. John*. London: John Murray, 1908, p. 34.

[10] BRUCE, F. F. *João: introdução e comentário*. São Paulo: Vida Nova, 2000, p. 11.

[11] MILNE, Bruce. *The Message of John*. Downers Grove: InterVarsity Press, 1993, p. 18.

[12] BRUCE, F. F. *João: introdução e comentário*, p. 22.

[13] MAYFIELD, Joseph H. *O evangelho segundo João*. In: *Comentário bíblico Beacon*. Vol. 7. Rio de Janeiro: CPAD, 2005, p. 21.

[14] BRUCE, F. F. *João: introdução e comentário*, p. 12.

[15] MACARTHUR, John. *The MacArthur New Testament Commentary – John 1-11*, p. 9.

[16] BRUCE, F. F. *João: introdução e comentário*, p. 26.

[17] GUNDRY, Robert H. *Panorama do Novo Testamento*. São Paulo: Vida Nova, 1978, p. 113.

[18] SWINDOLL, Charles R. *Insights on John*, p. 17.

[19] MACARTHUR, John. *The MacArthur New Testament Commentary – John 1-11*, p. 1.

[20] Ibid., p. 2.

[21] MILNE, Bruce. *The Message of John*, p. 25.

[22] GUNDRY, Robert H. *Panorama do Novo Testamento*, p. 114.

[23] LAWSON, Steven J. *Fundamentos da graça*, p. 383-434.

Capítulo 2

Jesus,
perfeitamente Deus,
perfeitamente homem
(Jo 1:1-18)

O EVANGELHO DE JOÃO, como uma águia, voa nas alturas excelsas. Atinge os cumes mais altos da revelação bíblica, penetra pelos umbrais da eternidade e traz para o palco da História as verdades mais estonteantes e gloriosas. Mostra com eloquência singular como o transcendente torna-se imanente, como o infinito entra nos limites do finito, como o eterno invade o tempo e como Deus veste pele humana para habitar entre nós.

Vamos, agora, tirar as sandálias dos pés e pisar em terreno santo. Vamos abrir as cortinas da eternidade e receber a mais audaciosa revelação da pessoa e da obra do Verbo divino, Jesus de Nazaré. Warren Wiersbe diz que, enquanto os três primeiros evangelhos se concentram em descrever *acontecimentos* da vida de Cristo, João enfatiza o *significado* desses acontecimentos.[1]

D. A. Carson assevera que o prólogo do evangelho de João é o vestíbulo para o restante do quarto evangelho, pois resume a forma como "O Verbo", que estava junto com Deus no princípio, entrou na esfera do tempo, da História e da tangibilidade; em outras palavras, como o Filho de Deus foi enviado ao mundo para tornar-se o Jesus da História, de forma que a glória e a graça de Deus pudessem ser manifestadas de modo singular e perfeito. O restante do livro não é nada mais que uma ampliação desse tema.[2] Nessa mesma linha de pensamento, F. F. Bruce realça que o prólogo do quarto evangelho antecipa a temática de toda a obra. E mais: o prólogo de João traça o mesmo paralelo entre a atuação de Deus na primeira criação e na nova criação.[3]

Quatro verdades devem ser destacadas no preâmbulo do livro.

Os atributos do Verbo (1:1-4)

João não começa com a genealogia de Jesus como Mateus e Lucas. Isso porque seu propósito é apresentar Jesus como Deus; e, como tal, ele não tem árvore genealógica. Seis verdades acerca do Verbo devem ser colocadas em relevo aqui.

Em primeiro lugar, *o Verbo é eterno* (1:1a). *No princípio era o Verbo* [...]. Ao referir-se ao *logos,* Verbo, João recua aos refolhos da eternidade, antes do princípio de todas as coisas. Quando tudo começou (Gn 1:1), o Verbo já existia. Ele já existia antes que a matéria fosse criada e antes que o tempo começasse. Ele é antes do tempo. É o Pai da eternidade. F. F. Bruce diz que, em Gênesis 1:1, *no princípio*

Jesus, perfeitamente Deus, perfeitamente homem

inicia a história da primeira criação; aqui, a expressão inicia a história da nova criação. Nas duas obras de criação, o agente é a Palavra de Deus.[4] Na eternidade passada, antes do começo de todas as coisas – espaço, tempo, matéria –, no princípio, antes do início de tudo, o Verbo já existia no eterno e infinito presente.[5] John Charles Ryle diz que não está escrito: "No princípio o Verbo foi feito", mas "No princípio era o Verbo". Estas duas palavras "princípio" e "era" são duas âncoras que mantêm firmes o navio da alma humana diante das tempestades das heresias que possam vir.[6] Wescott tem razão ao enfatizar: "O tempo verbal no imperfeito sugere nesta relação, até onde a linguagem humana pode ir, a noção de uma existência supratemporal absoluta".[7]

David Stern diz que, embora *logos* tenha desempenhado um papel no gnosticismo pagão – como um dos passos através dos quais a pessoa desenvolveu seu caminho em direção a Deus, e como tal é encontrado dessa forma em numerosas heresias judaicas e cristãs –, não temos aqui uma inclusão pagã no Novo Testamento. No pensamento filosófico grego, *logos* era usado em relação ao princípio racional ou à mente que regia o universo. No pensamento hebraico, o Verbo de Deus era sua autoexpressão ativa, a revelação de si mesmo para a humanidade através da qual uma pessoa não só recebe a verdade a respeito de Deus, mas se encontra com Deus face a face.[8]

Jesus, o *logos,* existia antes da criação (17:5). O *logos* não era um ser criado, como ensinou Ário, o herético do século quarto, e como ensinam hoje as testemunhas de Jeová.[9] F. F. Bruce esclarece esse ponto dizendo que o termo *logos* era conhecido em algumas escolas gregas de filosofia, onde significava o princípio da razão ou ordem imanente no universo, o princípio que dá forma ao mundo material e constitui a alma racional no ser humano. Entretanto, não devemos procurar o pano de fundo do pensamento e da linguagem de João no contexto filosófico grego, mas na revelação hebraica do Antigo Testamento, onde a "Palavra de Deus" indica Deus em ação. Portanto, se entendermos *logos* nesse prólogo como "palavra em ação", começaremos a fazer-lhe justiça.[10]

Em segundo lugar, *o Verbo é uma pessoa igual ao Pai em essência, mas distinto em natureza* (1:1b,2). [...] *e o Verbo estava com Deus* [...] *Ele estava no princípio com Deus.* Antes da criação do universo, nos recônditos da eternidade, o Verbo desfrutava plena comunhão com Deus Pai. A expressão grega *pros ton Theon* traz a ideia de "face a face com Deus". Deus Pai e o Verbo, embora sejam duas pessoas, estão unidos por inefável união.[11] Charles Swindoll diz que a preposição *pros,* quando usada nesse contexto, significa familiaridade. O Verbo e Deus Pai existiam face a face, compartilhando intimidade e propósito.[12] Ao mesmo tempo que o Verbo é distinto de Deus, é igual a ele, pois é da mesma substância. O Verbo conhecia o Pai, era igual ao Pai, embora distinto, e tinha com ele profunda comunhão. Portanto, o Verbo não é uma energia cósmica, mas uma pessoa. O Verbo é Jesus. O Verbo compartilha da natureza e do ser de Deus. Nas palavras de F. F. Bruce, o Verbo de Deus é distinto de Deus em si, mas tem uma relação pessoal muito íntima com ele, pois participa da própria natureza de Deus.[13]

Em terceiro lugar, *o Verbo é divino* (1:1c). [...] *e o Verbo era Deus.* O Verbo não é meramente um anjo criado ou um ser inferior a Deus Pai e investido por ele com autoridade para redimir pecadores. Ele mesmo é Deus, coigual com o Pai.[14] João agora trata da natureza do Verbo. O Verbo é divino! O apóstolo João abre seu evangelho fazendo uma

Jesus, perfeitamente Deus, perfeitamente homem

afirmação categórica e insofismável da divindade do Verbo. Jesus não é apenas um mestre moral; ele é Deus.

Essa é a grande tese de João nesse evangelho. Numa só sentença, o primeiro versículo do evangelho de João declara a eternidade, a personalidade e a deidade de Cristo.[15] João pretende que o todo de seu evangelho seja lido à luz desse versículo. Os feitos e as obras de Jesus são os feitos e as obras de Deus; se isso não é verdade, o livro é blasfemo.[16]

Em quarto lugar, *o Verbo é criador* (1:3). *Todas as coisas foram feitas por intermédio dele, e, sem ele, nada do que foi feito existiria.* William Barclay tem razão em dizer que o Verbo não é uma parte do mundo que começou a existir no tempo; o Verbo estava com Deus na eternidade, antes do tempo. O Verbo é Deus.[17] O Verbo é o agente divino na criação do universo. Foi ele quem trouxe à existência as coisas que não existiam. Deus disse: *Haja luz. E houve luz* (Gn 1:3). O Verbo é a palavra criadora de Deus, por meio de quem todas as coisas foram feitas, tanto as visíveis como as invisíveis, tanto as terrenas como as celestiais (Cl 1:16). Hebreus 1:2 fala a respeito do Filho de Deus *por meio de quem também fez o universo.* Concordo com F. F. Bruce, quando ele diz que Deus é o criador, e o Verbo é o agente. William Hendriksen é enfático ao escrever: "Todas as coisas, uma a uma, vieram a existir por meio dele. De tudo o que existe hoje, não há nada que tenha se originado à parte dele".[18] As duas partes do versículo dizem a mesma coisa, primeiro positivamente (todas as coisas foram feitas por intermédio dele) e depois negativamente (sem ele, nada do que foi feito se fez).[19]

Lawrence Richards diz corretamente que aqui, como em toda a Escritura, João tem em vista um princípio para o mundo material e para aqueles seres criados que povoam o universo espiritual, sendo Cristo o agente ativo nessa criação.[20]

Em quinto lugar, *o Verbo é autoexistente* (1:4). *A vida estava nele e era a luz dos homens.* Todos os seres que existem no universo foram criados e por isso não têm vida em si mesmos. Só Deus tem vida em si mesmo. Só Deus é autoexistente. O Verbo não recebeu vida; ele é a vida. Dele decorre todas as coisas. Ele é a fonte de tudo o que existe. Ele é a vida, a luz dos homens. Embora Jesus seja a fonte de toda a vida biológica, a palavra grega usada aqui, e outras 35 vezes nesse evangelho, nunca é *bios,* vida biológica, mas *zoe,* vida espiritual, ou seja, vida do alto (3:3), vida eterna (3:15,16; 20:31), vida abundante (10:10). Como o Verbo é a fonte de toda a vida, também ele é a fonte de toda a luz (Sl 36:9). Ele é a luz do mundo (8:12). F. F. Bruce escreve oportunamente:

> A expressão "[...] e a vida era a luz dos homens" vale tanto para a iluminação natural da razão concedida à mente humana como para a iluminação espiritual que acompanha o novo nascimento; nenhuma das duas pode ser recebida sem a luz que está no Verbo. O que o evangelista tem em mente aqui é a iluminação espiritual que dissipa a escuridão do pecado e da descrença.[21]

William Barclay diz que a luz aqui tem três significados: é a luz que faz desaparecer o caos (1:5); é a luz reveladora que tira as máscaras e os disfarces e mostra as coisas como de fato são (3:19,20); e é a luz que guia (12:35; 12:46).[22]

Em sexto lugar, *o Verbo é a luz que prevalece* (1:5). *A luz resplandece nas trevas, e as trevas não prevaleceram contra ela.* Onde a luz chega, ela espanta as trevas. A luz desmascara e dissipa as trevas. O mundo está em trevas, porque o diabo cegou o entendimento dos incrédulos. Mas onde Jesus se

Jesus, perfeitamente Deus, perfeitamente homem

manifesta salvificamente, as vendas dos olhos são arrancadas e os cativos são trasladados do império das trevas para o reino da luz. Na primeira criação *havia trevas sobre a face do abismo* (Gn 1:2), até que Deus chamou a luz à existência. Da mesma forma, a nova criação abrange a expulsão da escuridão espiritual pela luz que brilha no mundo. Sem a luz, que é Cristo, o mundo das pessoas está envolto em trevas.[23]

Atitudes em relação ao Verbo (1:5-13)

João deixa de apresentar o Verbo para introduzir seu arauto e as reações a ele. Destaco a seguir três fatos relacionados.

Em primeiro lugar, *o arauto do Verbo* (1:6-9). João foi enviado por Deus. João Batista foi enviado para testemunhar de Jesus, a fim de que todos colocassem sua confiança nele. João sabia o seu lugar. Ele era o arauto da luz, e não a luz; era o amigo do noivo, e não o noivo; era a voz, e não a mensagem; era o servo, e não o senhor. Jesus é a verdadeira luz. As outras que vieram foram apenas sombras da luz verdadeira. Para D. A. Carson, são numerosas as testemunhas da verdade da autorrevelação de Deus no Verbo: há o testemunho da mulher samaritana (4:39), das obras de Jesus (5:36; 10:25), do Pai (5:32,37; 8:18), do Antigo Testamento (5:39,40), da multidão (12:17), do Espírito Santo e dos apóstolos (15:26,27). Todos esses dão testemunho de Jesus, e ele próprio dá testemunho da verdade (18:37), em conjunção com o Pai (8:13-18).[24] Todo esse testemunho foi dado com o propósito de promover a fé em Jesus. Esse é o objetivo com o qual esse evangelho foi escrito (20:31).

João anuncia Jesus como a luz verdadeira, que alumia todo homem (1:9). Fritz Rienecker diz que Cristo é a luz perfeita em cuja radiância as demais luzes parecem tenebrosas. Somente ele pode tornar claro a cada indivíduo o significado e o propósito da sua vida.[25] John Charles Ryle diz corretamente que Cristo é para a alma dos seres humanos o que o sol é para o mundo. Ele é o centro e a fonte de toda luz espiritual, calor, vida, saúde, crescimento, beleza e fertilidade. Como o sol, ele brilha para o benefício de toda a humanidade – para grandes e pequenos, ricos e pobres, judeus e gentios. Todos podem olhar para ele e receber livremente sua luz.[26]

Nesse versículo, João emprega um vocábulo bastante significativo para descrever Jesus. No grego, há duas palavras para definir "verdade". A primeira delas é *alethes,* que significa "verdadeiro em oposição a falso". A outra palavra é *alethinos,* que significa "real ou genuíno em oposição a irreal". Jesus é a luz genuína que veio alumiar e esclarecer a humanidade. Jesus é a única luz genuína, a luz verdadeira, que guia as pessoas em seu caminho.[27]

Em segundo lugar, *a rejeição do Verbo* (1:10,11). *O Verbo estava no mundo, e este foi feito por meio dele, mas o mundo não o reconheceu.* John Charles Ryle diz que Cristo estava no mundo, invisivelmente, muito antes de nascer da virgem Maria. Ele estava desde o começo, reinando, ordenando e governando toda a criação. Ele é antes de todas as coisas. Ele deu a vida a todas as criaturas. Deu a chuva do céu e as estações frutíferas. Por ele, todos os reis governaram e todas as nações se levantaram e caíram. Mesmo assim, as pessoas não o reconheceram nem o honraram. Antes, serviram à criatura em lugar do criador (Rm 1:25). Ele veio para os judeus, o povo escolhido. Revelou a si mesmo pelos profetas. Veio para os judeus que liam o Antigo Testamento e viam-no sob os tipos e figuras em seu culto, professando esperar por sua vinda. E, mesmo assim, quando ele veio, os judeus não o receberam. Eles o rejeitaram, o desprezaram e o pregaram na cruz.[28] Jesus veio para o que era seu, e os seus não o receberam. Embora presente, Jesus foi rejeitado. Embora onipotente, não foi reconhecido. Embora tenha amado seu povo, foi por ele rejeitado.

Em um estilo majestoso, João retrata o fato, o propósito e o resultado da vinda de Jesus ao mundo. O fato: ele *estava no mundo*. O propósito: ele *veio para o que era seu*. O resultado: *mas os seus não o receberam*.[29] João coloca, assim, em chocante contraste a oferta divina e a rejeição humana. Veremos que esse evangelho não se refere apenas à tragédia da incredulidade; apresenta igualmente o magnífico drama do desenvolvimento da fé.[30]

Concordo com o parecer de D. A. Carson: "Quando João nos diz que Deus ama o mundo, isso é um testemunho do caráter de Deus (3:16) e está longe de ser um endosso do mundo. O amor de Deus deve ser admirado não porque o mundo é tão grande, mas porque o mundo é tão mau".[31] "O mundo" no uso de João não compreende ninguém que tenha fé. Aqueles que alcançam a fé não são mais deste mundo; eles foram tirados deste mundo (15:19). Se Jesus é o Salvador do mundo (4:42), isso diz muito sobre Jesus, mas nada de positivo sobre o mundo. De fato, isso significa que o mundo precisa do Salvador.[32]

Precisamos deixar claro que a palavra grega *kosmos*, "mundo", tem vários significados nesse evangelho: 1) universo (17:5); 2) habitantes humanos da terra (16:21); 3) público em geral (7:4; 14:22); 4) a humanidade alienada de Deus, levada pelo pecado, exposta ao julgamento e necessitada de salvação (3:19); 5) os seres humanos de cada tribo e nação, não somente os judeus, mas também os gentios (1:29; 4:42; 3:16,17; 6:33; 8:12; 9:5; 12:46); 6) o reino do mal (7:7; 8:23; 12:31; 14:30; 15:18; 17:9,14).[33] Concordo, portanto, com F. F. Bruce quando ele diz que, por mundo, *kosmos,* João entende especialmente o mundo das pessoas, alienado de Deus.[34]

Como podemos ver o Verbo de Deus no mundo em que vivemos? 1) Devemos olhar para fora e perceber que existe ordem no universo e, para tal, uma mente onipotente precisa estar por trás dessa ordem. Olhar para fora implica defrontar cara a cara com Deus, o criador do mundo. 2) Devemos olhar pra cima e perceber a grandeza insondável do mundo. Os cientistas dizem que o nosso universo tem mais de 92 bilhões de anos-luz de diâmetro, ou seja, se pudéssemos voar à velocidade da luz, 300 mil quilômetros por segundo, demoraríamos nessa velocidade mais de noventa bilhões de anos para ir de uma extremidade à outra. Os estudiosos afirmam que há mais estrelas no firmamento do que todos os grãos de areia de todas as praias e desertos do nosso planeta. 3) Devemos olhar para dentro. O grande pensador Immanuel Kant declarou que havia duas coisas que o encantavam: o céu estrelado acima de sua cabeça e a lei moral dentro de seu coração. 4) Devemos olhar para trás. Toda a História é uma demonstração da lei moral de Deus em ação.[35]

Em terceiro lugar, *a aceitação do Verbo* (1:12,13). A salvação sai das fronteiras de Israel e se estende para o mundo inteiro. Pessoas de todas as tribos, raças e povos, que receberem Cristo, receberão o poder de serem feitas não apenas filhos de Abraão, mas filhos de Deus, de fazerem parte da família de Deus. Esse poder é conferido não aos que se julgam merecedores por suas obras, mas aos que creem no seu nome. Esse *nome* é muito mais do que a designação pela qual uma

Jesus, perfeitamente Deus, perfeitamente homem

pessoa é conhecida; abrange o caráter verdadeiro ou, às vezes, como aqui, a própria pessoa.[36]

Três verdades merecem atenção. Primeiro, a fé é universal em seu escopo (1:12). Segundo, a fé oferece uma posição de suprema honra (1:12). Terceiro, a fé não opera pelos meios naturais, mas pela forma sobrenatural (1:13). Concordo com David Stern quando ele diz que ser filho de Deus aqui significa muito mais do que simplesmente ser criado à imagem e semelhança de Deus (Gn 1:26,27); é ter um relacionamento íntimo e pessoal com ele.[37] Na mesma linha de pensamento, Fritz Rienecker explica que os homens não são pela natureza filhos de Deus; somente ao receberem Cristo, é que eles obtêm o direito de se tornarem filhos de Deus.[38] Fica patente que o nascimento na família de Deus é bem diferente do nascimento físico. Esse direito do nascimento divino não tem nada que ver com laços raciais, nacionais ou familiares. O nascimento espiritual, a entrada na família cujo Pai é Deus, depende de fatores bem diferentes – a recepção pela fé daquele a quem Deus enviou.[39] Concordo com Fritz Rienecker quando ele diz que o texto em apreço enfatiza que nenhuma agência humana é responsável por semelhante nascimento, nem pode sê-lo.[40]

A encarnação do Verbo (1:14)

Depois de afirmar a perfeita divindade do Verbo, João agora assevera sua perfeita humanidade. Jesus é tanto Deus como homem. É perfeitamente Deus e perfeitamente homem. O Verbo que criou o mundo, a razão que controla a ordem do mundo, fez-se carne e veio morar entre os seres humanos. Possui duas naturezas distintas. É Deus de Deus, luz de luz, coigual, coeterno e consubstancial com o Pai. Não obstante, fez-se carne.

Charles Swindoll chama a atenção para o fato de que nos dias em que João escreveu esse evangelho, ao final do primeiro século, quando já florescia o gnosticismo, uma perigosa heresia que atacou o cristianismo, muitas pessoas tinham mais dificuldades de aceitar a humanidade de Cristo do que sua divindade. A influência do dualismo de Platão – espírito bom/matéria má – permeava a religião e a filosofia. Os gregos viam a morte como libertação da alma (o aspecto bom da humanidade) da prisão do corpo (o aspecto mau). Os gregos tinham intransponível dificuldade de entender como Deus, sendo santo, pudesse assumir um corpo material, já que a matéria era em si má. A fim de preservar a impecabilidade divina, os filósofos inventaram vários mitos para explicar como Cristo apareceu em forma humana sem ter um corpo material. O mais comum foi o *docetismo,* afirmando que o corpo de Cristo era apenas aparente, mas não real e tangível. A afirmação de João de que o Verbo se fez carne é, portanto, assaz contundente.[41]

Destacamos aqui algumas verdades preciosas.

Em primeiro lugar, *o Verbo assumiu a natureza humana* (1:14). *E o Verbo se fez carne e habitou entre nós* [...] William Hendriksen diz corretamente que a expressão *se fez* tem aqui um sentido muito especial. Não é um "se fez" ou "se tornou", no sentido de ter cessado de ser o que era antes. Quando a mulher de Ló "se tornou" uma estátua de sal, deixou de ser a esposa dele. Mas, quando Ló "se tornou" pai de Moabe e Amom, permaneceu sendo Ló. Esse é também o caso aqui. O Verbo se fez carne, mas permaneceu sendo o Verbo de Deus (1:1,18). A segunda pessoa da Trindade assume a natureza humana sem deixar de lado a natureza divina. Nele as duas naturezas, divina e humana, estão presentes.[42] Bruce Milne amplia o entendimento dessa gloriosa verdade, ao escrever:

> O verbo "se fez" (*egeneto*) expressa que a pessoa muda sua propriedade e entra em uma nova condição e se torna alguma coisa que não era antes. O tempo verbal no aoristo implica uma definitiva e completa ação; ou seja, não há volta na encarnação. O fato de o Filho de Deus ter se esvaziado e assumido a forma humana é irreversível. Deus, o Filho, sem cessar por um momento de ser divino, uniu-se a à plenitude da natureza humana e se tornou uma autêntica pessoa humana, exceto no pecado. Em Jesus Cristo, Deus "se fez homem".[43]

Quando o Verbo se fez carne, as duas naturezas, divina e humana, se uniram inconfundível, imutável, indivisível e inseparavelmente. Vemos, portanto, a presença de Deus entre os seres humanos. O Verbo eterno, pessoal, divino, autoexistente e criador esvaziou-se de sua glória, desceu até nós e vestiu pele humana. "A carne de Jesus Cristo tornou-se a nova localização da presença de Deus na terra. Jesus substituiu o antigo tabernáculo".[44] Fez-se um de nós, em tudo semelhante a nós, exceto no pecado. Eis o grande mistério da encarnação!

Concordo com Charles Erdman quando ele diz que o termo grego *sarx*, "carne", denota natureza humana, mas não natureza pecaminosa, como usualmente é seu sentido nos escritos de Paulo.[45] Aquele que nem o céu dos céus pode conter, que mediu as águas na concha de sua mão, que pesou o pó da terra em balança de precisão, que mediu os céus a palmo e que espalhou as estrelas no firmamento, agora nasce entre os homens e é colocado numa manjedoura. *Nele habita corporalmente toda a plenitude da divindade* (Cl 2:9).

Há muitos exemplos da aparição de Deus como homem no Antigo Testamento: a Abraão (Gn 18), a Jacó (Gn

32:25-33), a Moisés (Êx 3), a Josué (Js 5:13–6:5), ao povo de Israel (Jz 2:1-5), a Gideão (Jz 6:11-24), a Manoá e sua esposa, pais de Sansão (Jz 13:2-23). Mas aqui, na encarnação, é o Verbo de Deus que se torna um ser humano![46] Usando o verbo *skenoo* para traduzir "habitou", João diz que o Verbo armou seu tabernáculo, ou morou em sua tenda, entre nós. O termo traria à mente o *skene*, o tabernáculo onde Deus se encontrava com Israel antes da construção do templo (Êx 25:8).[47]

Em segundo lugar, *o Verbo trouxe salvação para a raça humana* (1:14b). [...] *pleno de graça e de verdade* [...]. Vemos aqui a graça de Deus para os homens. Jesus manifestou-se cheio de graça e de verdade. Esses dois grandes conceitos, graça e verdade, não podem estar separados. Em Cristo, eles estão em plena harmonia. Graça é um dom completamente imerecido, algo que jamais poderíamos alcançar por nosso esforço. O fato de Jesus ter vindo ao mundo para morrer na cruz pelos pecadores está além de qualquer merecimento humano.[48]

Em terceiro lugar, *o Verbo veio revelar a glória do Pai* (1:14c). [...] *e vimos a sua glória, como a glória do unigênito do Pai*. Encontramos aqui a glória de Deus sobre os homens. Jesus é a exata expressão do ser de Deus. *Nele habita corporalmente toda a plenitude da divindade* (Cl 2:9). Ele é coigual, coeterno e consubstancial com o Pai. Deus de Deus, luz de luz, eternamente gerado do Pai. Jesus é a exegese de Deus. Quem o vê, vê ao Pai, pois ele e o Pai são um. A glória vista no Verbo encarnado foi a mesma glória revelada a Moisés quando o nome de Javé soou em seus ouvidos; mas, agora, essa glória foi manifestada na terra em uma vida humana, cheia de graça e de verdade.[49]

Jesus, perfeitamente Deus, perfeitamente homem

O testemunho acerca do Verbo (1:15-18)

João Batista, como arauto de Jesus, abre as cortinas e faz sua apresentação. Quatro verdades essenciais são apresentadas.

Em primeiro lugar, *o Verbo preexistente tem primazia* (1:15). *João testemunhou a respeito dele, exclamando: É sobre este que eu falei: Aquele que vem depois de mim está acima de mim, pois já existia antes de mim.* Ora, se Jesus nasceu seis meses depois de João Batista e veio depois dele, como já existia antes dele? A única resposta é que, antes de Jesus nascer como homem, já existia eternamente como Deus, por isso tem a primazia.

Em segundo lugar, *o Verbo tem plenitude de graça* (1:16). *Pois todos recebemos da sua plenitude, graça sobre graça.* Aquele que é a plenitude de Deus veio para oferecer-nos sua plenitude. Nele temos não apenas graça, mas graça sobre graça. A graça está encarnada nele, e quem está nele tem graça abundante. O que os seguidores de Cristo tiram do oceano da plenitude divina é graça – cada onda é constantemente substituída por outra. Não há limites no suprimento de graça que Deus coloca à disposição do seu povo.[50]

Em terceiro lugar, *o Verbo é o fim da lei* (1:17). *Porque a lei foi dada por meio de Moisés; a graça e a verdade vieram por meio de Jesus Cristo.* A lei é boa, santa e justa, porém nós somos pecadores. Ela é perfeita, mas somos imperfeitos. Por isso, a lei não pode justificar. A lei não tem poder para curar. A lei pode ferir, mas não pode fechar a ferida.[51] A lei é inflexivelmente exigente, e nunca conseguimos atender às suas exigências. Por isso, pela lei estamos condenados. O papel da lei, portanto, nunca foi nos salvar, mas convencer-nos do pecado, tomar-nos pela mão e conduzir-nos a Cristo. Ele é o fim da lei. Nele encontramos graça e verdade. Nele temos copiosa redenção. Concordo com Warren Wiersbe quando ele diz que, em sua vida, morte e ressurreição, Jesus Cristo cumpriu todos os requisitos da lei; agora, Deus pode compartilhar a plenitude da graça com os que creem em Cristo. A graça sem a verdade seria enganosa, e a verdade sem a graça seria condenatória.[52] F. F. Bruce explica de forma extraordinária esse ponto:

> O evangelista João gosta de colocar a ordem antiga e a nova em termos antitéticos. Na lei que foi dada através de Moisés, também não faltavam ênfases na graça e na verdade, mas tudo o que destas qualidades foi manifesto nos tempos do Antigo Testamento foi revelado em plenitude concentrada no Verbo encarnado [...]. Aqui, portanto, como nos escritos de Paulo, Cristo substitui a lei de Moisés como ponto central da revelação divina e do estilo de vida. Este evangelho mostra de diversas maneiras que a nova ordem cumpre, ultrapassa e substitui a antiga: o vinho da nova criação é melhor que a água usada na religião judaica (2:10); o novo templo é mais excelente que o antigo (2:19); o novo nascimento é a porta de entrada para um nível de vida que não pode ser alcançado pelo nascimento natural, mesmo dentro do povo escolhido (3:3,5); a água viva do Espírito, que Jesus concede, é muito superior à água do poço de Jacó e à água derramada no ritual da festa dos tabernáculos, no pátio do templo (4:13ss.; 7:37-39); o pão do céu é a realidade da qual o maná no deserto foi só um vislumbre (6:32ss.). Moisés foi o mediador da lei; Jesus Cristo é mais que mediador, é a corporificação da graça e da verdade. "O Verbo era o que Deus era".[53]

Em quarto lugar, *o Verbo é o revelador do Pai* (1:18). *Ninguém jamais viu a Deus. O Deus unigênito, que está ao lado do Pai, foi quem o revelou.* Deus é invisível, pois é Espírito. Ele habita em luz inacessível. Contudo, a segunda pessoa da Trindade, o Verbo eterno, chamado claramente aqui pelo apóstolo João de Deus unigênito, eternamente gerado do Pai, veio ao mundo exatamente para nos revelar Deus Pai. Concordo com David Stern quando ele diz que João ensina que o Pai é Deus, que o Filho é Deus, contudo faz uma distinção entre o Filho e o Pai, para que ninguém possa dizer que o Filho é o Pai.[54] João declara que o Verbo encarnado tornou Deus conhecido. Veio para revelar o Pai. O verbo grego que emprega é *exegesato,* de onde vem nossa palavra exegese. Podemos assim dizer que Jesus é a exegese de Deus.[55] Nem Abraão, o amigo de Deus, nem Moisés, com quem o Senhor tratava face a face, puderam ver a glória divina em sua plenitude. Contudo, a glória que nem Abraão nem Moisés puderam ver, agora foi apresentada a nós em Jesus.[56]

Só Jesus pode nos tomar pela mão e nos levar a Deus. Ninguém pode ir ao Pai senão por ele. Ninguém pode conhecer o Pai senão através de sua revelação. Deus outrora nos falou muitas vezes, de muitas maneiras, mas agora ele nos fala pelo seu Filho. Em Jesus habita corporalmente toda a plenitude da divindade. Ele é a imagem do Deus invisível. Ele é o resplendor da glória, a expressão exata do ser de Deus. Jesus é a exegese de Deus. Quem o vê, vê o Pai, pois ele e o Pai são um.

Jesus pode ser o revelador de Deus por três razões: Primeiro, porque ele é único. A palavra grega usada é *monogenes,* "unigênito". Jesus é o único que pode trazer Deus às pessoas e levar as pessoas a Deus. Segundo, porque ele é Deus. Ele é Deus da mesma substância do Pai. Vê-lo é o mesmo que ver Deus. Terceiro, porque ele está no seio do Pai. Esse termo era usado para o relacionamento estreito do filho com a mãe, do marido com a esposa (Is 62:5; Ct 4:8).[57]

NOTAS DO CAPÍTULO 2

[1] WIERSBE, Warren W. *Comentário bíblico expositivo*. Vol. 5. Santo André: Geográfica, 2006, p. 366.

[2] CARSON, D. A. *O comentário de João*. São Paulo: Shedd Publicações, 2007, p. 111.

[3] BRUCE, F. F. *João: introdução e comentário*, p. 33.

[4] Ibid.

[5] SWINDOLL, Charles R. *Insights on John*, p. 23.

[6] RYLE, John Charles. *John*. Vol. 1. Grand Rapids: Banner of the Truth Trust, 1997, p. 6.

[7] WESTCOTT, B. F. *The Gospel According to St. John*, p. 34.

[8] RICHARDS, Lawrence O. *Comentário histórico-cultural do Novo Testamento*, p. 193.

[9] STERN, David H. *Comentário judaico do Novo Testamento*. São Paulo: Atos, 2008, p. 180.

[10] BRUCE, F. F. *João: introdução e comentário*, p. 34.

[11] RYLE, John Charles. *John*. Vol. 1, p. 2.

[12] SWINDOLL, Charles R. *Insights on John*, p. 24.

[13] BRUCE, F. F. *João: introdução e comentário*, p. 36.

[14] RYLE, John Charles. *John*. Vol. 1, p. 3.

[15] ERDMAN, Charles. *O evangelho de João*, p. 16.

[16] BRUCE, F. F. *João: introdução e comentário*, p. 36; CARSON, D. A. *O comentário de João*, p. 117.

[17] BARCLAY, William. *Juan I*. Buenos Aires: La Aurora, 1974, p. 45.

[18] HENDRIKSEN, William. *João*, p. 106.

[19] BRUCE, F. F. *João: introdução e comentário*, p. 37.

[20] RICHARDS, Lawrence O. *Comentário histórico-cultural do Novo Testamento*, p. 195.

[21] BRUCE, F. F. *João: introdução e comentário*, p. 38.

[22] BARCLAY, William. *Juan I*, p. 54-56.

[23] BRUCE, F. F. *João: introdução e comentário*, p. 38-39.

[24] CARSON, D. A. *O comentário de João*, p. 121.

[25] RIENECKER, Fritz; ROGERS, Cleon. *Chave linguística do Novo Testamento*. São Paulo: Vida Nova, 1985, p. 161.

[26] RYLE, John Charles. *John*. Vol. 1, p. 15.

[27] BARCLAY, William. *Juan I*, p. 61.

[28] RYLE, John Charles. *John*. Vol. 1, p. 15-16.

[29] MAYFIELD, Joseph H. *O evangelho segundo João*, p. 29-30.

[30] ERDMAN, Charles. *O evangelho de João*, p. 18.

Jesus, perfeitamente Deus, perfeitamente homem

[31] CARSON, D. A. *O comentário de João*, p. 123.

[32] Ibid.

[33] HENDRIKSEN, William. *João*, p. 112.

[34] BRUCE, F. F. *João: introdução e comentário*, p. 41.

[35] BARCLAY, William. *Juan I*, p. 63-66.

[36] BRUCE, F. F. *João: introdução e comentário*, p. 43.

[37] STERN, David H. *Comentário judaico do Novo Testamento*, p. 181.

[38] RIENECKER, Fritz; ROGERS, Cleon. *Chave linguística do Novo Testamento*, p. 161-162.

[39] BRUCE, F. F. *João: introdução e comentário*, p. 43.

[40] RIENECKER, Fritz; ROGERS, Cleon. *Chave linguística do Novo Testamento*, p. 162.

[41] SWINDOLL, Charles R. *Insights on John*, p. 30.

[42] HENDRIKSEN, William. *João*, p. 118.

[43] MILNE, Bruce. *The Message of John*, p. 46.

[44] RIENECKER, Fritz; ROGERS, Cleon. *Chave linguística do Novo Testamento*, p. 162.

[45] ERDMAN, Charles. *O evangelho de João*, p. 18.

[46] STERN, David H. *Comentário judaico do Novo Testamento*, p. 182.

[47] CARSON, D. A. *O comentário de João*, p. 127.

[48] BARCLAY, William. *Juan I*, p. 73.

[49] BRUCE, F. F. *João: introdução e comentário*, p. 47.

[50] Ibid., p. 48.

[51] RYLE, John Charles. *John*. Vol. 1, p. 36.

[52] WIERSBE, Warren W. *Comentário bíblico expositivo*. Vol. 5, p. 369.

[53] BRUCE, F. F. *João: introdução e comentário*, p. 49.

[54] STERN, David H. *Comentário judaico do Novo Testamento*, p. 183.

[55] CARSON, D. A. *O comentário de João*, p. 135.

[56] BRUCE, F. F. *João: introdução e comentário*, p. 49.

[57] BARCLAY, William. *Juan I*, p. 82-83.

Capítulo 3

O testemunho sobre Jesus, o Messias
(Jo 1:19-51)

A̲pós o̲ prólogo do evangelho, João passa a apresentar Jesus como o Cristo, o Filho de Deus. No prólogo, João Batista *veio como testemunha, a fim de dar testemunho da luz* (1:7); agora o evangelista se volta rapidamente para o testemunho de João Batista às delegações oficiais enviadas de Jerusalém. Vamos examinar, a seguir, alguns pontos importantes nesse contexto.

O testemunho do precursor (1:19-34)

Após quatrocentos anos de silêncio profético, João Batista começa a pregar às margens do Jordão. O impacto de sua pregação é notória. As multidões desabalam das mais diferentes cidades e rumam para o deserto a fim de ouvir essa voz que clama no deserto. Jesus chegou a dizer que, *entre os nascidos de mulher, ninguém era maior que João Batista* (Mt 11:11). Ele era a voz que clamava no deserto; era uma lâmpada que ardia. Seu propósito não era exaltar a si mesmo. Seu prazer era ver Cristo crescendo e ele diminuindo.

A pregação de João Batista perturbou o Sinédrio, que enviou uma comitiva para investigá-lo. Em virtude da ampla influência exercida por João Batista (Mt 3:5,7), teria sido irresponsável da parte dos líderes deixar de investigá-lo.[1] Como o Sinédrio era largamente controlado pela família do sumo sacerdote, os enviados eram sacerdotes e levitas. Estes estavam mais interessados em questões de purificação ritual, por isso manifestaram tanta preocupação com o batismo de João. Havia muitos questionamentos a respeito de João Batista. Muitas dúvidas pairavam no ar acerca de sua identidade. Destacaremos aqui alguns pontos relacionados a essas questões.

Em primeiro lugar, *quem o precursor não era* (1:19-21). William Hendriksen diz que o quarto evangelho não se propõe a enfatizar o aparecimento de João Batista, seu estilo de vida, sua pregação, o entusiasmo que sua presença criou entre o povo, ou mesmo seus batismos. O autor parece aceitar como fato que os leitores estão familiarizados com tudo isso, por terem recebido a tradição oral e lido os Evangelhos Sinóticos.[2]

João Batista declarou categoricamente que não era o Cristo (1:19,20). Não era o Elias (1:21) nem o profeta apontado por Moisés (1:21). João Batista era o precursor do Messias, mas não o Messias. Era o amigo do noivo, mas não o noivo. João Batista veio no espírito de Elias, mas não era Elias. João Batista não era o profeta apontado por

Moisés, mas o precursor desse profeta. Embora os interrogadores estivessem confusos acerca de sua identidade, João Batista tinha plena consciência de quem era e do que viera fazer. Tinha plena consciência de sua identidade e de sua missão.

F. F. Bruce diz que o primeiro registro do testemunho de João Batista é sua resposta a uma delegação enviada pelo sistema religioso de Jerusalém. A essa altura, deparamo-nos pela primeira vez, nesse evangelho, com o termo "judeus", identificando não o povo como um todo, mas um grupo específico – no caso, o sistema religioso institucional em Jerusalém, incluindo o Sinédrio e as autoridades do templo. Em certas passagens, o termo distingue os judeus dos galileus (7:1); outras vezes, o significado é bem geral. Prestar atenção no sentido que a palavra tem em cada texto evita que o leitor suponha que o evangelista (que também era judeu) fosse hostil aos judeus.[3] Concordo com William Hendriksen quando ele diz que o que temos aqui é uma *comissão investigadora*. Um falso Messias poderia fazer um grande estrago, e competia ao Sinédrio cuidar dos interesses religiosos em Israel.[4]

Em segundo lugar, *quem o precursor era* (1:22-28). Depois de ouvirem da boca de João quem ele não era, os sacerdotes e levitas queriam ouvir de João Batista uma resposta positiva, para que pudessem prestar o relatório dessa perquirição ao Sinédrio (1:22). João Batista, então, esclarece quem era.

Ele era o preparador do caminho do Messias (1:23). João Batista não era um eco; era uma voz. Não era a voz que ecoava no templo, nos lugares sagrados, mas a voz que ecoava no deserto. Ele veio preparar o caminho para o Messias, aterrando os vales, nivelando os montes, endireitando os caminhos tortos e aplainando os caminhos escabrosos. O texto citado por João é Isaías 40:3, repetido nos quatro evangelhos (Mt 3:3; Mc 1:3; Lc 3:4; Jo 1:23). Como explica William Barclay, a ideia que está por trás disso é: os caminhos do Oriente não estavam nivelados. Eram apenas sendas toscas. Quando um rei ia visitar uma província, mandava seus engenheiros à frente a fim de abrir estradas e colocar essas sendas em boas condições para o rei passar. João Batista não era o Messias, mas apenas o preparador do seu caminho.[5]

Ele era o batizador com água (1:24-26a). A maior preocupação dos emissários do Sinédrio não era com a mensagem de João, mas sim com seu batismo. Tanto o Cristo quanto Elias, assim como o profeta, viriam purificando o povo com ritos de purificação. O batismo de João era um batismo de arrependimento. Não era o batismo cristão, pois este só foi instituído após a ressurreição de Cristo. O batismo de João era um batismo preparatório. Hendriksen é oportuno quando escreve: "Ao dizer *Eu batizo com água,* João aponta para o fato de que existe uma grande diferença entre o que ele está fazendo e o que o Messias fará. Tudo o que João pode fazer é administrar o sinal (água). Somente o Messias pode conceder aquilo que a água simboliza (o poder purificador do Espírito Santo).[6]

Ele se considerava indigno de ser escravo do Messias (1:26b-28). Os sacerdotes e levitas, embora trabalhassem no templo e estivessem estreitamente ligados ao culto judaico, não conheciam o Messias. Seus olhos estavam cegos e a mente deles permanecia embotada. Hendriksen diz que, na ansiedade de detectar os falsos Messias, eles ignoraram o Messias verdadeiro.[7] João, por sua vez, sabia que Jesus viria depois dele e ele próprio não era digno de desatar-lhe as correias das sandálias. Mesmo sendo o maior de todos os homens, conforme a afirmação de Jesus (Mt 11:11), João se considerava o menor, pois essa função de desatar as correias de um hóspede era o papel de um escravo.[8] A humildade de João reprovava o orgulho dos fariseus.

Em terceiro lugar, *o testemunho que o precursor dava acerca do Messias* (1:29-34). Depois de denunciar que os fariseus não conheciam Jesus, João Batista passa a descrevê-lo para seus interrogadores. Cinco verdades solenes são afirmadas, como vemos a seguir.

1. *Jesus é o Cordeiro de Deus* (1:29). Embora a figura do Cordeiro possa apontar para a mansidão de Jesus, esse não é o foco de João Batista. Sua ênfase está em Jesus ser o sacrifício escolhido por Deus para expiar nossos pecados.[9] Jesus é o Cordeiro de Deus que tira o pecado do mundo. John Charles Ryle diz corretamente que Jesus é o cordeiro mencionado por Abraão a Isaque no monte Moriá como provisão de Deus (Gn 22:8). Jesus é o cordeiro que Isaías disse que seria imolado (Is 53:7). Jesus é o verdadeiro cordeiro do qual o cordeiro da Páscoa no Egito tinha sido um tipo vívido (Êx 12:5).[10]

Fritz Rienecker explica que o termo grego *amnos* é uma referência aos vários usos do animal como sacrifício no Antigo Testamento. Tudo o que esses sacrifícios preanunciaram foi perfeitamente cumprido no sacrifício de Cristo.[11] Seu sacrifício varreu dos altares os cordeiros mortos. Ele ofereceu um sacrifício único: perfeito, completo, cabal. Nessa mesma linha de pensamento, David Stern escreve:

> João identifica Jesus como o animal sacrificial usado nos rituais do templo, particularmente como oferta pelo pecado, já que ele é aquele que tira o pecado do mundo. Paulo o chama de Cordeiro pascal (1Co 5:7). A figura do Cordeiro relaciona Jesus com a passagem que

identifica o Messias como o servo sofredor (Is 53; At 8:32). Sua morte sacrificial na cruz é comparada com um cordeiro imaculado e incontaminado (1Pe 1:19). No livro de Apocalipse, Jesus é referido como "Cordeiro" por cerca de trinta vezes.[12]

Jesus é o cordeiro providenciado por Deus desde toda a eternidade. *O cordeiro foi morto desde a fundação do mundo* (Ap 13:8). Aqui o cristianismo se distingue de todas as outras religiões do mundo. Nas demais religiões, o ser humano providencia sacrifício para seus deuses. No cristianismo, Deus providencia o sacrifício para o ser humano. Jesus é o Cordeiro de Deus. Ele foi preparado por Deus. Ele foi enviado por Deus. Ele veio da parte de Deus.

Nossos pensamentos acerca de Jesus precisam ser realinhados conforme essa apresentação de João Batista. Devemos servi-lo fielmente como nosso mestre. Devemos obedecer-lhe lealmente como nosso rei. Devemos estudar seus ensinos zelosamente como nosso profeta. Devemos andar diligentemente em seus passos como nosso Exemplo. Acima de tudo, porém, devemos olhar para ele como nosso Sacrifício, como nosso Substituto, aquele que levou nossos pecados sobre a cruz.

Devemos olhar para seu sangue derramado que nos limpa de todo pecado. Devemos nos gloriar apenas na cruz de Cristo. Devemos pregar apenas Cristo, e este crucificado. Aqui está a pedra de esquina da fé cristã. Aqui está a raiz que sustenta o cristianismo.

Cristo veio ao mundo não como um rei político. Não veio como um filósofo. Não veio como um mestre moral. Não veio como um operador de milagres. Ele veio para morrer. Veio como Cordeiro de Deus. Veio para derramar seu sangue em nosso favor e fazer expiação dos nossos

O testemunho sobre Jesus, o Messias

pecados. Veio fazer o que nenhuma religião, dinheiro ou esforço humano podia fazer. Veio para tirar o pecado do mundo! Cristo é o Salvador soberano e completo. Sua obra foi consumada. Sua obra na cruz foi perfeita, cabal, suficiente para tirar o pecado do mundo.[13]

No entanto, por que o cordeiro era tão necessário? O cordeiro se manifestou para tirar o pecado do mundo. O pecado é tão mau, tão repulsivo e tão maligno aos olhos de Deus que, para tirá-lo e lançá-lo fora, Deus precisou sacrificar o próprio Filho amado. Não havia outro meio. Não havia outra possibilidade de sermos libertos do pecado. Foi por causa do pecado que Jesus suou sangue no Getsêmani. Foi por causa do pecado que ele foi cuspido, esbordoado e pregado na cruz.

Porque o Cordeiro de Deus se manifestou para tirar os pecados do mundo, três verdades precisam ser destacadas:

A natureza dessa missão. O Cordeiro de Deus veio para tirar o pecado. Ele não veio para encobrir o pecado. Não veio para mudar o nome do pecado. Não veio para desculpar o pecado. Não veio para promover o pecado. Ele veio para tirar o pecado. O ser humano não pode livrar-se do seu pecado. Não pode expiar o seu pecado. Ele é escravo do pecado. O ser humano não pode ser salvo em seu pecado; ele precisa ser salvo do pecado. O ser humano não providenciou a redenção; esta procede de Deus.

O Cordeiro de Deus tira o pecado pelo seu sacrifício, e não pelos seus milagres. Foi na cruz que o Cordeiro triunfou sobre o pecado. Ele se fez pecado. Ele se tornou nosso representante e nosso substituto. Ele tomou sobre si o nosso pecado. Ele carregou sobre o seu corpo no madeiro o nosso pecado. Ele foi transpassado pelas nossas transgressões. Para sermos salvos do pecado, Deus fez a maior transação do universo. Ele não colocou o pecado em nossa conta. Ele transferiu para a conta de Cristo a nossa dívida, o nosso pecado, e depositou em nossa conta a infinita justiça de Cristo.

O alcance dessa missão. O cordeiro tira o pecado do mundo, ou seja, de homens de todas as tribos e raças, perdidos por natureza, e não simplesmente de uma nação em particular. Veja que não são os pecados, mas o pecado. Todo tipo de pecado é tirado. Não há pecado que Jesus não perdoe. Não há mancha que ele não apague. Não há culpa que ele não remova. Isso é mais do que o conjunto de pecados de pessoas individuais. É o pecado do mundo inteiro. Não apenas de alguns, mas de todos. Todos sem acepção, não todos sem exceção. Não apenas os judeus, mas também os gentios. A salvação não é apenas para um povo, mas para todos os povos. Concordo com F. F. Bruce quando ele diz que o mundo aqui engloba todos, sem distinção de raça, religião ou cultura.[14] O Cordeiro é o Salvador do mundo. Jesus é o Cordeiro suficiente para uma pessoa (Gn 22). É o Cordeiro suficiente para uma família (Êx 12). É o Cordeiro suficiente para uma nação (Is 53). É o Cordeiro suficiente para o mundo inteiro (1:29). Ele é o Cordeiro que *foi morto e comprou com o seu sangue os que procedem de toda tribo, raça, povo, língua e nação* (Ap 5:9). Mas fica evidente que a passagem não ensina uma expiação universal. João Batista não ensinou isso nem o evangelista (1:12,13; 10:11,27,28). O sacrifício do Cordeiro é suficiente para todas as pessoas do mundo, mas eficiente apenas para aqueles que creem.

A eficácia dessa missão. Jesus é o Cordeiro de Deus que tira o pecado do mundo. O Cordeiro não apenas tirou; ele *tira* o pecado do mundo. O verbo está no presente. O Cordeiro de Deus morreu há dois mil anos, mas os efeitos da sua morte são tão atuais, poderosos e eficazes como no momento do Calvário. Todos os dias pessoas são libertadas de seus pecados. Todos os dias pessoas são lavadas de suas manchas. Todos os dias pessoas são arrancadas da masmorra da culpa. Todos os dias pessoas são perdoadas e transferidas do reino das trevas para o reino da luz, da potestade de Satanás para Deus.

Se Cristo é o Cordeiro de Deus que tira o pecado do mundo, devemos ir a ele ou pereceremos. Não há outro meio de sermos perdoados do pecado, libertados da culpa, e de fugirmos da ira vindoura.

Se Jesus é o Cordeiro de Deus, precisamos ir e anunciar isso ao mundo. João Batista apresentou Jesus aos discípulos. Ele não guardou essa preciosa informação para si. Ele proclamou essa verdade. Preparou o caminho para que outras pessoas conhecessem e seguissem Cristo. Nós temos a melhor, a maior e a mais urgente mensagem do mundo.

2. *Jesus é o que tem primazia* (1:30,31). Embora fosse seis meses mais velho que Jesus, João Batista reconhecia que Jesus existia antes dele, pois é o Verbo eterno, o Pai da eternidade. Embora nesse momento as multidões procurassem João para serem batizadas, ele confessa abertamente que Jesus, e não ele, tinha a primazia. Afirmava que seu ministério tinha como propósito preparar o caminho para a manifestação de Jesus (1:31).

3. *Jesus é o ungido de Deus* (1:32). João Batista, como testemunha presencial, viu o Espírito Santo descendo e pousando sobre Jesus, logo depois do batismo no rio Jordão. O Espírito Santo revestiu Jesus em seu batismo. Lendo o livro de Isaías na sinagoga de Nazaré, Jesus disse: *O Espírito do Senhor Deus está sobre mim* (Lc 4:18).

4. Jesus é aquele que batiza com o Espírito Santo (1:33). João batizava com água, o símbolo; Jesus batiza com o Espírito Santo, o simbolizado. Charles Erdman diz corretamente: "Ele, João, podia batizar com água, podia celebrar um rito meramente externo, mas àqueles verdadeiramente arrependidos, Jesus podia conceder uma renovação interior, real, sobrenatural e espiritual".[15] Nessa mesma linha de pensamento, F. F. Bruce destaca que Jesus que foi ungido pelo Espírito com um sinal tão claro que era o único qualificado a repassar a mesma unção ao povo – embora, como este evangelho deixa claro mais adiante, a concessão completa do Espírito só tenha ocorrido depois da glorificação de Jesus (7:39).[16] John Charles Ryle é enfático ao ressaltar que o batismo com o Espírito não é o batismo com água. Não consiste em aspergir nem em imergir. Não é batismo de infantes nem de adultos. É o batismo que nenhuma denominação pode ministrar. Nenhum ser humano tem essa competência. É o batismo que o grande cabeça da igreja reservou apenas para si ministrar. Esse batismo é a infusão da graça no coração do pecador. É o mesmo que novo nascimento (At 11:15-17). É o batismo absolutamente necessário para a salvação.[17]

5. Jesus é o Filho de Deus (1:34). João Batista conclui seu testemunho acerca de Jesus afirmando categoricamente que ele é o Filho de Deus. Jesus é eternamente gerado do Pai, coigual, coeterno e consubstancial com o Pai. Tem a mesma essência, a mesma substância, é luz de luz.

O testemunho dos discípulos (1:35-51)

Um dia depois do testemunho de João Batista, diante da comitiva do Sinédrio, João estava na companhia de dois de seus discípulos e, vendo Jesus passar, disse: *Este é o Cordeiro de Deus!* (1:35,36). Vamos destacar a seguir alguns pontos importantes.

Em primeiro lugar, *jamais desista de apresentar Jesus às pessoas* (1:35-39). Quando João Batista apresentou Jesus como o Cordeiro de Deus pela primeira vez, não há registro de que alguém o tenha seguido, mas, agora, André e outro discípulo de João Batista seguiam Jesus e o reconheciam como o Messias. João Batista não nutria nenhum ciúme pelo fato de alguns de seus discípulos terem abandonado suas fileiras para seguir Jesus. Ele deixou de ser o primeiro para dar primazia a Cristo. Para ele, convinha que Cristo crescesse e ele diminuísse!

Em segundo lugar, *jamais desista de levar outros a Jesus* (1:40-42). André ouviu o testemunho de João Batista acerca de Jesus e o seguiu. Depois que André abriu os olhos de sua alma para reconhecer que Jesus era o Messias, encontrou seu irmão Simão e o levou a Cristo. André era o tipo de homem que estava disposto a ocupar o segundo lugar, pois, não obstante tenha levado seu irmão Pedro a Cristo, jamais exerceu a mesma influência que seu irmão. André era o tipo de homem que está sempre levando alguém a Cristo. Mais tarde, foi ele quem levou o menino com os cinco pães e dois peixes a Cristo (6:8,9) e também foi ele quem apresentou os gregos a Jesus (12:22).

André levou seu irmão a Jesus, e Jesus mudou o nome de Simão para Pedro, fazendo dele um discípulo, um apóstolo. André teve um ministério discreto em comparação ao ministério de Pedro, mas André teve o privilégio de levar Pedro a Cristo. E, quando Simão, fraco, impulsivo, volúvel e apaixonado, aproximou-se de Cristo, então houve a promessa: *Tu [...] serás chamado Cefas*, ou seja, pedra ou fragmento de pedra. Se alguém de fato crer em Cristo, o resultado será uma completa transformação do seu caráter; em lugar de fraqueza, haverá força, coragem, paciência e verdadeira varonilidade.[18]

Em terceiro lugar, *saiba que há várias formas de levar pessoas a Jesus* (1:43-46). As pessoas são diferentes e recebem abordagens diferentes do evangelho, mas todas devem ser conduzidas a Cristo. André seguiu Cristo porque João Batista lhe apontou Jesus como o Cordeiro de Deus. Pedro foi a Cristo porque André o levou. Filipe seguiu a Cristo porque foi diretamente chamado por ele. Filipe encontrou Natanael e lhe anunciou sua extraordinária descoberta. John Charles Ryle diz corretamente que há diversidade de operações na salvação das almas. Todos os verdadeiros cristãos foram regenerados pelo mesmo Espírito, lavados no mesmo sangue, servem ao único Senhor, creem na mesma verdade e andam pelos mesmos princípios divinos. Mas nem todos são convertidos da mesma maneira. Nem todos passam pelo mesmo tipo de experiência. Na conversão, o Espírito Santo age de forma soberana. Ele chama cada um conforme sua soberana vontade.[19]

Em quarto lugar, *use as Escrituras para apresentar Cristo* (1:45). Ao ser chamado por Jesus, Filipe o seguiu imediatamente, compreendendo que ele era o Messias sobre quem Moisés e os profetas falaram. Filipe compreendeu Jesus por intermédio das Escrituras. Cristo é o resumo e a substância do Antigo Testamento. Para ele apontavam as antigas promessas desde os dias de Adão, Enoque, Noé, Abraão, Isaque e Jacó. Para ele apontavam todos os sacrifícios cerimoniais. Dele todo sumo sacerdote era um tipo, toda parte do tabernáculo era uma sombra, e todo juiz e libertador de Israel era uma figura. Ele era o profeta semelhante a Moisés que o Senhor prometeu enviar, o rei da casa de Davi que veio para ser tanto Senhor de Davi como seu filho. Ele é o filho da virgem e o cordeiro preanunciado por Isaías. Ele é o verdadeiro pastor anunciado por Ezequiel.[20]

Em quinto lugar, *use os melhores métodos para apresentar Cristo* (1:46). Filipe enfrenta a oposição de Natanael não com uma refutação contundente, mas com uma convocação à experiência. Concordo com D. A. Carson quando ele diz que a pesquisa honesta é uma cura maravilhosa para o preconceito.[21] Nazaré podia ser tudo o que Natanael pensava, mas há uma exceção que põe à prova toda regra; e que exceção esse jovem encontrou![22]

Em sexto lugar, *confie no poder de Jesus para atingir as pessoas mais céticas* (1:47-51). Natanael tinha um conhecimento limitado, mas um coração sincero. Era um homem em quem não havia dolo. Ele aguardava o Messias. E por isso, diante da onisciência de Jesus, ele se rendeu e confessou que Jesus era o mestre, o Filho de Deus, o rei de Israel (1:49). Jesus destacou que aqueles que reconhecem sua onisciência verão também sua glória, pois ele é o Filho do homem. Charles Swindoll esclarece que a passagem em apreço ilustra quatro abordagens distintas sobre levar pessoas a Cristo: 1) evangelismo de massa (1:35-39); 2) evangelismo pessoal (1:40-42); 3) evangelismo através de contatos (1:43,44); 4) evangelismo por meio da Palavra (1:45-51).[23]

João — As glórias do Filho de Deus

NOTAS DO CAPÍTULO 3

[1] CARSON, D. A. *O comentário de João,* p. 141.

[2] HENDRIKSEN, William. *João*, p. 128.

[3] BRUCE, F. F. *João: introdução e comentário*, p. 51.

[4] HENDRIKSEN, William. *João*, p. 131

[5] BARCLAY, William. *Juan I*, p. 87.

[6] HENDRIKSEN, William. *João*, p. 134.

[7] Ibid.

[8] BARCLAY, William. *Juan I*, p. 88.

[9] ERDMAN, Charles. *O evangelho de João*, p. 23.

[10] RYLE, John Charles. *John*. Vol. 1, p. 56.

[11] RIENECKER, Fritz; ROGERS, Cleon. *Chave linguística do Novo Testamento*, p. 163.

[12] STERN, David H. *Comentário judaico do Novo Testamento*, p. 188.

[13] RYLE, John Charles. *John*. Vol. 1, p. 57.

[14] BRUCE, F. F. *João: introdução e comentário*, p. 58.

[15] ERDMAN, Charles. *O evangelho de João*, p. 25.

[16] BRUCE, F. F. *João: introdução e comentário*, p. 59.

[17] RYLE, John Charles. *John*. Vol. 1, p. 58-59.

[18] ERDMAN, Charles. *O evangelho de João,* p. 27.

[19] RYLE, John Charles. *John*. Vol. 1, p. 78.

[20] Ibid., p. 78-79.

[21] CARSON, D. A. *O comentário de João,* p. 160.

[22] BRUCE, F. F. *João: introdução e comentário*, p. 65.

[23] SWINDOLL, Charles R. *Insights on John*, p. 54.

Capítulo 4

Glória, autoridade e conhecimento
(Jo 2:1-25)

Aqui começam os grandes sinais operados por Jesus. Nos onze primeiros capítulos de João, Jesus revela sua glória operando sete grandes sinais. Nos dez últimos capítulos, Jesus recebe glória quando é glorificado pelo Pai. A palavra mais usada por João para descrever os milagres de Jesus é *semeion,* um termo alternativo para "milagres" e "maravilhas". A palavra *semeion* demonstra que Jesus queria que as pessoas olhassem além dos milagres, ou seja, para o seu significado.[1] Os sinais de Jesus apontavam para ele mesmo, lançavam luz sobre sua pessoa e obra.

O texto em tela apresenta a glória, a autoridade e o conhecimento de Jesus.

Três fatos ocorrem aqui, e nos três Jesus prova sua divindade, seu poder e sua onisciência.

A glória de Jesus manifestada no casamento (2:1-12)

Na agenda de Jesus, havia espaço para celebrar as alegrias da vida. É muito significativo que Jesus tenha aceitado o convite para um casamento, pois ele não veio tirar a alegria e o prazer dos seres humanos.[2] Esse primeiro milagre de Jesus repele o temor desarrazoado de que a religião rouba da vida, a felicidade da vida, ou de que a lealdade a Cristo não se coaduna com a expansividade dos espíritos e com os prazeres inocentes. Corrige ainda a falsa impressão de que o azedume é um índice de santidade, ou que a taciturnidade é uma condição de vida piedosa.[3]

As Escrituras dizem: *Sejam honrados entre todos o matrimônio* (Hb 13:4). Foi Deus quem instituiu o casamento (Gn 2:24). Proibir o casamento é doutrina do anticristo, e não de Cristo (1Tm 4:3). O casamento é uma instituição divina e uma fonte de felicidade tanto para o homem como para a mulher. Jesus foi a essa festa com seus discípulos em Caná da Galileia, mostrando que ele aprova as alegrias sãs e santifica o casamento, bem como nossas relações sociais. Ele celebra conosco nossas alegrias. Nas palavras de Werner de Boor, Jesus não foi um asceta.[4]

John MacArthur corrobora esse pensamento:

> Ao comparecer à festa de casamento e realizar ali seu primeiro milagre, Jesus santificou a ambos: tanto a instituição do casamento como a cerimônia pública de casamento. O casamento é a sagrada união entre um homem e uma mulher, na qual ambos se tornam uma só carne aos olhos de Deus.[5]

Larry Richards explica que os casamentos judaicos eram realizados em duas etapas. O noivado envolvia um contrato entre duas famílias. O casal que noivava já era considerado

Glória, autoridade e conhecimento

marido e mulher. A união em si acontecia um ano depois, quando o noivo ia à casa da noiva com seus amigos e a trazia para o seu novo lar. A festa podia durar até uma semana (Jz 14:10-18), e a noiva e o noivo eram tratados como rainha e rei.[6]

William Hendriksen mostra que, de acordo com João 3:29 e Apocalipse 19:7, Jesus é o noivo que, com sua encarnação, obra de redenção e sua manifestação final, vem para a sua Noiva (a igreja). Como, então, Jesus não honraria aquilo que simboliza o próprio relacionamento com seu povo?[7] O ministério terreno de Jesus começou com um casamento, e a história humana terminará com um casamento. No final da história humana, o povo de Deus celebrará as *bodas do Cordeiro* (Ap 19:9).

Destacamos a seguir alguns pontos relevantes na exposição do texto em estudo.

Em primeiro lugar, *Jesus deve ser convidado para estar em nossa casa* (2:1,2). Maria, mãe de Jesus, estava no casamento. Provavelmente, ela era próxima da família dos nubentes. O evangelista João não a cita nominalmente, e a omissão do nome de José pode ser uma evidência de que ele já tivesse falecido. Jesus, como filho mais velho, foi convidado, junto com os discípulos. Temos informação de que Natanael, discípulo de Cristo, era da cidade de Caná (21:2). A maior necessidade da família é pela presença de Jesus. Mais do que bens, conforto e sucesso, a família precisa da presença de Jesus.

Em segundo lugar, *mesmo quando Jesus está presente, pode faltar alegria no casamento* (2:3a). No presente contexto, o vinho era a principal provisão no casamento e também simbolizava a alegria (Ec 10:19). Às vezes, o vinho da alegria acaba no casamento, desde o início. A vida cristã não é um parque de diversões nem uma colônia de férias. Ser cristão não é viver numa estufa espiritual nem mesmo ser blindado dos problemas naturais da vida. Um crente verdadeiro enfrenta lutas, dissabores, tristezas e decepções. Os filhos de Deus também lidam com doenças, pobreza e escassez. Mesmo quando Jesus está conosco, somos provados para sermos aprovados.

Hendriksen destaca corretamente o fato de que o vinho, de acordo com passagens como Gênesis 14:18, Números 6:20, Deuteronômio 14:26, Neemias 5:18 e Mateus 11:19, era considerado um artigo indispensável para alimentação. Isso não significa, porém, que a embriaguez fosse aceitável, pois seu uso era proibido na execução de certas funções; e a indulgência excessiva era sempre definitivamente condenada (Lv 10:9; Pv 23:29-35; 31:4,5; Ec 10:17; Is 28:7; 1Tm 3:8). A intemperança, portanto, contraria o espírito tanto do Antigo quanto do Novo Testamentos. Assim, não há nada nessa história que possa, de alguma maneira, dar abrigo àqueles que abusam ou fazem uso excessivo das dádivas divinas.[8] Concordo com John Charles Ryle quando ele escreve: "Feliz é aquele que pode usar sua liberdade cristã sem dela abusar".[9]

É comum as pessoas perguntarem sobre o teor alcoólico do vinho que Jesus proveu. Vale lembrar que a maioria das prescrições rabínicas determinava três partes de água para uma de vinho; outras prescrições indicavam sete partes de água para cada uma de vinho.[10]

Em terceiro lugar, *precisamos diagnosticar o problema com urgência* (2:3b). Carson diz que Maria provavelmente tinha alguma responsabilidade na organização e distribuição da comida, daí sua tentativa de lidar com a escassez de vinho.[11] Uma ocasião festiva como essa podia prolongar-se por uma semana inteira, e o término do vinho antes do fim seria um sério golpe que afetaria principalmente a reputação do hospedeiro.[12]

No Oriente, a hospitalidade é um dever sagrado. Qualquer falta de provisão numa festa de casamento era vista como um constrangimento enorme e uma profunda humilhação para a família. Maria, mãe de Jesus, percebeu que a família poderia passar por um grande vexame. A provisão era insuficiente para atender todos os convidados. Parece-nos que as mulheres têm uma percepção mais aguçada para ver o que está faltando na família. Por isso, não foi o noivo nem os garçons que perceberam a falta de vinho, mas uma mulher. Quanto mais cedo forem identificados os problemas que atingem a família, mais rápida e fácil será a solução do problema. Warren Wiersbe destaca o fato de que, embora Maria tenha percebido a falta de vinho, não disse a Jesus o que fazer; simplesmente lhe contou o problema.[13] Esse é o ponto que enfatizaremos a seguir.

Em quarto lugar, *precisamos levar o problema à pessoa certa* (2:3). Como já dissemos, as festas de casamento naquela época duravam até uma semana e, embora a responsabilidade financeira por todo o suprimento da festa coubesse ao noivo, Maria não espalhou a notícia da falta de vinho entre os convidados, evitando um clima de murmuração. Ela levou o problema a Jesus. Antes de comentarmos as crises que atingem a família, devemos levar o assunto aos pés de Jesus. Nossos dramas familiares não devem se tornar motivos de murmuração, mas de intercessão; em vez de envergonharmos a família com a divulgação de nossas limitações e fraquezas, devemos confiadamente apresentar essa causa a Deus em oração.

Em quinto lugar, *precisamos aguardar o tempo certo de Jesus* (2:4). Jesus não foi indelicado com Maria ao responder: *Mulher, que tenho eu contigo? A minha hora ainda não chegou.* Essa é a mesma palavra que Jesus usou com sua mãe, quando estava pendurado na cruz (19:26), e com Maria Madalena ao aparecer ressurreto dentre os mortos (20:13). Em Homero, "mulher" é o título com o qual Odisseu se dirige a Penélope, sua esposa amada. É o título com o qual Augusto, o imperador romano, se dirige a Cleópatra, a famosa rainha egípcia. Dessa forma, longe de ser uma palavra descortês e grosseira, era um título de respeito.[14]

Nessa mesma linha de pensamento, F. F. Bruce diz que nosso Senhor, ao dirigir-se à sua mãe com o mesmo termo *gynai* (mulher) que usou quando estava na cruz (19:26), demonstrou extrema cortesia, uma vez que esse termo poderia ser traduzido por "madame" ou "minha senhora".[15] Concordo com David Stern quando ele diz que Jesus tanto honrou sua mãe quanto lhe proveu cuidado: na agonia de ser executado, confiou sua mãe ao discípulo amado (19:25-27). E, no final, ela veio a honrá-lo como Senhor, pois estava presente e orava com os demais discípulos no cenáculo após a ressurreição (At 1:14).[16] Hendriksen lança mais luz sobre o assunto:

> Ao dizer "Mulher", o Senhor não intencionava ser rude. Muito pelo contrário. Ele foi muito gracioso ao enfatizar, com o uso dessa palavra, que Maria não devia mais pensar nele como sendo apenas seu filho, pois, quanto mais ela o visse como seu filho, mais haveria de sofrer, ao vê-lo sofrendo. Maria devia começar a vê-lo como *seu Senhor*.[17]

Jesus disse a Maria que agia de acordo com uma agenda celestial, determinada pelo Pai. Não era pressionado pelas circunstâncias nem pelas pessoas, mesmo que fossem

Glória, autoridade e conhecimento

as mais achegadas. Seu cronograma de ação já havia sido traçado na eternidade. Jesus deixa claro que, iniciado o seu ministério público, tudo, incluindo os laços de família, estava subordinado à sua missão divina. Todos, incluindo seus familiares, precisavam ter consciência de que ele andava conforme a agenda do céu, não conforme as pressões da terra.

No evangelho de João, "a hora" de Jesus está estreitamente relacionada à sua morte (7:30; 8:20; 12:23,27; 13:1; 17:1). Carson faz uma aplicação do texto: "Tratando o desenvolvimento das circunstâncias como uma parábola encenada, Jesus está inteiramente correto ao dizer que a hora do grande vinho, a hora de sua glorificação, ainda não chegara".[18]

Em sexto lugar, *precisamos obedecer prontamente às ordens de Jesus* (2:4-8). D. A. Carson esclarece que, em João 2:3, Maria aborda Jesus como sua mãe, e é repreendida; em João 2:5, ela reage como crente, e sua fé é honrada. Maria ainda não sabia o que Jesus faria, mas entrega o problema ao filho e nele confia.[19] Nas palavras de Hendriksen, "há em Maria uma completa submissão e uma contundente expectativa".[20] Jesus ordenou que os servos enchessem as talhas de água. Estes poderiam ter argumentado e até questionado Jesus. Mas, obedeceram prontamente, completamente. Não é nosso papel discutir com Jesus, mas obedecer-lhe. Suas ordens não devem ser discutidas, mas obedecidas. Concordo com Werner de Boor quando ele diz: "O milagre de Caná começa com uma ordem que parece totalmente absurda. Falta vinho, e Jesus manda trazer água".[21]

Aquelas seis talhas feitas de pedra tinham a capacidade de armazenar cerca de 600 litros, uma vez que cada uma comportava duas a três medidas ou metretas, ou seja 32 litros.[22] Cada metreta, portanto, correspondia a 8,5 galões. A provisão de Jesus é farta e generosa.

F. F. Bruce informa que a função da água armazenada naquelas talhas era permitir aos hóspedes enxaguarem as mãos e possibilitar a lavagem dos utensílios usados na festa, de acordo com a tradição antiga (Mc 7:3-13). A referência que João faz às suas purificações é a chave para o sentido espiritual da presente narrativa. A água que servia para a purificação exigida pela lei e pelos costumes judaicos representa toda a antiga ordem do cerimonial judaico, a qual Cristo haveria de substituir por algo melhor. O vinho simboliza a nova ordem, assim como a água nas talhas simboliza a antiga.[23]

Um ponto digno de destaque é que todos os milagres de Jesus tinham propósitos bem definidos. John MacArthur é oportuno quando diz que todos os milagres de Jesus atenderam a necessidades específicas, seja abrindo os olhos aos cegos, seja dando audição aos surdos, libertando os oprimidos pelos demônios, alimentando os famintos ou acalmando a fúria da tempestade. Nesse milagre especial, Jesus atendeu à genuína necessidade de uma família e seus convidados, a fim de que não enfrentassem um vexame social.[24] Esse milagre foi visto como um "sinal", que apontava para a nova ordem inaugurada por Cristo: o vinho novo em substituição à antiga ordem dos rituais judaicos.

Em sétimo lugar, *precisamos entender que com Jesus o melhor sempre vem depois* (2:9,10). A narrativa evidencia que Cristo veio ao mundo para cumprir e encerrar a ordem antiga, substituindo-a por um culto novo, *em espírito e em verdade*, que excede o antigo da mesma forma que o vinho é melhor do que a água.[25]

Glória, autoridade e conhecimento

O responsável pela festa, ao provar o vinho novo, chama o noivo, porque cabia a ele a provisão para o casamento. O homem pensou que o noivo tinha quebrado o protocolo, ao deixar o melhor vinho para o final da festa. Mal sabia ele que aquele vinho era o resultado do milagre de Jesus! Quando Jesus intervém, o melhor sempre vem depois. "Naquele milagre, Jesus trouxe plenitude onde havia vazio; alegria onde havia decepção e algo interior onde havia apenas algo exterior."[26] Quando Jesus opera o seu milagre no casamento, o melhor sempre vem depois. Carson, fazendo uma aplicação cristocêntrica, diz que o vinho que Jesus forneceu é inigualavelmente superior, como deve ser tudo que está ligado à nova era messiânica, a qual Jesus está trazendo.[27]

Em oitavo lugar, *quando Jesus realiza um milagre em nossa casa, grandes coisas acontecem* (2:11,12). João usa a palavra *semeion*, "sinal", para descrever os milagres de Jesus. O termo aparece 77 vezes no Novo Testamento, sempre autenticando quem faz o sinal como pessoa enviada por Deus.[28] Essa palavra não descreve cruas manifestações de poder, mas manifestações significativas de poder que apontam para além de si mesmas, para realidades mais profundas que podiam ser percebidas com os olhos da fé.[29] Warren Wiersbe escreve:

> O termo que João usa neste evangelho não é *dunamis,* que enfatiza o poder, mas sim *semeion,* que significa "um sinal". O que é um sinal? É algo que aponta para além de si, para outra coisa maior. Não bastava o povo crer nas obras de Jesus; precisa crer nele e no Pai que o havia enviado (5:14-24). Isso explica porque, em várias ocasiões, Jesus fez um sermão depois de um milagre e explicou o sinal. Em João 5, a cura do paralítico no sábado deu-lhe a oportunidade de falar sobre sua divindade como "o Senhor do sábado". Ao alimentar os cinco mil em João 6, fez uma transição natural para o sermão sobre o Pão da Vida.[30]

Estou de acordo com o que escreve Charles Erdman: "Nenhum milagre de Jesus jamais foi operado como simples manifestação de força prodigiosa para impressionar os espectadores. Aqui está ele a obviar um vexame; a produzir alegria".[31] Warren Wiersbe é oportuno ao defender que, ao contrário dos outros três evangelhos, João compartilha o significado interior – a relevância espiritual – dos atos de Jesus, de modo que cada milagre é, na verdade, um "sermão prático".[32]

Depois do milagre, são registradas duas consequências: a glória de Jesus se manifestou, e os discípulos creram nele. Concordo com Carson quando ele diz que os servos viram o sinal, mas não a glória; os discípulos, pela fé, perceberam a glória de Jesus por trás do sinal e creram nele.[33]

John Charles Ryle, citando Lightfoot, sugere cinco razões pelas quais esse milagre que estamos considerando foi o primeiro realizado por Jesus: 1) Como o casamento foi a primeira instituição divina, Cristo realizou seu primeiro milagre numa festa de casamento. 2) Como Cristo tinha manifestado a si mesmo de forma tão discreta no jejum no monte da tentação, agora se manifestava publicamente oferecendo provisão. 3) Jesus não transformou pedras em pães para atender a Satanás, mas transformou água em vinho para manifestar sua glória. 4) O primeiro milagre operado pelo homem no mundo foi um milagre de transformação (Êx 7:9), e o primeiro milagre operado pelo Filho do homem foi da mesma natureza. 5) Na primeira vez em que ouvimos falar sobre João Batista, somos informados a respeito de sua dieta restrita, mas na primeira vez em que ouvimos falar sobre Cristo em seu ministério público, nós o vemos em uma festa de casamento.[34]

A autoridade de Jesus manifestada na purificação do templo (2:13-22)

Jesus sai de uma festa familiar e vai para a festa mais importante dos judeus, a festa da Páscoa, na cidade de Jerusalém. Naquela época, a população de Jerusalém, que girava em torno de cinquenta mil pessoas, quintuplicava. A Páscoa era a alegria dos judeus e ao mesmo tempo o terror dos romanos. Havia grande temor de conflitos e insurreições, uma vez que pessoas de todo o Império Romano se dirigiam a Jerusalém nessa semana. O templo era o centro nevrálgico dessa festa; e foi exatamente aí que Jesus agiu.

No casamento, Jesus exerceu misericórdia; no templo, exerceu juízo e disciplina. No casamento, ele transformou água em vinho; no templo, pegou o chicote e expulsou os cambistas. No entanto, o zelo intenso pela casa de seu Pai não é menos revelação da glória do Filho que sua participação no poder criador e doador de Deus ao realizar o milagre por ocasião das bodas. Um aspecto não pode ser dissociado do outro nem pode ser eliminado pelo outro. Somente na simultaneidade dos dois traços básicos Jesus revela o Deus verdadeiro, que ama o mundo com a entrega do melhor, e cuja ira, apesar disso, é manifesta com uma seriedade inflexível.[35]

Alguns estudiosos afirmam que a purificação do templo descrita aqui no evangelho de João (2:13-22) é a mesma purificação realizada por Jesus no final do seu ministério e descrita pelos Evangelhos Sinóticos (Mt 21:12-16; Mc 11:15-18; Lc 19:4,46). Os fatos, porém, provam o contrário. O relato de João se dá no começo do ministério de Jesus, e o fato narrado pelos Evangelhos Sinóticos acontece no final de seu ministério. Nos Sinóticos, Jesus cita o Antigo Testamento como autoridade (Mt 21:13; Mc

11:17; Lc 19:46), mas, em João, ele usa suas próprias palavras. Os Sinóticos não mencionam a importante declaração de Jesus de que destruiria o templo e em três dias o reedificaria, declaração que mais tarde foi usada contra ele em seu julgamento no Sinédrio (Mt 26:61; Mc 15:58).

Charles Erdman diz que só havia um lugar e uma ocasião para nosso Senhor inaugurar de modo próprio o seu ministério público: o lugar devia ser Jerusalém, a capital, no templo, o centro da vida do povo e do culto; a ocasião devia ser a festa da Páscoa, a quadra mais solene do ano, quando a cidade se enchia de peregrinos de todas as partes da terra. Aqui Jesus deixa a vida privada para encetar sua carreira pública.[36]

William Barclay explica que Jesus purificou o templo motivado pelo menos por três razões: 1) porque o templo, a casa de oração, estava sendo dessacralizada; 2) para demonstrar que todo o aparato de sacrifícios de animais carecia completamente de permanência; 3) porque o templo estava sendo transformado em covil de ladrões. O templo era formado por uma série de pátios que conduziam ao templo propriamente dito e ao Lugar Santo. Primeiro, havia o Pátio dos Gentios; logo depois, o Pátio das Mulheres; então, o Pátio dos Israelitas; e, depois, o Pátio dos Sacerdotes. Todo o comércio de compra e venda era feito no Pátio dos Gentios, o único lugar onde os gentios podiam transitar. Aquele pátio fora destinado aos gentios para que eles viessem meditar e orar. Aliás, era o único lugar de oração que os gentios conheciam. O problema é que os sacerdotes transformaram esse lugar de oração numa feira de comércio onde ninguém conseguia orar. O mugido dos bois, o balido das ovelhas, o arrulho das pombas, os gritos dos vendedores ambulantes, o tilintar das moedas, as vozes que

Glória, autoridade e conhecimento

se elevavam no regateio do comércio; todas essas coisas se combinavam para converter o Pátio dos Gentios em um lugar onde ninguém podia adorar a Deus.[37]

Esse episódio nos ensina duas lições, que descrevemos a seguir.

Em primeiro lugar, *a casa de Deus é lugar de adoração, e não de comércio* (2:13-17). O único espaço aberto no templo a pessoas de "todas as nações" (além dos israelitas) era o pátio externo (às vezes chamado de Pátio dos Gentios); e, se essa área fosse ocupada para o comércio, não poderia ser usada para o culto. A ação de Jesus reforçou seu protesto verbal.[38] Mudar o propósito da casa de Deus e instrumentalizá-la para auferir lucro é uma distorção intolerável. Isso provoca a ira de Deus. O mesmo Jesus que compareceu cheio de ternura ao casamento está, agora, irado no templo. Ele tem uma profunda paixão pela reverência. A casa de Deus havia sido profanada. Jeitosamente, transformaram-na em covil de ladrões e salteadores. O templo virou uma praça de negócios. O lucro, e não a face de Deus, era buscado avidamente.

Carson diz que, em lugar da solene dignidade e do murmúrio de oração, havia o rugido do gado e o balido das ovelhas. Em lugar do quebrantamento e da contrição, da santa adoração e da prolongada petição, havia apenas o barulho do comércio.[39] A purificação do templo demonstra de forma eloquente a preocupação de Jesus com a verdadeira adoração e o correto relacionamento com Deus.

Precisamos entender o contexto para compreender a atitude de Jesus. A lei definia os animais a serem oferecidos nos sacrifícios. Deveriam esses peregrinos trazer esses animais de longas distâncias ou poderiam comprá-los na praça do templo? Deuteronômio 14:24-26 já havia permitido levar os dízimos em dinheiro em vez dos produtos agrícolas propriamente ditos. Além disso, havia o imposto do templo (Mt 17:24), que cada judeu devia pagar anualmente. Os sacerdotes, dissimuladamente, proibiam que dinheiro estrangeiro fosse aceito na compra de animais para o sacrifício. Os peregrinos que vinham de outras paragens precisavam trocar a moeda estrangeira com os cambistas do templo. O problema é que esses cambistas, em parceria com os sacerdotes, cobravam taxas abusivas dos adoradores, a fim de auferirem lucros mais expressivos. Com o tempo, o propósito não era mais facilitar a vida dos peregrinos, mas alcançar gordos lucros com o comércio dentro da casa de Deus. O dinheiro, e não a glória de Deus, era a motivação deles. A casa de Deus estava sendo profanada.

A reação de Jesus é contundente. Ele não usa apenas palavras para reprovar essa profanação, mas adota uma ação enérgica. O que move Jesus não é uma ira descontrolada, mas seu zelo pela casa do Pai (Sl 69:10). Jesus fez uma faxina geral no templo. Expulsou os vendedores e os cambistas, virou as mesas e ordenou aos que vendiam pombas que as retirassem daquele lugar sagrado. Matthew Henry diz que Jesus nunca usou a força para levar alguém ao templo, mas somente para expulsar de lá aqueles que o profanavam.[40]

Warren Wiersbe acrescenta que não apenas o vinho havia se esgotado no casamento, como também a glória havia deixado o templo.[41] Werner de Boor tem razão em destacar que esse zelo pela casa de Deus podia "consumi-lo" em sentido mais profundo, levando-o à morte.[42] Quando Jesus purificou o templo, acabou declarando guerra a esses líderes religiosos. William Hendriksen diz que, ao purificar o templo, Jesus atacou o espírito secularizado dos judeus, expôs sua corrupção e ganância e atacou seu espírito antimissionário, pois o Pátio dos Gentios havia sido construído para que estes pudessem adorar o Deus de Israel (Mc 11:17), mas Anás e seus filhos o estavam usando para propósitos pessoais. Isso havia sido planejado como bênção para as nações, e, finalmente, se cumpriu a profecia messiânica (Sl 69 e Ml 3).[43] Jesus tocou no bolso dos sacerdotes que governavam o templo. Por isso, eles se tornaram inimigos cruéis. Foram os sacerdotes administradores do templo que prenderam Jesus e o levaram à morte. De fato, o zelo da casa de Deus o consumiu!

Em segundo lugar, *a casa de Deus é lugar de contemplar Jesus, o verdadeiro santuário de Deus entre os homens* (2:18-22). Jesus não apenas purificou o templo, mas também o substituiu, cumprindo seus propósitos.[44] Quando pediram a Jesus um sinal de sua autoridade, ele deu como exemplo sua morte e ressurreição. A morte e a ressurreição de Jesus são os argumentos mais eloquentes e decisivos em favor de sua pessoa divina e de sua missão redentora. Jesus veio para substituir o templo. Sua morte varreu dos altares os animais do sacrifício. Com sua morte e ressurreição, cessaram todos os sacrifícios cerimoniais. Ele veio para oferecer um único e irrepetível sacrifício. Ele morreu pelos nossos pecados e ressuscitou para a nossa justificação. Agora, a verdadeira adoração não tem mais que ver com a geografia do templo. Devemos adorar a Deus em espírito e em verdade.

Com sua vinda, Jesus estava colocando fim a toda forma de adoração arranjada pelos homens, colocando em seu lugar a adoração espiritual. A ameaça de Jesus era: A adoração de vocês com pomposos rituais, incensos aromáticos e pródigos sacrifícios de animais chegou ao fim. Eu sou o novo templo, onde pessoas do mundo inteiro podem vir e adorar o Deus vivo em espírito e em verdade.[45]

Carson corrobora essa ideia:

> É o corpo humano de Jesus que unicamente manifesta o Pai e torna-se o ponto focal da manifestação de Deus ao homem, a habitação viva de Deus sobre a terra, o cumprimento de tudo o que o templo significava e o centro de toda a verdadeira adoração (contra todas as outras reivindicações de lugar santo). Nesse templo, o sacrifício definitivo aconteceria; após três dias de sua morte e sepultamento, Jesus Cristo, o verdadeiro templo, levantar-se-ia dos mortos.[46]

Os judeus e até mesmo os discípulos não compreenderam a linguagem de Jesus. É à luz da ressurreição que podemos entender a Bíblia e interpretar as palavras e afirmações de Cristo. Erdman diz que, como a morte de Jesus envolvia a destruição do templo literal e o respectivo culto, da mesma forma a sua ressurreição asseguraria a ereção de um santuário espiritual, mais verdadeiro, que era sua igreja. Desse modo, em lugar de um ritual de fórmulas, sombras e tipos, erigir-se-ia uma religião de culto mais verdadeiro e de comunhão mais real com Deus.[47] Werner de Boor é oportuno quando escreve:

> O verdadeiro e incontestável "sinal" da autoridade de Jesus, apesar de todos os demais milagres, é – tanto em João quanto nos sinóticos (Mt 12:38-40) – que ele rendeu dessa maneira sua vida e que receberá de volta dessa maneira, pela ressurreição dentre os mortos, a sua vida e sua glória. Somente a morte de Jesus e sua ressurreição hão de demonstrar seu poder divino de uma maneira tal que surja a fé em Jesus até entre as fileiras dos sacerdotes (At 6:7).[48]

Herodes, o Grande, mandou substituir o pequeno templo construído após o cativeiro babilônico (Ag 2:1-3) por um

Glória, autoridade e conhecimento

edifício suntuoso e magnificente no ano 20 a.C. Esse magnífico templo ainda não estava plenamente concluído na época de Jesus, o que só aconteceu no ano 64 d.C.[49] Já se haviam passado 46 anos que a obra estava em andamento. Os judeus ressaltaram esse fato. As palavras de Jesus não foram compreendidas por eles nem mesmo pelos discípulos. Pensaram que Jesus estivesse falando de uma conspiração para derrubar o templo, o centro da adoração judaica. Viram-no como um revolucionário iconoclasta. Acusaramno diante do Sinédrio fazendo menção desse caso (Mt 26:59-61). Alguns do povo usaram essas palavras para zombar de Jesus, quando ele morria na cruz (Mt 27:40). Os inimigos de Jesus e até seus discípulos não conseguiram ver o antítipo no tipo; ou, pelo menos, não discerniram que o físico simbolizava o espiritual. O templo, junto com toda a sua mobília e suas cerimônias, era somente um tipo, destinado à destruição (Sl 40:6,7; Jr 3:16).[50]

O evangelho de João usou várias figuras para enfatizar a morte de Cristo. A primeira delas está em João 1:29, mostrando Jesus como o Cordeiro de Deus que morre substitutivamente pelo seu povo. A segunda é a figura da destruição do templo, evidenciando que sua morte violenta terminaria em ressurreição vitoriosa (2:19). A terceira figura é a da serpente de bronze erguida por Moisés no deserto (3:14), mostrando o Salvador feito pecado por nós. A quarta figura mostra Jesus como o bom pastor que voluntariamente dá sua vida por suas ovelhas (10:11-18). Finalmente, temos a figura da semente que precisa morrer para frutificar abundantemente (12:20-25). Se o corpo de Cristo é o templo que foi destruído em sua morte, Jesus estava profetizando o fim do sistema religioso judaico. O sistema legal chegou ao fim, e a "graça e a verdade" vieram por meio de Cristo.

Ele é o novo sacrifício (1:29) e o novo templo (2:19). A nova adoração dependerá da integridade interior, e não da geografia exterior (4:19-24).[51]

A onisciência de Jesus manifestada no conhecimento dos corações (2:23-25)

A atuação pública de Jesus não começa na Galileia, mas em Jerusalém, a capital da religião judaica. Muitas pessoas, ao verem seus milagres operados em Jerusalém, naqueles sete dias de festa da Páscoa, creram nele, mas com uma fé deficiente e insuficiente. Até mesmo Nicodemos, um mestre entre o povo, ficou impactado com os sinais operados por Jesus (3:2). Carson diz que, infelizmente, a fé que eles tinham era espúria, e Jesus sabia disso. Diferentemente de outros líderes religiosos, Jesus não podia ser enganado por bajulação, seduzido por elogios ou surpreendido por ingenuidade.[52]

O problema é que essas pessoas viram Jesus apenas como um operador de milagres. Creram nele apenas para as coisas desta vida. Não acreditaram nele como o Cristo, Filho de Deus. Jesus conhecia os corações e sabia que essa fé temporária não era a fé salvadora. Concordo com Warren Wiersbe quando ele diz: "Uma coisa é reagir a um milagre; outra bem diferente é assumir um compromisso com Jesus Cristo e permanecer em sua palavra (8:30,31)".[53] Tasker é claro nesse ponto: "Embora eles cressem em Jesus, Jesus não cria neles. Jesus não tinha fé na fé deles. Jesus considerou toda a crença que depositavam nele como algo superficial, desprovida do mais essencial elemento, a necessidade de perdão e a convicção de que Jesus somente é o mediador do perdão".[54]

Werner de Boor tem razão em ressaltar que Jesus "conhece" não apenas Natanael, vendo-o numa hora especial de sua vida (1:47-49), mas conhece "todos", todos em

Glória, autoridade e conhecimento

Jerusalém que estão entusiasmados com seus milagres e "confiam" nele, mas enganam a si mesmos e não sabem qual é a sua verdadeira situação.[55]

MacArthur alerta do perigo de confundir a fé salvadora com a fé espúria. A diferença entre a fé espúria e a fé salvadora é crucial. É a diferença entre a fé viva e a fé morta (Tg 2:17); entre o ímpio que irá para a condenação e o justo que entrará na vida eterna (Mt 25:46), entre aqueles que ouvirão: *Muito bem, servo bom e fiel* [...] *participa da alegria do teu senhor!* (Mt 25:21) e aqueles que ouvirão: *Nunca vos conheci; afastai-vos de mim, vós que praticais o mal* (Mt 7:23).[56]

Jesus não pode confiar-se aos homens; pode apenas morrer por eles. Entre Jesus e nós, há uma grande distância. Ele conhece o nosso coração e as nossas motivações. E não se deixa enganar. Ele jamais confunde trigo com joio, pois conhece verdadeiramente suas ovelhas.

Notas do capítulo 4

[1] MILNE, Bruce. *The message of John*, p. 62.
[2] HENDRIKSEN, William. *João*, p. 162.
[3] ERDMAN, Charles. *O evangelho de João*, p. 30.

João — As glórias do Filho de Deus

4 BOOR, Werner de. *Evangelho de João I*. Curitiba: Editora Evangélica Esperança, 2002, p. 72.

5 MACARTHUR, John. *The MacArthur New Testament Commentary – John 1-11*, p. 78.

6 RICHARDS, Larry. *Todos os milagres da Bíblia*. São Paulo: Voz Litteris, 2003, p. 193.

7 HENDRIKSEN, William. *João*, p. 161.

8 Ibid., p. 157.

9 RYLE, John Charles. *John*. Vol. 1, p. 92.

10 RICHARDS, Larry. *Todos os milagres da Bíblia*, p. 194.

11 CARSON, D. A. *O comentário de João*, p. 169.

12 BRUCE, F. F. *João: introdução e comentário*, p. 69.

13 WIERSBE, Warren W. *Comentário bíblico expositivo*. Vol. 5, p. 374.

14 BARCLAY, William. *Juan I*, p. 106.

15 BRUCE, F. F. *João: introdução e comentário*, p. 70.

16 STERN, David H. *Comentário judaico do Novo Testamento*, p. 190.

17 HENDRIKSEN, William. *João*, p. 158.

18 CARSON, D. A. *O comentário de João*, p. 172.

19 Ibid, p. 173.

20 HENDRIKSEN, William. *João*, p. 158.

21 BOOR, Werner de. *Evangelho de João I*, p. 74.

22 HENDRIKSEN, William. *João*, p. 159.

23 BRUCE, F. F. *João: introdução e comentário*, p. 71.

24 MACARTHUR, John. *The MacArthur New Testament Commentary – John 1-11*, p. 79.

25 BRUCE, F. F. *João: introdução e comentário*, p. 72.

26 WIERSBE, Warren W. *Comentário bíblico expositivo*. Vol. 5, p. 375.

27 CARSON, D. A. *O comentário de João*, p. 175.

28 RICHARDS, Larry. *Todos os milagres da Bíblia*, p. 197.

29 CARSON, D. A. *O comentário de João*, p. 175.

30 WIERSBE, Warren W. *Comentário bíblico expositivo*. Vol. 5, p. 375.

31 ERDMAN, Charles. *O evangelho de João*, p. 28.

32 WIERSBE, Warren W. *Comentário bíblico expositivo*. Vol. 5, p. 374.

33 CARSON, D. A. *O comentário de João*, p. 175-176.

34 RYLE, John Charles. *John*. Vol. 1, p. 102.

35 BOOR, Werner de. *Evangelho de João I*, p. 77.

36 ERDMAN, Charles. *O evangelho de João*, p. 31.

37 BARCLAY, William. *Juan I*, p. 122.

38 BRUCE, F. F. *João: introdução e comentário*, p. 75.

39 CARSON, D. A. *O comentário de João*, p. 179.

Glória, autoridade e conhecimento

[40] HENRY, Matthew. *Matthew Henry Comentário bíblico Novo Testamento – Mateus-João*. Rio de Janeiro: CPAD, 2010, p. 769.

[41] WIERSBE, Warren W. *Comentário bíblico expositivo*. Vol. 5, p. 376.

[42] BOOR, Werner de. *Evangelho de João I*, p. 78

[43] HENDRIKSEN, William. *João*, p. 173-174.

[44] CARSON, D. A. *O comentário de João*, p. 183.

[45] BARCLAY, William. *Juan I*, p. 125.

[46] CARSON, D. A. *O comentário de João*, p. 182.

[47] ERDMAN, Charles. *O evangelho de João*, p. 33.

[48] BOOR, Werner de. *Evangelho de João I*, p. 80.

[49] WIERSBE, Warren W. *Comentário bíblico expositivo*. Vol. 5, p. 376-377.

[50] HENDRIKSEN, William. *João*, p. 171.

[51] WIERSBE, Warren W. *Comentário bíblico expositivo*. Vol. 5, p. 377.

[52] CARSON, D. A. *O comentário de João*, p. 185.

[53] WIERSBE, Warren W. *Comentário bíblico expositivo*. Vol. 5, p. 377.

[54] TASKER, R. G. V. *The gospel according to St. John*. Grand Rapids: Eerdmans, 1975, p. 65.

[55] BOOR, Werner de. *Evangelho de João I*, p. 82.

[56] MACARTHUR, John. *The MacArthur New Testament commentary – John 1-11*, p. 95.

Capítulo 5

Novo nascimento, uma necessidade vital
(Jo 3:1-21)

AQUELE QUE *CONHECIA TODOS* e *não precisava que lhe dessem testemunho sobre o homem* (2:24,25), agora entra em um número de conversas nas quais ele instantaneamente chega ao coração dos indivíduos com histórias de vida e necessidades diferentes – Nicodemos (3:1-15), a mulher samaritana (4:1-26), o oficial gentio (4:43-53), o homem no tanque de Betesda (5:1-15) e vários outros.[1]

O encontro de Nicodemos com Jesus está logicamente conectado ao texto anterior (2:23-25). Isso significa que Jesus não aceita uma fé superficial como suficiente para a salvação. Embora Nicodemos tivesse reconhecido Jesus como um mestre vindo da parte de

Deus, com capacidade de operar grandes sinais, sua fé era deficiente, pois se baseava apenas no testemunho dos milagres (3:2). Jesus, porém, destacou a necessidade da fé salvadora que produz a transformação da vida.

Nicodemos vai a Jesus de noite (3:2). Por quê? Para se beneficiar da cobertura da escuridão? Por temor dos olhos do público? Por não querer se associar ao mestre operador de sinais? Por querer se manter no anonimato? Concordo com D. A. Carson quando ele diz que Nicodemos se aproximou de Jesus à noite, mas que a noite de Nicodemos era mais escura do que ele pensava.[2] Por outro lado, conforme destaca Matthew Henry, quando houve oportunidade, posteriormente, Nicodemos reconheceu Cristo publicamente (7:50; 19:39). A graça, que a princípio é apenas um grão de mostarda, pode crescer e se tornar uma árvore frondosa.[3]

O novo nascimento é a mais importante e a mais urgente necessidade de sua vida: você precisa nascer de novo. Sem o novo nascimento, sua vida é vã, sua esperança é vã e sua religião é vã. Sem o novo nascimento, Deus estará contra você no dia do juízo. Sem o novo nascimento, a palavra de Deus condenará você no dia final. Sem o novo nascimento, o céu estará de portas fechadas para você.

Jesus disse que, se alguém não nascer de novo, não poderá ver o reino de Deus (3:3). Se alguém não nascer da água e do Espírito, não poderá entrar no reino de Deus (3:5). Jesus é enfático: *Necessário vos é nascer de novo* (3:7). Você pode ser uma pessoa rica, culta, respeitável e religiosa como Nicodemos, mas, se não nascer de novo, estará perdido. Você pode ser uma pessoa zelosa, conservadora e observadora dos preceitos religiosos como Nicodemos, mas, se não nascer de novo, não haverá esperança para sua alma. Você pode praticar muitas boas obras, dar esmolas, ter uma vida bonita e até fazer orações que são ouvidas no céu como Cornélio fazia, mas, se não nascer de novo, não poderá entrar no reino de Deus.

É notório que Jesus não falou a respeito do novo nascimento para Zaqueu, um homem que enriquecera ilicitamente. Ele não falou a respeito nem para a mulher samaritana, que já havia passado por cinco divórcios e agora vivia com um homem que não era seu marido. E não falou a respeito nem mesmo para o ladrão na cruz, um homem que vivera à margem da lei. Mas falou a respeito do novo nascimento para um homem religioso, um rabi, um mestre, um líder, um dos principais dos judeus.

A necessidade do novo nascimento

Por que você precisa nascer de novo?

Em primeiro lugar, *porque a inclinação do seu coração é contra Deus.* Você jamais desejará conhecer Deus se o próprio Deus não tocar o seu coração. Você jamais terá sede de Deus se o próprio Deus não provocar essa sede em você. A inclinação da sua carne é inimizade contra Deus. Sua natureza é pecaminosa e totalmente caída. Os maus desígnios vêm do seu coração, mas não o desejo de ser salvo.

Você não pode mudar a si mesmo. Você está cego para as coisas de Deus, insensível como um morto à voz do Espírito. Se você for deixado à própria sorte, perecerá. Da mesma forma que um ser humano jamais é o autor da sua existência, assim também nenhum ser humano pode dar vida à própria alma.

Para você ser salvo, é preciso que um poder do alto lhe dê vida, assim como Deus chamou à existência as coisas que não existiam. Você pode fazer muitas coisas, mas não pode dar vida a si mesmo nem a qualquer outro indivíduo. Dar vida é uma prerrogativa divina.

Sem o novo nascimento, você não pode chegar ao céu nem se encantar com o céu. Você pode entrar no céu sem dinheiro, sem fama, sem cultura e até sem religião, mas jamais sem o novo nascimento.

Em segundo lugar, *porque sem o novo nascimento você não pode ver o reino de Deus e não pode entrar nesse reino* (3:3,5). A não ser que Deus mude as disposições íntimas da sua alma, que transplante seu coração de pedra e que lhe dê um coração de carne, a não ser que você receba o toque regenerador do Espírito Santo, jamais poderá entrar no reino de Deus, nem mesmo vê-lo. O homem natural não compreende as coisas de Deus. Ele as considera como loucura. As coisas que Deus proíbe são aquelas que lhe dão prazer. As coisas de Deus lhe são canseira e enfado. D. A. Carson está coberto de razão quando diz que o que deve ser percebido na insistência de Jesus sobre o novo nascimento como pré-requisito para a entrada no reino de Deus é o fato de que essa verdade se aplica a um homem do calibre de Nicodemos. Se Nicodemos, com seus conhecimentos, talentos, entendimento, posição e integridade, não podia entrar no reino prometido em virtude de sua posição e obras, que esperança há para alguém que procura salvação por essas vias? Mesmo para um Nicodemos deve haver uma transformação radical, a geração de uma nova vida. Não se trata do conserto de uma parte, mas da renovação de toda a natureza.[4]

F. F. Bruce esclarece o significado de "ver o reino" e "entrar no reino" com as seguintes palavras:

> "Ver o reino" é a mesma coisa que a "vida eterna". Ser nascido de cima ou de novo no sentido que estas palavras têm aqui é "ser nascido

de Deus". Na acepção de João 1:13 é entrar imediatamente na vida da era vindoura. Não há diferença entre ver o reino de Deus e entrar nele; assim como não há distinção entre ver a vida (3:36) e entrar nela (Mt 19:17). Também não há diferença entre nascer de novo e nascer da água e do Espírito.[5]

Em terceiro lugar, *porque uma fé intelectual ou emocional é insuficiente para você entrar no reino de Deus*. Algumas pessoas, ao verem os milagres de Jesus, creram nele (2:23-25). Nicodemos foi a Jesus admirado pelos milagres que o mestre praticava (3:2). Ainda hoje as pessoas procuram Jesus por causa de milagres. Contudo, para ser salvo, você deve olhar não para os milagres, mas para aquele que foi levantado na cruz (3:14,15).

Muitos foram atraídos a Jesus com uma fé apenas intelectual ou emocional ao observarem seus prodígios. Nicodemos também ficou impressionado com os sinais que Jesus fazia. Isso o levou a reconhecer que Jesus era vindo de Deus e que Deus estava com ele. Mas essa fé não é suficiente para salvar sua alma. Crer em milagres não é o bastante para levar você para o céu. Quando Nicodemos se aproximou de Jesus tecendo-lhe os mais altos elogios, Jesus desviou o assunto para a necessidade urgente de Nicodemos nascer de novo. MacArthur diz que Jesus não estava interessado em discutir seus milagres, que tinham como resultado apenas uma fé superficial. Pelo contrário, ele foi direto ao ponto, mostrando a Nicodemos a necessidade da transformação de seu coração por intermédio do novo nascimento.[6]

Em quarto lugar, *porque o novo nascimento é uma ordem expressa de Jesus* (3:7). Jesus é categórico: *Necessário vos é nascer de novo* (3:7). Lá no céu, você não entrará por ser presbiteriano, batista, metodista, assembleiano ou católico. Lá no céu, só entrarão aqueles que nasceram de novo, aqueles que foram remidos e lavados no sangue do Cordeiro. Sem o novo nascimento, o céu não apenas seria impossível para você, mas também não seria um lugar desejável para sua alma. Aqueles que nunca nasceram de novo amam mais as trevas do que a luz; por isso, o destino deles é de trevas eternas. Concordo com F. F. Bruce quando ele diz que, pelo nascimento natural, as pessoas tornam-se membros de uma família terrena; para que elas se tornem membros da família de Deus, para receberem a natureza espiritual, que é o único meio de ser admitido em seu reino, faz-se necessário um nascimento "do alto".[7]

Quem não nasceu de novo não se deleita nos banquetes de Deus. O que lhes dá prazer não são as coisas de Deus. O que lhes enche a alma de entusiasmo não são as iguarias da mesa de Deus. Sem o novo nascimento, o ser humano ama o mundo e as coisas que há no mundo. Sem o novo nascimento, o ser humano é amigo do mundo e inimigo de Deus. Sem o novo nascimento, o ser humano se conforma com o mundo e vive segundo o seu curso.

A natureza do novo nascimento

Antes de tratar da natureza do novo nascimento, é importante deixar claro o que não é novo nascimento. Muitas pessoas confundem a verdadeira natureza do novo nascimento. Vejamos a seguir o que ele *não é*.

Em primeiro lugar, *o novo nascimento não equivale a ser bem-sucedido financeiramente* (19:39). Nicodemos era um homem rico, mas o dinheiro não satisfazia a sua alma. Seu dinheiro não garantia a segurança da sua alma. Quando você morrer, o máximo que o seu dinheiro lhe dará é um

Novo nascimento, uma necessidade vital

belo funeral. Seu dinheiro pode lhe dar uma casa, mas não um lar. Pode lhe dar remédios, mas não saúde. Pode lhe dar conforto na terra, mas não um lugar no céu. Nicodemos era rico, mas não era salvo. Ele tinha muito dinheiro, mas não tinha paz em seu coração nem salvação em sua alma.

Em segundo lugar, *o novo nascimento não equivale a ter um profundo conhecimento da Bíblia* (3:10). Nicodemos era mestre em Israel. Era um rabi, um doutor em Bíblia. Mas ele não estava salvo. Há muitas pessoas que conhecem a verdade, mas nunca foram transformadas por essa verdade. Há muitas pessoas que pregam, expulsam demônios e profetizam, mas nunca entrarão no céu. Talvez você seja um intelectual. Você conhece muitas coisas e tem muitos diplomas. Mas todo esse conhecimento não pode salvar a sua alma. Nicodemos era mestre, mas estava perdido.

Em terceiro lugar, *o novo nascimento não equivale a ser uma pessoa profundamente religiosa* (3:1). Nicodemos era um fariseu. Ele era membro do grupo mais radical e conservador da religião judaica. Os fariseus se levantaram fortemente contra a helenização da religião judaica. Eram separatistas que consideravam indignos do reino de Deus aqueles que deles discordavam. Os fariseus, contudo, deram mais atenção às observações externas da lei do que à transformação interior do coração. Hendriksen diz que a conformidade exterior com a lei era muitas vezes considerada pelos fariseus o alvo da existência humana.[8] Eles tinham regras e mais regras. Na verdade, eles construíram um sistema de salvação pelas obras. Jesus denunciou os fariseus por causa de seu exibicionismo e pseudossantidade (Mt 5:20; 16:6,11,12; 23:1-39; Lc 18:9-14). Nicodemos era um fariseu zeloso da sua religião. Ele jejuava duas vezes por semana. Frequentava a sinagoga regularmente. Dava o dízimo de tudo quanto ganhava. Ele mantinha uma vida moralmente irrepreensível, mas não estava salvo.

Em quarto lugar, *o novo nascimento não equivale a ocupar um cargo de liderança na igreja* (3:1). Nicodemos era um dos principais dos judeus. A palavra grega *archon,* usada aqui, demonstra que ele era um membro do Sinédrio.[9] O Sinédrio era composto por 71 membros e presidido pelo sumo sacerdote. Era formado por saduceus e fariseus, escribas e anciãos. Sob o governo de Roma, o Sinédrio exercia um importante trabalho na área civil, criminal e religiosa.[10] Tinha autoridade para prender e julgar. Apenas não tinha autoridade para executar os criminosos sentenciados. O Sinédrio velava pela vida espiritual, moral e familiar de toda a nação de Israel. Nicodemos era um homem influente na sociedade, um líder destacado de sua religião. Mas ocupar um cargo de liderança na igreja não é suficiente para levar você ao céu. Ninguém entra no céu por ser pastor, presbítero, diácono, missionário ou líder na igreja. Somente aqueles que nascem de novo podem entrar no reino de Deus.

Em quinto lugar, *o novo nascimento não equivale a ter apenas informações certas sobre a pessoa de Jesus* (3:2). Nicodemos reconheceu que Jesus era mestre. Reconheceu que Jesus tinha poder para fazer milagres. E reconheceu que Jesus tinha vindo da parte de Deus. Ele desejou profundamente conhecer Jesus. Rompendo barreiras e preconceitos de seus pares, foi ter com Jesus, ainda que de noite. Mas saber quem Jesus é e ir até ele não é o bastante para levar você para o céu. O jovem rico também se prostrou aos pés de Jesus, mas saiu sem se entregar a ele. Nenhuma pessoa entra no céu apenas por ter abraçado a teologia ortodoxa, embora isso seja fundamental. Somente aqueles que nascem de novo podem entrar no reino de Deus.

Novo nascimento, uma necessidade vital

Em sexto lugar, *o novo nascimento não equivale a uma reforma moral* (3:6). O que é nascido da carne é carne, e carne aqui tem o sentido da natureza do ser humano separado de Deus. O novo nascimento, portanto, não é uma reforma do velho homem, não é apenas uma fina camada de verniz religioso. Não é algo que o ser humano possa fazer. Há muitas pessoas decentes que nunca nasceram de novo. Há muitas pessoas honradas da sociedade, como Nicodemos, que nunca se entregaram aos vícios, mas nunca viram o reino de Deus e jamais nele entraram. Não dê descanso à sua alma até ter certeza de que você já nasceu de novo.

Depois de examinar cuidadosamente o que não é novo nascimento, é hora de explicar, à luz do texto bíblico, o que é novo nascimento:

1. *O novo nascimento é algo radicalmente novo* (3:3). Hendriksen tem razão ao dizer que Nicodemos não faz nenhuma pergunta para Jesus; no entanto, mesmo assim, Jesus lhe responde. Isso porque Jesus leu a pergunta que se encontrava profundamente sepultada em seu coração. Com base na resposta de Cristo, podemos seguramente presumir que a pergunta de Nicodemos era semelhante à do jovem rico (Mt 19:6). Ele queria saber que tipo de boas obras deveria praticar a fim de entrar no reino do céu.[11] Jesus respondeu a Nicodemos que, se alguém não nascesse de novo, não poderia ver o reino de Deus. A palavra grega *anothen*, significa "absolutamente novo, inédito, que nunca existiu". É uma espécie de ressurreição do que estava morto. É passar da morte para a vida. A Bíblia diz que, se alguém está em Cristo é nova criatura, as coisas antigas já passaram e tudo se fez novo (2Co 5:17). Ocorre uma transformação de dentro para fora, que implica ter um novo coração, uma nova mente, um novo nome, uma nova família, uma nova

pátria, novos desejos, novos gostos, novas preferências, novos temores.[12]

Jesus deixa claro para Nicodemos que uma pessoa só pode ver o reino de Deus, ou seja, ter a vida eterna, se o Espírito Santo implantar em seu coração a vida que tem sua origem não na terra, mas no céu. A salvação implica uma mudança radical.

2. *O novo nascimento é uma obra exclusiva de Deus* (3:3). É nascer do céu, de Deus. A palavra *anothen* traz a ideia *de cima, do alto* (3:31; 19:11). O céu não é apenas o nosso destino, mas também a nossa origem. Nascemos não do sangue, não da vontade da carne, nem da vontade do homem, mas de Deus (1:12). Nenhum ser vivo pode operar em si mesmo esse novo nascimento, como nenhum ser morto pode dar a vida a si mesmo. O ser humano pode muitas coisas, mas não pode dar vida a si mesmo. Só Deus pode dar vida. Nascemos de cima, do alto, de Deus, do Espírito. Concordo com Charles Spurgeon quando ele diz que é mais fácil ensinar um leão a ser vegetariano do que converter uma alma pelo esforço humano. Da mesma forma que um etíope não pode mudar sua pele nem o leopardo suas manchas, assim também não podemos produzir esse nascimento de cima. Só o Espírito de Deus pode dar vida ao que está morto. Só o Espírito pode soprar num vale de ossos secos. Só o Espírito pode abrir nosso coração, convencer-nos do pecado, regenerar-nos, batizar-nos no corpo de Cristo e selar-nos para o dia da redenção. Concordo com John Charles Ryle quando ele diz que, sem o novo nascimento, não podemos entrar no céu nem poderíamos nos deleitar nele caso fôssemos para lá.[13]

3. *O novo nascimento é uma transformação interior realizada pelo Espírito* (3:5). Charles Erdman diz que "água",

Novo nascimento, uma necessidade vital

aqui, refere-se ao batismo de João e aos ritos similares com os quais Nicodemos estava familiarizado. É verdade que deve haver arrependimento, confissão, perdão e purificação do pecado para alguém capacitar-se a entrar no reino. Deve, porém, haver mais que isso: é preciso que o poder renovador e transformador do Espírito de Deus intervenha.[14] Enfatizo, portanto, que Jesus usa uma figura conhecida por Nicodemos. Jesus tinha falado a respeito das talhas de água para a purificação e do batismo de arrependimento pregado por João. Nascer da água, portanto, é arrepender-se do pecado e ser purificado. Ninguém pode ser salvo a menos que seja interiormente purificado, assim como a água nos lava externamente.

William Hendriksen destaca que a chave para a interpretação dessas palavras está em João 1:33, em que *água* e *Espírito* são mencionados, lado a lado, em ligação com o batismo. Portanto, o significado evidente é este: não é suficiente ser batizado com água. O *sinal* de fato é de grande valor; é de grande importância tanto como uma figura quanto como um selo. Mas o *sinal* deve ser acompanhado pela coisa que ele representa: a obra purificadora do Espírito Santo.[15]

MacArthur diz que água e Espírito eram os termos mais precisos e conhecidos do Antigo Testamento para falar sobre a transformação interior (Is 32:15; 44:3; Ez 36:24-27; Jl 2:28,29). Sem a purificação da alma, operada pelo Espírito Santo (Tt 3:5), mediante a palavra de Deus (Ef 5:26), ninguém pode entrar no reino de Deus.[16] Nessa mesma trilha de pensamento, D. A. Carson diz que a passagem mais esclarecedora para explicar João 3:5 é Ezequiel 36:25-27, em que água e Espírito aparecem ligados muito estreitamente, a água significando purificação da impureza, e o Espírito retratando a transformação do coração que capacitará as pessoas a seguir Deus integralmente.[17]

Nascer do Espírito é nascer de cima, do alto, de Deus. É ser transformado pelo Espírito Santo (Ez 36:25-27; Is 44:3). É ser nova criatura. O novo nascimento não é algo superficial. Não é uma mera reforma moral. É uma mudança completa do coração, do caráter e da vontade. É uma ressurreição, uma nova criação. É passar da morte para a vida. É uma mudança tão radical que você passa a ter uma nova natureza, novos hábitos, novos gostos, novos desejos, novos apetites, novos julgamentos, novas opiniões, nova esperança, novos temores.

4. *O novo nascimento é uma obra livre, soberana e misteriosa do Espírito Santo* (3:8). A comparação com o vento é especialmente plausível porque os termos *ruach* no hebraico e *pneuma* no grego significam vento ou espírito. O vento sopra onde quer. Não sabemos de onde vem nem para onde vai. Assim é todo o que é nascido do Espírito. O vento é livre, soberano e misterioso. O Espírito também sopra onde quer e em quem quer. Ninguém segura o vento nem pode detê-lo ou domesticá-lo. A obra do Espírito é soberana e eficaz. Não podemos explicar o vento, mas podemos senti-lo e ouvir sua voz. Assim é a obra do Espírito Santo no novo nascimento. O Espírito Santo sopra onde jamais sopraríamos. Ele sopra em quem jamais sopraríamos. Ele sopra na rua, na boate, no campo de futebol, no botequim, no lar, na igreja.

Permita-me ilustrar melhor esse ponto. Era uma segunda-feira, e eu estava no gabinete pastoral na Primeira Igreja Presbiteriana de Vitória. Um homem entrou, cumprimentou-me e disse: "Eu estive ontem à noite no culto desta igreja". Congratulei-me com ele e expressei minha alegria pelo fato de ele ter participado do culto conosco. Então o homem respondeu: "Mas eu não vim participar do culto". Perguntei-lhe: "Então o que o senhor veio fazer na igreja?" Ele olhou fundo nos meus olhos e disse: "Vim roubar um carro. Eu era um traficante". Perguntei-lhe de pronto: "E o que aconteceu ontem à noite?" Comovido, o homem confessou: "Enquanto eu estava observando os carros, fui atraído irresistivelmente por uma música que saía do templo. Como eu estava com o revólver na cintura, entrei e me deparei com uma força maior do que a minha. A Palavra de Deus entrou no meu coração como uma flecha. Saí correndo para casa chorando, e minha esposa me perguntou: 'O que aconteceu com você? Alguém o feriu?' Respondi: 'Não, mulher, aquele homem que você conhecia morreu. Sou uma nova criatura. Deus salvou a minha vida'".

A comparação que Jesus faz da obra do Espírito com o vento nos ensina, outrossim, que muitas vezes não conseguimos entender essa obra, mas podemos ver seus efeitos. Embora algumas vezes não consigamos entender como o Espírito Santo trabalha, podemos ver seu efeito na vida dos convertidos. Da mesma maneira, poucas pessoas sabem como funciona a eletricidade, o rádio e o televisor, e nem por isso negam sua existência. Muitos de nós dirigimos um carro com um mínimo de conhecimento do que se passa debaixo do capô. Mas, nossa falta de conhecimento não nos impede de desfrutar os benefícios que o automóvel nos proporciona. Podemos, assim, não compreender como trabalha o Espírito Santo e, ainda assim, comprovar o efeito do Espírito Santo na vida das pessoas.[18]

A condição para o novo nascimento

Nicodemos não duvida da necessidade do novo nascimento, mas questiona sua possibilidade. Ele não compreende como alguém pode ser totalmente transformado, a ponto de ter um novo coração. E imaginou que teria de nascer novamente do ventre de sua mãe. Jesus corrige sua confusão, explicando que aquele que é nascido da carne é carne. O novo nascimento não é obra humana, mas divina. Não é obra terrena, mas celestial. Jesus, então, usa a comparação do vento para evidenciar o aspecto misterioso do novo nascimento.

Nicodemos porém, continuou não entendendo. Jesus passou então de uma explicação do novo nascimento em termos das categorias "água" e "Espírito", usadas por Ezequiel (Ez 36:25-27), para uma passagem narrativa, o conhecido relato da serpente de bronze no deserto (Nm 21:4-9).[19] Assim o mestre traz à memória de Nicodemos a história de Israel no deserto. A Bíblia diz que o povo de Israel se insurgiu contra Deus e o provocou à ira, desprezando o maná como se fosse um pão vil. Então, Deus castigou o povo com serpentes abrasadoras e venenosas que o mordiam. Desesperado, o povo rogou a Moisés, que intercedeu por ele.

Deus deu uma ordem a Moisés para fazer uma serpente de bronze; todo aquele que fosse picado pela serpente abrasadora e olhasse para a serpente de bronze seria curado imediatamente. William Hendriksen diz acertadamente que Números 21 é um tipo profético da futura ascensão do Filho do homem. Em ambos os casos (Nm 21 e Jo 3), a morte é apresentada como uma punição pelo pecado; em ambos os casos, é o próprio Deus que, em sua graça soberana, provê o remédio; em ambos os casos,

Novo nascimento, uma necessidade vital

o remédio consiste em algo (ou alguém) sendo levantado à vista do público; em ambos os casos, aqueles que, com um coração crente, olham para aquilo (ou aquele) que foi levantado são curados. No caso do tipo (a serpente de bronze), a libertação é da morte física; mas, no caso do antítipo (Cristo), a libertação é da morte eterna.[20]

Jesus, então, diz: *Assim como Moisés levantou a serpente no deserto, também é necessário que o Filho do homem seja levantado; para que todo aquele que nele crê tenha a vida eterna* (3:14,15). O ponto de conexão mais profundo entre a serpente de bronze e Jesus estava no ato de ser "levantado".[21] Warren Wiersbe acrescenta que o verbo "levantar" possui duplo sentido: ser crucificado (8:28; 12:32-34) e ser glorificado e exaltado. João ressalta que a crucificação de Jesus foi um meio para sua glorificação (12:23ss.). A cruz não foi o fim de sua glorificação, mas um instrumento para alcançá-la (At 2:33).[22] Quando Nicodemos pergunta como uma pessoa pode alcançar o novo nascimento, a nova vida, aqui é citado o passo decisivo: olhar para o carregador de pecados alçado à cruz traz a vida.[23] David Stern diz que, assim como os israelitas foram salvos da praga das serpentes quando contemplaram a serpente de bronze levantada por Moisés (Nm 21:6-9), todas as pessoas são salvas da morte, da separação de Deus e do tormento eterno ao contemplar com seus olhos espirituais a pessoa do Messias, Jesus, levantada na cruz.[24] Corroborando, ainda com o entendimento da passagem em apreço, acrescento as oportunas palavras de Charles Erdman:

> A figura usada por Jesus não deve ser considerada em todos os seus possíveis pormenores; contudo, as seguintes sugestões se impõem: 1) A humanidade, como aqueles israelitas do passado, foi mordida por

uma serpente, mas o veneno mortal que ela lhe instilou nas veias é o ferrão do pecado. 2) Deus providenciou um remédio na pessoa de seu Filho; na crucificação deste, vemos o aniquilamento do pecado, pois a serpente levantada na haste figurava a morte do destruidor. Mas, como a serpente levantada não era cobra de verdade, e sim de metal, assim Cristo não era de fato pecador, senão somente feito "em semelhança de carne pecaminosa". 3) Como foi necessário que os israelitas moribundos aceitassem a provisão de Deus e, com submissão e fé, olhassem para a serpente de cobre, também é necessário que atentemos, arrependidos e cheios de fé, para o Salvador crucificado, e nos entreguemos a Deus como se revela graciosamente em Jesus Cristo. Se recusarmos aceitar a Cristo, pereceremos; mas a fé nele resulta em vida eterna. 4) Tal provisão é feita por Deus em seu amor, e é oferecida livremente a todo aquele que crer.[25]

Destacamos a seguir duas verdades.

Em primeiro lugar, *é preciso reconhecer seus pecados*. Somente aqueles que reconhecem a malignidade do veneno da antiga serpente, somente aqueles que sabem que foram inoculados por um veneno mortal, chamado pecado, é que correm desesperadamente para Deus clamando por misericórdia. O pecado é malateníssimo. O pecado adoece, escraviza e mata. O salário do pecado é a morte.

Primeiro você reconhece que é pecador, depois você olha para Jesus. Antes da fé, vem o arrependimento. Antes do arrependimento, vem a convicção de pecado. Antes da convicção de pecado, vem a consciência de que o pecado é malatíssimo. O pecado é pior que a pobreza, que a doença, que a morte. Pois o pecado nos afasta de Deus agora e eternamente. Somente os que se reconhecem pecadores olharão para Jesus como Salvador. Voltando a atenção para Nicodemos, John MacArthur diz que sua descrença

Novo nascimento, uma necessidade vital

tinha dois lados. Intelectualmente, enquanto confessa que Jesus era um mestre vindo da parte de Deus, Nicodemos não estava pronto a aceitá-lo como Deus. Espiritualmente, o homem relutava em admitir-se como pecador, uma vez que era quase impensável que um orgulhoso fariseu, cheio de justiça própria, admitisse tal realidade. Assim também, muitos ainda hoje, mesmo impressionados com os milagres de Jesus, se recusam a confiar nele como seu Senhor e Salvador.[26]

Em segundo lugar, *é preciso crer que Jesus levou sobre si os seus pecados na cruz*. O propósito de Jesus ser levantado fica agora mais explícito: *para que todo aquele que nele crê tenha a vida eterna* (3:15). Cristo precisou ser levantado na cruz para ser o nosso redentor. Ele assumiu o nosso lugar, como nosso representante, fiador e substituto. Quando Jesus estava na cruz, Deus lançou sobre ele todos os nossos pecados. Ele foi ferido e traspassado pelas nossas transgressões. Cristo se fez maldição por nós. Ele se fez pecado por nós. Ele foi cuspido pelo Sinédrio. Foi escarnecido pela multidão e açoitado pelos soldados. Cruelmente, os soldados arrancaram sua barba e esbordoaram sua cabeça. Naquele momento, não havia beleza em Jesus. Todo o veneno que nos matava foi lançado sobre ele. O sol escondeu seu rosto. O Pai não pôde ampará-lo. Ele morreu em nosso lugar. Mas, antes de morrer, deu um brado de vitória. Rasgou o escrito de dívida que era contra nós, esmagou a cabeça da serpente e, com seu sangue, nos remiu para Deus.

Quando olhamos para Cristo, quando cremos nele e confiamos no que ele fez por nós, então somos salvos e recebemos a vida eterna. Aí acontece o novo nascimento. Concordo com a defesa de D. A. Carson de que aqui está a resposta mais franca à pergunta de Nicodemos: *Como pode ser isso?* (3:9). O reino de Deus pode ser visto ou adentrado por intermédio da obra salvadora de Cristo na cruz, recebida pela fé; assim, experimenta-se o novo nascimento, e a vida se inicia.[27]

F. F. Bruce destaca o fato de que essa é a primeira ocasião nesse evangelho em que ocorre a expressão frequente, *zoe aionios,* "vida eterna". Significa vida da era vindoura, vida da ressurreição, que os crentes em Cristo desfrutam em antecipação por causa de sua união com alguém que já ressuscitou. A vida eterna aqui é a própria vida de Deus que está no Verbo eterno (*A vida estava nele*) e por ele é transmitida a todos os crentes.[28] A vida eterna é a vida da era vindoura que é recebida pela fé e que não pode ser destruída; é uma possessão presente daquele que crê.[29]

Os resultados do novo nascimento

Três resultados são destacados por Jesus no texto em tela.

Em primeiro lugar, *o livramento da condenação* (3:16). Há uma condenação inexorável para todos aqueles que permanecem em seus pecados. O salário do pecado é a morte. A alma que pecar, essa morrerá. Contudo, quando você olha para Jesus e o recebe como seu Salvador, essa condenação é cancelada, porque o Justo morreu pelo injusto. Como seu substituto, ele sofreu a penalidade que você deveria sofrer. Ele morreu em seu lugar, e agora você está livre de condenação. John Charles Ryle diz acertadamente que Deus amou o mundo não para que toda a humanidade fosse finalmente salva; ele amou o mundo e deu o seu Filho unigênito para que todo o que nele crer não pereça, mas tenha a vida eterna. Seu amor é oferecido a todas as pessoas livremente, plenamente, honestamente, irreservadamente, mas unicamente através da redenção que há em Cristo.[30] O mesmo autor afirma que a morte de Cristo é a nossa vida e a fé em Cristo é o nosso único passaporte para o céu.[31] Portanto, se a oferta da salvação é a maior das misericórdias, a rejeição da salvação é a maior das culpas!

Em segundo lugar, *a garantia da vida eterna* (3:16-18). Crer no Filho de Deus é semelhante a olhar para a serpente de bronze. Aqueles que foram amados por Deus e creem no seu Filho, em vez de condenação, recebem vida eterna. John Charles Ryle diz que sem fé não há salvação, mas pela fé em Cristo o mais vil pecador pode ser salvo.[32] Este jamais perecerá eternamente. Assim como a morte era afastada daqueles que olhavam para a serpente de bronze, os pecados são perdoados daqueles que creem no Filho de Deus. Concordo com Werner de Boor quando ele escreve: "Quem não quer aceitar o ato redentor de Deus na entrega do Filho está forçosamente sujeito ao juízo e, consequentemente, já está julgado, ainda que isso venha a ser definitivamente manifesto apenas naquele dia diante do trono".[33] Fritz Rienecker esclarece que a expressão "já está condenado" indica que a pessoa entrou num estado contínuo de condenação porque se recusou a entrar num estado contínuo de fé.[34] Nessa mesma linha de pensamento, William Hendriksen ressalta que ninguém precisa aguardar o dia da grande consumação para receber sua sentença. Certamente, naquele grande dia, algo muito importante acontecerá: o veredito será publicamente proclamado (5:25-29). Mas a decisão em si, que é básica para essa proclamação pública, já foi tomada há muito tempo.[35]

Em terceiro lugar, *a caminhada na luz* (3:18-21). Aqueles que nascem de novo e creem no Filho de Deus têm mudado não apenas seu destino, mas também seu estilo de vida.

Agora eles não amam mais as trevas. Seu prazer está em Deus. Seu deleite está em fazer a vontade Deus. Eles agora têm uma nova mente, um novo coração, uma nova vida, novos gostos, novas preferências, novos desejos. Passaram das trevas para a luz. Não vivem mais em pecado, mas têm prazer em Cristo, a luz que ilumina todo ser humano.

Werner de Boor, com razão, afirma que Nicodemos veio apenas para ter um diálogo teológico com o "mestre" Jesus e entender qual posição ele na realidade reivindicou para si. Jesus, porém, o colocou diante da decisão de praticar a verdade e vir para a luz ou permanecer na perdição.[36] F. F. Bruce diz que a pessoa que despreza Cristo, ou o considera indigno de sua confiança, julga a si mesmo, e não a Cristo. Tal pessoa não precisa esperar até o dia do julgamento; o veredito sobre ela já foi pronunciado. Sem dúvida, haverá um julgamento final (5:26-29), mas servirá somente para confirmar o que já foi decidido. Aqueles que creem no nome do Filho de Deus tornam-se filhos de Deus (1:12); para aqueles que não creem, não há alternativa além do juízo no qual incorrerão.[37]

Conclamo você, em nome dos patriarcas, dos profetas, dos apóstolos, dos mártires, clamo à sua alma em nome do Deus vivo, em nome da igreja, que você nasça de novo.

Nada é mais urgente do que sua salvação. Não basta que seus pais sejam crentes. Não basta que seu nome esteja no rol de membros da igreja. Você precisa nascer de novo. Deus é a favor da sua salvação. Cada batida do seu coração significa Deus lhe dando mais uma oportunidade de voltar-se para ele. Hoje é o dia. Agora é o tempo.

Notas do capítulo 5

[1] CARSON, D. A. *O comentário de João*, p. 185.
[2] Ibid, p. 187.
[3] HENRY, Matthew. *Matthew Henry Comentário bíblico Novo Testamento – Mateus-João*, p. 773.
[4] CARSON, D. A. *O comentário de João*, p. 190-191.
[5] BRUCE, F. F. *João: introdução e comentário*, p. 81.
[6] MACARTHUR, John. *The MacArthur New Testament commentary – John 1-11*, p. 102.
[7] BRUCE, F. F. *João: introdução e comentário*, p. 82.
[8] HENDRIKSEN, William. *João*, p. 179.
[9] BARCLAY, William. *Juan I*, p. 132.
[10] MACARTHUR, John. *The MacArthur New Testament commentary – John 1-11*, p. 101.
[11] HENDRIKSEN, William. *João*, p. 181.
[12] RYLE, John Charles. *John*. Vol. 1, p. 122.
[13] Ibid, p. 123.
[14] ERDMAN, Charles. *O evangelho de João*, p. 36.
[15] HENDRIKSEN, William. *João*, p. 183.
[16] MACARTHUR, John. *The MacArthur New Testament commentary – John 1-11*, p. 105.
[17] CARSON, D. A. *O comentário de João*, p. 196.
[18] BARCLAY, William. *Juan I*, p. 141.
[19] CARSON, D. A. *O comentário de João*, p. 202.
[20] HENDRIKSEN, William. *João*, p. 189.
[21] CARSON, D. A. *O comentário de João*, p. 202.
[22] WIERSBE, Warren W. *Comentário bíblico expositivo*. Vol. 5, p. 381.
[23] BOOR, Werner de. *Evangelho de João I*, p. 91.
[24] STERN, David H. *Comentário judaico do Novo Testamento*, p. 192-193.
[25] ERDMAN, Charles. *O evangelho de João*, p. 37.
[26] MACARTHUR, John. *The MacArthur New Testament Commentary – John 1-11*, p. 112.
[27] CARSON, D. A. *O comentário de João*, p. 203.
[28] BRUCE, F. F. *João: introdução e comentário*, p. 86.
[29] RIENECKER, Fritz; ROGERS, Cleon. *Chave linguística do Novo Testamento*, p. 165.
[30] RYLE, John Charles. *John*. Vol. 1, p. 143.
[31] Ibid., p. 145.
[32] Ibid., p. 146.

João — As glórias do Filho de Deus

[33] BOOR, Werner de. *Evangelho de João I*, p. 94.

[34] RIENECKER, Fritz; ROGERS, Cleon. *Chave linguística do Novo Testamento*, p. 166.

[35] HENDRIKSEN, William. *João*, p. 194.

[36] BOOR, Werner de. *Evangelho de João I*, p. 95.

[37] BRUCE, F. F. *João: introdução e comentário*, p. 88.

Capítulo 6

A grande
salvação
(Jo 3:16)

O TEXTO EM APREÇO, João 3:16, é tão sublime, tão profundo, tão exaustivo e tão importante que Lutero o chamou de "miniatura do evangelho". Vamos nos deter aqui nesse versículo para explorar suas riquezas e cavar nessa mina esgotável.

D. A. Carson diz que os judeus estavam familiarizados com a verdade de que Deus amava os filhos de Israel; aqui, porém, o amor de Deus não se restringe a uma raça. O amor de Deus deve ser admirado não porque o mundo é tão grande e inclui tanta gente, mas porque o mundo é tão mau. O mundo é tão ímpio que João em outras passagens proíbe os cristãos de amá-lo ou de amar qualquer coisa do mundo (1Jo 2:15-17). Não há contradição entre essa proibição e o fato de que Deus realmente o ama. Os cristãos não devem amar o mundo com amor egoísta de participação; Deus ama o mundo com o amor altruísta e valioso de redenção.[1]

Se você pode ser salvo ou perecer eternamente – e você pode... Se essa salvação já foi providenciada por Deus – e ela foi... Se essa salvação só pode ser recebida pela fé, não pelas obras – e isso é verdade... Se hoje é o dia da salvação e amanhã pode ser tarde demais para tomar uma decisão – e isso é fato... Se Deus já declarou seu amor por você, apesar de você ser pecador – e ele já fez isso... Se Deus já enviou seu Filho unigênito ao mundo para ser o seu Salvador – e ele realmente fez isso... Se Deus lhe deu uma única alternativa para ser salvo, qual seja, a de crer em Jesus – e ele já deixou isso claro... Se você tem a possibilidade de escolher a vida ou a morte – então o conclamo a escolher a vida, para que você viva e viva para sempre.

Você não pode ser salvo em seus pecados. Não pode salvar a si mesmo nem pode ser salvo por ritos sagrados. Deus providenciou uma saída para você e agora lhe diz que você não pode escapar se negligenciar tão grande salvação.

A carta aos Hebreus pergunta: *Como escaparemos se desconsiderarmos tão grande salvação?* Por que essa salvação é grande? Jesus respondeu a essa pergunta em João 3:16. Ouvi, certa feita, um sermão de Marcelo Gualberto a respeito desse texto e jamais me esqueci de seus pontos, que destaco a seguir.

A salvação é grande por causa de sua procedência

Porque Deus amou [...]. Destacamos aqui, três verdades sobre amor de Deus, a fonte da nossa salvação.

Em primeiro lugar, *o amor de Deus por você é eterno e incondicional.* O criador dos céus e a da terra colocou seu coração em você desde toda a eternidade. O amor de Deus por você é eterno, incondicional e perseverante. O amor de Deus é espontâneo e autogerado. Não merecemos o amor de Deus. Ele nos amou quando éramos inimigos. Ele nos amou apesar de sermos pecadores. Deus não sente nojo de nós. Ele nos deseja assim como um noivo se alegra com sua noiva. Ele nos ama com amor eterno e nos atrai para si com cordas de amor. Seu amor é incondicional. Não há nada que você possa fazer para Deus o amar mais nem há nada que você possa fazer para Deus o amar menos.

Em segundo lugar, *de onde veio esse amor?* Não podia vir de outra fonte que não fosse o próprio Deus. O amor de Deus vem dele mesmo. A causa do amor de Deus não está no seu objeto, mas no próprio Deus. Ele ama porque é de sua natureza amar. *Deus é amor* (1Jo 4:8). A causa do amor de Deus não está em você; está no próprio Deus.

Em terceiro lugar, *qual é a dimensão do amor de Deus?* Devemos conhecer o comprimento, a largura, a altura e a profundidade do amor de Deus. O comprimento do seu amor alcança todos os homens desde Adão até o último homem. Deus ama toda a raça humana e não quer que ninguém pereça. A largura envolve todas as nações, raças, povos e tribos. O amor de Deus não é endereçado apenas aos judeus, como pensavam os fariseus, mas também aos gentios. A altura mostra que esse amor brotou no coração de Deus e a profundidade revela que este amor desce ao encontro do mais miserável pecador.

A salvação é grande por causa de sua amplitude

Porque Deus AMOU [...] O MUNDO [...]. Destacamos, novamente, três pontos importantes.

Em primeiro lugar, *a extensão do mundo amado por Deus.* Quando Jesus conversou com Nicodemos, este possivelmente pensou que o Messias viria apenas para sua nação, para os judeus. Imaginou que o amor de Deus estava destinado apenas a uma raça. Mas Jesus declara que o amor de Deus é extensivo a todo o mundo, aos judeus e aos gentios, a todas as raças, a todos os povos, a todas as tribos. Deus não faz acepção de pessoas. Ele ama o pobre e o rico, o doutor e o analfabeto, o jovem e o velho, o religioso e o ateu. Para um fariseu, esse conceito era chocante. Isso porque os fariseus acreditavam que Deus odiava o mundo e tinha prazer em destruir o mundo, mas Jesus anuncia que Deus ama o mundo, ama os pecadores, a tal ponto de dar não um anjo ou outro ser criado, mas o seu Filho eterno.

Em segundo lugar, *o que havia no mundo para que Deus o amasse?* Não havia nele nada que fosse digno de amor. A ênfase não é que Deus seja capaz de amar um mundo tão grande, mas capaz de amar um mundo tão mau. Deus amou o mundo mau para redimi-lo. Nenhuma flor perfumada crescia nesse deserto árido. Havia inimizade com ele, ódio à sua vontade, desprezo à sua lei, rebelião contra os seus mandamentos. Todavia, *Deus amou o mundo.*

Em terceiro lugar, *a quem Deus amou?* Deus amou o mundo, amou os perdidos, pecadores de todas as raças, povos, tribos e línguas. Deus ama aqueles que não são dignos de serem amados. Deus ama apesar de ser rejeitado. Deus ama você, caro leitor, e a mim. Pensamos que é uma grande honra sermos amados por alguém especial, conhecido, famoso. Você, porém, é amado pelo criador do universo. Ele não apenas ama você, mas escolheu você, deu-lhe seu Filho para salvá-lo e conduzi-lo ao seu reino de glória.

A salvação é grande por causa de sua intensidade

Porque Deus amou TANTO *o mundo* [...]. Destacamos, outra vez, três pontos.

Em primeiro lugar, *o amor de Deus é indescritível*. O amor de Deus não pode ser traduzido em palavras. Ele amou sacrificialmente. Ele amou e deu seu Filho. Ele amou e entregou tudo. O poeta disse: "Ainda que todos os mares fossem tinta e todas as nuvens fossem papel... Ainda que todas as árvores fossem penas e todos os homens escritores, nem mesmo assim se poderia descrever o grande amor de Deus".

Em segundo lugar, *o amor de Deus é eterno*. Deus amou você antes de você nascer. Antes de lançar os fundamentos da terra, Deus já amava você. Antes que o sol brilhasse no firmamento, Deus já havia colocado seu coração em você. Antes que a terra desse o seu primeiro fruto, Deus já havia derramado seu coração em você. Ele amou você na eternidade. Planejou você. Pensou em você. Estava lá formando você no ventre da sua mãe. Viu seus primeiros batimentos cardíacos. Viu quando você respirou pela primeira vez. Ele conhece cada pensamento, cada palavra, cada desejo, cada sussurro da sua alma. Ele nunca desistiu de amar você. Ele não abre mão de você.

Em terceiro lugar, *o amor de Deus é deliberado*. Deus resolveu amar você e o escolher para ele. Ele pôs seu coração em nós e nos escolheu em Cristo para a salvação. Ele nos amou e nos adotou em sua família. Ele nos amou e nos escolheu para sermos seus filhos e herdeiros. Ele nos

A salvação é grande por causa de sua dádiva

Porque Deus amou tanto o mundo, que DEU O SEU FILHO UNIGÊNITO [...]. Alguns pontos merecem destaque aqui.

Em primeiro lugar, *o preço da nossa salvação*. Quem muito ama, muito dá. O amor que não se sacrifica é um simulacro do amor. Cristo é a dádiva de Deus Pai a um mundo pecador e mau. Cristo é o pão do céu para um mundo faminto. É água da vida para os sedentos. Cristo é o Cordeiro substituto para o pecador condenado. Cristo é o dom inefável de Deus a você.

Em segundo lugar, *a dádiva de Cristo implica sua encarnação e morte*. O amor de Deus revela o preço que Deus pagou por sua redenção. Não foi mediante coisas corruptíveis como prata ou ouro que Deus remiu você. Deus comprou você mediante o preço de sangue, o sangue do seu Filho. Deus não levou em conta a sua dívida. Ele a transferiu para a conta de Jesus, que foi levado à cruz pelos seus pecados e na cruz pagou sua dívida, rasgou seu escrito de dívida e gritou: Está pago! Deus, então, transferiu a justiça de Cristo para sua conta e declarou você justo.

Em terceiro lugar, *o que foi esse dom?* Foi o seu Filho unigênito, em quem Deus se compraz. O Pai deu aquele que era um com ele mesmo. Deus nos deu tudo; deu-nos seu Filho, deu-nos a si mesmo. O que mais poderia dar? Durante uma época de fome no Oriente, um pai e uma mãe se viram reduzidos à possibilidade de morrerem à míngua, e a única maneira de preservar a vida da família seria vender um dos filhos como escravo, pois a fome se tornava insuportável, e eles não aguentavam mais a dor de ouvir o choro de seus pequenos implorando por comida. Mas qual deveria ser vendido? Não podia ser o mais velho – como abrir mão do primogênito? O segundo filho era muito parecido com o pai – e a mãe disse que jamais se separaria dele. O terceiro filho lembrava a mãe – e o pai disse que preferia morrer a permitir que ele fosse escravo; o caçula – era o Benjamim e não podiam abrir mão dele. Concluíram, enfim, que preferiam morrer juntos, como família, a se separar voluntariamente de qualquer um dos seus filhos. No entanto, Deus nos amou de tal maneira que deu seu Filho unigênito (3:16). Deus nos amou a tal ponto de não poupar o próprio Filho (Rm 8:32). Ele entregou seu Filho para ser ferido, transpassado, esbordoado, cuspido e pregado numa cruz para que nós fôssemos perdoados.

Em quarto lugar, *como ele nos deu seu Filho unigênito?* Deus enviou o seu Filho para o exílio entre os homens. Jesus se esvaziou. Nasceu numa estrebaria, cresceu numa carpintaria e morreu numa cruz. O Senhor enviou o herdeiro de todas as coisas para uma cidade pobre, uma família pobre, e ele, sendo rico, se fez pobre, não tendo onde reclinar a cabeça. O Pai o enviou para o meio de escribas e fariseus, cujos olhos astutos o observavam e cuja língua cruel o açoitava com calúnias do mais baixo nível. Ele o mandou para sofrer fome e sede e para viver em pobreza total. Enviou seu Filho ao mundo para ser escorraçado, pisado, açoitado, esbordoado e pregado numa cruz. Deu seu Filho para tornar-se pecado e maldição, para sofrer as mais terríveis angústias.

Em quinto lugar, *a cruz não é a causa do amor de Deus, mas seu resultado.* Deus não nos amou porque Cristo morreu por nós; Cristo morreu por nós porque Deus nos amou. O amor de Deus é a causa; a cruz é a consequência. Não foi a cruz que deu à luz o amor de Deus; foi o amor de Deus que trouxe ao mundo a cruz.

Em sexto lugar, *quando Deus deu o seu Filho unigênito?* Ele nos deu seu Filho antes da fundação do mundo. A cruz estava incrustada no coração do Pai desde a eternidade. *O Cordeiro foi morto desde a fundação do mundo* (Ap 13:8). Jesus sempre foi o dom de Deus. Sua promessa foi dada na queda do homem. Através dos tempos, o Pai se manteve fiel à sua promessa. Ele olhava para seu unigênito e via a cruz. Todos os sacrifícios realizados pelos sacerdotes prenunciavam que, na plenitude dos tempos, o Senhor certamente entregaria seu Filho para morrer em nosso lugar. Até quando Deus dá o seu Filho? A dádiva de Jesus foi um ato permanente de Deus. Ele nunca retrocedeu, mesmo vendo as agruras e o sofrimento do seu Filho. Mesmo o vendo traspassado, escarnecido, ferido, o Senhor *não poupou nem o próprio Filho, mas, pelo contrário, o entregou* (Rm 8:32). Esse é o amor que as muitas águas não podem apagar: amor eterno, amor infinito. Assim como esse dom não se refere só à morte de Cristo, e sim a todas as eras que a precederam, também inclui todas as eras posteriores. Deus deu e continua dando seu Filho. O Senhor está oferecendo Jesus neste momento. A fonte eterna está aberta e jorra hoje como quando foi aberta. Esse dom é inexaurível e inesgotável.

George Matheson estava noivo quando descobriu que ficaria cego. Ao comunicar o fato à sua noiva, às vésperas do casamento ela o abandonou. Desprezado pela noiva, mas acolhido pelo amor de Deus, o jovem escreveu um dos hinos mais conhecidos e ainda cantados por milhões de cristãos no mundo inteiro:

> Amor, que por amor desceste!
>
> Amor, que por amor morreste!

Ah! Quanta dor não padeceste!
Minha alma vieste resgatar
E meu amor ganhar!

Amor sublime, que perduras;
Que em tua graça me seguras,
Cercando-me de mil venturas!
Aceita agora, ó Salvador,
O meu humilde amor. Amém.[2]

A salvação é grande por causa de sua oportunidade

Porque Deus amou tanto o mundo, que deu o seu Filho unigênito, PARA QUE TODO AQUELE QUE NELE CRÊ [...]. A salvação não é resultado das obras que fazemos para Deus, mas da fé que depositamos em Cristo. A aliança da graça difere tanto da aliança das obras como as trevas diferem da luz. O texto não diz que Deus deu o seu Filho a todos os que guardam a lei; a todos os que forem eticamente sadios; a todos os religiosos; a todos os que praticam boas obras; a todos os sinceros; a todos os que amam a si mesmos. Mas o grande Deus deu seu Filho unigênito a *todo aquele que nele crê* [...]. Essa expressão é tanto convite indiscriminado dirigido a todos os que creem como também uma exclusão absoluta de todos os que não creem.

Mas o que é crer em Cristo?

Em primeiro lugar, *é acreditar firmemente na verdade do evangelho*. É preciso aceitar que Cristo levou nossos pecados sobre o madeiro, que se fez pecado e maldição por nós. Precisamos crer que *o castigo que nos traz a paz estava sobre ele, e por seus ferimentos fomos sarados* (Is 53:5). Precisamos entender que Cristo nos substituiu na cruz e foi ferido por Deus e traspassado por causa das nossas transgressões. Ele morreu por mim. Deus puniu meus pecados em Jesus. Na cruz, Jesus satisfez a justiça violada de Deus em meu lugar. Na cruz, Jesus sofreu o golpe da lei que eu deveria ter recebido, bebeu o cálice do juízo que eu deveria ter bebido e morreu a morte que eu deveria ter morrido.

Em segundo lugar, *é apropriar-se da verdade do evangelho*. Não basta saber que Cristo morreu na cruz; é preciso entender e aceitar que ele morreu por você. Seu sangue foi vertido para purificar você. É preciso saber que ele comprou para você a vida eterna. Sua morte foi vicária, substitutiva. Ele morreu em seu lugar. É preciso colocar sua fé em Jesus e aceitar o que ele fez por você.

Em terceiro lugar, *é descansar unicamente nessa fé para sua salvação*. Lance fora qualquer outra confiança: nos seus méritos, nas suas obras, na sua moralidade, na sua religiosidade. Não há outro nome dado entre os homens para que você seja salvo. Quem nele crer tem a vida eterna. Deus faz aqui uma limitação: *Todo aquele que nele crê* (3:15). Entra aqui um limite imposto pelo próprio Deus. Deus não amou o mundo de maneira que alguém que não crê em Cristo seja salvo, nem deu seu Filho para que alguém que rejeita Cristo seja salvo. Aqui todo incrédulo está excluído. Não há universalismo na salvação. Quem não crê já está condenado. Todavia, a pior pessoa, que tenha sido culpada de todas as luxúrias da carne, que tenha vivido desregrada e despudoradamente, que tenha sido uma leprosa moral, cativa dos vícios mais degradantes – se essa pessoa crer em Cristo Jesus, será purificada; não perecerá, mas terá a vida eterna. Deus faz aqui, também, uma oferta: *todo aquele que nele crê*. Essa oferta é endereça a você, leitor!

A grande salvação

A salvação é grande por causa da segurança do livramento

Porque Deus amou tanto o mundo, que deu o seu Filho unigênito, para que todo aquele que nele crê NÃO PEREÇA [...]. Há um perigo eterno. Há uma condenação eterna. A única maneira de escapar dessa ira vindoura é crer em Cristo. O juízo divino alcançará todos. Aqueles que creem são selados, lavados, justificados, guardados e têm seu nome escrito no livro da vida. Quem crer jamais perecerá eternamente. Como pode alguém perder uma coisa que é eterna? Se você a pudesse perder, seria uma prova de que ela não é eterna, e você pereceria, tornando a Palavra de Deus sem efeito. Se você crer em Cristo, embarcará num navio que não pode naufragar, mesmo que o mar se revolte. Aquele que crê é membro do corpo de Cristo; poderia Cristo perder seus membros? Como Cristo poderia ser perfeito se seu corpo fosse incompleto?

Aquele que crê já passou da morte para a vida. Está justificado, e nenhuma condenação há mais para ele. Tornou-se filho de Deus. É nova criatura. Nasceu de novo. Foi selado com o Espírito Santo da promessa. Nunca perecerá eternamente, porque tem a vida eterna.

A salvação é grande por causa de sua oferta

Porque Deus amou tanto o mundo, que deu o seu Filho unigênito, para que todo aquele que nele crê não pereça, MAS TENHA A VIDA ETERNA. Deus tem para você a vida eterna. Não é vida passageira; é vida eterna. É a mesma vida de Deus. É vida abundante, superlativa, maiúscula, eterna. É comunhão com ele. É fruição bendita. É uma festa que nunca pode acabar, no melhor lugar, com a melhor companhia, com as melhores roupas, com as melhores iguarias, com as melhores músicas.

Essa vida eterna estará com você na infância, na adolescência, na juventude, na velhice, na eternidade. Estará com você se você viver até os 70 anos; estará com você se ultrapassar o centenário. É vida que continuará a florescer quando estiver a um passo da sepultura, que permanecerá depois de deixar o corpo, que continuará quando seu corpo for ressuscitado e você comparecer diante do trono de Deus.

Essa vida brilhará mais que as estrelas. Enquanto houver o Deus eterno, os salvos viverão. Enquanto houver o céu, os salvos se deleitarão nele. Enquanto Jesus, o Verbo eterno, existir, os salvos viverão e se deleitarão no seu amor. Enquanto houver eternidade, os salvos continuarão a enchê-la com regozijo.

NOTAS DO CAPÍTULO 6

[1] CARSON, D. A. *O comentário de João*, p. 206.
[2] "Amor que vence", *Harpa cristã*. [N. do R.]

Capítulo 7

Jesus, o noivo e a testemunha
(Jo 3:22-36)

João Batista teve um ministério poderoso. E isso mesmo sendo um homem de hábitos estranhos, pois escolheu o deserto para exercer seu ministério. Mesmo usando roupas estranhas, porque vestia peles de camelo, e mesmo adotando um cardápio estranho, pois comia gafanhotos e mel silvestre, as multidões afluíam dos centros urbanos para ouvi-lo.

João Batista era um homem cheio do Espírito; era cheio de coragem e ao mesmo tempo humilde. Seu nascimento foi um milagre, sua vida foi um portento e seu ministério foi vitorioso. Não era um caniço, mas homem de estrutura granítica; não era um eco para apenas reproduzir um som incerto, mas uma voz. Não era um profeta da conveniência, mas um arauto do altíssimo.

João Batista exerceu seu ministério com um propósito claro. Foi chamado para ser o precursor do Messias. Jamais se deixou seduzir pelo orgulho a ponto de querer atrair a atenção para si mesmo. Sabia que seu papel era preparar o caminho do Senhor e apontar para Jesus como o Cordeiro de Deus que tira o pecado do mundo.

O texto em tela aponta-nos duas verdades que devem ser aqui observadas.

Jesus, o noivo (3:22-30)

O evangelista João registra o ministério de Jesus na Judeia, região na qual João batizava. João Batista e Jesus estiveram atuando por certo tempo lado a lado como enviados de Deus, se bem que em locais distintos.[1] Alguns pontos merecem aqui destaque.

Em primeiro lugar, *o ministério de batismo de João e Jesus* (3:22,23). O batismo de João era um batismo de arrependimento. Era um batismo preparatório. Seu propósito era conduzir as pessoas ao arrependimento e preparar o caminho para o Senhor. Os vales eram aterrados; os montes, nivelados; os caminhos tortos, endireitados; e os caminhos escabrosos, aplanados. Jesus estava na mesma região batizando. É bem verdade que Jesus mesmo não batizava, e sim os seus discípulos (4:1,2).

O precursor e o Messias agora exercem o ministério paralelamente, tanto geográfica como temporalmente. Esse fato provocou uma espécie de ciúmes por parte dos discípulos de João. Eles pensaram estar competindo. E, nesse dilema, foram buscar uma orientação de João. Concordo com John MacArthur quando ele enfatiza que João Batista era um

Jesus, o noivo e a testemunha

profeta sob a antiga aliança (Lc 16:16); Jesus veio como o mediador da nova aliança (Hb 8:6; 12:24), que foi ratificada por sua morte sacrificial (Lc 22:20; 1Co 11:25). João começa seu ministério com grande popularidade (Mt 3:4-6), enquanto Jesus estava na obscuridade. Contudo, depois que Jesus começou seu ministério, João se retirou da linha de frente e se alegrou com o crescimento de Jesus.[2]

Em segundo lugar, *o crescimento expressivo do ministério de Jesus e a diminuição do ministério de João* (3:24-26). Ao verem pessoas saindo de suas fileiras para engrossar o grupo liderado por Jesus, e movidos ainda pelo questionamento acerca da purificação, os seguidores de João Batista buscam o profeta, preocupados com o esvaziamento de suas fileiras. Warren Wiersbe mostra que quatro dos maiores homens da Bíblia enfrentaram esse problema de comparação e competição: Moisés (Nm 11:26-30), João Batista (Jo 3:26-30), Jesus (Lc 9:46-50) e Paulo (Fp 1:15-18). Muitas vezes, um líder sofre mais com seus discípulos zelosos do que com seus inimigos.[3] João Batista não ficou aborrecido com a queda de sua popularidade. Isso porque, a despeito de sua tremenda influência, ele sempre esteve focado no propósito precípuo de seu ministério, que era preparar o caminho do Senhor e testificar acerca de Cristo (1:27,30). Portanto, João Batista não vê o decréscimo de seu ministério e o crescimento do ministério de Jesus como um fracasso, mas como o cumprimento de seu ministério. Longe de ficar triste, ele se regozija copiosamente. Concordo com a observação de John MacArthur: "A medida do sucesso de qualquer ministro não é quantas pessoas o seguem, mas quantas pessoas seguem a Cristo por seu intermédio".[4]

Em terceiro lugar, *o ministério é recebido por Deus, portanto não há espaço para competição* (3:27). João Batista

João — As glórias do Filho de Deus

tinha plena consciência de que tanto seu ministério de precursor do Messias quanto o ministério de Jesus como o Messias vinha de Deus. Logo, eles não estavam numa arena de luta, disputando espaço e prestígio, mas cada um cumpria cabalmente o mandato recebido de Deus.

Em quarto lugar, *João Batista mostra consistência em seu ministério ao não aceitar ser mais do que Deus o nomeou para ser* (3:28). Muitos líderes, ao perceberem o próprio sucesso, enchem-se de soberba e querem ir além daquilo que receberam. João Batista já havia falado isso a seus discípulos, e agora, quando eles se sentiram enciumados por verem os discípulos de João deixando as fileiras para seguir Jesus, João reafirmou que tudo estava saindo de acordo com o propósito original. Ele não veio para ser o Messias, mas para ser seu precursor. O precursor abre o caminho e se retira. O precursor aponta para o Messias e sai de cena. O precursor não tenta ofuscar aquele que veio proclamar.

Em quinto lugar, *João Batista não é o noivo; apenas o amigo do noivo* (3:29). O amigo não pode querer substituir o noivo. João Batista tem consciência da natureza de seu chamado e ministério. Contenta-se em ser amigo do noivo. A noiva, a igreja, pertence a Jesus, e não a ele. Seu papel é preparar o caminho para que a noiva encontre o noivo. Seu papel é alegrar-se com o noivo.

Em sexto lugar, *João Batista anseia por ver Jesus crescendo e ele mesmo diminuindo* (3:30). João Batista tinha plena consciência de que o seu papel era mostrar o Cordeiro de Deus que tira o pecado do mundo e sair de cena. Seu ministério era apenas preparar o caminho e deixar o noivo se manifestar. Seu prazer era ver Cristo crescendo e ele mesmo diminuindo. Werner de Boor diz que João, o poderoso cabeça do movimento de avivamento, desaparecerá no cárcere solitário e perderá a vida por causa do ódio de uma mulher e da dança sensual de uma moça. Jesus, porém, há de "crescer" para ser *Kyrios*, Senhor e Salvador, o cabeça da nova igreja dos renascidos, que agora já podem ter a vida da era vindoura.[5]

Um pastor presbiteriano de Melbourne, na Austrália, apresentou Hudson Taylor usando uma porção de superlativos e, especialmente, a palavra "grande". Taylor foi até o púlpito e disse calmamente: "Queridos amigos, sou um pequeno servo de um mestre ilustre". Se João Batista estivesse na plateia, provavelmente teria gritado: "Aleluia"![6]

Jesus, a testemunha (3:31-36)

A ênfase desse parágrafo é sobre o "testemunho", um dos temas-chave do evangelho de João. O termo grego traduzido por "testemunho" é usado 47 vezes nesse livro.[7] Por que devemos dar ouvidos ao testemunho de Jesus?

Em primeiro lugar, *porque Jesus veio do céu e está acima de todos* (3:31). Aquele que é o Pai da eternidade e criador do universo fez-se carne. Ele veio do céu e recebeu todo o poder do céu. João Batista não era do céu e jamais afirmou ser. Nenhum dos mensageiros de Deus afirmou vir do céu. Essa prerrogativa pertence exclusivamente a Cristo. Portanto, não apenas sua origem é superior, mas também sua natureza. Ele, Jesus, é pessoalmente maior que todos, maior que todas as pessoas que já existiram e que todas aquelas que virão a existir.

Em segundo lugar, *porque Jesus dá um testemunho de primeira mão* (3:32,33). Jesus fala sobre o que viu e ouviu do Pai (8:38). Aqueles que recebem seu testemunho têm experiência de que ele é verdadeiro. Esse que vem do céu é o único capaz de ser uma verdadeira "testemunha" das coisas celestiais, da verdade e da realidade de Deus.[8]

Em terceiro lugar, *porque Jesus foi enviado pelo Pai* (3:34,35). Jesus foi enviado pelo Pai. O Pai deu-lhe a palavra, assim como o Espírito Santo. Werner de Boor diz que aqui não se trata das "palavras" (*logoi*) de Deus, mas daquelas "palavras" (*rhemata*) que são "palavras-ação", palavras eficazes, criadoras de história. Jesus é capaz de proferir de forma tão direta essas palavras de Deus que acontecem, porque ele é o receptor e portador do Espírito de Deus.[9] Na verdade, o Pai, além de amar o Filho, confiou todas as coisas em suas mãos. Constituiu-o como regente de todas as coisas. Ele é o cabeça da igreja. É o Senhor do universo. É sustentador de todas as coisas. Nele tudo subsiste.

Em quarto lugar, *porque em Jesus temos a vida eterna* (3:36a). A vida eterna está em Jesus, e fora dele não há salvação (4:12). Quem tem o Filho tem a vida; quem se mantém rebelde contra o Filho não verá a vida. Um homem muito rico concentrava sua grande fortuna em quadros famosos de pintores consagrados. Esse abastado milionário tinha um único filho. Fazendo certa feita uma viagem com um amigo, seu filho sofreu um grave acidente e acabou falecendo. O amigo, buscando consolar o pai enlutado, pintou um quadro do rosto de seu filho e ao amigo. O pai colocou o quadro numa bela moldura e dependurou-o entre seus quadros famosos. Antes de morrer, fez seu testamento, ordenando ao mordomo que fizesse um leilão dos quadros e doasse os recursos angariados para uma instituição de caridade. Depois de sua morte, o leilão foi divulgado nas rodas mais seletas dos amantes da arte. Um salão ricamente adornado recebeu os convidados ilustres e endinheirados. Para surpresa dos presentes, o leiloeiro apresentou o

Jesus, o noivo e a testemunha

quadro do filho como o primeiro a ser vendido. Ninguém se interessou. Todos aguardavam os quadros famosos. Até que um indivíduo fez um lance e comprou o quadro do filho. Nesse momento, o mordomo interrompeu o leilão e disse: "O leilão acabou". Todos protestaram. Então, ele leu o testamento de seu senhor: "Aquele que tiver o filho, tem tudo". D. A. Carson está correto em afirmar: "Se a fé no Filho é a única forma de herdar a vida eterna, e se ela é ordenada pelo próprio Deus, então não confiar nele é tanto desobediência quanto descrença".[10]

Em quinto lugar, *porque manter-se rebelde contra Jesus é permanecer sob a ira de Deus* (3:36b). A única maneira de o pecador fugir da ira vindoura é crer em Cristo. Em relação a Cristo não há neutralidade. Os que creem têm a vida eterna; os que se mantêm rebeldes permanecem debaixo da ira. Concordo com Werner de Boor quando ele diz que a ira de Deus foi anulada unicamente onde o Filho de Deus sem pecado se tornou pecado e onde, como Cordeiro de Deus, Cristo tirou o pecado do mundo. Quem, porém, se recusa a dar o obediente passo de fé até Jesus permanece necessariamente sob a ira de Deus. Nem a religiosidade própria, nem "ser bom" por si mesmo, é capaz de salvar ninguém da ira de Deus.[11]

Muitas pessoas tentam colocar o amor de Deus em oposição à ira de Deus, alegando que o primeiro anula a segunda. Nada mais distante da verdade. Mais uma vez, Werner de Boor é oportuno ao escrever:

> Somente falaremos de forma correta da "ira" de Deus se proclamamos com toda a força o amor de Deus, que nos preparou a salvação da ira. Porém, apenas proclamaremos corretamente o "amor" de Deus se não ocultarmos nesse ato toda a seriedade da ira de Deus. Cumpre dizer que sobre cada pessoa que despreza o amor de Deus revelado na

entrega do Filho "permanece" a ira de Deus. Essa palavra proíbe que brinquemos com a ideia de uma "reconciliação universal".[12]

NOTAS DO CAPÍTULO 7

[1] BOOR, Werner de. *Evangelho de João I*, p. 97.
[2] MACARTHUR, John. *The MacArthur New Testament commentary – John 1-11*, p. 124-125.
[3] WIERSBE, Warren W. *Comentário bíblico expositivo*. Vol. 5, p. 382.
[4] MACARTHUR, John. *The MacArthur New Testament commentary – John 1-11*, p. 127.
[5] BOOR, Werner de. *Evangelho de João I*, p. 99.
[6] WIERSBE, Warren W. *Comentário bíblico expositivo*. Vol. 5, p. 383.
[7] Ibid.
[8] BOOR, Werner de. *Evangelho de João I*, p. 100.
[9] Ibid.
[10] CARSON, D. A. *O comentário de João*, p. 215.
[11] BOOR, Werner de. *Evangelho de João I*, p. 101.
[12] Ibid., p. 102.

Capítulo 8

O testemunho de Jesus em Samaria e na Galileia
(Jo 4:1-54)

JESUS FAZ A TRANSIÇÃO de um diálogo com um doutor da lei para um diálogo com uma mulher samaritana. O contraste entre Nicodemos e a samaritana é gritante: ele, homem, judeu, fariseu, mestre, membro do Sinédrio; ela, mulher, samaritana, inculta, vivendo uma vida imoral. Ambos, porém, precisavam de Jesus e foram alvos do amor de Jesus. O Senhor prova, outrossim, ser capaz de salvar os dois. Charles Erdman acrescenta que, em vibrante contraste com a fria incredulidade com que nosso Senhor fora recebido em Jerusalém e na Judeia, temos sua experiência em Samaria, onde uma cidade inteira o aceitou como o Messias prometido, o Salvador do mundo.[1]

Uma agenda traçada no céu (4:1-6)

Jesus foge do conflito sobre o batismo (4:1,2) e sai da Judeia rumo à Galileia (4:3). Frequentemente vemos Jesus pregando e orando, mas nunca batizando. Matthew Henry diz que Jesus deixou a Judeia porque era provável que fosse perseguido até a morte pelos fariseus, e sua hora ainda não havia chegado. A ira dos fariseus contra Jesus era como aquele plano iníquo para devorar o menino-Deus em sua infância. Para escapar dessas intenções malignas, Jesus foi para a Galileia.[2]

Nessa jornada em direção ao norte, ele opta por passar pela província de Samaria (4:4). A agenda de Jesus começa no céu. Era-lhe necessário passar por Samaria. Havia três estradas para fazer esse trajeto do sul ao norte: uma nas proximidades da costa, outra através da Pereia, e outra que passava pelo centro de Samaria.[3] Esta era a mais curta,[4] porém algumas vezes evitada por causa do conflito entre judeus e samaritanos.[5]

Antes de prosseguir na exposição do texto, precisamos falar sobre a origem do povo samaritano. Com a morte do rei Salomão em 931 a.C., Israel foi dividido em dois reinos. Das doze tribos, dez seguiram a liderança cismática de Jeroboão I, formando o que conhecemos como Israel, ou Reino do Norte, distinto de Judá, ou Reino do Sul. O rei Onri chamou a capital do Reino do Norte de Samaria (1Rs 16:24). Esse reino durou 209 anos e teve 19 reis em 8 diferentes dinastias. Nenhum desses reis andou com Deus. Em 722 a.C., o Reino do Norte foi levado cativo pela Assíria. Sargão II deportou os israelitas de posses e povoou a terra com estrangeiros, os quais se casaram com os israelitas sobreviventes, formando um povo racialmente híbrido e religiosamente sincrético. Em 586 a.C., o Reino do Sul também foi levado para o cativeiro, dessa feita pela Babilônia. Depois de setenta anos, os judeus retornaram à sua terra para reconstruir o templo e reedificar a cidade de Jerusalém. Os samaritanos tentaram fazer aliança com os judeus que retornaram, mas foram rejeitados não por questão racial, mas por sua apostasia religiosa. Os samaritanos, então, enciumados, fizeram de tudo para atrapalhar a reconstrução do templo (Ed 3 e 4). Esse ódio dos samaritanos continuou. Quando mais tarde, por volta do ano 444 a.C., Neemias veio da Babilônia com o propósito de reconstruir os muros de Jerusalém, os samaritanos tornaram-se seus principais inimigos (Ne 4:1,2). Por volta do ano 400 a.C., os samaritanos erigiram um templo rival no monte Gerizim; e esse templo, no final do século 2 a.C., foi destruído por João Hircano, o governador asmoneu da Judeia. Essa combinação de eventos estimulou uma ferrenha animosidade entre judeus e samaritanos. Nos dias de Jesus, esse muro de separação, essa parede de inimizade entre judeus e samaritanos, era uma barreira intransponível. Esse é o pano de fundo dessa passagem.

Concordo com D. A. Carson quando ele diz que João talvez tivesse a intenção de fazer um contraste entre a mulher dessa narrativa e o Nicodemos do capítulo 3. Nicodemos era um erudito, poderoso, respeitado, ortodoxo, teologicamente preparado; a samaritana era inculta, sem influência, desprezada, capaz somente de praticar uma religião popular. Ele era um homem, um judeu, um líder; ela era uma mulher, uma samaritana, uma pária moral. E ambos necessitavam de Jesus.[6]

Jesus nos ensina aqui algumas importantes estratégias para ganhar uma pessoa. Ele não começou acusando a mulher, mas ganhando sua atenção. Não começou apontando seus pecados, mas pedindo-lhe um favor.[7] Começou onde ela estava. Depois, apresentou a ela todos os passos do evangelho. Para alcançar o coração da mulher samaritana, Jesus superou vários preconceitos e rompeu várias barreiras. Que barreiras?

Primeiro, *a barreira cultural*. O nome *Sicar* significa "cidade dos bêbados". Jesus, porém, mandou que seus discípulos comprassem comida em Sicar. Os judeus consideravam imunda a comida dos samaritanos. Além do mais, um rabino não podia conversar com uma mulher em público. Jesus não só conversou com ela, mas lhe pediu um favor. A mulher tinha uma vida moral reprovada pela lei. Já tinha tido cinco maridos e agora vivia com um amante. Era uma mulher desprezada, mas Jesus a valorizou. William Barclay diz que os mais radicais proibiam que um rabino saudasse uma mulher em público. Um rabino não podia falar em público com a própria mulher. A quebra dessa regra por Jesus podia significar para a cultura o fim de sua reputação.[8]

Segundo, *a barreira racial*. Como já deixamos claro, o povo samaritano era uma espécie de caldeamento de raças (2Rs 17:6,24). O povo samaritano era meio judeu e meio gentio. Havia perdido sua identidade racial. No tempo de Jesus, a desavença entre judeus e samaritanos perdurava por mais de quinhentos anos. Um judeu considerava um samaritano combustível para o fogo do inferno. Eles não se davam. Não bebiam nos mesmos vasos. No entanto, Jesus conversou com a samaritana e lhe pediu um favor. Concordo com William Barclay quando ele diz que a postura de Jesus sinaliza o rompimento do nacionalismo, o que demonstra a universalidade do evangelho.[9]

Terceiro, *a barreira religiosa*. A separação entre judeus e samaritanos se relacionava, também, com a apostasia religiosa dos samaritanos. Eles haviam perdido a integridade doutrinária. Os samaritanos não preservaram a fé intacta. Diziam que o monte Gerizim era o lugar do verdadeiro templo e o lugar da verdadeira adoração. Rejeitaram o Antigo Testamento. Criam apenas nos livros da lei, o Pentateuco. Está provado que os samaritanos tinham uma religião sincrética, misturada e herética. Quando João Hircano, o general caudilho judeu, em 129 a.C., atacou Samaria e destruiu o templo samaritano, o ódio dos samaritanos pelos judeus agravou-se intensamente. A conversa de Jesus com a mulher samaritana tem todo esse cenário religioso como pano de fundo. Jesus supera todos esses obstáculos, vence todas essas barreiras e triunfa sobre todos esses preconceitos para alcançar o coração dessa mulher.

Charles Erdman fala sobre algumas estratégias de Jesus para salvar essa mulher samaritana.[10] Vejamos a seguir quais foram.

Jesus desperta sua simpatia (4:7-9)

Jesus fez um ponto de contato com aquela mulher pedindo-lhe: *Dá-me um pouco de água*. Concordo com William Hendriksen quando ele diz que, se alguém deseja penetrar o coração de outra pessoa, pode usar dois métodos: fazer-lhe um favor ou pedir-lhe um favor. Com frequência, a segunda opção é mais eficaz que a primeira. Jesus, no entanto, combinou as duas.[11]

Jesus se identificou com a mulher. Ele deu valor a ela, quando todos fugiam. Jesus quebrou a barreira cultural, conversando com a mulher em público. Ele não fugiu dela nem a desprezou, mas a olhou com simpatia. Não a julgou nem a condenou. Ele começou onde ela estava. Concordo com Charles Erdman quando ele diz que Jesus a fez acreditar que algo mais, além da simples sede, levou-o a lhe

JOÃO — As glórias do Filho de Deus

falar.[12] John Charles Ryle explica: "É em vão esperar que as pessoas virão a nós em busca de conhecimento. Nós devemos começar por elas. Devemos entender qual é o melhor acesso ao coração delas".[13]

Jesus desperta sua curiosidade (4:10-12)

A mulher lembra a Jesus a muralha que separava seu povo do povo judeu. Para entendermos melhor essa barreira racial e religiosa, precisamos fazer mais uma retrospectiva. Oseias foi o último rei do Reino do Norte, Israel. Depois de pagar tributos à Assíria, transferiu sua lealdade ao Egito. Em retaliação, a Assíria cercou a cidade de Samaria e, no ano 722 a.C., esta foi tomada por Sargão, e a maioria do povo foi levada cativa para a Assíria (2Rs 17:3-6). Sargão, estrategicamente, levou para a região conquistada estrangeiros que se casaram com os israelitas que haviam permanecido na área. O povo samaritano, portanto, era um miscigenado, híbrido, misto, um verdadeiro caldeirão racial.

O muro de separação entre judeus e samaritanos parecia intransponível. A hostilidade estava à flor da pele. A tensão era visível. A intolerância era gritante. A mulher samaritana fez questão de trazer à baila todo esse histórico, empapuçado de dor e revolta.

Diante das dificuldades levantadas pela mulher samaritana para dar água a Jesus, este lhe mostrou que era ela quem precisava de água, a água da vida. A mulher precisava conhecer o dom de Deus, a água da vida (4:10). William Hendriksen aponta uma leve reprovação nas palavras de Jesus, como se ele dissesse: "Eu lhe pedi água comum, um dom de menor importância, mas você hesitou em me oferecer água; se você tivesse me pedido a água viva, o dom supremo de Deus, eu não teria hesitado, mas lha teria dado imediatamente".[14]

A água da vida que Jesus oferece não vem de um poço comum. É uma dádiva que só o Messias pode conceder. Muitas pessoas vivem uma vida infeliz, vazia e prisioneira porque não conhecem Jesus, o supremo dom de Deus. A mulher samaritana talvez não esperasse nada de Deus. Estava desiludida. Por isso, Jesus tocou no nervo exposto de sua curiosidade: *Se conhecesses* [...] *não conheceis.* Essa fala de Jesus aguçou na mulher o desejo de saber quem era aquele interlocutor. Seria ele maior do que Jacó, o doador do poço? Quem pretendia ser? Que diria de si? Assim como Nicodemos não conseguiu compreender as palavras de Jesus sobre novo nascimento, a mulher também não conseguiu entender as palavras de Jesus sobre a água viva.

Jesus desperta seu senso de necessidade (4:13-15)

Jesus foi categórico com a mulher samaritana, ao declarar: *Quem beber desta água voltará a ter sede.* Nicodemos não entendeu quando Jesus falou sobre novo nascimento, e a mulher samaritana não entendeu quando Jesus falou sobre a água da vida. Tanto o erudito Nicodemos quanto a ignorante samaritana não entenderam a linguagem espiritual de Jesus.

As coisas deste mundo não satisfazem. Nada que o homem jogue para dentro do coração satisfaz. A água do poço de Jacó não satisfaz para sempre. A água do poço de Jacó fica fora da alma e não é capaz de satisfazer as necessidades do coração. A água do poço de Jacó é de quantidade limitada, diminui e desaparece. Concordo com Charles Erdman quando ele diz: "Satisfação era exatamente aquilo a que essa pobre mulher aspirava. Atrás disso andara toda a vida, e nessa busca não respeitara nem as leis de Deus, nem as dos homens. Entretanto, continuava sedenta; e a sede nunca seria satisfeita, senão quando achasse em Cristo o Senhor e Salvador pessoal".[15]

A água que Jesus concede é um manancial completo e perpétuo que jorra para a vida eterna. Que água é essa, a água da vida? A promessa de Deus é derramar água sobre o sedento (Is 44:3). Deus convida todos: *Vós, todos os que tendes sede, vinde às águas* (Is 55:1). Deus prometeu que seu povo tiraria com alegria águas do poço da salvação (Is 12:3). Jesus disse: *Se alguém tem sede, venha a mim e beba* (Jo 7:37). O Espírito que flui como rio dentro de nós é essa fonte que jorra para a vida eterna (Jo 7:38). William Barclay diz que, para o judeu, água viva significava água corrente. Tratava-se da água que fluía de uma nascente, em oposição à água estancada de uma cisterna.[16] Há no texto duas palavras distintas para "fonte". A primeira delas é *pegue,* provavelmente com o significado de mina de água ou olho d'água (4:6,14); a segunda é *phrear,* que denota um poço cavado ou uma cisterna. Dessa palavra vem o conhecido termo "lençol freático", traduzido aqui por *poço* (4:11,12). F. F. Bruce considera as duas palavras apropriadas para o poço de Jacó; o poço foi escavado, mas é alimentado por uma veia subterrânea que raramente falha.[17]

A vida dessa mulher era como uma cisterna cavada, um poço de águas paradas (*phrear*), mas Jesus ofereceu a ela uma fonte de águas refrescantes, que jorraria de dentro dela para a vida eterna (*pegue*).

No milagre realizado em Caná da Galileia (2:6-11) e na conversa com Nicodemos (3:5), a água já tinha um sentido espiritual. Aqui, a água do poço de Jacó, simbolizando a antiga ordem herdada tanto por samaritanos como por judeus, é contrastada com a nova ordem, o dom do Espírito, a vida eterna.[18] Concordo com D. A. Carson quando ele diz que há ecos de promessas do Antigo Testamento nessa promessa de Jesus. No dia da salvação, o povo de Deus tirará águas das fontes da salvação com alegria (Is 12:3); eles *não sentirão fome nem sede* (Is 49:10). O derramar do Espírito de Deus será como o derramar de água sobre o sedento e torrentes sobre a terra seca (Is 44:3). A linguagem da satisfação e transformação interior traz à mente uma série de profecias, antecipando o novo coração e a troca do falido formalismo religioso por um coração que conhece e experimenta Deus, ansioso por fazer sua vontade (Jr 31:29-34; Ez 36:25-27; Jl 2:28-32).[19] Warren Wiersbe tem razão ao dizer que o evangelho de João revela claramente que existe um novo sacrifício (1:29), um novo templo (2:19-21; 4:20-24), um novo nascimento (3:1-7) e uma nova água (4:11).[20]

Jesus desperta sua consciência (4:16-18)

Jesus faz uma transição radical na conversa com a mulher e ordena: *Vai, chama teu marido* (4:16). Essa transição, porém, tem uma ligação estreita entre o pedido da mulher e a ordem de Cristo. A mulher quer essa água viva, mas tem sede suficiente para recebê-la? Hendriksen comenta: "Essa sede não será completamente despertada a menos que haja um senso de culpa, uma consciência de pecado. A menção de seu *marido* é a melhor maneira de lembrá-la de sua vida imoral. O Senhor está, agora, falando à consciência da samaritana.[21] Jesus mostra que, antes de beber a água da vida, ela precisa ter convicção de pecado e passar pelo arrependimento. Não há salvação sem arrependimento. Jesus destampa tanto o passado quanto o presente da mulher

JoÃo — As glórias do Filho de Deus

samaritana, preparando seu coração para receber o dom de Deus (4:14-16).

John Charles Ryle sustenta que, a menos que homens e mulheres sejam levados à consciência de sua pecaminosidade e de sua necessidade, nenhum bem poderá ser feito à sua alma. Até que o pecador veja a si mesmo como Deus o vê, ele continuará sem nenhuma ajuda. Nenhum pecador desejará o remédio da graça até se reconhecer como doente. Ninguém está habilitado a ver a beleza de Cristo até ver a própria hediondez. A ignorância do pecador levará à negligência a Cristo.[22] Como diz Warren Wiersbe, a única maneira de preparar o solo do coração para a semente do evangelho é ará-lo com a convicção do pecado.[23] Erdman é oportuno ao escrever:

> Por que ordenou Jesus à mulher para chamar seu marido? Porque por mais que admitamos a veracidade de Cristo, no que afirma de si, ou por mais que compreendamos suas promessas, nunca acharemos satisfação e paz se não corrigirmos o que de errado houver em nossa vida. Jesus pôs o dedo em cima da chaga daquela vida.[24]

Nessa mesma linha de pensamento, Matthew Henry escreve: "Este é o método de lidar com as almas. Elas devem, primeiro, estar cansadas e sobrecarregadas pelo fardo do pecado, e então devem ser levadas a Cristo para descansar".[25]

A mulher samaritana dá uma resposta verdadeira, mas incompleta. A resposta era formalmente correta, mas potencialmente enganosa.[26] Nas palavras de Werner de Boor, a mulher proferiu uma meia verdade, por meio da qual esperava esquivar-se para uma escuridão protetora.[27] Nessa mesma linha de pensamento, D. A. Carson diz que a resposta ríspida da mulher (*Não tenho marido*) era formalmente verdadeira, caso seus cinco ex-maridos estivessem todos mortos ou caso ela tivesse deles se divorciado; mas, sem dúvida, sua intenção era evitar qualquer outra investigação nessa área sensível de sua vida, ao mesmo tempo que disfarçava a culpa e o sofrimento. Jesus elogiou sua sinceridade formal, enquanto afirmou que ela já havia tido cinco maridos (mortos ou divorciados), e o homem com quem ela vivia agora não era de forma alguma legalmente seu marido. O conhecimento preciso de Jesus sobre o seu passado provava que Jesus é o Messias.[28] A mulher percebeu que Jesus conhecia sua vida. A mulher samaritana reconheceu que estava diante de um profeta.

Jesus desperta seu sentimento religioso (4:19-24)

A mulher até então tão falante se calou quando Jesus tocou no seu pecado. Outros acreditam que ela mudou de assunto, passando a uma discussão teológica, uma vez que a conversa havia se tornado incômoda. É mais fácil discutir teologia do que enfrentar os próprios pecados. Nas palavras de D. A. Carson "é mais fácil falar de teologia que tratar com uma verdade pessoalmente angustiante".[29]

Contudo, como os samaritanos só acreditavam no Pentateuco e como Deuteronômio diz que Deus suscitaria outro profeta semelhante a Moisés, esse profeta seria o Messias. Assim, essa mulher fez uma pergunta honesta: Onde adorar? Jesus respondeu que o importante não é *onde,* mas *como* e *quem* adorar. A verdadeira adoração a Deus é em espírito e em verdade. É de todo o coração e também prescrita pela Palavra de Deus. Os samaritanos adoravam o que não conheciam. Assim, qualquer religião que consista apenas em formalidade, sem fundamentação nas Escrituras, é absolutamente inútil.

D. A. Carson registra oportunamente:

A resposta de Jesus à mulher nos versículos 21 a 24 é dada em três partes. No início ele anuncia o fim iminente tanto do templo de Jerusalém quanto do monte Gerizim como lugares definitivos de adoração (4:21). Não obstante, ele insiste que a salvação vem dos judeus, e não dos samaritanos (4:22). E, finalmente, ele explica de forma mais positiva a natureza da adoração que torna para sempre obsoletas as reivindicações confiantes de Jerusalém e Gerizim (4:23,24).[30]

A verdadeira adoração é um dos temas centrais das Escrituras. A veneração de imagens de escultura é uma abominação para Deus, pois Deus é plenamente espiritual em sua essência. Quando Jesus diz que Deus é Espírito, isso significa que Deus é invisível, intangível e divino, em oposição a humano. É desconhecido para os seres humanos a menos que decida se revelar (1:18). Da mesma forma que Deus é luz (1Jo 1:5) e amor (1Jo 4:8), também é Espírito (4:24). Esses são elementos da forma em que Deus se apresenta aos seres humanos, da bondosa autorrevelação em seu Filho. Deus escolheu se revelar quando o Verbo se fez carne. Quem vê Jesus, vê o próprio Pai.[31]

O culto prestado a outros deuses é uma ofensa a Deus, pois Deus é um só e não há outro. A adoração a Deus, entrementes, não pode ser do nosso modo nem ao nosso gosto, pois Deus mesmo estabeleceu critérios claros como exige ser adorado. Muitas igrejas, com o propósito de agradar às pessoas, estabelecem formas estranhas de adoração que não estão prescritas nas Escrituras. Isso é como fogo estranho no altar. O pragmatismo religioso está substituindo a verdade de Deus em muitas igrejas. Muitas pessoas buscam o que funciona, não o que é certo. Procuram o que dá resultado, não a verdade. Estabelecem um culto sensório, não um culto em espírito e em verdade.

Jesus orienta a mulher samaritana que não é ao judaísmo que os samaritanos devem ser convertidos, nem é para Jerusalém que devem fazer peregrinações a fim de adorar. Em Jerusalém, Jesus também não encontrou "verdadeiros adoradores". Ali eles haviam transformado a casa de seu Pai numa casa de comércio.[32] Os verdadeiros adoradores não podem ser identificados por sua ligação com um santuário particular. Os verdadeiros adoradores são aqueles que adoram o Pai em espírito e em verdade.

A adoração falsa é abominação para Deus, e a adoração hipócrita provoca o desgosto de Deus. O profeta Isaías já havia demonstrado o desgosto divino, quando disse que o povo de Israel honrava a Deus com os lábios, mas seu coração estava distante de Deus (Is 29:13). Nessa mesma linha, Amós foi contundente quando escreveu em nome de Deus: *Eu detesto e desprezo as vossas festas; não me agrado das vossas assembleias solenes [...]. Afastai de mim o som dos vossos cânticos, porque não ouvirei as melodias das vossas liras* (Am 5:21,23).

Jesus diz à mulher samaritana o que adoração não é.

Primeiro, *não é adoração centrada em lugares sagrados* (4:20). Não é neste monte nem naquele. Não existe lugar mais sagrado que outro. Não é o lugar que autentica a adoração, mas a atitude do adorador.

Segundo, *não é adoração sem entendimento* (4:22). Os samaritanos adoravam o que não conheciam. Havia uma liturgia desprovida de entendimento. Havia um ritual vazio de compreensão.

Terceiro, *não é adoração descentralizada da pessoa de Cristo* (4:25,26). Os samaritanos adoravam, mas não conheciam o Messias. Cristo não era o centro do seu culto. Nossa adoração será vazia se Cristo não for o centro. O culto não serve para agradar as pessoas. A música não serve para entreter os adoradores. A verdadeira música vem do céu e é endereçada ao céu (Sl 40:3). Vem de Deus por causa de sua origem e volta para Deus por causa de seu propósito.

Jesus também diz à mulher samaritana o que a adoração é.

Primeiro, *a adoração precisa ser bíblica* (4:24). O nosso culto é bíblico ou é anátema. Deus não se impressiona com pompa; ele busca a verdade no íntimo.

Segundo, *a adoração precisa ser sincera* (4:24). A adoração precisa ser em espírito, ou seja, de todo o coração. Precisa ter fervor. Não é um culto frio, árido, seco, sem vida.

Jesus desperta em seu coração a fé verdadeira (4:25,26)

A mulher menciona o Messias que havia de vir. Então, Jesus diz: *Sou eu, o que está falando contigo*. A declaração *sou eu* lembra a própria revelação de Deus *Eu sou o que sou* (Êx 3:14). Jesus disse este "Eu sou" nove vezes nesse evangelho (6:20; 8:24,28,58; 13:9; 18:5,6,8). Até aqui, seis vezes Jesus se dirigiu à mulher, e seis vezes ela lhe respondeu. Na sétima vez, quando Jesus declarou ser o Messias, ela não lhe diz palavra; o que lemos é que ela deixou ali seu cântaro, foi à cidade e disse ao povo: *Vinde, vede um homem que me disse tudo o que tenho feito; será ele o Cristo?*

A samaritana encontrou o Messias. Saciou sua alma e bebeu da água da vida. De acordo com William Barclay, o fato de a mulher samaritana ter deixado o cântaro aponta para dois fatos: 1) ela estava com pressa para ir à cidade e compartilhar sua experiência com o Messias; 2) ela tinha convicção de que voltaria para estar com Jesus.[33]

Podemos elencar várias evidências de sua verdadeira conversão. Primeiro, a samaritana deixou o cântaro (4:28). Segundo, ela correu à cidade para anunciar Jesus (4:28b-30). Ela testemunhou para toda a cidade ter encontrado um homem que para ela era o Messias. Quem encontra Jesus tem pressa em compartilhar essas boas-novas com todos. Sua compreensão sobre Jesus foi progressiva: primeiro, pensou ser um viajante judeu cansado; daí passou a considerá-lo "profeta"; e finalmente, "Cristo", a quem o povo de sua cidade chama de "o Salvador do mundo".

Concordo com John MacArthur quando ele diz que o diálogo de Jesus com a mulher samaritana ilustra três verdades inegociáveis sobre a salvação. Em primeiro lugar, a salvação vem somente para aqueles que reconhecem sua desesperada necessidade de vida espiritual. Segundo, a salvação vem somente para aqueles que confessam e se arrependem de seus pecados e desejam perdão. Terceiro, a salvação vem somente para aqueles que recebem Cristo como o seu Messias e Salvador.[34]

A atitude dos discípulos (4:27,31-33)

Os discípulos de Jesus andavam com ele, mas não cultivavam a mesma percepção. Jesus tinha uma agenda estabelecida no céu (4:4), sua comida era fazer a vontade do Pai (4:32,34). Mas os discípulos eram desprovidos de compaixão pelos samaritanos. Eram capazes de ir a Sicar comprar pão dos samaritanos, mas não há uma única palavra deles acerca do Messias. Eles conversavam com as pessoas no mercado, talvez falassem sobre o tempo, a política, os costumes, a religião, mas nada diziam sobre a salvação.

Quando os discípulos retornaram com o pão dos samaritanos, demonstraram duas atitudes, que comentamos a seguir.

Primeiro, *preconceito* (4:27). Os discípulos ficaram escandalizados porque Jesus estava conversando com uma mulher samaritana. Eles estavam apegados aos preconceitos, costumes e tradições de seu tempo. Na agenda deles, não havia espaço para derrubar barreiras nem para compartilhar as boas-novas da salvação com uma mulher.

Segundo, *ignorância das coisas espirituais* (4:31-33). Os discípulos não tinham abertura para uma nova agenda, já que era hora de comer. Eles não haviam entendido ainda que Jesus se alimentava prioritariamente de outra comida, ou seja, de fazer a vontade do Pai. Eles só pensavam nas coisas terrenas. Não tinham discernimento espiritual. Concordo com F. F. Bruce quando ele diz que ouvir a voz do Pai e fazer sua vontade era a alegria e a força de Jesus. Perto do fim de seu ministério, ele pôde dizer ao Pai: *Eu te glorifiquei na terra, completando a obra da qual me encarregaste* (17:4). Parte da tarefa que seu Pai lhe deu era transmitir sua bênção à mulher de Sicar e, através dela, aos demais habitantes do lugar; a satisfação que ele agora experimentava por ter feito a vontade do Pai era maior do que qualquer satisfação que o pão poderia proporcionar.[35] A esse respeito, Warren Wiersbe diz que Jesus não considerava a vontade de Deus um fardo pesado nem uma tarefa desagradável. Para ele, seu trabalho nutria sua alma. Fazer a vontade do Pai o alimentava e o satisfazia interiormente.[36]

A atitude da mulher samaritana (4:28-30)

A mulher samaritana teve os olhos abertos progressivamente. Agora, ela compreende que está diante do Messias, o esperado Salvador do mundo. Sua alma é dessedentada pela água da vida, e não consta que Jesus tenha bebido a água do poço de Jacó. A transformação da mulher samaritana pode ser confirmada por suas atitudes, como vemos a seguir.

Primeiro, ela abandona o seu cântaro. *A mulher deixou ali seu cântaro* [...] (4:28a). A água que ela foi buscar não tinha mais vital importância agora. A mulher havia encontrado a água da vida. Havia saciado sua alma. Sua vida fora penetrada pela luz do céu, e os segredos do seu coração foram revelados pelo Messias. Havia pressa para contar essa boa-nova à sua cidade, e a samaritana estava disposta a desvencilhar-se de qualquer obstáculo para ganhar celeridade.

Segundo, ela proclama o Messias. [...] *foi à cidade e disse ao povo: Vinde, vede um homem que me disse tudo o que tenho feito; será ele o Cristo? Saíram, pois, da cidade e foram ao encontro dele* (4:28b-30). No mesmo dia da conversão dessa mulher, ela se tornou uma missionária. O testemunho da mulher samaritana tem alguns componentes que merecem destaque, como veremos a seguir.

Ela faz uma proclamação pública (4:28b). Até então, essa mulher, provavelmente, fazia de tudo para passar despercebida. Preferia as sombras do anonimato. Sua reputação era duvidosa, e sua palavra tinha pouco peso entre os homens daquela cidade. Agora, porém, ela anunciava altissonantemente o Messias. Não havia constrangimento nem temor.

Ela faz um convite veemente (4:29). Sabiamente, essa mulher fez um convite: *Vinde.* Usando a mesma tática que Filipe empregou com Natanael, ela disse: *Vinde, vede um homem que me disse tudo o que tenho feito* [...]. Ela não desperdiçou tempo usando argumentos confusos; antes, conclamou à verificação. Desejava que aqueles homens tivessem a mesma experiência que ela havia tido. Queria que vissem o mesmo Messias que ela havia visto. Esperava que bebessem a mesma água da vida que ela havia bebido.

JOÃO — As glórias do Filho de Deus

Ela faz uma confissão corajosa (4:29). A vida dessa mulher era conhecida na cidade. Todos sabiam que ela já estava morando com o sexto homem. Sua fama de amante das aventuras era o cardápio preferido dos bisbilhoteiros. Mas ela não tem mais a preocupação de encobrir seus pecados. Diz abertamente que o Messias destampou a câmara de horrores do seu coração e trouxe à luz todos os seus pecados ocultos.

Ela vê um resultado extraordinário. Saíram, pois, da cidade e foram ao encontro dele (4:30). Os discípulos de Jesus vão à cidade e voltam sozinhos, com as mãos cheias de pães. A mulher vai à cidade e traz consigo muitas pessoas para conhecerem Jesus. Os discípulos tornaram-se profissionais da religião; ela, uma missionária apaixonada. Ainda hoje, fazemos o mesmo que os discípulos. Entramos nos supermercados, nas lojas, nas farmácias e compramos, vendemos, trocamos e entramos mudos e saímos calados quanto ao evangelho. Essa mulher samaritana reprova nosso silêncio e nossa covardia.

A atitude de Jesus (4:31-38)

Aproveitando o fato de a mulher samaritana ter se ausentado, os discípulos rogam a Jesus: *Rabi, come!* Jesus aproveita o ensejo para ensinar a eles uma profunda lição, dizendo que a comida mais saborosa e mais necessária era fazer a vontade do Pai. Uma cidade estava vinda ao seu encontro, e eles deveriam entender que aquele era um momento de colheita para o reino de Deus. Nenhuma necessidade era mais urgente. Nenhuma atividade lhe dava mais prazer. F. F. Bruce chama a atenção para o fato de que, assim como a mulher entendera mal as primeiras palavras de Jesus sobre a água viva, tomando-as em seu sentido material, agora, também, os discípulos pensam que ele está falando sobre comida física, pois perguntam: *Acaso alguém lhe trouxe o que comer?*[37]

Chamo a atenção para cinco verdades a seguir.

Em primeiro lugar, *precisamos ter visão*. *Não dizeis vós faltarem ainda quatro meses para a colheita? Mas eu vos digo: Levantai os olhos e vede os campos já prontos para a colheita* (4:35). Os discípulos eram míopes espirituais. Eles não tinham discernimento do momento que estavam vivendo. Jesus está dizendo: "Vocês acham que deve existir certo intervalo entre a semeadura e a colheita, mas eu lhes digo que acabei de semear a semente, e a colheita já está acontecendo (referindo-se ou à mulher samaritana ou ao povo de Sicar que estava se aproximando).[38] Apesar de a colheita de grãos estar ainda distantc (quatro meses), a colheita de almas já poderia ser feita.[39] Nós, também, precisamos ter visão: visão de que, sem Cristo, o ser humano está perdido. Visão de que as falsas religiões prosperam. Visão de que a ignorância não é um caminho para Deus. Visão de que a obra de Deus precisa ser realizada agora. Se perdermos a nossa geração, perderemos o tempo da nossa oportunidade. Concordo com D. A. Carson quando ele diz que a era escatológica raiou no ministério de Cristo, no qual a semeadura e a ceifa acontecem juntas na colheita do fruto.[40]

Werner de Boor diz com propriedade que justamente onde nenhum judeu podia imaginar, na desprezada e odiada Samaria, a colheita já havia chegado. Madura para a ceifa, a terra estende-se diante do olhar de Jesus. Seus discípulos devem aprender com ele esse olhar.[41]

Em segundo lugar, *precisamos ter paixão*. *Disse-lhes Jesus: A minha comida é fazer a vontade daquele que me enviou e completar a sua obra* (4:34). Faltava aos discípulos paixão pelas almas perdidas. Falta-nos também essa mesma paixão. Sem paixão seremos apáticos e lentos. Sem paixão, seremos omissos e covardes. Precisamos clamar como Paulo: *E ai de mim, se não anunciar o evangelho!* (1Co 9:16). Precisamos clamar como John Knox: "Dá-me a Escócia para Jesus, senão eu morro".

Em terceiro lugar, *precisamos ter compromisso* (4:35). Uma lavoura madura não pode esperar para ser colhida. Ou é colhida imediatamente, ou a colheita é perdida. Sicar estava madura para ser colhida. A cidade estava a caminho, e não havia tempo a perder. Aquela não era hora de comer, mas de trabalhar e fazer a vontade do Pai. A evangelização não é um programa, mas um estilo de vida. Esse compromisso deve arder em nosso peito. Quando o presidente americano John Kennedy foi assassinado em Dallas, em 22 de novembro de 1963, dentro de seis horas a metade do mundo já sabia de sua morte. Jesus, o Filho de Deus, foi crucificado pelos nossos pecados há dois mil anos, e quase a metade do mundo ainda não ouviu essa maior notícia do mundo.

Em quarto lugar, *precisamos ter parceria* (4:36-38). Jesus falou a respeito do semeador e do ceifeiro. Um planta, e o outro ceifa. Jesus havia semeado na vida da mulher samaritana, e os discípulos agora fariam uma colheita do que não haviam semeado. Jesus é o semeador por excelência; mais do que isto, ele é o grão de trigo que cai na terra e morre, para produzir fruto em abundância (12:24). Não há ceifa onde não há semeadura. Nem sempre aquele que semeia é o que ceifa. Tanto o que semeia como o que ceifa, entretanto, têm sua recompensa. Não há maior alegria de que levar uma pessoa a Cristo. Não há maior recompensa do que entesourar frutos para a vida eterna.

D. A. Carson diz que Jesus faz aqui uma referência à unidade da vida e à diversidade dos dons. Um semeia, e o outro colhe. O trabalho de ambos, do semeador e do ceifeiro, é essencial. O semeador trabalha em antecipação do que está para vir; o ceifeiro nunca deve esquecer que a colheita que ele desfruta é fruto do trabalho de outro.[42] Na ceifa do Senhor, não há competição; deve existir parceria: um planta, outro rega e outro ainda ceifa (1Co 3:6-9). No caso em apreço, tanto Jesus quanto a mulher samaritana estiveram trabalhando entre os samaritanos. Jesus, indiretamente, por meio da mulher samaritana; ela, por sua vez, diretamente, entre seus vizinhos. Agora, os discípulos entram também nessa obra.[43] No caso de Samaria, tempos depois, Filipe, Pedro e João participaram de outra colheita entre os samaritanos (At 8:5-25). Os que semeiam talvez não vejam o resultado de seu trabalho, mas os que colhem veem e dão graças pelo esforço dos semeadores.[44]

Em quinto lugar, *precisamos ter a certeza da recompensa* (4:36). O ceifeiro recebe desde já sua recompensa e entesoura seu fruto para a vida eterna. Quando um pecador se volta para Deus, deve haver alegria não apenas diante dos anjos no céu, mas também diante dos ceifeiros na terra. Quando esses ceifeiros chegarem ao céu, serão recebidos por aqueles que foram alcançados por intermédio de seu ministério (Lc 16:9).

A atitude dos samaritanos (4:39-42)

Em resposta ao convite da mulher samaritana, muitos samaritanos foram encontrar-se com Cristo no poço de Jacó. O testemunho da mulher foi impactante, e o resultado foi notório. Charles Erdman escreve: "Em vibrante contraste com a fria incredulidade com que nosso Senhor fora recebido em Jerusalém e na Judeia, temos sua experiência em Samaria, onde uma cidade inteira o aceitou como o Messias prometido".[45] Essa recepção dos samaritanos se torna mais vívida quando percebemos que Jesus permaneceu entre eles apenas dois dias, não operou ali nenhum milagre e ainda judeus e samaritanos eram considerados inimigos.

Destacamos três fatos importantes nesse ponto.

Em primeiro lugar, *a fé dos samaritanos. E muitos samaritanos daquela cidade creram nele, por causa da palavra da mulher, que testemunhava: Ele me disse tudo quanto tenho feito* (4:39). A fé vem pelo ouvir a palavra de Cristo. Quando falamos a respeito de Cristo às pessoas, Deus concede a elas a fé salvadora. O milagre da salvação raiou na cidade samaritana, e muitos foram salvos. Concordo com F. F. Bruce quando ele diz que a água viva que a mulher recebeu de Jesus certamente se tornou uma fonte transbordante em sua vida, e outras pessoas começaram a participar do refrigério que ela passara a fruir. Não nos cansemos de proclamar o evangelho; a pessoa mais improvável pode se tornar a testemunha mais eficiente.[46]

Em segundo lugar, *o pedido dos samaritanos. Então os samaritanos foram até ele e pediram-lhe que ficasse; e ele ficou ali dois dias* (4:40). A barreira da inimizade entre judeus e samaritanos estava caindo. Aonde o evangelho chega, os preconceitos são vencidos. Jesus agora é convidado a permanecer com eles. Os samaritanos não querem apenas ver e ouvir. Querem também ter comunhão com Jesus.

Em terceiro lugar, *o testemunho dos samaritanos. E muitos outros creram por causa da sua palavra. E diziam à mulher: Já não é pela tua palavra que cremos; pois agora nós mesmos temos ouvido e sabemos que este é verdadeiramente o Salvador do mundo* (4:41,42). Os samaritanos não queriam ouvir

O testemunho de Jesus em Samaria e na Galileia

apenas a mulher; queriam ouvir diretamente o Messias. E, ao ouvirem o Messias, muitos outros também abraçaram a fé. E todos testemunham que sua experiência pessoal com o Messias lhes deu a plena convicção de que ele verdadeiramente é o Salvador do mundo. Aqui cessa a ideia provinciana de um salvador tribal, de uma divindade regional. Jesus não é um salvador dentre outros; ele é o Salvador do mundo, e não há outro. D. A. Carson é oportuno, quando escreve:

> Era apropriado que o título "Salvador do mundo" fosse aplicado a Jesus no contexto do ministério aos samaritanos, representando o primeiro evangelismo transcultural, empreendido pelo próprio Jesus e resultando o primeiro padrão a ser seguido pela igreja: "Recebereis poder ao descer sobre vós o Espírito Santo e sereis minhas testemunhas tanto em Jerusalém, como em toda a Judeia, Samaria e até aos confins da terra" (1:8).[47]

Depois de passar dois dias na cidade de Sicar, com os samaritanos, Jesus chega novamente à Galileia, região onde passou a maior parte de sua vida terrena. Na Galileia, Jesus era conhecido como um carpinteiro. Na Galileia, as pessoas conheciam sua família. Na Galileia, ele iniciou seu ministério, quando, na sinagoga de Nazaré, leu no livro do profeta Isaías: *O Espírito do Senhor Deus está sobre mim, porque o Senhor me ungiu* [...] (Is 61:1) e disse que aquela profecia apontava para ele como o Messias, o ungido de Deus. Longe de aceitarem essa declaração, os nazarenos galileus pegaram em pedras para matá-lo. Jesus passou, então, a residir em Cafarnaum. Depois de uma peregrinação pela Judeia e de uma passagem pela província de Samaria, estava de volta à Galileia.

A recepção dos galileus (4:43,44)

Em Samaria, Jesus experimentou grande sucesso em sua jornada evangelística. Em vez de encontrar hostilidade e oposição, foi acolhido de coração aberto como o Messias e o Salvador do mundo. Agora, ele retorna ao seu povo (1:11), e, consistente com o padrão desenvolvido até agora, a resposta é no mínimo ambígua. Embora em João 2 os discípulos tenham crido nele (2:11), os judeus o questionam (2:18,20) e os discípulos não o entendem (2:22). Até mesmo os muitos que parecem crer nele eram convertidos espúrios (2:23-25), cuja fé era gerada, em grande parte, pelos sinais miraculosos que Jesus estava realizando (2:23).[48]

Ao chegar à Galileia depois de uma manifestação marcada por milagres estupendos na Judeia, Jesus faz duas declarações contundentes, que veremos a seguir.

Em primeiro lugar, *a familiaridade com o sagrado pode privar-nos de bênçãos extraordinárias* (4:43,44). *Passados os dois dias, ele partiu dali para a Galileia. Porque Jesus mesmo havia declarado que um profeta não recebe honras em sua terra.* Os galileus viam Jesus apenas como um homem comum. Conheciam-no apenas como filho de José e Maria, cujos irmãos viviam entre eles. Jesus era apenas o carpinteiro de Nazaré. A familiaridade com Jesus obscureceu o entendimento espiritual deles. Jamais Jesus foi honrado por eles como o Messias, o Salvador do mundo. Aqueles que eram considerados inimigos, os samaritanos, acolheram-no com entusiasmo e foram salvos, mas os galileus, pela proximidade com Jesus, nada viam nele além de um cidadão comum.

Em segundo lugar, *a fé produzida apenas pelos milagres pode ser bastante superficial* (4:45). *Logo que chegou à Galileia, os galileus o receberam, porque tinham visto todas as coisas que fizera em Jerusalém por ocasião da festa da Páscoa; pois também eles tinham ido à festa.* As festas judaicas eram frequentadas por todo o povo. Jesus jamais deixou de comparecer a essas festas. Na festa da Páscoa, Jesus foi a Jerusalém, e muitos, vendo seus sinais, creram no seu nome. Mas, não era uma fé genuína (2:23-25). Entre esses muitos, estavam os galileus que tinham concorrido à mesma festa. Agora, ao chegar Jesus à Galileia, os galileus recebem Jesus, porque viram seus milagres. Mas essa recepção não é um sinal de fé genuína. O milagre pode produzir impacto, mas não a fé verdadeira. Aqueles que são atraídos a Cristo apenas por causa de milagres possuem apenas uma fé passageira, superficial e insuficiente.

O desabrochar da fé salvadora (4:46-53)

Jesus está de volta a Caná da Galileia, onde operara seu primeiro milagre ao transformar água em vinho numa festa de casamento. Exatamente nesse momento, sobe de Cafarnaum a Caná um oficial do rei Herodes, com seu filho enfermo, à beira da morte, para suplicar o socorro de Jesus. Aqui está não um homem que ocupa uma posição importante, mas um pai ansioso. As aparências externas e sua posição social não significavam nada; ele só conseguia pensar no filho que parecia estar morrendo.[49]

O primeiro milagre em Caná foi realizado a pedido da mãe de Jesus (2:1-5); o segundo milagre, Jesus realizou a pedido de um pai (4:47). William Hendriksen observa que esse pai cometeu pelo menos dois erros. Primeiro, ele acreditava que, para realizar aquela cura, Jesus teria de viajar de Caná a Cafarnaum e precisaria estar ao lado da cama do garoto. Segundo, ele também estava convencido de que o poder de Cristo não se estenderia além da morte.[50] Não obstante as limitações desse pai, Jesus identificou nele uma necessidade desesperada, e não mera curiosidade.

Larry Richards destaca como é importante distinguir os curiosos dos necessitados. Deus não nos chamou para debater teologia e servir aos interesses daqueles que adoram especular sobre religião. Existem pessoas necessitadas à nossa volta, as quais apenas um relacionamento pessoal com Jesus pode curar. A essas pessoas devemos dedicar nosso tempo e demonstrar a compaixão de Cristo.[51]

John Charles Ryle diz que o relato desse pai aflito buscando socorro em Jesus para a cura de seu filho nos enseja algumas lições.[52] A primeira delas é que a posição social não é segurança contra as tragédias da vida. O rico tem aflições da mesma forma que o pobre. Esse homem era oficial do rei, vivia na corte; contudo, seu dinheiro, sua alta posição e seu prestígio não afastaram a doença de sua casa nem a aflição de seu coração. O dinheiro pode nos dar um bom plano de saúde, mas não pode comprar saúde. O dinheiro pode nos dar uma casa luxuosa, mas não um lar. O dinheiro pode comprar serviçais e bajuladores, mas não amigos. Sedas e cetins geralmente cobrem corações turbados. Moradores nos palácios dormem com mais dificuldade do que aqueles que habitam em tendas. A segunda lição é que as aflições e a morte vêm para os jovens assim como para os velhos. A morte estava espreitando um jovem. A ordem natural das coisas fora invertida aqui. O pai estava rogando a Jesus pelo filho à beira da morte. Os jovens são vulneráveis. A força e o vigor da juventude não são garantia contra tempos turbulentos.

Matthew Henry diz que o desejo profundo desse pai era que Jesus descesse com ele até Cafarnaum para curar seu filho. Cristo curará seu filho, mas não descerá. E,

O testemunho de Jesus em Samaria e na Galileia

dessa forma, a cura é operada mais cedo, o engano do oficial do rei é corrigido, e sua fé é confirmada, de modo que as coisas foram realizadas da melhor maneira, ou seja, da maneira de Cristo.[53]

Esse episódio nos ensina o desenvolvimento gradativo da fé, da fé verdadeira. Três estágios podem ser observados na fé desse oficial do rei.

Em primeiro lugar, *ele olha para Jesus como um operador de milagres* (4:46-48). A fama de Jesus já corria por toda a Galileia. Era do conhecimento popular que o Nazareno realizava grandes prodígios. Era sabido de todos que multidões o seguiam, buscando alívio de suas enfermidades. Quando esse oficial do rei ouve falar que Jesus viera da Judeia, vai imediatamente a Caná com seu pedido urgente. A resposta de Jesus à súplica do oficial nos faz crer que ele via Jesus apenas como um operador de milagres. Seu interesse era apenas na cura do filho, e nada mais. Nenhuma fé salvadora brotara ainda em seu coração. Werner de Boor alerta sobre o fato de que, como já havia ficado explícito em João 2:23-25, a fé que brota da experiência de milagres carrega o perigo da deformação e não possui raízes suficientemente profundas diante de provações severas. Por isso, Jesus usou essa abordagem tão contundente com o oficial do rei. Foi exatamente a mesma abordagem que Jesus usou com a mulher siro-fenícia, para desarraigar de seu coração uma fé superficial e estabelecer aí uma fé genuína e robusta.[54]

Muitas vezes, Deus usa as aflições da vida, como uma enfermidade grave, um acidente traumático, uma separação amarga, um luto doloroso, para despertar nos corações a fé. Foi assim com esse oficial do rei. Ele tinha posição social, prestígio político, dinheiro e fama, porém a doença entrou em sua casa, e os tentáculos gelados da morte estavam ameaçando levar precocemente seu filho. Nenhum recurso da terra poderia lhe socorrer. Por isso, ele recorreu a Jesus!

Em segundo lugar, *ele crê na palavra de Jesus* (4:49-52). A fé desse oficial avança para um segundo estágio. Ele se dirige pessoalmente a Jesus e conta com sua misericórdia para com o filho moribundo. Ele, que vira Jesus apenas como um operador de milagres, agora é instado a voltar para casa com a promessa de que seu filho estava curado. O oficial de Herodes não questiona. Não duvida. Ele crê na palavra de Jesus e volta. Entende agora que Jesus tem poder não apenas para curar, mas para curar a distância. Ele crê no poder da palavra de Jesus. A fé não exige evidências. A fé se agarra à promessa. A fé não está fundamentada naquilo que vemos, mas está ancorada na palavra de Cristo. Fé é certeza e convicção. Certeza de coisas e convicção de fatos. Concordo com Larry Richards quando ele escreve:

> Da mesma forma, não existe nenhum obstáculo para Jesus hoje. Cristo está no céu, mas também aqui conosco. Qualquer palavra que ele disser será obedecida até os confins do universo. Não importa qual seja nossa emergência, podemos alcançá-lo instantaneamente. Ele ouve nossas orações hoje, assim como ouviu as súplicas do pai ansioso tantos séculos atrás. Como Cristo, em compaixão, agiu à distância para suprir a necessidade daquele pai, ele também age hoje para suprir nossas necessidades.[55]

O homem não precisou sequer chegar a sua casa. Os servos do oficial foram ao seu encontro no meio do caminho, informando que seu filho já estava curado e que a febre já o havia deixado. E isso acontecera no exato momento em que Jesus dera a ordem. Werner de Boor é preciso quando diz: "A fé que Jesus deseja ver é uma fé que não exige mais ver sinais e prodígios, mas que confia exclusivamente na palavra e, assim, na própria pessoa que a profere. É a fé nele por meio da palavra".[56]

Em terceiro lugar, *ele crê em Jesus com toda a sua casa* (4:53,54). Esse homem chegou ao último estágio da fé, a fé salvadora. Ele creu com toda a sua casa. E não apenas creu, mas compartilhou essa mesma fé com sua esposa, com seu filho, com seus servos. Houve salvação naquela casa. Concordo com Werner de Boor quando ele diz que a fé é uma força viva que cresce e amadurece através de muitos estágios e de experiências sempre renovadas. O oficial da corte teve fé na palavra de Jesus e correu com fé para casa. Agora, porém, após a experiência plena do poder e da graça de Jesus, *ele creu* de um modo abrangente. Já não confiava apenas nessa única palavra. Agora ele olhava com confiança permanente e integral para Jesus. E arrastou toda a sua casa nessa confiança. Todos eles reconheciam agora que Jesus é o Salvador, que vence a morte e é capaz de conceder vida.[57]

Warren Wiersbe resume esse progresso espiritual do oficial do rei, dizendo que a fé que se manifestou em um momento crítico se transformou em *fé confiante*: ele creu na palavra e teve paz no coração. Sua fé confiante tornou-se uma *fé confirmada*. De fato, o menino havia sido completamente restabelecido. Levando toda a sua casa à mesma fé, demonstrou uma *fé contagiante*.[58]

Em resumo, esse pai deu quatro passos para alcançar o milagre da cura de seu filho. Primeiro, demonstrou humildade (4:46). Ele desceu do pedestal do orgulho. Buscou Jesus e rogou seu auxílio. Segundo, demonstrou coragem (4:46). Esse homem era um alto oficial da corte de Herodes. As relações entre Herodes e Jesus não eram boas.

Herodes matou João Batista. Jesus chamou Herodes de raposa. Esse homem podia sofrer retaliação de Herodes por procurar Jesus, mas venceu corajosamente todos os obstáculos e enfrentou todos os ricos para buscar a cura de seu filho. Terceiro, demonstrou persistência (4:47,49). Esse pai negou-se a sentir-se desencorajado. Ele insistiu com Jesus. Seu filho estava morrendo. Ele não desistiu de ver um milagre na vida de seu filho. Ele buscou, pediu, insistiu. Quarto, demonstrou fé (4:50). Ele creu sem duvidar. Não questionou nem protelou a ação. Obedeceu prontamente à ordem de Jesus. Quem crê sossega o coração. Quem crê volta em paz para casa. Quem crê toma possa da vitória!

O versículo 54 nos informa que foi esse o segundo sinal que Jesus fez depois de vir da Judeia para a Galileia. Dois milagres foram operados em Caná da Galileia, e cada um deles assinala lições importantes. Há um estranho contraste nas circunstâncias que cercaram os dois referidos sinais. No primeiro, o lar estava cheio de alegria numa festa de casamento e, no segundo, o lar estava entristecido pela enfermidade e a carranca da morte que se aproximava. Jesus supre a necessidade para preservar a alegria e cura a enfermidade para restaurar a alegria. Em ambos os sinais, a fé é aprofundada, e a alegria advém da confiança em Cristo.[59]

Notas do capítulo 8

[1] ERDMAN, Charles. *O evangelho de João,* p. 42.

[2] HENRY, Matthew. *Matthew Henry Comentário bíblico Novo Testamento – Mateus-João*, p. 788.

[3] HENDRIKSEN, William. *João*, p. 209.

[4] BRUCE, F. F. *João: introdução e comentário*, p. 95.

[5] MACARTHUR, John. *The MacArthur New Testament commentary – John 1-11*, p. 141.

[6] CARSON, D. A. *O comentário de João*, p. 217.

[7] RYLE, John Charles. *John.* Vol. 1, p. 203.

[8] BARCLAY, William. *Juan I*, p. 160.

[9] Ibid.

[10] ERDMAN, Charles. *O evangelho de João,* p. 42-46.

[11] HENDRIKSEN, William. *João*, p. 214.

[12] ERDMAN, Charles. *O evangelho de João,* p. 43.

[13] RYLE, John Charles. *John.* Vol. 1, p. 203-204.

[14] HENDRIKSEN, William. *João*, p. 218.

[15] ERDMAN, Charles. *O evangelho de João,* p. 43-44.

[16] BARCLAY, William. *Juan I*, p. 161.

[17] BRUCE, F. F. *João: introdução e comentário*, p. 96-97.

[18] Ibid, p. 98.

[19] CARSON, D. A. *O comentário de João*, p. 221.

[20] WIERSBE, Warren W. *Comentário bíblico expositivo.* Vol. 5, p. 387.

[21] HENDRIKSEN, William. *João*, p. 221.

[22] RYLE, John Charles. *John.* Vol. 1, p. 206.

[23] WIERSBE, Warren W. *Comentário bíblico expositivo.* Vol. 5, p. 386.

[24] ERDMAN, Charles. *O evangelho de João,* p. 44.

[25] HENRY, Matthew. *Matthew Henry comentário bíblico Novo Testamento – Mateus-João*, p. 793.

[26] BRUCE, F. F. *João: introdução e comentário*, p. 101.

[27] BOOR, Werner de. *Evangelho de João I*, p. 109.

[28] CARSON, D. A. *O comentário de João*, p. 222.

[29] Ibid.

[30] Ibid., p. 223.

[31] Ibid., p. 226.

[32] BOOR, Werner de. *Evangelho de João I*, p. 111.

[33] BARCLAY, William. *Juan I*, p. 171.

[34] MACARTHUR, John. *The MacArthur New Testament commentary – John 1-11*, p. 150.

João — As glórias do Filho de Deus

[35] BRUCE, F. F. *João: introdução e comentário*, p. 107.

[36] WIERSBE, Warren W. *Comentário bíblico expositivo*. Vol. 5, p. 387.

[37] BRUCE, F. F. *João: introdução e comentário*, p. 107.

[38] CARSON, D. A. *O comentário de João*, p. 230.

[39] HENDRIKSEN, William. *João*, p. 233.

[40] CARSON, D. A. *O comentário de João*, p. 231.

[41] BOOR, Werner de. *Evangelho de João I*, p. 116.

[42] CARSON, D. A. *O comentário de João*, p. 231.

[43] HENDRIKSEN, William. *João*, p. 235.

[44] WIERSBE, Warren W. *Comentário bíblico expositivo*. Vol. 5, p. 388.

[45] ERDMAN, Charles. *O evangelho de João*, p. 42.

[46] BRUCE, F. F. *João: introdução e comentário*, p. 108.

[47] CARSON, D. A. *O comentário de João*, p. 233.

[48] Ibid., p. 237.

[49] RICHARDS, Larry. *Todos os milagres da Bíblia*, p. 198.

[50] HENDRIKSEN, William. *João*, p. 244.

[51] RICHARDS, Larry. *Todos os milagres da Bíblia*, p. 199.

[52] RYLE, John Charles. *John*. Vol. 1, p. 253-257.

[53] HENRY, Matthew. *Matthew Henry comentário bíblico Novo Testamento – Mateus-João*, p. 805.

[54] BOOR, Werner de. *Evangelho de João I*, p. 121.

[55] RICHARDS, Larry. *Todos os milagres da Bíblia*, p. 200.

[56] BOOR, Werner de. *Evangelho de João I*, p. 121.

[57] Ibid., p. 122.

[58] WIERSBE, Warren W. *Comentário bíblico expositivo*. Vol. 5, p. 390.

[59] ERDMAN, Charles. *O evangelho de João*, p. 48.

Capítulo 9

O médico divino manifesta seu poder
(Jo 5:1-16)

JESUS FOI A UMA FESTA em Jerusalém. Mas, enquanto o povo se alegrava, ele se dirigiu ao tanque de Betesda, ou "Casa de Misericórdia", onde havia uma multidão de gente sofrendo (5:1,2). Como sua comida era fazer a vontade do Pai, e a vontade do Pai é a salvação dos perdidos e o socorro dos aflitos, Jesus caminha para esse local, onde havia gente deformada, destruída emocionalmente, com o coração sangrando por feridas ainda abertas. Warren Wiersbe chama a atenção para o fato de que esse milagre registrado em João 5 não foi apenas público, mas também realizado num sábado, despertando a oposição dos líderes religiosos. Aqui tem início a perseguição oficial contra o Salvador.[1]

Jesus visita o tanque de Betesda (5:1-7)

O tanque de Betesda era uma espécie de hospital público da cidade. Conhecido como "Casa de Misericórdia", abrigava uma multidão de pacientes sem perspectiva de cura. O texto é assaz chocante: *Neles ficava deitada uma grande multidão de doentes: cegos, mancos e paralíticos* [...] (5:3). Essa multidão era alimentada pela crença de que um anjo desceria em algum momento para agitar a água do tanque, e o primeiro que se lançasse na água era curado. Jesus caminha no meio dessa multidão e distingue um homem, um paralítico, entrevado em sua cama. A palavra grega usada para descrever os paralíticos significa literalmente "ressequidos", "paralisados", "secos". Aparentemente, o homem curado por Jesus era um desses *ressequidos*.[2]

Destacamos aqui alguns pontos importantes.

Em primeiro lugar, *o divino conhecimento de Jesus* (5:6). *Vendo-o deitado e sabendo que vivia assim havia muito tempo, Jesus lhe perguntou: Queres ser curado?* Jesus distinguiu esse enfermo no meio da multidão. Aquele homem era a maquete da desesperança. Ele já não tinha mais sonhos para embalar. Sua causa estava totalmente perdida. Não foi ele quem viu a Jesus; foi Jesus quem o viu. Jesus viu o seu passado, a sua condição e o seu futuro. Viu que a causa da sua tragédia era o pecado da juventude. Viu que ele estava colhendo o que havia plantado. Viu uma triste história de pecado (5:14). Aquele homem não estava apenas preso à sua cama, mas também preso ao seu passado, às suas memórias amargas, à sua culpa.

Jesus olhou para a mulher samaritana e viu que ela estava vivendo em adultério. Jesus olhou para Zaqueu na árvore e viu que havia sede de Deus no seu coração. Jesus viu o amor às riquezas no coração do jovem rico. Viu a hipocrisia nas atitudes dos fariseus. Viu falsidade no beijo de Judas Iscariotes. Viu o arrependimento sincero no coração do ladrão na cruz.

Jesus também está vendo a sua vida, caro leitor. Ele sabe qual é a sua doença. Nada pode ficar oculto aos olhos dele. Caim tentou fugir de Deus. Acã tentou encobrir o seu roubo. Davi tentou esconder o seu adultério. Mas o Senhor estava vendo. Jesus sabia que aquele homem estava enfermo havia 38 anos. Conhecia a causa do seu sofrimento. De igual forma, Jesus conhece a sua dor, a sua angústia, o seu vazio, a sua crise. Ele tem nas mãos o diagnóstico da sua vida. Jesus sabe há quanto tempo você está sofrendo. Conhece a dor de ser abandonado. Conhece a dor da desesperança. Conhece os sonhos frustrados. Conhece a virulência do pecado que assola sua vida, o peso da culpa que esmaga sua consciência.

Esse texto mostra que o pecado é malQníssimo, porque esse homem está sofrendo por causa do seu pecado (5:14). Esse homem estava sem amigos, sem ajuda e sem esperança. Os anos passavam, e ele continuava entregue à sua desventura, sem nenhum socorro. Esse é o preço do pecado. O homem está colhendo os frutos malditos de sua semeadura insensata. Muitos hoje ainda se apegam ao pecado que Deus abomina. Mas o pecado é uma fraude: promete prazer e paga com o desgosto; promete liberdade e escraviza; aponta um caminho de vida, mas seu fim é a morte!

Em segundo lugar, *a divina compaixão de Jesus* (5:6). Jesus viu aquele homem com uma doença incurável. Era uma causa perdida. Por isso, Jesus foi ao encontro dele. Jesus o viu. Tomou a iniciativa. Abordou-o. Jesus abriu para ele a porta da esperança. Sentiu sua dor, seu drama. Talvez também você, caro leitor, já não tenha mais forças para clamar. Talvez você já tenha desistido de esperar uma cura. Talvez você só tenha encontrado incompreensões e lute sozinho para uma cura que não acontece. Mas Jesus se importa com você e se compadece de sua vida. Talvez você pense que foi longe demais e agora já não tem mais saída. Talvez você já tenha batido em todas as portas e esteja cansado de esperar. Mas Jesus vê você. Ele sabe o que está acontecendo com você e se importa com sua vida.

Oh, divina misericórdia! Jesus nos vê quando estamos prostrados, sozinhos, abandonados, sem ajuda, sem saída. Jesus nos vê quebrados, desanimados, conformados com o caos. Ele nos distingue no meio da multidão e se importa conosco. Tem prazer na misericórdia! É o caminho para os pés perdidos. É a verdade para a mente inquieta. É a vida para os que estão mortos. É a luz para sua escuridão. É o pão para sua fome e a água para sua sede. É a paz para o seu tormento. Quando os nossos recursos acabam, somos fortes candidatos a um milagre de Jesus (5:7,8).

Aquele homem estava só. Não tinha ninguém por ele. Não tinha saúde. Não tinha paz. A solidão era a marca da sua vida. Ele havia chegado ao fim da linha, ao fundo do poço. Mas, quando se viu desamparado, Jesus lhe estendeu a mão.

John MacArthur faz uma oportuna aplicação do texto em tela:

> Esse incidente ilustra perfeitamente a soberana graça de Deus em ação. De todos os enfermos presentes no tanque de Betesda, Jesus escolheu apenas esse paralítico. Não havia nada nesse homem que o fizesse mais merecedor do que os outros. Ele jamais havia procurado Jesus, mas mesmo assim Jesus se aproxima dele. Jesus não o escolheu porque previu que ele teria fé para ser curado. Ele jamais demonstrou acreditar que Jesus iria curá-lo. A salvação acontece da mesma forma. Da multidão

de pessoas mortas em seus delitos e pecados, Deus escolheu redimir seus eleitos não porque merecessem isso, nem porque previu que haveriam de crer, mas por causa de sua soberana graça (6:37).[3]

Jesus diagnostica a doença (5:5-7)

Destacamos aqui duas verdades importantes.

Em primeiro lugar, *precisamos reconhecer nossas próprias doenças* (5:5,6). Para ser curado, aquele homem precisava entender qual era seu problema. É preciso identificar quais as áreas de sua vida precisam de cura. Muitas pessoas não querem se apresentar como fracas. Querem fazer de conta que não existe nada. Mas todos nós somos feridos. Ninguém vem de uma família perfeita. Todos temos feridas emocionais que precisam ser curadas: na área da família, dos relacionamentos, das perdas significativas.

Quando não saram de forma apropriada, as feridas emocionais são como as feridas físicas. Como farpas no coração, se não forem tiradas, produzem "pus emocional". Muita gente tem medo de tirar as farpas. Tem medo de enfrentar a doença. Tem medo de voltar ao passado. Mas as cicatrizes da cura são cicatrizes de vitória – como as cicatrizes das mãos e dos pés de Jesus.

Aquele enfermo precisava lidar com os dramas da sua consciência (5:14) e com o abandono da família, a solidão, a amargura e a rejeição. Ele disse: *Senhor, não há ninguém.* Estes são os passos necessários para a cura: 1) admitir que você foi ferido e que há uma ferida no seu coração; 2) identificar a ferida; 3) perdoar as pessoas envolvidas nas suas feridas; 4) entregar agora sua causa a Jesus. Jesus sabia qual era a doença daquele homem. Ele queria curá-lo, mas, antes disso, Jesus o tornou consciente da sua doença.

Em segundo lugar, *precisamos remover as farpas do coração* (5:7). Quando Jesus perguntou ao homem do tanque de Betesda se ele queria ser curado, esse homem lhe respondeu com uma desculpa: "Sim, mas..." (5:7). Ele poderia ter dito simplesmente sim ou não. Se a cura traz tantos benefícios, por que as pessoas apresentam tantas desculpas para serem curadas? Existem muitas razões.

Eu não tenho ninguém. Sou vítima do esquecimento, abandono e ingratidão da família e dos amigos. Aquele homem de Betesda despeja a sua mágoa diante de Jesus. Além de doente do corpo, estava também com a alma enferma. Ele atribuía a sua falta de cura às pessoas. Os outros eram os responsáveis. Ele dizia algo como: "Não fui curado porque não há ninguém que se interesse realmente por mim".

Eu tenho medo. Será muito doloroso remexer o passado. O que passou, passou. O processo de cura dói. Muitas vezes significa olhar para trás e reparar danos, recordar experiências dolorosas: um abuso sexual, a falta de amor do pai ou da mãe, as cenas de violência, o abandono. Cada pessoa tem farpas que causam dor, e, para sarar, é preciso recordá-las. Não adianta tapar uma ferida. É preciso limpá-la.

Eu não posso perdoar. Perdoar? Mas eu fui a vítima! O perdão, porém, nos liberta e nos cura. A mágoa adoece. A falta de perdão torna a vida um inferno. Quem não perdoa não tem paz. Quem não perdoa não ora, não adora, não é perdoado. Quem não perdoa adoece. Quem não perdoa é entregue aos verdugos. Não espere a pessoa que o feriu mudar. Perdoe essa pessoa. Fique livre!

Eu não posso esquecer. Esquecer? Deus tem um lugar específico para colocar as nossas lembranças: o mar do esquecimento (Mq 7:19). Esquecer não significa fazer de conta que nada aconteceu. Significa viver além do que aconteceu.

O médico divino manifesta seu poder

Esquecer é não sofrer nem cobrar mais a dívida da pessoa que o feriu. Perdoar é lembrar sem sentir dor.

Você quer ser curado? Deus nos chama para viver em sanidade e em santidade. A única diferença entre sanidade e santidade é um "T", que é um símbolo da cruz de Cristo. Se não sararmos, ainda que vamos para o céu (como aleijados emocionais), não viveremos tudo o que Deus tem para nós aqui na terra.

Jesus cura o paralítico (5:8-16)

Quatro verdades devem ser destacadas aqui.

Em primeiro lugar, *uma pergunta maravilhosa* (5:6). Jesus pergunta ao paralítico: *Queres ser curado?* Werner de Boor entende que há uma promessa embutida nessa pergunta. A própria pergunta torna-se um chamado à fé. É como se Jesus estivesse dizendo: "Em tua precariedade, confia-te a mim, que tenho o poder de te ajudar".[4] Essa pergunta nos enseja algumas reflexões.

Não importa há quanto tempo você está sofrendo. A mulher hemorrágica sofreu doze anos. A mulher encurvada andou dezoito anos corcunda. Esse homem estava doente havia 38 anos. Jesus viu um homem cego de nascença. Jesus levantou um morto da sepultura. Ele curou a todos. Ele pode curar você também.

Não importa a gravidade do seu problema. Trinta e oito anos de sofrimento. Mas Jesus pergunta: Você quer ser curado? Lázaro já cheirava mal. Mas Jesus ordenou: *Vem para fora!* (Jo 11:43).

Não importam as desastradas consequências do seu problema. Sua saúde acabou, seu nome foi jogado na lama, sua família está arrebentada. Jesus pode pegar os cacos e fazer tudo de novo. Ele transformou uma mulher possessa,

Maria Madalena, e fez dela a primeira missionária da sua ressurreição. Ele transformou a mulher samaritana com cinco casamentos fracassados e fez dela uma embaixadora de boas-novas.

Não importa quão desesperançado você esteja. O homem paralítico disse a Jesus: *Não há ninguém.* Mas Jesus está presente com você. Ele pode tudo. Ele é o Senhor das causas perdidas.

Não importam quantas tentativas fracassadas você já tenha experimentado. Todo ano aquele homem via gente sendo curada, e ele continuava mofando em cima da cama. Mas agora Jesus o toma e o cura!

Em segundo lugar, *uma ordem maravilhosa* (5:8). *Levanta-te, pega a tua maca e anda.* Charles Swindoll diz que Jesus não pregou. Não corrigiu a teologia do paralítico. Não fez uma palestra sobre graça para ele. Pessoas que têm falta de esperança não precisam de mais conhecimento; precisam de compaixão. Jesus deu ao homem o que lhe faltava e aquilo de que ele desesperadamente necessitava. Deu a ele graça em forma de uma ordem: *Levanta-te, pega a tua maca e anda.*[5]

Charles Erdman diz que a primeira palavra, *Levanta-te,* sugere a necessidade de resolução e ação imediatas. *Pega a tua maca* lembra ao homem a ser curado que ele precisará pensar em recaída, nem fazer provisão para uma volta ao velho gênero de vida, nem temer o futuro, mas apenas confiar em Cristo. *Anda* declara a necessidade de passar logo a experimentar a nova vida que Cristo outorga.[6] A maca ou leito, *krabattos,* era uma esteira, catre ou colchão de palha, fácil de enrolar e levar sob o braço.[7] Era uma espécie de colchão usado pelos pobres.[8]

Jesus dá a ordem e também o poder para cumpri-la. Jesus dá o que ordena e ordena o que ele quer. Nas palavras de Werner de Boor, "é uma ordem criadora, que torna possível o impossível que exige".[9] Uma ordem de Cristo sempre encerra uma promessa. Ele sempre nos capacita a executar suas ordens. Na verdade, Jesus dá o que ordena e ordena o que deseja. A Palavra de Jesus tem poder. A natureza lhe obedece, os ventos ouvem sua voz, o mar escuta suas ordens, os anjos obedecem a seu comando, os demônios batem em retirada diante de sua autoridade. Ele tem toda a autoridade no céu e na terra.

Ele disse ao homem da mão ressequida: *Estende a mão* (Mt 12:13), e o que era impossível aconteceu. Jesus ordenou: *Lázaro, vem para fora* (Jo 11:43), e o morto lhe obedeceu! Jesus disse ao paralítico: *Levanta-te*, e ele se colocou de pé.

Em terceiro lugar, *um resultado maravilhoso* (5:9). *Imediatamente o homem ficou curado; e, pegando a maca, começou a andar. E aquele dia era sábado*. O milagre de Jesus é imediato, completo e público. A cura de Jesus não é parcial nem gradual. Jesus não oferece meias soluções. Ele não usa artifícios para enganar. William Hendriksen diz que, quando Jesus emitiu sua ordem, uma força e um vigor renovados tomaram conta do corpo daquele homem; e ele, tomando o seu leito, pôs-se a andar.[10]

Em quarto lugar, *uma advertência maravilhosa* (5:10-16). Mesmo sendo sábado, o homem pegou sua maca e começou a andar. Mesmo repreendido pelos judeus, manteve-se firme, confiante na palavra daquele que havia realizado um milagre em sua vida. Agora, ao encontrar-se com Jesus no templo, é advertido de não voltar ao pecado para não lhe suceder coisa pior. Concordo com Charles

Swindoll quando ele diz que, nesse caso, existe uma relação entre pecado e doença. Por exemplo, quando uma mulher grávida abusa de álcool ou drogas durante a gravidez, seu bebê sofrerá as consequências físicas de seu vício não apenas porque Deus pune seu pecado, mas porque suas decisões insensatas geram consequências negativas.[11]

Charles Erdman coloca essa advertência nas seguintes palavras:

> Trinta e oito anos de padecimentos, ocasionados pelo pecado, podiam parecer bastantes para fazer o homem acautelar-se de, outra vez meter-se debaixo do seu jugo. A triste verdade, porém, é que, por mais que o pecado faça sofrer, ninguém por isso o detesta; entretanto, não deixa de sentir as agonias das suas consequências. Nossa única segurança está na submissão de nossa vontade ao Salvador.[12]

Larry Richards destaca o fato de que o homem curado não conhecia Jesus antes do milagre nem depois dele. A cura do inválido foi um ato de graça soberana. Não houve pedido do inválido a Jesus; ele não teve fé – nem sequer sabia quem era Jesus: *Mas o que fora curado não sabia quem [Jesus] era* (5:13).[13]

Os judeus, longe de se alegrarem com o glorioso feito, passaram a perseguir Jesus, porque o milagre ocorreu num dia de sábado (5:15,16). Esse é o assunto do qual trataremos no capítulo seguinte.

O médico divino manifesta seu poder

NOTAS DO CAPÍTULO 9

[1] WIERSBE, Warren W. *Comentário bíblico expositivo*. Vol. 5, p. 391.

[2] HENDRIKSEN, William. *João*, p. 253.

[3] MACARTHUR, John. *The MacArthur New Testament commentary – John 1-11*, p. 175.

[4] BOOR, Werner de. *Evangelho de João I*, p. 125.

[5] SWINDOLL, Charles. *Insights on John*, p. 110.

[6] ERDMAN, Charles. *O evangelho de João,* p. 50-51.

[7] BRUCE, F. F. *João: introdução e comentário*, p. 115.

[8] RIENECKER, Fritz; ROGERS, Cleon. *Chave linguística do Novo Testamento*, p. 169.

[9] BOOR, Werner de. *Evangelho de João I*, p. 126.

[10] HENDRIKSEN, William. *João*, p. 256.

[11] SWINDOLL, Charles. *Insights on John*, p. 112.

[12] ERDMAN, Charles. *O evangelho de João*, p. 51.

[13] RICHARDS, Larry R. *Todos os milagres da Bíblia*, p. 220.

Capítulo 10

Jesus dá testemunho de si mesmo
(Jo 5:17-47)

A CURA DO PARALÍTICO no tanque de Betesda num dia de sábado provoca uma onda crescente de hostilidade a Jesus. Isso dá azo a que Jesus faça uma esplêndida apresentação de sua pessoa e de sua obra diante de seus opositores. Warren Wiersbe coloca essa realidade nas seguintes palavras:

> Jesus havia curado um endemoninhado no sábado (Lc 4:31-37), levantando, desse modo, as suspeitas do Sinédrio. Alguns dias depois do milagre relatado em João 5, Jesus defendeu os discípulos, quando foram acusados de transgredir o sábado por apanhar espigas no campo (Mt 12:1-8), e, mais adiante, ainda curaria num sábado um homem com uma das mãos ressequida (Mc 12:9-14). Jesus

> desafiou deliberadamente as tradições legalistas dos escribas e fariseus, pois haviam transformado o sábado – uma dádiva de Deus aos seres humanos – numa prisão de regulamentos e restrições.[1]

Concordo com William Hendriksen quando ele diz que os fariseus tinham acrescentado à lei de Deus suas próprias distinções minuciosas, além das tradições rabínicas. Para eles, o sábado significava inatividade; para Cristo, significava trabalho. Para eles, o sábado representava sofrimento; para Cristo, descanso. Na visão deles, o ser humano foi feito para o sábado; na de Jesus, o sábado foi feito para o ser humano.[2] Deus instituiu o sábado como um dom, um dom para renovar nossas forças, para entendermos que ele é o nosso provedor e a ele devemos nos voltar em adoração. Os fariseus, porém, transformaram o sábado numa longa lista de proibições. Estabeleceram 39 atividades proibidas. Assim, em vez de ser um tempo de descanso, o sábado se tornou um fardo pesado e difícil de ser observado.

D. A. Carson deixa essa realidade clara quando destaca que os capítulos 5 a 7 de João registram a mudança da mera reserva e hesitação sobre Jesus para uma oposição franca e, às vezes, oficial. O primeiro ponto de controvérsia é o sábado, mas este é logo substituído por uma questão fundamentalmente cristológica que surge na disputa sobre o sábado (5:16-18), o que, por sua vez, leva a um extenso discurso sobre o relacionamento de Jesus com o Pai e as Escrituras que dele dão testemunho (5:19-47). Embora os milagres do capítulo 6 evoquem uma aclamação superficial (6:14,15,26), essa fidelidade não pode suportar o ensino de Jesus: até mesmo muitos de seus discípulos o abandonam (6:66). No capítulo 7, Jesus é acusado de ser possuído de demônios (7:20), e as autoridades, em meio à profunda confusão das massas, tentam prendê-lo (7:30), porém sem sucesso (7:45-52). Durante esse clamor crescente, Jesus se revela progressivamente como o obediente Filho de Deus, seu Pai (5:19ss.); o pão da vida, o verdadeiro maná que pode dar vida ao mundo (6:51); o único que pode prover a água do Espírito que sacia (7:37-39).[3]

Jesus revela sua íntima relação com o Pai (5:17-29)

A perseguição a Jesus, promovida pelos judeus em virtude da cura do paralítico num dia de sábado, dá-lhe a oportunidade de manifestar-se aos seus opositores. John Charles Ryle diz que, embora o Pai tenha descansado no sétimo dia de sua obra da criação, ele jamais descansou por nem um momento sequer de seu providencial governo no mundo e de sua obra misericordiosa em cuidar diariamente de suas criaturas. Consequentemente, Jesus não estava quebrando a lei do sábado ao curar o paralítico, assim como o Pai não quebra a lei do sábado quando faz o sol se levantar e a relva crescer no sábado.[4] John MacArthur diz que Jesus é igual a Deus em sua pessoa (5:17,18), em suas obras (5:19,20), em seu poder e soberania (5:21) e em seu julgamento (5:22).[5]

Há oito verdades fundamentais que Jesus revela acerca de si mesmo no texto em tela, como veremos a seguir.

Em primeiro lugar, *o Filho é coigual com o Pai* (5:17,18). Fílon diz que Deus nunca cessa de trabalhar, da mesma maneira que é próprio do fogo queimar e da neve gear. Deus sempre trabalha. O sol brilha, os rios fluem e os processos de nascimento e morte continuam durante o dia de sábado como durante qualquer outro dia; essa é a obra de Deus. É certo que Deus descansou no sétimo dia, mas descansou da criação; suas obras supremas de juízo, misericórdia, compaixão e amor não cessam.[6]

João — As glórias do Filho de Deus

Jesus afirmou que sua obra era idêntica à de Deus e que ele mantinha uma relação absolutamente única com Deus, que ele declarava ser seu Pai. A conclusão óbvia é que ou Jesus era um blasfemo e enganador, ou era mesmo o Filho de Deus.[7] Jesus é igual ao Pai em dois aspectos. É igual em natureza, pois tem a mesma essência. Ele é Deus de Deus e luz de luz. É coigual, coeterno e consubstancial com o Pai. Nele habita corporalmente toda a plenitude da divindade. Ele e o Pai são um. Mas Jesus é igual ao Pai, também, em suas obras. Ele realiza as mesmas obras. O Pai e ele estão trabalhando na mesma obra. Diante dessa solene afirmação, só podemos concluir que Jesus era ou um blasfemo enganador ou era verdadeiramente o Filho de Deus. William Hendriksen é enfático: "Essa afirmação de Jesus era ou a maior das blasfêmias, que merecia ser punida com a morte, ou era a mais gloriosa verdade, que deveria ser aceita pela fé".[8]

A afirmação de Jesus leva os judeus a duas considerações sobre ele: Jesus é violador do sábado e também blasfemo (5:18). Começa aqui uma progressiva hostilidade a Jesus. Procuraram matá-lo (5:18). Murmuraram contra ele (6:41). Novamente se dispuseram a matá-lo (7:1). Induziram as pessoas a terem medo de assumir sua fé nele (7:13; 19:38; 20:19). Falavam contra ele (8:22,48,52,57). Não criam nele (9:18). Pegaram pedras para apedrejá-lo (10:31; 11:18). Afirmaram que ele deveria morrer (19:7) e exerceram pressão política sobre Pilatos para matar Jesus (19:14). O rígido legalismo dos judeus privou-os da graça de Cristo. Charles Swindoll diz que o legalismo é um assassino silencioso. Uma organização permeada pelo legalismo transforma o ar fresco da graça num gás venenoso. O legalismo precisa ser identificado, combatido e vencido.[9]

Jesus dá testemunho de si mesmo

Em segundo lugar, _o Filho está sujeito ao Pai_ (5:19). _E disse-lhes Jesus: Em verdade, em verdade vos digo que o Filho nada pode fazer por si mesmo, senão o que vir o Pai fazer; porque tudo quanto ele faz, o Filho faz também._ Jesus veio ao mundo para cumprir a vontade do Pai, para realizar a agenda do Pai e, nesse sentido, ele é absolutamente submisso ao Pai. Não há divergência nem conflito entre a vontade do Pai e sua vontade. Nas palavras de D. A. Carson, "o Pai inicia, envia, ordena, comissiona, concede; o Filho responde, obedece ao Pai, realiza a vontade do Pai, recebe autoridade. Nesse sentido, o Filho é o agente do Pai".[10] Fica evidente que filiação perfeita envolve perfeita identidade de vontade e ação com o Pai. Alguém que pode fazer o que o Pai faz deve ser tão grande quanto o Pai e tão divino quanto ele.

Em terceiro lugar, _o Filho tem o amor do Pai_ (5:20). _Porque o Pai ama o Filho e mostra-lhe tudo o que ele mesmo faz; e lhe mostrará obras maiores que estas, para que vos admireis._ O amor do Pai pelo Filho é único, singular, incomparável. É o amor eterno, pleno e perfeito que existe entre as pessoas da Trindade. Não há conflito nem disputa entre as pessoas da Trindade. Elas são movidas pelo mesmo amor e trabalham juntas com a mesma motivação.

Em quarto lugar, _o Filho dá vida aos mortos espirituais_ (5:21,25). Jesus se apresenta como o doador da vida, aquele que vivifica os mortos. Aqui não se trata da ressurreição física, mas da ressurreição espiritual. O homem sem Deus está morto em seus delitos e pecados (Ef 2:1). Somente Jesus pode dar vida aos mortos espirituais. Só em Cristo os pecadores podem sair da morte para a vida. Só Jesus pode curar os moralmente incapacitados. Somente ele pode erguer as almas de sua morte espiritual. É a voz do Filho de Deus, ou seja, sua palavra (5:24; 6:63,68; 11:43) que chama os mortos, *e os que a ouvirem viverão*. De acordo com F. F. Bruce, Jesus não está dizendo que é simplesmente um instrumento nas mãos de Deus para restaurar os mortos à vida, como o foram Elias e Eliseu; ele afirma ter recebido autoridade para erguer os mortos não somente para voltarem a esta vida mortal, mas para receberem a vida da era vindoura. Ele não somente está prometendo a vida eterna aos que nele creem (3:5,16,36), mas ele exerce a prerrogativa divina de conceder essa vida.[11] Concordo com John MacArthur quando ele diz que o tema central do evangelho de João é que Cristo veio para dar vida eterna aos mortos espirituais (1:4; 3:14-16,37; 4:14; 5:39,40; 6:27,33,35,40,47,48,51,54; 8:12; 10:10,28; 11:25; 14:6; 17:2,3; 20:31).[12]

Em quinto lugar, *o Filho é o juiz constituído pelo Pai* (5:22,23,27). Jesus declara como seu propósito que o Filho possa ser um com o Pai não só em atividade, mas também em honra. A glorificação do Filho é precisamente o que glorifica o Pai.[13] Deus Pai constituiu Jesus como o juiz que julgará vivos e mortos. Diante do Filho de Deus terão de comparecer grandes e pequenos; todos se curvarão diante da majestade do Filho, todo joelho se dobrará diante daquele que recebeu o nome sobre todo nome, e toda língua confessará que Jesus, o supremo juiz, é também o Senhor dos senhores (Fp 2:9-11). Jesus e só Jesus tem autoridade para julgar. Esse mandato, recebeu de seu Pai.

Aparentemente existe uma tensão entre João 5:22 e 3:17. Como entender isso? D. A. Carson lança luz sobre o assunto quando escreve:

> Existe certa tensão entre 3:17 e 5:22, mas ela é mais formal que real.
>
> O Pai não envia o Filho para condenar (*krino*) o mundo, mas ele

Jesus dá testemunho de si mesmo

confia todo julgamento (*krisis*) ao Filho. A solução depende em parte do campo semântico de *krino* e seus cognatos: ele pode se referir a um (geralmente judicial) princípio de discriminação, ou a uma condenação completa. João 3:17 fala do último; João 5:22 refere-se mais amplamente ao primeiro – embora, claramente, qualquer discriminação judicial resulte em alguma condenação. Mais importante, João 3:17 se refere ao *propósito* da vinda do Filho: *não* foi para trazer condenação. Em contraste, João 5:22 se refere às funções distintivas de Pai e Filho: o Pai confia todo julgamento ao Filho. Isso deixa espaço para o *propósito* da vinda do Filho ter sido primariamente salvífico (3:16,17), mesmo que todos devam enfrentá-lo como seu juiz, e mesmo que o *resultado* inevitável de sua vinda seja que alguns serão condenados.[14]

Em sexto lugar, *o Filho tem autoridade para dar vida eterna* (5:24). Jesus proclama uma das verdades mais solenes nesse versículo. A vida eterna é oferecida a todos aqueles que ouvem sua Palavra e creem no Deus que o enviou. Esses jamais serão condenados. Ao contrário, recebem a vida eterna, uma vez que já passaram da morte para a vida. D. A. Carson destaca corretamente que o Filho curou o paralítico junto ao tanque de Betesda com sua *palavra,* e também é sua *palavra* que traz vida eterna (6:63,68), e purificação (15:3), ou julgamento (12:47). O crente não vai a julgamento final, mas deixa a corte já absolvido. Nem é necessário para o crente esperar até o último dia a fim de experimentar um pouco da vida da ressurreição: o crente *tem a vida eterna e não vai a julgamento, mas já passou da morte para a vida.*[15] F. F. Bruce diz que essa antecipação do veredito favorável e da vida ressurreta resume o que, em tempos mais recentes, começamos a chamar de "escatologia realizada".[16]

Em sétimo lugar, *o Filho tem vida em si mesmo* ((5:26). Jesus destaca o fato de que só Deus tem vida em si mesmo. Todos os seres que existem foram criados por Deus e, por isso, dependem de Deus. Jesus, assim como o Pai, não deriva sua vida de ninguém. Ele é autoexistente. Está além da criação. Existe desde a eternidade. É o Pai da eternidade, o criador de todas as coisas. Mais uma vez F. F. Bruce é oportuno quando explica que o Pai não transferiu essa vida para o Filho somente quando este iniciou seu ministério na terra, ou na encarnação; é um ato eterno, uma parte integrante do relacionamento especial entre Pai e Filho que já existia "no princípio".[17] John MacArthur tem razão ao dizer que ninguém pode dar aos outros o que falta em si mesmo. Assim, nenhum pecador pode gerar por si mesmo vida eterna nem concedê-la a outrem. Somente Deus possui vida em si mesmo, e ele garante essa vida a todos aqueles a quem ele quer, por meio de seu Filho.[18]

Em oitavo lugar, *o Filho tem autoridade para ressuscitar os mortos no último dia* (5:27-29). O mesmo Jesus que tem vida em si mesmo e autoridade para ressuscitar os mortos espirituais também tem autoridade para ressuscitar os mortos, fisicamente, no último dia. Nesse dia, quando a trombeta de Deus ressoar e quando Jesus vier em sua majestade e glória, na companhia de seus poderosos anjos, todos os mortos, salvos e perdidos, ouvirão sua voz e sairão dos túmulos, uns para a ressurreição da vida e outros para a ressurreição do juízo. Jesus, pois, refere-se a duas ressurreições: uma espiritual (5:21,24,25), já experimentada agora, na era presente, pelos que nele creem, os quais se levantam da morte para a nova vida; e uma ressurreição corporal, ainda futura. De uma e outra, porém, ele é o autor e agente.[19] Assim, a ênfase na "escatologia realizada", nas palavras precedentes de Jesus (5:24,25), não excluem o enfoque na "escatologia futura" (5:28,29). A ressurreição de pessoas, da morte espiritual para a vida em Cristo, durante esta era, antecipa a ressurreição do corpo, no fim desta era. Há um vínculo estreito entre as duas ressurreições. O fato de que aqui e agora os mortos são vivificados quando ouvem a voz do Filho de Deus é a garantia de que sua voz ressuscitará os mortos no último dia.[20]

Jesus confirma sua divindade com vários testemunhos (5:30-47)

Depois de mostrar sua íntima relação com o Pai, Jesus dá mais um passo e confirma sua divindade por meio de vários testemunhos. Esse testemunho não é dado pelo ser humano, mas pelo próprio Deus. Embora João Batista tenha sido um altissonante testemunho a seu respeito, a confirmação da pessoa e da obra de Jesus não vem da terra, mas do céu; não vem das pessoas, mas de Deus.

Em primeiro lugar, *o testemunho de Jesus não é de si próprio* (5:30-32). Jesus não entra na História sem credenciais. Ele vem enviado pelo Pai, em nome do Pai, para fazer a vontade do Pai. O autotestemunho não tem valor (8:13). Com isso, Jesus mostra que não é um impostor, mas o Filho de Deus verdadeiro e legítimo, enviado por Deus para realizar as obras de Deus. F. F. Bruce, comentando o texto em tela, registra:

> Autotestemunho não é testemunho. Ninguém pode autenticar sua própria assinatura. Se as afirmações de Jesus fossem feitas sem a autoridade do Pai, seus ouvintes não teriam nenhuma obrigação de aceitá-las. Na verdade, este argumento foi levantado contra Jesus por seus adversários, durante uma visita posterior a Jerusalém: "Tu dás testemunho de ti mesmo, logo o teu testemunho não é verdadeiro"

(8:13). Ele não deixou a acusação sem resposta: "Posto que eu testifico de mim mesmo, o meu testemunho é verdadeiro" – porque é confirmado pelo testemunho do Pai (8:14,18). Esta ênfase no testemunho, desde João 1:7 é um aspecto de destaque deste evangelho, e é o assunto do restante do capítulo 5:[21]

Em segundo lugar, *o testemunho de João Batista* (5:33-35). Quando os judeus enviaram mensageiros a João, perguntando se ele era o Cristo, o profeta o negou de pronto. Quando viu Jesus, porém, apontou para ele e disse: *Este é o Cordeiro de Deus que tira o pecado do mundo* (Jo 1:29). João não era o noivo, apenas o amigo do noivo. João não era a luz, apenas uma lâmpada que ardia e alumiava. As pessoas quiseram por um instante alegrar-se nele como se ele fosse a luz. A luz do mundo, porém, estava agora, em pessoa, diante deles, com muito mais credenciais do que João poderia fornecer.

Em terceiro lugar, *o testemunho de suas obras* (5:36). Os milagres operados por Jesus são um testemunho de sua divindade ainda mais eloquente do que o próprio testemunho de João. Seus milagres foram uma prova inconteste de sua divindade. Ninguém realizou tamanhos prodígios! Essas obras realizadas por Jesus provaram que ele, de fato, é o Filho de Deus.

Em quarto lugar, *o testemunho do Pai* (5:37,38). O próprio Pai é quem testifica acerca de seu Filho. Os judeus nunca ouviram nem viram o Pai, porém recusaram aquele que se fez carne e habitou entre eles, enviado pelo Pai. A Palavra de Deus jamais habitou permanentemente neles, porque eles rejeitaram deliberadamente o enviado de Deus e recusaram seu testemunho. O testemunho do Pai acerca do Filho foi público no batismo e também na transfiguração. Quando os gregos

Jesus dá testemunho de si mesmo

desejaram ver Jesus, a voz divina veio novamente do céu, confirmando o testemunho do Pai ao Filho.

Em quinto lugar, *o testemunho das Escrituras* (5:39-47). Charles Erdman diz que Jesus conclui seu discurso condenando os judeus por causa dessa rejeição de sua pessoa. Declaravam-se crentes nas Escrituras e estavam cônscios de que, rejeitando Jesus, eram leais a Moisés. Jesus, porém, declara que uma verdadeira lealdade a Moisés os levaria a aceitá-lo, porque nas Escrituras Moisés testificara dele. O mestre insiste que a razão da incredulidade dos judeus não é falta de evidência, e sim falta de amor a Deus.[22] Os testemunhos de Moisés e Jesus estão inter-relacionados de tal forma que crer num implica crer no outro; rejeitar um significa rejeitar o outro.

Com seu testemunho, Jesus não veio para anular a lei e os profetas, mas para cumpri-los (Mt 5:17). A promessa que Deus fizera através deles foi cumprida em Jesus. As palavras do Senhor dos profetas são idênticas às palavras dos profetas. Ao rejeitarem as palavras de Jesus, seus adversários rejeitaram o testemunho de Moisés.[23] Concordo com F. F. Bruce quando ele afirma: "As Escrituras podem tornar seus leitores sábios com respeito à salvação, mas elas deixam claro que essa salvação é obtida somente *pela fé em Cristo Jesus* (2Tm 3:15).[24] John Stott diz que o Jesus autêntico deve ser encontrado na Bíblia – o livro que pode ser descrito como o retrato que o Pai fez do Filho, colorido pelo Espírito Santo. Portanto, a ignorância das Escrituras é ignorância de Cristo.[25]

Jesus está mostrando aos judeus que as Escrituras que eles julgavam ter autoridade máxima davam testemunho a seu respeito. As mesmas Escrituras que os judeus julgavam conter a vida eterna apontavam para Jesus como o Filho de

Deus. Jesus veio em nome do Pai, e os judeus o rejeitaram. Se outro tivesse vindo no próprio nome, teriam recebido. A incredulidade dos judeus não é intelectual, mas moral. Eles procuravam a glória vinda dos homens, e não a glória que vem de Deus, por isso não podiam crer. O arremate de Jesus é dado quando ele diz aos judeus que quem os acusará perante o Pai será o próprio Moisés, em quem eles supostamente firmavam sua confiança. E Jesus é peremptório: "Se vocês cressem verdadeiramente em Moisés, creriam também em mim, pois foi Moisés quem escreveu a meu respeito". Logo, os judeus estavam rejeitando Jesus, porque não davam crédito ao testemunho de Moisés.

NOTAS DO CAPÍTULO 10

[1] WIERSBE, Warren W. *Comentário bíblico expositivo*. Vol. 5, p. 392.

[2] HENDRIKSEN, William. *João*, p. 257.

[3] CARSON, D. A. *O comentário de João*, p. 241.

[4] RYLE, John Charles. *John*. Vol. 1, p. 279.

[5] MACARTHUR, John. *The MacArthur New Testament commentary – John 1-11*, p. 185-189.

[6] BARCLAY, William. *Juan I*, p. 193.

[7] ERDMAN, Charles. *O evangelho de João*, p. 52.

[8] HENDRIKSEN, William. *João*, p. 261.

[9] SWINDOLL, Charles. *Insights on John*, p. 115-116.

[10] Carson, D. A. *O comentário de João*, p. 252.
[11] Bruce, F. F. *João: introdução e comentário*, p. 120.
[12] MacArthur, John. *The MacArthur New Testament commentary – John 1-11*, p. 197.
[13] Carson, D. A. *O comentário de João*, p. 256.
[14] Ibid., p. 255.
[15] Ibid., p. 257.
[16] Bruce, F. F. *João: introdução e comentário*, p. 122.
[17] Ibid.
[18] MacArthur, John. *The MacArthur New Testament commentary – John 1-11*, p. 197.
[19] Erdman, Charles. *O evangelho de João*, p. 53.
[20] Bruce, F. F. *João: introdução e comentário*, p. 123.
[21] Ibid., p. 124.
[22] Erdman, Charles. *O evangelho de João*, p. 54.
[23] Bruce, F. F. *João: introdução e comentário*, p. 129.
[24] Ibid., p. 126.
[25] Stott, John. *O discípulo radical*. Viçosa: Ultimato, 2010, p. 38.

Capítulo 11

Uma multidão alimentada
(Jo 6:1-15)

No CAPÍTULO ANTERIOR, estávamos em Jerusalém; no seguinte, estaremos outra vez na santa cidade; mas, neste capítulo, encontramo-nos na Galileia, perto do mar de Tiberíades. Esse nome foi dado por Herodes Antipas, por volta do ano 20 d.C., em homenagem ao imperador romano Tibério César. Não tardou para que o nome da cidade fosse também transferido para o lago. Daí o mar da Galileia ser conhecido também como o lago de Tiberíades.[1] Por ter curado um homem em um sábado, Jesus sofreu forte oposição dos judeus e já não podia estar seguro em Jerusalém, razão pela qual se afastou para a Galileia.[2]

João — As glórias do Filho de Deus

O evangelista João tem um propósito bem claro nesse livro: levar seus leitores a contemplarem a pessoa e a obra de Cristo, a fim de colocarem nele sua fé (20:31). Por isso, João seleciona alguns milagres de Jesus para reforçar seu argumento. Os únicos milagres mencionados por João registrados também nos outros evangelhos são esses narrados nesse capítulo: a multiplicação dos pães e dos peixes, e Jesus andando sobre o mar. Obviamente, esses dois milagres atendem perfeitamente ao seu propósito de enfatizar a divindade de Cristo.

O milagre da multiplicação dos pães e dos peixes é o mais documentado e o mais público dos milagres. Está registrado em todos os evangelhos. Embora João omita vários detalhes do registro dos Evangelhos Sinóticos, oferece outros pormenores que não estão contemplados naqueles. Os Evangelhos Sinóticos, por exemplo, mencionam dois motivos pelos quais Jesus e seus discípulos foram para o lado oriental do mar da Galileia. Primeiro, eles andavam muito atarefados com as demandas variegadas das multidões e nem sequer tinham tempo para comer. Segundo, estavam abatidos com a notícia trágica da morte de João Batista, por ordem do rei Herodes.

Antes da multiplicação de pães e peixes por Jesus, os Sinóticos ainda nos informam que ele curou seus enfermos (Mt 14:14) e falou a eles sobre o reino de Deus (Lc 9:11), porque estava movido de profunda compaixão, já que eram como ovelhas sem pastor (Mc 6:34).

Warren Wiersbe diz que, com respeito ao milagre da multiplicação dos pães e dos peixes, foram propostas quatro soluções. Em primeiro lugar, os discípulos sugeriram que Jesus mandasse o povo embora (Mc 6:35). A segunda solução veio de Filipe, em resposta ao "teste" de Jesus:

juntar dinheiro suficiente para comprar pão para o povo (6:5-7). A terceira sugestão veio de André, mas ele não estava seguro de como o problema seria resolvido (6:8,9). A quarta solução foi apresentada por Jesus: a verdadeira solução (6:10-13).[3]

Sete verdades devem ser destacadas nesse sentido, como veremos a seguir.

Uma necessidade a ser suprida (6:1-4)

O cansaço físico e o esgotamento emocional sinalizam a necessidade do descanso. É nesse contexto que os discípulos saem com Jesus para um lugar deserto, com o propósito de descansarem. Eles vão para o lado oriental do lago, região conhecida como as montanhas de Golã. Ao desembarcarem, porém, uma numerosa multidão segue Jesus, porque tinham visto os sinais que ele fazia na cura dos enfermos.

O evangelista João contextualiza esse trecho bíblico na proximidade da Páscoa e do célebre sermão de Jesus sobre o pão da vida. Os milagres de Jesus são pedagógicos. Jesus estava multiplicando os pães para ilustrar a gloriosa verdade de que ele é o pão da vida.

A multidão que desabala de Cafarnaum e arredores para encontrar Jesus naquela região deserta não o busca movida pela fé genuína. Ela o vê apenas como um operador de milagres. Busca-o apenas como alguém que pode ajudá-la em suas necessidades imediatas. Mesmo assim, os Evangelhos Sinóticos dizem que Jesus sentiu compaixão dessa multidão, pois eram como ovelhas sem pastor. Ele passou a ensiná-los e a curar seus enfermos. Dessa forma, Jesus nos ensina que ele, como divino provedor, se importa com nossas necessidades e nos atende segundo sua imensa bondade.

Uma visão a ser compreendida (6:5-7)

Antes mesmo de a grande multidão chegar, Jesus já tinha visto suas necessidades e decidido supri-las. Ele sabia que as pessoas estavam exaustas e sem rumo, como ovelhas sem pastor. E sabia que precisavam ser alimentadas.

Jesus, entretanto, aproveita a ocasião para colocar Filipe em prova. Então lhe pergunta: *Onde compraremos pães para que comam?* Filipe, com sua mente pragmática, responde: "Senhor, o problema não é onde, mas como. Para atender essa grande multidão, era preciso ter pelo menos 200 denários. Esse dinheiro nós não temos". Filipe era bom em economia. Sabia muito bem calcular valores para constatar que havia um gritante abismo entre a receita e as despesas. Mas no quesito fé ele estava reprovado, pois não tinha nenhuma visão espiritual. Ele só viu o problema, mas não divisou a solução. Só viu a limitação humana, mas não a onipotência divina.

D. A. Carson diz corretamente que a resposta de Filipe revela o fato de que ele pode pensar somente na esfera do mercado, o mundo natural. Um *denarius* era o pagamento de um dia para um trabalhador comum; 200 *denarii*, portanto, representavam oito meses de salário.[4] Na mente pragmática de Filipe, eles estavam lidando com um problema sem solução. Havia uma multidão faminta, num lugar deserto, numa hora avançada, sem comida, sem dinheiro e sem lugar para comprar alimento.

Um déficit humano a ser superado (6:8,9)

André, irmão de Pedro, entra em cena para informar a Jesus que, no meio da multidão, havia um rapaz com uma pequena provisão de cinco pães de cevada e dois peixinhos. Mas ele mesmo, tomado pela lógica, deu seu parecer: [...]

Uma multidão alimentada

mas o que é isso para tanta gente? Os pães nem sequer eram de trigo. Eram pães de cevada, um produto agrícola usado na época para alimentar os animais. Somente o quarto evangelho especifica que eram pães de cevada, o pão barato das classes mais pobres.

F. F. Bruce diz que os outros evangelistas usam a palavra comum para "peixe" (*ichthys*), mas João os chama de *opsaria*, indicando que eram peixes pequenos (talvez salgados) que davam um gosto especial aos pães de cevada. Pelo tamanho da multidão, essa pequena refeição dificilmente era digna de nota. André a mencionou apenas para mostrar que não havia o suficiente para tantas pessoas famintas. Mas para o propósito do Senhor ela era suficiente.[5]

Se Filipe acentua a falta de dinheiro para alimentar a multidão, André destaca a pequena provisão disponível para alimentar tanta gente. Nenhum dos dois conseguiu discernir a disposição de Jesus para resolver o problema. Quando olhamos para a insignificância dos nossos recursos e a grandeza dos desafios, ficamos desesperados. Jamais poderemos atender à demanda das multidões se nos fiarmos em nossos próprios recursos.

O milagre de Deus ocorre quando o homem decreta sua falência. Eles tinham um déficit imenso. Era um orçamento desfavorável: cinco pães e dois peixes para alimentar uma grande multidão. O rapaz entregou seu lanche a André, que o levou a Jesus, e Jesus então o multiplicou. Não podemos fazer o milagre, mas podemos levar o que temos às mãos de Jesus. Concordo com Charles Swindoll quando ele diz que Deus não nos chama para prover para sua obra. Essa é a responsabilidade dele. Deus nos chama para colocarmos em suas mãos o que nós temos, ainda que sejam apenas alguns pães e peixes, e ele cuidará da multiplicação.[6]

Uma organização necessária (6:10)

Antes de realizar o milagre da multiplicação, Jesus mandou a multidão assentar-se. O milagre divino não dispensa a organização humana. A obra de Deus precisa ser feita com ordem e decência. Uma multidão sem organização pode causar imensos transtornos. Sobretudo, uma multidão faminta como aquela.

Uma multiplicação generosa (6:11)

Jesus opera o milagre valendo-se do pouco que eles tinham. O pouco nas mãos de Jesus é uma provisão suficiente para uma grande multidão. Há um ritual seguido por Jesus: ele toma os pães e os peixes e dá graças; ele os entrega aos discípulos, que os repartem com a multidão. A multidão come a fartar. Nenhuma necessidade. Nenhuma escassez de provisão. Jesus tem pão com fartura. Aquele que se alimenta dele não tem mais fome. Ele satisfaz plenamente. Assim como Deus alimentou o povo com maná no deserto, agora Jesus está alimentando a multidão. O mesmo Deus que multiplicou o azeite da viúva está agora multiplicando pães e peixes. O mesmo Jesus que transformou a água em vinho está agora exercendo o seu poder criador para multiplicar os pães e os peixes. O milagre da multiplicação é da economia de Cristo; a obra da distribuição é da responsabilidade dos discípulos. Jesus sempre tem pão com fartura para os famintos; cabe-nos, porém, a sublime tarefa de alimentá-los! Somos cooperadores de Deus. O milagre vem de Jesus, mas nós o repartimos com a multidão. Não temos o pão, mas o distribuímos a partir das mãos de Jesus.

Foram cinco mil homens, além de mulheres e crianças alimentadas com pães e peixes (Mt 14:21). Esses cinco mil formariam um exército guerrilheiro à mão de quem quisesse tornar-se seu líder, e o versículo 15 dá a entender que um líder era exatamente o que eles estavam procurando.[7]

Uma mordomia necessária (6:12,13)

A fartura da provisão não autoriza o desperdício da sobra. Concordo com as palavras de William Hendriksen: "Os recursos infinitos não são desculpa para desperdício. O desperdício é pecado".[8] Quando o Senhor supre as necessidades do seu povo, há abundância, mas não desperdício. Depois que todos se fartaram, Jesus ordenou que os discípulos recolhessem os pedaços que haviam sobrado, para que nada se perdesse. Os discípulos recolheram doze cestos cheios de pães de cevada, um cesto para cada discípulo. Com isso, o Senhor nos ensina que, mesmo havendo fartura, o desperdício jamais é permitido.

O dom de Deus não deve ser desperdiçado. O pão é fruto da graça de Deus, e não podemos jogar fora a graça de Deus. O que sobeja precisa ser aproveitado.

Hoje temos mais de sete bilhões de habitantes no planeta. Mais de um bilhão de pessoas vão para a cama com o estômago roncando de fome. O problema do mundo não é falta de provisão, mas a distribuição injusta. O que falta no mundo não é pão, mas compaixão. O que é desperdiçado na mesa do rico é o alimento que falta na mesa do pobre. Em vez de desperdiçar o pão que sobra em nossa mesa, deveríamos recolhê-lo e reparti-lo com os famintos.

Uma tentação perigosa (6:14,15)

Quando a multidão viu o sinal que Jesus fizera, declarou entusiasmada ser ele o profeta que deveria vir ao mundo. Alimentados por suas esperanças messiânicas, de um reino terreno e político, resolveram arrebatá-lo com o intuito de

João — As glórias do Filho de Deus

o proclamarem rei. Concordo com William Hendriksen quando ele diz que o presente capítulo revela, talvez mais claramente do que qualquer outra porção das Escrituras, o tipo de Messias que o povo queria, ou seja, alguém que tudo fizesse a fim de suprir as necessidades físicas do povo e tivesse poder para tanto.[9]

D. A. Carson destaca um ponto importante: o número total de pessoas pode muito bem ter ultrapassado vinte mil. À luz do versículo 15, em que o povo tenta tornar Jesus rei à força, é fácil pensar que, pelo menos em João, a especificação dos cinco mil homens é uma forma de chamar a atenção para uma potencial força de guerrilha formada por recrutas dispostos e capazes de servir ao líder certo.[10] F. F. Bruce descreve essa situação da seguinte forma:

> Jesus já demonstrara seu poder de curar doenças; agora mostrara poder também para expulsar a fome. Se agora ele mostrasse seu poder de libertar seu povo, nada o poderia deter. Este certamente era o líder que eles estavam esperando; com ele como general e rei, vitória e paz estavam garantidas. Se ele não tomava a iniciativa de apresentar-se como líder, eles o levariam a fazê-lo. Porém, Jesus viu na atitude deles uma reincidência das suas tentações do deserto. Ele sabia que não seria desta maneira que deveria cumprir a vontade de seu Pai e conquistar a libertação do seu povo. Por isso, evitou a multidão, retirando-se para as colinas de Golã.[11]

Não apenas sua fé em Jesus era insuficiente, mas também suas esperanças sobre o futuro eram infundadas. Charles Erdman diz que a fé em Jesus atingira o auge naquele povo, mas não era verdadeira fé; era apenas aquela crença de ser ele um realizador de milagres, como se viu na Judeia. As multidões eram levadas, por essa crença, a esperar uma série de prodígios que acudiriam o povo em seus sofrimentos físicos e nas aperturas sociais em que ele vivia, e ainda lhe assegurariam independência política. No dia seguinte, essa crença foi submetida à prova, revelando-se enganosa.[12]

Percebendo que essa bandeira levantada pela multidão não era o propósito de sua vinda e que isso seria uma tentação para seus discípulos, Jesus se retirou sozinho para o monte. Os outros evangelistas nos informam que primeiro Jesus compeliu os discípulos a embarcarem para o outro lado do mar, enquanto ele mesmo ficou despedindo as multidões. Só então Jesus se retirou para o monte a fim de orar e orar pelos seus discípulos, que enfrentariam uma terrível tempestade!

NOTAS DO CAPÍTULO 11

[1] CARSON, D. A. *O comentário de João*, p. 269.

[2] ERDMAN, Charles. *O evangelho de João*, p. 54.

[3] WIERSBE, Warren W. *Comentário bíblico expositivo*. Vol. 5, p. 398.

[4] CARSON, D. A. *O comentário de João*, p. 271.

[5] BRUCE, F. F. *João: introdução e comentário*, p. 131.

[6] SWINDOLL, Charles. *Insights on John*, p. 134.

[7] BRUCE, F. F. *João: introdução e comentário*, p. 131.

[8] HENDRIKSEN, William. *João*, p. 293.

[9] HENDRIKSEN, William. *João*, p. 284.
[10] CARSON, D. A. *O comentário de João*, p. 271.
[11] BRUCE, F. F. *João: introdução e comentário*, p. 133.
[12] ERDMAN, Charles. *O evangelho de João*, p. 56.

Capítulo 12

Um mar revolto acalmado
(Jo 6:16-21)

O DIA JÁ ESTAVA DECLINANDO quando os discípulos entraram no barco, por ordem de Jesus. Para trás haviam ficado a multidão e Jesus. Já que Jesus decidiu não acompanhar os discípulos, eles esperavam, no mínimo, fazer uma viagem segura de volta para casa. O coração dos discípulos ainda deveria estar exultando de entusiasmo por terem contemplado um milagre tão esplêndido. O barco em que atravessavam o mar levava a rebarba da multiplicação, os doze cestos cheios.

Logo que começaram a viagem rumo a Cafarnaum, algo estranho começa a acontecer. O tempo muda repentinamente. O vento encurralado pelas montanhas de Golã de um lado e pelas montanhas da

Galileia do outro levanta as ondas que açoitam o frágil batel dos discípulos. A embarcação oscila de um lado para o outro sem obedecer a nenhum comando. O perigo é iminente. A ameaça é real. O naufrágio parecia inevitável.

Esse episódio nos enseja algumas lições, que vemos a seguir.

Quando Jesus parece demorar (6:16,17)

Os discípulos não voltam a Cafarnaum por conta própria. Eles foram compelidos a entrar no barco e atravessar o mar. Jesus não pediu, não sugeriu nem aconselhou os discípulos a passarem para o outro lado do mar. Ele os compeliu e os obrigou (Mc 6:45). Os discípulos não tinham opção; deviam obedecer. E, ao obedecerem, foram empurrados para o olho de uma avassaladora tempestade. Como entender isso? Por que Jesus permite que sejamos apanhados de surpresa por situações adversas? Por que Jesus nos empurra para o epicentro da crise? Por que somos sacudidos por vendavais maiores que nossas forças? Por que acidentes trágicos, perdas dolorosas e doenças graves assolam aqueles que estão fazendo a vontade Deus?

É mais fácil aceitar que a obediência sempre nos leva aos jardins engrinaldados de flores, e não à fornalha da aflição. É mais fácil aceitar que a obediência nos livra da tempestade, e não que ela nos arrasta para as torrentes mais caudalosas. A existência de problemas, porém, não significa que estamos fora do propósito de Deus, nem que Deus está indiferente à nossa dor. Na verdade, a vida cristã não é uma sala *vip* nem uma estufa espiritual. A vida cristã não é um paraíso na terra, mas um campo de lutas renhidas. A diferença entre um salvo e um ímpio não é o que acontece a ambos, mas o fundamento sobre o qual cada um constrói sua vida. Jesus disse que o insensato constrói sua casa na areia, mas o sábio a edifica sobre a rocha. Sobre ambas as casas, cai a mesma chuva no telhado, sopra o mesmo vento na parede e bate o mesmo rio no alicerce. Uma casa cai, e a outra permanece de pé. O que diferencia uma casa da outra não são as circunstâncias, mas o fundamento. Um cristão enfrenta as mesmas intempéries que as demais pessoas, mas a tempestade não o destrói; antes, revela a solidez da sua confiança no Deus eterno.

Davi foi ungido rei sobre Israel em lugar de Saul. Mas a unção, longe de levá-lo ao palácio, levou-o às cavernas úmidas e escuras. A insanidade de Saul levou-o a perseguir Davi por todos os cantos de Israel. As perseguições de Saul eram apenas ferramentas pedagógicas de Deus para preparar Davi para o trono. Na verdade, Deus estava tirando Saul do coração de Davi antes de colocar Davi no trono de Saul. O sofrimento é a escola superior do Espírito Santo que nos ensina as maiores lições da vida. As tempestades não vêm para nos destruir, mas para nos fortalecer. As tempestades não são uma negação do amor divino, mas uma oportunidade para experimentarmos o livramento amoroso de Deus.

Não fique desanimado por causa das tempestades da sua vida. Elas podem ser inesperadas para você, mas não para Deus. Elas podem estar fora do seu controle, mas não do controle do altíssimo. Você pode não entender a razão por trás delas, mas pode ter certeza de que são instrumentos pedagógicos de Deus na sua vida.

Somos informados pelo evangelista Marcos que Jesus despediu os discípulos antes de despedir a multidão (Mc 6:45). A pergunta é: Por quê? Pelo menos por duas razões, que explicamos a seguir.

Primeiro, *para livrá-los de uma tentação*. João nos informa que a intenção da multidão era fazê-lo rei (6:14,15). Jesus estava poupando os seus discípulos dessa tentação, ou seja, de uma visão distorcida da sua missão. Os Doze não estavam prontos para enfrentar esse tipo de teste, visto que sua visão do reino era ainda muito nacional e política.[1] Jesus não se curvou à tentação da popularidade; antes, manteve-se em seu propósito e resistiu à tentação por meio da oração.

Segundo, *para interceder por eles na hora da prova*. Jesus não tinha tempo para comer (Mc 3:20), mas tinha tempo para orar. A oração era a própria respiração de Cristo.[2] Jesus estava no monte orando quando viu os discípulos em dificuldade (Mc 6:48). O Senhor nos vê quando a tempestade nos atinge. Não há circunstância que esteja fora do alcance de sua intervenção. Os nossos caminhos jamais estão escondidos aos seus olhos. Ele está junto ao trono do Pai, intercedendo por nós. Segundo Dewey Mulholland, Jesus orou por duas razões fundamentais: ele estava preocupado com a falta de entendimento dos discípulos sobre sua identidade e com a falta de compaixão deles para com as muitas ovelhas sem pastor.[3]

João nos informa: *Havia escurecido, e Jesus ainda não havia ido encontrá-los* (6:17). Isso nos faz crer que Jesus deve ter prometido ir ao encontro deles sem tardança. Enquanto havia uma nesga de luz sobre a superfície do lago, eles olhavam esperando a vinda de Jesus. Contudo, a noite já cobria a região com suas asas, e Jesus ainda não havia chegado. Talvez nenhum fato nos deixe mais aflitos do que lidarmos com a demora de Jesus. Como reconhecer o amor de Deus se, na hora da nossa maior angústia, ele não chega para nos socorrer? Como entender o poder de Deus com a perpetuação da crise que nos asfixia? Como conciliar a fé no Deus que intervém quando o mar da nossa vida fica cada vez mais agitado, a despeito de todos os nossos esforços? Como conciliar o amor de Deus com o nosso sofrimento? Como aliançar a providência divina com sua demora em atender ao nosso clamor? Essa certamente foi a maior tempestade que os aflitos discípulos enfrentaram no fragor daquele mar revolto.

Esse foi o drama vivido pela família de Betânia. Quando Lázaro ficou enfermo, Marta e Maria mandaram um recado para Jesus: *Senhor, aquele a quem amas está doente* (11:3). Quem ama tem pressa em socorrer a pessoa amada. Quem ama se importa com o objeto do seu amor. As irmãs de Lázaro tinham certeza de que Jesus viria socorrê-las. Certamente as pessoas perguntavam a elas: "Será que Jesus ama mesmo vocês? Será que ele virá curar Lázaro? Será que vai chegar a tempo?" A todas essas perguntas perturbadoras, Marta deve ter respondido com segurança: "Certamente ele vem. Ele nunca nos abandonou. Ele nunca nos decepcionou". A certeza foi substituída pela ansiedade, esta pelo medo, e este pela decepção. Lázaro morreu, e Jesus não chegou. Marta ficou engasgada com essa dolorosa e constrangedora situação. Quatro dias se passaram depois do sepultamento de Lázaro. Só então Jesus chegou. Marta correu ao seu encontro e logo despejou sua dor: *Senhor, se estivesses aqui, meu irmão não teria morrido* (11:21). A demora de Jesus havia aberto uma ferida na sua alma. Sua expectativa de livramento fora frustrada. Sua dor não fora tratada. Suas lágrimas não foram enxugadas. A vida do seu irmão não fora poupada. Marta estava tão machucada que não pode mais crer na intervenção sobrenatural de Jesus (11:39,40). Antes de censurar Marta, deveríamos sondar

JOÃO — As glórias do Filho de Deus

o nosso coração. Quantas vezes as pessoas nos ferem com perguntas venenosas: "O seu Deus, onde está? Se Deus se importa com você, por que você está passando por problemas? Se Deus ama você, por que você está doente? Se Deus satisfaz todas as suas necessidades, por que você está sozinho, nos braços da solidão? Se Deus é bom, por que ele não poupou você ou a pessoa que você ama daquele trágico acidente? Se Deus é o Pai de amor, por que a pessoa que você ama foi arrancada dos seus braços pelo divórcio ou pela morte?" Muitas vezes, o maior drama que enfrentamos não é a tempestade, mas a demora de Jesus em vir nos socorrer. Além da tempestade, curtimos a solidão e o sentimento do total abandono.

Talvez, enquanto lê essas páginas, você esteja cruzando o mar encapelado da vida e as ondas estejam passando por cima da sua cabeça. Talvez você esteja orando por um assunto há muitos anos e, quanto mais você ora, mais a situação se agrava. Talvez o seu sonho mais bonito esteja sendo adiado há anos e você ainda não ouviu nenhuma resposta ou explicação de Deus.

Jesus, na verdade, não estava longe nem indiferente ao drama dos seus discípulos; ele estava no monte orando por eles (Mc 6:46-48). Quando você pensa que o Senhor está longe, na verdade ele está trabalhando a seu favor, preparando algo maior e melhor para você. Ele não dorme nem cochila, mas trabalha para aqueles que nele esperam. Ele não chega atrasado, nem a tempestade está fora do seu controle. Jesus não chegou atrasado a Betânia. A ressurreição de Lázaro foi um milagre mais notório do que a cura de um enfermo. Caro leitor, acalme o seu coração; Jesus sabe onde você está, como você está e para onde ele o levará.

Quando as circunstâncias fogem do nosso controle (6:18)

À beira da noite, quando os discípulos estavam no meio do mar, a tempestade chega, e o vento rijo começa a soprar. Os discípulos tentam remediar a situação. Alguns deles eram pescadores. Conheciam como ninguém aquele lago de 21 quilômetros de comprimento por 14 quilômetros de largura. O mar da Galileia tem uma peculiaridade: fica cerca de 180 metros abaixo do nível do mar, encurralado pelas montanhas de Golã do lado oriental e pelas montanhas da Galileia do lado ocidental. O ar frio vindo dos planaltos, a sudeste, e, sobretudo, do monte Hermom, ao norte, pode entrar de repente para deslocar o ar úmido e aquecido sobre o lago, agitando a água em uma violenta tempestade.[4]

Apanhados de surpresa por uma tempestade indomável, os discípulos tentam, em vão, controlar a situação. Quanto mais se esforçam, porém, mais o mar se agiganta. Aquilo que lhes parecia doméstico torna-se um monstro indomável. O barco começa a encher de água. O pavor começa a tomar conta dele. As circunstâncias mostram sua carranca. A morte, e não Cafarnaum, parecia ser o seu destino.

Quando o medo é infundado (6:19)

Diz o evangelista Mateus que, na quarta vigília da noite, Jesus veio ter com os discípulos (Mt 14:25). Isso significa que já passava das três horas da madrugada. Todos os recursos humanos já haviam se esgotado. Todas as tentativas haviam sido inúteis.

Quando já estavam nocauteados pelo problema, com a esperança morta, eles viram Jesus andando sobre o mar, aproximando-se do barco. Em vez de trazer-lhes conforto e segurança, essa visão agravou ainda mais seu tormento. Eles ficaram possuídos de temor. No monte da multiplicação, não discerniram o poder criador de Jesus para alimentar os famintos e agora, no mar, não discernem o poder de Jesus para dominar a criação.

Jesus vai ao encontro dos discípulos quando todas as esperanças humanas já haviam chegado ao fim. Caminha sobre o mar, para mostrar a eles que aquilo que os ameaçava estava literalmente debaixo de seus pés. Os nossos problemas estão debaixo dos pés de Jesus. Eles podem ser maiores do que nossas forças e desafiar nossos limites, mas estão debaixo dos pés de Jesus. O temor dos discípulos era absolutamente infundado. Temeram o que devia inspirar neles a maior confiança. Temeram aquele que trazia para eles o livramento da morte.

Destacamos a seguir algumas lições.

Em primeiro lugar, *Jesus sempre vem ao nosso encontro na hora da tempestade.* Jesus não chegou atrasado no mar da Galileia. O seu socorro veio na hora oportuna. Aquela tempestade só tinha uma finalidade: levar os discípulos a uma experiência mais profunda com Jesus. As tempestades não são autônomas nem chegam por acaso. Elas estão na agenda de Deus. Fazem parte do currículo de Deus para nossa vida. Não aparecem simplesmente; são enviadas pela mão da providência. É conhecida a expressão usada pelo poeta inglês William Cowper: "Por trás de toda providência carrancuda, esconde-se uma face sorridente".

As tempestades não vêm para nos destruir, mas para nos fortalecer. As tribulações são recursos pedagógicos de Deus para nos levar à maturidade. Os discípulos conheceram Jesus de forma mais profunda depois daquele livramento. Deus não quer que você tenha uma experiência de segunda mão.

Semelhantemente, Jesus não chegou atrasado na aldeia de Betânia. Ele sabia o que estava prestes a realizar. A ressurreição

Um mar revolto acalmado

de Lázaro já estava em sua agenda. Jesus também sabe a crise que chegou à sua vida, caro leitor. Ele sabe a dor que assalta o seu peito. Ele vê as suas lágrimas. Está perto de você nas madrugadas insones e nas longas noites sem dormir. Sonda o latejar da sua alma agonizante. E vai ao seu encontro para o socorrer, estender-lhe a mão, acalmar os torvelinhos da sua alma e as tempestades da sua vida.

Em segundo lugar, *Jesus vem ao nosso encontro na hora em que nossos recursos acabam*. O evangelista Mateus nos informa que Jesus foi ao encontro dos discípulos na quarta vigília da noite. A noite era dividida pelos judeus em quatro vigílias: a primeira, das 6 horas da tarde às 9 horas da noite; a segunda, das 9 horas da manhã à meia-noite; a terceira, da meia-noite às 3 horas da madrugada; e a quarta, das 3 horas da madrugada às 6 horas da manhã. Aqueles discípulos entraram no mar ao cair da tarde. Ainda era dia quando chegaram ao meio do mar (Mc 6:47). De repente, o mar começou a agitar-se, varrido pelo vento forte que soprava (6:18), e o barco foi açoitado pelas ondas (Mt 14:24). Eles remaram com todo o empenho do cair da tarde até as 3 horas da madrugada e ainda estavam no meio do mar, no centro dos problemas, no lugar mais fundo, mais perigoso, sem sair do lugar.

Às vezes, temos a sensação de que os nossos esforços são inúteis. Remamos contra a maré. Esforçamo-nos, choramos, clamamos, jejuamos, mas o perigo não se afasta. Nessas horas, os problemas tornam-se maiores que as nossas forças. Sentimo-nos esmagados debaixo dos vagalhões. Perdemos até mesmo a esperança do salvamento (At 27:20). Mas, quando tudo parece perdido, quando chega a hora mais escura, a madrugada da nossa história, Jesus aparece para pôr fim à nossa crise. O Senhor não vem quando desejamos; ele vem quando necessitamos. O tempo de Deus não é o nosso. Deus não livrou os amigos de Daniel da fornalha; livrou-os na fornalha. Deus não livrou Daniel da cova dos leões; livrou-o na cova. Deus não livrou Pedro da prisão, mas na prisão.

Em terceiro lugar, *Jesus vem ao nosso encontro caminhando sobre o mar*. Os discípulos esperavam com ansiedade o socorro de Jesus, mas, quando ele veio, eles não o discerniram. Aquela era uma noite trevosa. O mar estava coberto por um manto de total escuridão. Ocasionalmente os relâmpagos luzidios riscavam os céus e despejavam um faixo de luz sobre as ondas gigantes que faziam o barco rodopiar. Exaustos, desesperançados e cheios de pavor, num desses lampejos, os discípulos enxergam uma silhueta caminhando resolutamente sobre as ondas. Assustados e tomados de medo, gritam: "É um fantasma!"

Eles esperavam por Jesus, mas não de maneira tão estranha. O Senhor vem a eles de forma inusitada, andando sobre as ondas. Não apenas a tempestade era pedagógica, mas também o era a maneira como Jesus chega aos discípulos.

Esse episódio nos ensina duas grandes lições: A primeira é que as as ondas que nos ameaçam estão literalmente debaixo dos pés de Jesus. O mar era um gigante imbatível, e as ondas suplantavam toda a capacidade de resistência dos discípulos. Eles estavam impotentes diante daquela tempestade. Somos absolutamente impotentes para lidar com as forças da natureza. As ondas gigantes do *tsunami* desafiaram as fortalezas humanas e levaram mais de duzentas mil pessoas à morte na Ásia em 26 de dezembro de 2004. O furacão Katrina, vindo do golfo do México, assolou a costa americana e inundou a rica cidade de New Orleans em 2005. Tempestades, terremotos, tufões e furacões deixam as grandes e poderosas nações absolutamente impotentes. Assim são os problemas que nos assaltam. São maiores que as nossas forças. Mas aquilo que era maior do que os discípulos e que conspirava contra eles estava literalmente debaixo dos pés do Senhor Jesus. Ele é maior do que os nossos problemas. As tempestades da nossa vida podem estar fora do nosso controle, mas não fora do controle de Jesus. Ele calca sob seus pés aquilo que se levanta contra nós. Talvez você esteja lidando com um problema que tem o desafiado há anos. Suas forças já se esgotaram. Quem sabe já se dissipou no seu coração toda esperança de salvamento: seu casamento está afundando, sua empresa está falindo, sua saúde está abalada. Você fez tudo o que podia fazer, mas seu barco continua rodopiando no meio do mar, no lugar mais fundo e mais perigoso. Nessas horas, é preciso saber que Jesus vai ao seu encontro pisando sobre essas ondas. O perigo que o ameaça está debaixo dos pés do Senhor. Ele é maior do que todas as crises que conspiram contra você. Diante dele, todo joelho se dobra. Diante dele, até as forças da natureza se rendem. Ele tem todo poder e toda autoridade no céu e na terra.

A segunda lição é que Jesus faz da própria tempestade o caminho para chegar à sua vida. Ele não apenas anda sobre a tempestade, mas a torna a estrada para ter acesso à sua vida. Muitas vezes, o sofrimento é a porta de entrada de Jesus em nosso coração. Ele usa até os nossos problemas para aproximar-se de nós. O profeta Naum diz que o Senhor tem o seu caminho na tormenta e na tempestade (Na 1:3). Mais pessoas encontram-se com o Senhor nas noites escuras da alma do que nas manhãs radiosas de folguedo. As mais ricas experiências da vida são vivenciadas no vale da dor. Com certeza, os caminhos de Deus não são os nossos. Eles são mais altos e mais excelentes!

Quando Jesus aquieta a alma aflita (6:20)

A primeira palavra de Jesus não foi ao vento nem ao mar, mas aos discípulos. Antes de acalmar a tempestade, ele acalmou os discípulos. Antes de aquietar o vento, ele fez serenar a alma dos discípulos. Jesus mostrou que a tempestade que estava dentro deles era maior do que a tempestade que estava fora deles. A tempestade da alma era mais avassaladora do que a tempestade das circunstâncias. O problema interno era maior que o externo. Jesus compreendeu que o maior problema deles não era circunstancial, mas existencial; não eram os fatos, mas os sentimentos.

Jesus disse aos assustados discípulos: *Sou eu; não temais* (6:20). Antes de mudar o cenário que rodeava os discípulos, Jesus acalmou o coração deles. Jesus assegura que sua presença é o antídoto para o nosso medo. Ele usa um único argumento para banir o medo dos discípulos: sua presença com eles. Ele disse aos discípulos: *Sou eu; não temais*. A cura para o medo é a presença de Jesus. Onde Cristo está, a tempestade se aquieta, o tumulto se converte em paz, o impossível se torna possível, o insuportável se torna suportável, e as pessoas atravessam o vale do desespero sem se desesperarem. A presença de Cristo conosco é a nossa conquista da tempestade. O criador dos céus e da terra está conosco. Aquele que sustenta o universo é quem nos socorre. Jesus prometeu estar conosco todos os dias. Mesmo quando não o vemos, ele está presente. Mesmo quando a tempestade vem, ele está no controle.

Muitas vezes, as maiores tempestades que enfrentamos não são aquelas que acontecem fora de nós, mas aquelas que agitam a nossa alma e levantam vendavais furiosos em nosso coração. Os tufões mais violentos não são aqueles que agitam as circunstâncias, mas aqueles que deixam

Um mar revolto acalmado

turbulentos os nossos sentimentos. Não são aqueles que ameaçam nos levar ao fundo do mar, mas aqueles que se derretem dentro de nós como avalanches rolando impetuosamente das geleiras alcantiladas da nossa alma.

Jesus acalma os discípulos, dando-lhes uma ordem: *Não temais*. O medo embaça os olhos da alma. O medo embota o discernimento espiritual. O medo empalidece a fé. Onde reina o medo, a fé tropeça. Mas como vencer o medo? Sabendo que Jesus chegou! Que irrompeu em nossas crises. Que calca debaixo dos seus pés os nossos problemas. Que está no controle daquilo que foge ao nosso controle. Vencemos o medo quando, mesmo surrados por rajadas de vento, ouvimos sua ordem: *Não temais*.

Quando Jesus vai conosco, sempre chegamos ao nosso destino (6:21)

Jesus chegou na hora da crise mais aguda, acalmou os discípulos, acalmou o mar, entrou no barco com eles, e todos chegaram salvos e seguros ao seu destino. O destino daqueles discípulos não era o fundo do mar, mas Cafarnaum (6:17). Aqui cruzamos vales, atravessamos desertos, pisamos espinheiros, mas temos a garantia de que, ainda que enfrentemos mares revoltos, rios caudalosos e fornalhas ardentes, o Senhor está conosco para nos dar livramento e nos conduzir em triunfo ao nosso destino final.

O evangelista Marcos nos informa que, quando Jesus subiu ao barco dos discípulos, o vento cessou (Mc 6:51). Quando os discípulos receberam Jesus no barco, [...] *este logo chegou ao seu destino* (6:21). Você também chegará salvo e seguro ao seu destino. A tempestade pode ser terrível e longa. Pode até retardar a sua chegada. Mas nunca impedirá que você chegue salvo e seguro ao porto celestial.

Notas do capítulo 12

[1] WIERSBE, Warren W. *Be Diligent*, p. 66.

[2] HENDRIKSEN, William. *Marcos.* São Paulo: Cultura Cristã, 2003, p. 331.

[3] MULHOLLAND, Dewey M. *Marcos: introdução e comentário.* São Paulo: Vida Nova, 2005, p. 111.

[4] CARSON, D. A. *O comentário de João*, p. 276.

Capítulo 13

Jesus, o pão da vida, um poderoso discurso
(Jo 6:22-71)

O milagre da multiplicação dos pães foi uma ilustração viva do sermão sobre o pão da vida. Esse sermão vem na forma de três discursos de Jesus. O primeiro deles é precedido por uma interrogação dos judeus (6:22-40). O segundo vem em resposta à murmuração dos judeus (6:41-51). E o terceiro decorre de uma disputa dos judeus (6:52-59). O sermão termina com duas reações: uma negativa, quando muitos dos discípulos saem escandalizados e cheios de descrença, abandonando as fileiras de Jesus, e outra positiva, quando Pedro, em nome de seus condiscípulos, reafirma sua confiança em Cristo como o único que possui palavras de vida eterna.

João — As glórias do Filho de Deus

Warren Wiersbe diz que, em sua graça, Jesus alimentou o povo faminto, mas, em sua verdade, lhe deu a Palavra de Deus. O povo queria a comida, mas não a verdade. E, no final, quase todos abandonaram Jesus e se recusaram a andar com ele. Jesus "perdeu" sua multidão com um único sermão![1]

O primeiro discurso de Jesus resulta de uma interrogação dos judeus (6:22-40)

Quando a multidão que se alimentou dos pães e dos peixes do outro lado do mar chegou a Cafarnaum e encontrou Jesus, não vendo nenhum barco que o tivesse transportado, e movida pela curiosidade, fez a Jesus a primeira pergunta: *Rabi, quando chegaste aqui?* (6:25). Em vez de responder à pergunta feita, Jesus lança uma acusação aos interlocutores: *Em verdade, em verdade vos digo que me buscais, não porque vistes sinais, mas porque comestes do pão e ficastes satisfeitos* (6:26). Depois da acusação solene, Jesus dá uma ordem expressa: *Trabalhai não pela comida que se acaba, mas pela comida que permanece para a vida eterna, a qual o Filho do homem vos dará. Deus, o Pai, o aprovou, pondo nele o seu selo* (6:27). Jesus quer direcionar a atenção dos judeus, que estavam interessados apenas nas coisas terrenas, às realidades espirituais, mostrando que as coisas espirituais são mais urgentes e mais importantes do que as temporais e terrenas.

A segunda pergunta dos judeus vem como um pedido de esclarecimento: *Que faremos para realizar as obras de Deus?* (6:28). Uma vez que a ordem de Jesus era para trabalharem pela comida que não perece, eles querem saber como é que se faz esse trabalho. Jesus responde de forma surpreendente: *A obra de Deus é esta: Crede naquele que ele enviou* (6:29). A salvação não é uma obra que fazemos para Deus, mas uma obra que Deus fez por nós. Não alcançamos a vida eterna por aquilo que fazemos para Deus, mas pela fé que depositamos no Filho de Deus, que fez tudo por nós. O ensino do evangelho de João é que a salvação é inteiramente pela graça, o dom gratuito de Deus (1:13,17,29; 3:3,5,16; 4:10,14,36,42; 5:21; 6:27,33,37,39,44,51,55,65; 8:12,36; 10:7-9,28,29; 11:25,51,52; 14:2,3,6; 15:5; 17:2,6,9:12,24; 18:9).

A terceira pergunta dos judeus é dupla: *Que sinal fazes, para que o vejamos e creiamos em ti? Que realizas?* (6:30) e argumentam: *Nossos pais comeram o maná no deserto, como está escrito: Deu-lhes pão do céu para comer* (6:31). Jesus responde à pergunta insincera deles, corrigindo-lhes o entorpecido entendimento e dizendo que não foi Moisés quem deu a eles o pão do céu, pois o verdadeiro pão do céu só lhes é concedido pelo Pai. O pão que Moisés deu era apenas um símbolo do pão verdadeiro, aquele que desce do céu e dá vida ao mundo (6:32,33). D. A. Carson diz acertadamente que o maná do céu era, comparativamente, imperfeito: estragava com o tempo, e o povo que o comia perecia com o tempo. Uma de suas principais funções era servir como um tipo do *verdadeiro* pão do céu. Da mesma forma, a lei de Moisés, importante e verdadeira como era, seria substituída (1:16) por aquilo para o qual ela apontava, aquilo que a cumpria.[2]

Depois de interpelarem Jesus três vezes, agora os judeus fazem um pedido desprovido de entendimento: *Senhor, dá-nos sempre desse pão* (6:34). Jesus, então, faz a aberta declaração: *Eu sou o pão da vida* (6:35) e emenda com uma solene promessa: [...] *quem vem a mim jamais terá fome, e quem crê em mim jamais terá sede.* Antes, porém, de prosseguir no seu discurso, Jesus faz quatro advertências soleníssimas, como veremos a seguir.

Em primeiro lugar, *o ser humano é totalmente incapaz de ir a Cristo por si mesmo* (6:36). *Mas como já vos disse, vós me tendes visto e mesmo assim não credes*. Jesus estava ensinando aqui que o ser humano é incapaz de crer por si mesmo. Ele vive num estado de inabilidade total. A não ser que Deus tire de seus olhos a venda e de seus ouvidos o tampão, jamais conseguirá ver e ouvir. A não ser que Deus tire seu coração de pedra, jamais terá condições de sentir. A não ser que Deus o ressuscite espiritualmente, jamais receberá vida. A inabilidade total de o ser humano buscar por si mesmo a salvação é fartamente comprovada nesse evangelho, como podemos verificar: cegueira espiritual (3:3), alienação espiritual (3:5), morte espiritual (5:25), incapacidade espiritual (6:44,63-65), escravidão espiritual (8:34,44,45), surdez espiritual (8:43-47) e ódio espiritual (15:18,24,25).[3]

Em segundo lugar, *a salvação é resultado da eleição incondicional de Deus* (6:37). *Todo aquele que o Pai me dá [...]*. A salvação não é uma escolha que nós fazemos por Deus, mas uma escolha que Deus faz por nós. Não somos nós que escolhemos Deus; é Deus quem nos escolhe. A fé não é a causa da eleição, mas sua consequência; a eleição é a mãe da fé. Só vai a Jesus aqueles que o Pai lhe dá. O evangelista João enfatiza essa verdade em todo esse evangelho. A escolha é eterna (6:37-39). Não somos nós quem escolhemos Cristo; foi ele quem nos escolheu (15:16). A escolha é seletiva (15:19). A escolha é possessiva (17:9).

Em terceiro lugar, *o chamado eficaz de Deus para a salvação é invencível* (6:37). *Todo aquele que o Pai me dá virá a mim [...]*. Ninguém pode ir a Cristo se isso primeiro não lhe for dado por Deus, e todo aquele que o Pai dá a Cristo irá a ele. Ou seja, o mesmo Deus que elege é também o Deus que chama, e chama eficazmente. Steven Lawson diz que a graça irresistível ou a chamada eficaz pode ser verificada nos seguintes textos de João: somos renascidos espiritualmente (3:3-8), ressuscitados espiritualmente (5:25; 6:63), atraídos irresistivelmente (6:37,44,65), libertados poderosamente (8:32,36), convocados individualmente (10:1-5,8,27).[4]

Em quarto lugar, *a salvação dos que vão a Cristo é garantida* (6:37-40). [...] *e de modo algum rejeitarei quem vem a mim*. Quando uma pessoa vai a Cristo, descobre que Cristo assume toda a responsabilidade por sua salvação completa e definitiva. Ele não a despede quando ela se achega nem a rejeita depois.[5] A vontade expressa do Pai é que todo aquele que procure Cristo não se perca (6:39), mas tenha a vida eterna (6:40). A salvação é obra de Deus do início ao fim. O mesmo Deus que a planejou na eternidade e a executa na História, irá consumá-la na volta de Cristo. João deixa claro esse ensino em todo o evangelho, como segue. Ele fala sobre vida eterna (3:15), salvação eterna (3:16), satisfação eterna (4:14), segurança eterna (10:27-30), sustentação eterna (6:51,58), duração eterna (11:25,26) e visão eterna (17:24).[6]

O segundo discurso de Jesus nasce de uma murmuração (6:41-51)

O segundo discurso de Jesus sobre o pão da vida emerge de uma murmuração dos judeus. Destacamos nesse segundo discurso de Jesus cinco pontos importantes.

Em primeiro lugar, *uma procedência celestial* (6:41). Os judeus passaram a murmurar sobre Jesus, tão logo este afirmou ser o pão que desceu do céu. Os judeus viam os milagres de Jesus, mas ainda não criam que ele vinha do céu, que era o Filho de Deus, o verdadeiro pão da vida.

Em segundo lugar, *um conhecimento limitado* (6:42,43). Os judeus não tinham nenhuma dificuldade de aceitar a perfeita humanidade de Jesus; o que não conseguiam entender era sua perfeita natureza divina. Estavam certos quanto à sua família terrena, mas nada compreendiam acerca de sua procedência celestial.

Em terceiro lugar, *uma incapacidade absoluta* (6:44-46). Jesus deixa claro para os murmuradores judeus que sua incredulidade tem que ver com a eleição divina. Eles jamais poderão ir a Cristo e crer nele por si mesmos. A menos que o Pai os conduza, jamais irão. A menos que Deus tire as vendas dos seus olhos, jamais verão. A menos que o tampão seja tirado dos ouvidos, jamais ouvirão. A menos que recebam vida do alto, jamais viverão eternamente. O ser humano possui uma incapacidade absoluta de crer, a menos que Deus opere nele a fé verdadeira. As pessoas que nunca nasceram de novo estão mortas em seus delitos e pecados, são escravas da injustiça, alienadas e hostis a Deus, espiritualmente cegas e incapazes de entender as coisas espirituais.

Em quarto lugar, *uma promessa segura* (6:47). Aqueles que o Pai leva a Jesus e nele creem, esses têm a garantia da vida eterna. Não há salvação a não ser por intermédio da fé em Cristo. A vida eterna não é resultado do mérito, mas consequência da fé. A fé em Cristo é absolutamente suficiente para a salvação. Concordo com F. F. Bruce quando ele diz que todo aquele que crê no Filho tem a vida eterna aqui e agora, sem precisar esperar pelo último dia; ele já antecipa as condições da época da ressurreição futura que será inaugurada pelo último dia do tempo presente.[7]

Jesus, o pão da vida, um poderoso discurso

Em quinto lugar, *uma apropriação necessária* (6:48-51). Jesus agora vai direto ao ponto e afirma abertamente: *Eu sou o pão da vida* (6:48). Aqueles que comeram o maná no deserto morreram, mas aqueles que comem do pão da vida jamais morrerão, eternamente. O maná do deserto era comido com os dentes, mas o pão da vida é tomado pela fé. O maná era ingerido fisicamente e alimentava o estômago; o pão da vida é recebido pela fé e alimenta a alma. O pão não é apenas para ser conhecido, mas, sobretudo, para ser apropriado. Só quem se alimenta de Cristo, vive por ele.

O terceiro discurso de Jesus decorre de uma disputa (6:52-59)

O terceiro discurso de Jesus brota de uma disputa dos judeus. A respeito desse discurso, damos cinco destaques a seguir.

Em primeiro lugar, *um literalismo equivocado* (6:52). A Bíblia deve ser interpretada literalmente sempre que o contexto o permitir. Aqui, entretanto, a fala de Jesus não pode ser literalista. Os judeus disputavam entre si exatamente sobre isso: [...] *Como pode ele nos dar sua carne para comer?* É claro que comer a carne de Cristo (6:51) não é uma ação física, mas espiritual. O entendimento literalista dos judeus levou-os à repugnante ideia do canibalismo. Essa mesma equivocada interpretação deu origem à transubstanciação, doutrina romana que prega que o corpo e o sangue de Cristo, após a consagração, se transubstanciam.[8]

John Charles Ryle diz que essas palavras de Jesus não nos remetem aos elementos da ceia do Senhor, ao pão e ao vinho. Podemos participar da ceia do Senhor sem nos alimentarmos do corpo de Cristo e sem bebermos do seu sangue. Por outro lado, podemos comer o corpo de

Cristo e beber o seu sangue sem participarmos da ceia do Senhor.[9] A carne e o sangue de Jesus significam o sacrifício de seu corpo oferecido sobre a cruz quando ele morreu por nós, pecadores. Representam a expiação feita pela sua morte, a satisfação feita pelo seu sacrifício, como nosso substituto, a redenção conquistada por ele, por ter suportado, em seu corpo, a penalidade do nosso pecado. Essa é a ideia fundamental que devemos ter diante dos nossos olhos.[10]

Em segundo lugar, *uma experiência pessoal necessária* (6:53). A vida de Cristo só é experimentada pelo ser humano quando este se apropria, pela fé, do Salvador. Não basta conhecer intelectualmente a verdade. Não basta ter conhecimento acerca de Cristo; é preciso ter intimidade com Cristo. Não basta informação; é preciso apropriação. Concordo com D. A. Carson quando ele diz que comer a carne do Filho do homem é uma forma chocante e metafórica de dizer que o dom do verdadeiro "pão da vida" de Deus (6:35) é apropriado pela fé (6:47). Nós devemos nos apropriar dele em nosso íntimo.[11]

Essa linguagem metafórica é usada em nossos dias em outros contextos, como por exemplo: devoramos livros, bebemos preleções, engolimos histórias, ruminamos ideias, mastigamos um assunto e engolimos nossas próprias palavras.[12] John MacArthur diz corretamente que a comida não tem utilidade alguma até que você a coma. Ninguém se alimenta até que esteja com fome. Quando nos alimentamos, a comida passa a fazer parte integrante do nosso corpo. Comer é um ato pessoal; ninguém pode se alimentar por outra pessoa. Da mesma forma, ninguém pode crer por nós. Todas essas realidades podem ser aplicadas espiritualmente. E era isso o que Jesus tinha em mente![13]

Jesus, o pão da vida, um poderoso discurso

Em terceiro lugar, *uma promessa segura* (6:54,55). A vida eterna agora e a ressurreição futura são garantidas a todos aqueles que comem a carne e bebem o sangue de Cristo, uma vez que sua carne é verdadeira comida, e seu sangue é verdadeira bebida. Aqueles que experimentam Cristo e se apropriam dele pela fé têm segurança da vida eterna. F. F. Bruce diz corretamente que aqueles que comem a carne e bebem o sangue são os mesmos que o veem e nele creem; são estes que têm a vida eterna; são estes que ele ressuscitará no último dia. Nessas palavras estranhas, então, vemos uma metáfora poderosa e vívida para o ato de ir a ele, crer nele e apropriar-se dele pela fé.[14]

Em quarto lugar, *uma união mística inseparável* (6:56, 57). Aquele que se alimenta de Cristo permanece nele e, de igual forma, Cristo nele permanece, de forma inseparável. Essa é a união mística que nos torna um com Cristo. Morremos com ele. Ressuscitamos com ele. Vivemos nele. Estamos assentados com ele nas regiões celestes e permanecemos nele, agora e eternamente, como o corpo está ligado à cabeça e como os ramos estão ligados à videira.

Em quinto lugar, *uma distinção esclarecedora* (6:58,59). Jesus pontua mais uma vez que ele, o pão da vida, é totalmente diferente daquele pão que os israelitas comeram no deserto e, mesmo assim, morreram. O maná não era o verdadeiro pão, mas apenas símbolo e sombra do verdadeiro pão, que é Cristo.

Reações ao discurso de Jesus (6:60-71)

William Barclay diz que essa passagem retrata a tragédia do abandono. Houve um momento em que as multidões acudiam a Jesus em massa. Quando esteve em Jerusalém para a Páscoa, muitos viram seus milagres e creram em seu nome (2:23). Tantos eram os que acudiam para ser batizados por seus discípulos que eles preferiram sair da Judeia para a Galileia (4:1-3). Em Samaria, sucederam coisas maravilhosas (4:1,39,45). Na Galileia, a multidão o havia seguido (6:2). Mas as coisas haviam mudado de tom. De agora em diante, o ódio do povo para com Jesus aumentaria até culminar na cruz.[15]

Quando Jesus terminou esse longo discurso na sinagoga de Cafarnaum (6:59), duas reações foram vistas em seu auditório.

Em primeiro lugar, *reações negativas* (6:60-66). Muitos dos seus discípulos julgaram o discurso de Jesus duro demais. Queriam coisas mais amenas. Desejavam uma panaceia para seus males imediatos. Buscavam apenas curas e milagres. MacArthur com razão diz que a reação identificada aqui é típica dos falsos discípulos: enquanto achavam que Jesus era a fonte de cura, comida e libertação da opressão do inimigo, eles o seguiram. Mas, quando Jesus mostrou que eles estavam falidos espiritualmente e deviam confessar seus pecados e se voltar para ele como a única fonte de salvação, ficaram ofendidos e o abandonaram.[16]

Três foram as reações negativas, como veremos a seguir.

Decepção (6:60,61). Em vez de os ouvintes correrem apressadamente para Jesus, endureceram a cerviz e murmuraram escandalizados. Jesus não pregou para agradar seus ouvintes; pregou para levá-los ao arrependimento. Como pregador, Jesus não transformou sua prédica numa plataforma de relações públicas. A luz é insuportável para os olhos doentes. Os ouvintes querem as benesses de Cristo, mas nenhum compromisso com ele. D. A. Carson resume bem a postura de decepção dos judeus:

Jesus, o pão da vida, um poderoso discurso

O que foi que ofendeu a sensibilidade dos ouvintes de Jesus? Julgando pelo discurso precedente, há quatro características na palavra de Jesus com as quais se ofenderam. 1) Eles estavam mais interessados em comida (6:26), no messianismo político (6:14,15) e nos milagres manipuladores (6:30,31) que nas realidades espirituais para as quais o milagre da alimentação apontava. 2) Eles não estavam preparados para abandonar sua própria autoridade soberana mesmo em questões religiosas e, portanto, eram incapazes de dar os primeiros passos de fé genuína (6:41-46). 3) Eles se ofenderam particularmente com as declarações que Jesus apresentou, afirmando ser maior do que Moisés, singularmente enviado por Deus e autorizado a dar vida (6:32-58). 4) A metáfora estendida do "pão" é ela mesma ofensiva para eles, especialmente quando ataca tabus evidentes e se torna uma questão de "comer carne" e "beber sangue".[17]

Descrença (6:62-65). Jesus fala sobre sua ascensão. Fala sobre sua Palavra, que é espírito e vida. Mas, sendo o perscrutador dos corações, Jesus acentua que, no meio de seus ouvintes, havia descrentes e até mesmo um traidor. Mais uma vez, Jesus enfatiza aos ouvintes que só poderão ir a ele aqueles que assim o Pai conduzir.

Abandono (6:66). Esse pesado discurso de Jesus não produziu um estupendo resultado numérico; ao contrário, provocou uma debandada geral. Jesus jamais negociou a verdade para atrair pessoas. Seu propósito era ser fiel, e não popular. Ele não buscava aplausos humanos, mas o sorriso do Pai; não sucesso na terra, mas aprovação no céu.

F. F. Bruce diz que essas pessoas queriam o que Jesus não podia dar; e o que ele oferecia, elas não queriam receber. Foram atraídas pelos sinais, mas não passaram pelo teste da fidelidade. Não eram discípulos genuínos; apenas temporários. Não andavam mais com Jesus, nem tinham o mesmo espírito dele.[18]

Warren Wiersbe destaca que, em decorrência dessa mensagem, Jesus perdeu a maioria de seus discípulos. Quase todos voltaram para sua antiga vida, sua antiga religião e sua antiga situação desesperadora. Jesus Cristo é o caminho, mas eles se recusaram a andar por ele.[19]

John Charles Ryle ressalta que os homens podem ter sentimentos, desejos, convicções, resoluções, esperanças e até sofrimentos na vivência religiosa e, ainda assim, jamais experimentar a graça salvadora de Deus. Eles podem ter corrido bem por um tempo, mas depois voltam para o mundo e se tornam como Demas, Judas Iscariotes e a mulher de Ló.[20]

Em segundo lugar, *reações positivas* (6:67-71). Em virtude da debandada geral da sinagoga de Cafarnaum, Jesus se volta para seus discípulos. Destacamos três fatos a seguir.

Uma pergunta confrontadora (6:67). Talvez, a essa altura, os discípulos tenham pensado: "Se o mestre não aliviar o discurso, todo mundo acabará indo embora". Nesse momento, Jesus se volta para os Doze e pergunta: *Vós também quereis retirar-vos?* Longe de mudar o rumo de sua mensagem, Jesus a endurece ainda mais, confrontando seus discípulos mais próximos.

Uma confissão confiante (6:68,69). Pedro responde pelo grupo, dizendo que eles não teriam outro para seguir: *Senhor, para quem iremos? Tu tens as palavras de vida eterna. E nós cremos e sabemos que tu és o Santo de Deus.* Pedro confessa que só Jesus tem as palavras de vida eterna e reafirma a crença de que Jesus é o Santo de Deus.

Uma traição surpreendente (6:70,71). Depois de ver a multidão de discípulos bater em retirada, Jesus diz que, no pequeno círculo dos Doze, um deles é um diabo e vai

Jesus, o pão da vida, um poderoso discurso

traí-lo. Mais uma vez, Jesus demonstra conhecer os corações, devassa os escaninhos do futuro e desmascara a falsa confissão religiosa.

NOTAS DO CAPÍTULO 13

[1] WIERSBE, Warren W. *Comentário bíblico expositivo*. Vol. 5, p. 400.

[2] CARSON, D. A. *O comentário de João*, p. 288.

[3] LAWSON, Steven J. *Fundamentos da graça*, p. 386-393.

[4] Ibid., p. 412-421.

[5] BRUCE, F. F. *João: introdução e comentário*, p. 139.

[6] LAWSON, Steven J. *Fundamentos da graça*, p. 422-429.

[7] BRUCE, F. F. *João: introdução e comentário*, p. 142.

[8] MACARTHUR, John. *The MacArthur New Testament commentary – John 1-11*, p. 259.

[9] RYLE, John Charles. *John*. Vol. 1, p. 396.

[10] Ibid., p. 398.

[11] CARSON, D. A. *O comentário de João*, p. 280.

[12] Ibid.

[13] MACARTHUR, John. *The MacArthur New Testament commentary – John 1-11*, p. 257-258.

[14] BRUCE, F. F. *João: introdução e comentário*, p. 144.

[15] BARCLAY, William. *Juan I*, p. 245.

[16] MACARTHUR, John. *The MacArthur New Testament commentary – John 1-11*, p. 269.

[17] CARSON, D. A. *O comentário de João*, p. 301.
[18] BRUCE, F. F. *João: introdução e comentário*, p. 148.
[19] WIERSBE, Warren W. *Comentário bíblico expositivo*. Vol. 5, p. 403.
[20] RYLE, John Charles. *John*. Vol. 1, p. 418-419.

Capítulo 14

Jesus,
a água
da vida
(Jo 7:1-53)

A NARRATIVA DO CAPÍTULO 6 destaca o ministério de Jesus na Galileia. O capítulo 7 começa com Jesus ainda na Galileia. Durante uma festa em Jerusalém, Jesus curou o homem paralítico num dia de sábado, e isso precipitara uma onda de perseguição contra Jesus (5:16). Agora, outra festa se aproxima, a festa dos tabernáculos (7:2).

Jesus, como cumpridor da lei, devia frequentar as festas religiosas de seu povo. Os requerimentos para essa festa estão descritos em Levítico 23 e Deuteronômio 16. Levítico 23:34 diz que a festa devia durar sete dias. Joe Amaral ressalta que havia três aspectos

João — As glórias do Filho de Deus

básicos nessa festa: as atividades de Deus no passado, presente e futuro.[1]

A festa dos tabernáculos relembra-nos a intervenção sobrenatural de Deus na libertação do seu povo da escravidão no Egito. Deus demonstrou seu poder sobre os deuses do Egito. Deus revelou seu braço forte abrindo o mar Vermelho. Providenciou durante quarenta anos maná do céu e água da rocha. Dirigiu seu povo durante o dia por uma coluna de nuvem e durante a noite por uma coluna de fogo. Nesses quarenta anos, eles habitaram em tendas, e Deus os protegeu, os abençoou e os conduziu.

Os judeus, nos dias de Jesus, celebravam essa festa no final das colheitas para agradecer a Deus sua provisão. Habitavam em cabanas para relembrar como Deus os havia protegido na peregrinação pelo deserto. Separavam-se do conforto para habitar em tendas improvisadas com vistas a se identificarem com os peregrinos do passado e demonstrarem que sua alegria estava em Deus, e não no conforto dos bens materiais.

F. F. Bruce diz que os hebreus davam a essa festividade o nome de festa das tendas (*sukkôth*) porque durante toda a semana de duração as pessoas viviam em barracas feitas de galhos e folhas (Lv 23:40-43), construídas pelos moradores das cidades no quintal ou sobre o telhado plano das casas. Muitos judeus de regiões distantes da Palestina e da Dispersão iam a Jerusalém para a festa, que marcava uma das três grandes peregrinações do ano judaico.[2]

No entanto, essa festa também apontava para o futuro, para aquele glorioso dia em que Deus armará sua morada definitiva com os remidos, quando, então, veremos nosso Senhor face a face (Ap 21:1-4).

Joe Amaral relaciona cada um dos aspectos dessa festa a um fato bíblico importante. A primeira área se refere

Jesus, a água da vida

à dedicação do templo de Salomão ocorrida durante essa festa (2Cr 7:1-10). Por causa disso, o povo associava essa festa ao retorno da glória de Deus ao templo (2Cr 7:1-3). Essa expectativa cumpriu-se em Cristo, pois aquele que é a própria glória de Deus em carne estava no templo.[3]

Outra tradição ligada a essa festa era a cerimônia da libação da água. Isaías 12:3 era uma profecia messiânica, mostrando que, quando o Messias viesse, o povo tiraria com alegria água das fontes da salvação. Havia, portanto, em cada dia dessa festa, a expectativa de que Deus lhes daria a água viva. Foi no auge dessa festa que Jesus clamou: [...] *Se alguém tem sede, venha a mim e beba. Como diz a Escritura, rios de água viva correrão do interior de quem crê em mim* (Jo 7:37,38). Mais uma vez, Jesus é o cumprimento dessa festa!

Finalmente, a essa festa é associada outra tradição, chamada de "a cerimônia da iluminação do templo" e representada pelo candelabro. Jesus também cumpriu esse aspecto, ao afirmar: *Eu sou a luz do mundo* (8:12). E ele não apenas afirmou essa verdade, mas a demonstrou, curando um homem cego de nascença (9:1-7), milagre que os judeus acreditavam que só Deus poderia realizar.

Resumindo: Os judeus tinham três festas principais: a Páscoa, o Pentecostes e a festa dos tabernáculos. Todo o enredo do capítulo 7 está ligado à última, a festa em que o povo, durante uma semana, desabalava de todos os cantos para Jerusalém, habitando em tendas improvisadas, para agradecer a Deus pelas colheitas e pelo livramento e, ao mesmo tempo, renovar sua esperança messiânica.

Em concordância com a visão de Charles Erdman, dividimos esse texto em três pontos distintos: antes da festa (7:1-13), durante a festa (7:14-36) e o último dia da festa (7:37-53).

Antes da festa (7:1-13)

Nas vésperas da festa dos tabernáculos, Jesus ainda andava pela Galileia, uma vez que não desejava subir à Judeia porque os judeus procuravam matá-lo. Jesus tinha plena consciência de que os judeus não poderiam matá-lo antes da hora; entretanto, não queria expor-se desnecessariamente. Três fatos nos chamam a atenção nesse período.

Em primeiro lugar, *a incredulidade dos irmãos de Jesus manifestada* (7:3-5). José e Maria tiveram filhos (Mt 13:55, 56; Mc 6:1-6), que eram, portanto, meios-irmãos de Jesus. Certamente, esses irmãos de Jesus não são "irmãos" no sentido espiritual (como em 20:17), porque o versículo 5 afirma explicitamente que eles não acreditavam nele.[4]

Os irmãos de Jesus não acreditavam em Jesus, embora, a essa altura, já tivessem percebido que suas afirmações e suas obras não eram de um homem comum. O raciocínio deles era o seguinte: Se Jesus de fato era quem dizia ser, então devia proclamar e demonstrar isso publicamente, para receber o reconhecimento. Os irmãos de Jesus pensavam que uma pessoa pública que quer avançar deveria causar impacto na capital. Para os irmãos de Jesus, parecia inacreditável que alguém que tivesse certeza de ser o Messias evitasse intencionalmente a publicidade. Ninguém que desejasse ser uma personagem pública permaneceria na obscuridade. Jesus deveria se mostrar ao mundo, e, com isso, eles queriam dizer a todo o mundo. Os irmãos de Jesus queriam que ele fizesse uma demonstração; mas, essa demonstração se prestaria a motivos corruptos (6:14,15), em vez de assegurar fé genuína (2:23-25; 4:48).[5] Provavelmente, os irmãos de Jesus já soubessem da deserção dos discípulos que seguiam Jesus após seu discurso sobre "comer sua carne e beber o

Jesus, a água da vida

seu sangue" (6:60-66) e viram nessa subida a Jerusalém uma possibilidade de retomar seu prestígio.

Os irmãos de Jesus estavam subindo a Jerusalém para comemorar uma festa religiosa; no entanto, não aceitavam o próprio Messias. Como é fácil seguir as tradições sem assimilar a verdade eterna![6] As Escrituras deixam claro que os irmãos de Jesus só se tornaram seus seguidores após a ressurreição (At 1:14), e isso porque Jesus se revelou a, pelo menos, um deles pessoalmente (1Co 15:7).

Em segundo lugar, *a exatidão da agenda de Jesus estabelecida* (7:6-10). Jesus tinha plena consciência do seu tempo, da sua hora. Sabia que sua agenda tinha sido estabelecida na eternidade. Que andava segundo o cronograma do céu. Estava totalmente sintonizado com o plano do Pai. Não atendeu à sugestão de seus irmãos para manifestar-se abertamente em Jerusalém, porque sua hora ainda não tinha se cumprido. Sabia que não seria na festa dos tabernáculos, mas na festa da Páscoa, que ele seria imolado como o Cordeiro que tira o pecado do mundo. F. F. Bruce diz que a ida de Jesus para Jerusalém *em oculto* forma um contraste intencional com a insistência dos seus irmãos para que ele fosse granjear publicidade.[7]

Jesus sabia que o mundo não odeia aqueles que andam segundo a sua agenda, mas ele, Jesus, é odiado pelo mundo, pois não procura agradar ao mundo; antes, denuncia seus pecados. Nessa mesma linha de pensamento, Charles Erdman escreve:

> O intuito de Jesus, aí, não foi iludir, nem houve contradição sua nem sequer uma súbita mudança de ideia. Sabia que o tempo ainda não havia chegado para sua pública e final manifestação a Israel. Não haveria de ser numa festa dos tabernáculos que ele devia morrer, mas numa festa de Páscoa, como Cordeiro pascal que tira o pecado do mundo.

Seu ministério ainda não findara na terra e, por isso, não queria precipitar a crise. A hora da tragédia e da vitória finais ainda não soara. Foi isso o que ele quis significar quando afirmou que seu tempo ainda não chegara. Não queria subir à festa na maneira e com o propósito que os irmãos sugeriram. Subiu, sim, "não publicamente, mas em oculto".[8]

Em terceiro lugar, *a procura por Jesus é notória* (7:11-13). Não eram apenas os irmãos de Jesus que o queriam na festa em Jerusalém, mas também os judeus. Ele era uma figura nacional, o centro das atenções. É bem verdade que as opiniões divergiam. Uns o julgavam um homem bom; outros o reputavam como um enganador do povo. Mas, como Jesus conquistara a simpatia de muitos, ninguém ousava falar dele abertamente.

Durante a festa (7:14-36)

Quando a festa já estava em andamento, mesmo chegando a Jerusalém secretamente (7:10), Jesus subiu ao templo e passou a ensinar em público. De acordo com F. F. Bruce, se Jesus tivesse ido com os peregrinos para o início da festa, poderia ter havido uma tentativa de dar-lhe uma entrada triunfal, como ocorrera seis meses mais tarde. Uma demonstração prematura dessa natureza seria muito perigosa, caso essa ocasião tivesse ocorrido pouco depois do massacre de galileus no pátio do templo, mencionado em Lucas 13:1. Jesus agiu em silêncio, chegando à cidade no meio da semana da festa, e as pessoas que estiveram discutindo sobre sua atuação de repente perceberam que ele estava ali, no meio deles, ensinando no pátio exterior do templo.[9]

Destacamos alguns pontos a esse respeito.

Em primeiro lugar, *o ensino de Jesus produz admiração* (7:14,15). O evangelista Mateus nos informa que Jesus não ensinava como os escribas, mas como quem tem autoridade (Mt 7:28,29). Quando os judeus ouviram seu ensino, ficaram admirados e logo perguntaram: *Como este homem tem tanta instrução sem ter estudado?* (7:15). Jesus não havia frequentado as escolas rabínicas, nem estudado em um dos grandes centros rabínicos de erudição; no entanto, expunha com domínio notável e poder sem igual as Escrituras. Seu conhecimento não derivava de nenhuma instituição humana; ao contrário, seu ensino refutava os mestres do judaísmo.[10]

Em segundo lugar, *o ensino de Jesus procede de Deus* (7:16-18). O ensino de Jesus não procede dos escribas e fariseus, dos mestres do judaísmo, mas procede do céu, emana de Deus. Ele não fala de si mesmo. Tem o próprio testemunho do Pai e busca a glória do criador. O conhecimento de sua doutrina está aberto a todos aqueles que sinceramente desejam realizar a vontade de Deus. Concordo com D. A. Carson quando ele diz que Jesus insiste em não ser um inovador arrogante. Diferentemente de seus contemporâneos rabínicos, seu ensino não se baseia em uma longa cadeia de tradição humana: vem de Deus. Profetas anteriores podiam trovejar: *Assim diz o Senhor*. Mas as palavras e os feitos de Jesus estão de tal modo em acordo com o Pai, e não só por causa de sua obediência irrestrita, mas também porque Jesus faz tudo o que o Pai faz, que ele pode legítima e repetidamente introduzir suas declarações com um autorizado: *Digo-lhes a verdade*.[11]

Em terceiro lugar, *o ensino de Jesus acusa os judeus de desobedecerem à lei de Moisés* (7:19-24). Jesus está no epicentro da mesma crise levantada na festa anterior. Eles perseguiram Jesus (5:16) e chegaram a ponto de querer matá-lo (5:18) por ter curado um homem paralítico num dia de sábado. Ao quererem matar Jesus por realizar esse milagre num sábado, longe de serem zelosos na observância da lei, na verdade a estavam desrespeitando. E Jesus explica: a lei de Moisés permitia que um homem fosse circuncidado no sábado (7:22,23), e eles estavam querendo matar Jesus por curar um homem num sábado. Isso era julgar segundo a aparência, e não pela reta justiça (7:24). Ora, a circuncisão era vista como um ritual de aperfeiçoamento: um membro do corpo, por esse rito, era aperfeiçoado, e isso precisava ser feito no oitavo dia de vida; quanto mais, portanto, deveria um ato ser realizado, mesmo no sábado, se ele aperfeiçoasse o corpo inteiro, isto é, se salvasse uma vida.[12]

Em quarto lugar, *o ensino de Jesus acusa os judeus de não conhecerem a Deus* (7:25-29). Diante dos comentários do povo acerca de Jesus e sua origem, Jesus aproveita o ensino para dizer a esses judeus que procedia do Pai, a quem eles não conheciam. Os mesmos judeus que o acusavam de violar o sábado, queriam matá-lo, os mesmos judeus que se julgavam os guardiões da lei são agora acusados por Jesus não apenas de transgressores da lei, mas de nem mesmo conhecerem Deus.

Em quinto lugar, *o ensino de Jesus desperta a fúria dos judeus* (7:30-32). Diante do buchicho da multidão a respeito de Jesus, os fariseus se mancomunaram com os principais sacerdotes para enviar os guardas do templo a fim de prendê-lo. Mas os guardas jamais poderiam fazê-lo, pois ainda não havia chegado a hora de Jesus ser entregue nas mãos dos pecadores.

Em sexto lugar, *o ensino de Jesus mostra que a oportunidade para recebê-lo pode ser perdida* (7:33-36). Jesus permaneceria mais pouco tempo entre eles e, então, regressaria ao Pai, onde eles não mais o poderiam encontrá-lo nem

Jesus, a água da vida

sequer alcançá-lo. Os judeus, cegos espiritualmente, não entenderam que as palavras de Jesus se referiam à sua ascensão. Pensaram que Jesus estava falando sobre uma retirada para a dispersão.

O último dia da festa (7:37-53)

O ritual da festa dos tabernáculos era uma alegre celebração. Havia sete dias de festejos regulares. O povo habitava em tendas, trazia oferendas e levava água do poço de Siloé ao altar do sacrifício no templo. Essa festa encerrava o ciclo das festividades anuais.

Em todos os sete dias da festa, um sacerdote enchia uma jarra de ouro com água do tanque de Siloé, acompanhado de uma solene procissão, voltava ao templo em meio ao toque de trombetas e aos gritos das alegres multidões e derramava a água sobre o altar.

Essa cerimônia não só lhes recordava as bênçãos outorgadas a seus antepassados no deserto (água da rocha), mas também apontava para a abundância espiritual da era messiânica.

O sétimo dia era a apoteose da festa. À tarde, as tendas eram desarmadas, e a festa terminava.[13] Nesse dia, havia sete procissões do tanque ao templo. O sacerdote ia cantando: *Tirareis águas das fontes da salvação com alegria* (Is 12:3). D. A. Carson diz que a cerimônia de derramar água é interpretada nessas tradições como uma prévia dos rios escatológicos de água viva previstos por Ezequiel (47:1-9) e Zacarias (13:1). Nessas tradições, o milagre da água no deserto (Êx 17:1-7; Nm 20:8-13; Sl 78:16-20) é, por sua vez, um precursor do ritual da água da festa das cabanas.[14]

No sétimo dia, o último e o auge da festa, o sacerdote acompanhado pela multidão, ao som de trombeta, fazia a procissão de tanque de Siloé ao templo sete vezes. Jesus, então, coloca-se no meio e brada: *No último dia da festa, o dia mais importante, Jesus se colocou em pé e exclamou: Se alguém tem sede, venha a mim e beba. Como diz a Escritura, rios de água viva correrão do interior de quem crê em mim.* Jesus é a Rocha ferida da qual brota água viva. Jesus é a água da vida. Ele é o manancial das águas vivas.

Destacamos a seguir quatro verdades importantes nesse trecho.

Em primeiro lugar, *um convite maravilhoso* (7:37). John MacArthur diz que esse não é o primeiro convite público para crer em Jesus (3:12-18; 5:24,38-47; 6:29,35,36,40,47), nem a primeira vez que ele usava a figura da água viva como símbolo da salvação (4:10-14; 6:35).[15] Jesus é o Siloé, a fonte espiritual. Jesus é aquele que pode satisfazer todos os anseios da alma humana. Ele supre cada aspiração, cada necessidade. A profecia apontava para ele, quando dizia: *Ó vós, todos os que tendes sede, vinde às águas, e vós que não tendes dinheiro, vinde, comprai e comei; vinde e comprai vinho e leite, sem dinheiro e sem custo* (Is 55:1). É Jesus quem disse à mulher samaritana: *Mas quem beber da água que eu lhe der nunca mais terá sede* [...] (Jo 4:14). É Jesus quem convida: [...] *Quem tem sede, venha; e quem quiser, receba de graça a água da vida* (Ap 22:17). Charles Erdman tem razão ao dizer que, com essas palavras, Jesus arrogava o poder de ser, para todos os cansados, insatisfeitos e sedentos, o que a pedra ferida no deserto havia sido para o antigo Israel.[16]

Quais são as marcas desse convite?

O convite de Jesus é universal. Se alguém [...]. Esse alguém pode ser o pobre e o rico, o ateu, o cético e o agnóstico, o idólatra, o feiticeiro e o místico, o descrente e o religioso. Esse alguém pode ser o jovem cheio de saúde e vigor e o ancião

Jesus, a água da vida

no avançar de seus dias. Esse alguém pode ser o homem e a mulher, a criança e o adulto, o doutor e o analfabeto. O convite é para quem já bateu em todas as portas e só colheu decepção. É para quem já desistiu de mudança. É para quem está com suas cisternas vazias. É para você, que está lendo este livro. É para você, que foi criado na igreja, mas ainda não sentiu o toque de Deus, ainda não nasceu de novo.

O convite de Jesus é para uma relação pessoal. [...] *venha a mim* [...]. O convite de Jesus não é para aderir a uma religião, mas para iniciar um relacionamento com ele. Só Jesus pode saciar a alma sedenta. Só ele é o caminho. Só ele é a porta. Só ele é o pão da vida. Só ele tem a água da vida. Só ele pode perdoar pecados. Só ele transforma corações. Os judeus estavam festejando o ritual, mas a religião não pode matar a sede da alma. Só Jesus pode! Sem Jesus, toda religião é vã.

O convite de Jesus exige um profundo anseio por salvação. Se alguém tem sede [...]. Só os sedentos podem ir a Jesus. Enquanto você não estiver com sede, jamais procurará a fonte. A sede não dá trégua. A sede exige uma solução imediata e urgente.

O convite de Jesus exige rompimentos imediatos. Se alguém tem sede, venha [...]. Ninguém é naturalmente cristão. Ser cristão é a coisa mais revolucionária do mundo. Ninguém é neutro com respeito a Cristo. Jesus disse: *Quem não está comigo, está contra mim; e quem comigo não ajunta, espalha* (Lc 11:23). A indecisão é a decisão de não decidir. Ninguém é irrecuperável. Não há poço tão profundo que a graça de Deus não suplante em profundidade. Não há caso irrecuperável para Deus. Eu conversava certa feita com um homem que era ateu e comunista. Depois, ele caminhou pelos abismos da feitiçaria. Num centro espírita, um pai de santo incorporou diante dele e disse: "Eu sou o diabo. Você quer fazer um pacto comigo?" Ele, então, lhe respondeu: "Se você é quem eu penso que é, quero fazer um pacto com Deus". Então, saiu dali e entregou a vida a Jesus.

O convite de Jesus é para uma experiência pessoal. Se alguém tem sede, venha a mim e beba. Jesus não está convidando as pessoas para olhar a água, analisar a água, admirar a água, conversar sobre a água, nem para criticar a água. Jesus convida as pessoas para beberem a água. Muitos ouvem falar de Jesus, leem sobre Jesus, mas não o experimentam. São religiosos, mas não convertidos. Muitos são criados na igreja, frequentam os cultos, mas nunca beberam da água da vida. Nicodemos era mestre, fariseu e líder religioso, mas Jesus disse que ele precisava nascer de novo.

O convite de Jesus é condicional. Se alguém [...]. Esse convite é condicional. Jesus coloca um *se*. É para quem deseja. Não é imposto. Caro leitor, esse convite é pessoal e intransferível. Sua mãe não pode tomar essa decisão por você. Seu pai não pode representar você. Só você pode ir a Jesus. Só você pode beber essa água.

O convite de Jesus é oferecido com grande fervor. Jesus se colocou em pé e exclamou [...]. Não é o sedento que grita por água; é o libertador que oferece água com veemência. Jesus expressa um grande desejo de salvar o pecador. Ele quer dar a você, leitor, a água da vida. Ele deseja satisfazer sua alma. Vá à fonte. Vá a Cristo. Hoje é o dia da sua salvação. Hoje os anjos preparam uma festa para celebrar sua volta para Deus. Chega de viver sedento. Chega de viver sem paz. Chega de buscar em fontes rotas satisfação para a sua alma.

Em segundo lugar, *uma promessa maravilhosa* (7:38). Há quatro verdades sobre essa promessa de Jesus que destacamos a seguir.

Jesus, a água da vida

Jesus oferece vida pura (7:38). Jesus não fala a respeito de um poço, de uma cacimba ou de águas paradas e lodacentas. Ele fala sobre rios que fluem, que correm, que levam vida limpa e pura. São rios de água viva, e não água morta. Água limpa, e não água suja. Chega de viver na impureza. Chega de alimentar seus olhos com a lascívia. Chega de entupir seu coração de sujeira. Chega de abastecer sua alma com os banquetes do pecado. Jesus tem vida santa, pura e limpa para você. Seu sangue purifica você. Ele dá a você o lavar regenerador do Espírito Santo. O mundo oferece prazeres, mas as pessoas estão se empanturrando de drogas, sexo e álcool, intoxicando a alma de impureza. Essas coisas geram um vazio na alma. Mas Jesus oferece vida verdadeira!

Jesus oferece vida abundante (7:38). Cristo veio para dar vida plena, abundante, maiúscula e eterna. Jesus não menciona um filete de água, um riacho, nem um rio. Ele fala sobre rios de água viva. Um rio apenas pode trazer vida a um deserto. Um exemplo disso é o rio Nilo. O Egito é um presente do Nilo. Noventa e seis por cento das terras do Egito não são cultiváveis. Mas, onde o rio Nilo passa, há vida. O deserto do Neguev tem florescido porque Israel está levando água para o deserto, e, onde existe água, toda terra é terra boa. Caro leitor, seu deserto pode florescer. Agora mesmo você pode tomar posse de uma vida plena! Do seu interior fluirão rios de água viva! Haverá alegria! Haverá paz! Haverá entusiasmo!

Jesus promete fazer de você uma bênção para outras pessoas (7:38). William Hendriksen diz que não somente aqueles que bebem da fonte, Cristo, recebem satisfação eterna em si mesmos – vida eterna e completa salvação –, mas, somando a isso, a vida, de uma maneira generosa, é comunicada a outros. O que é abençoado se torna, pela graça soberana de Deus, um canal de bênçãos abundantes para os outros.[17]

A figura usada por Jesus é sugestiva: rios de água viva! Através de um rio, podemos gerar eletricidade, irrigar campos e fazer funcionar fábricas. Tudo isso com um rio, quanto mais com vários rios! A vida de Deus fluirá através de você. O profeta Ezequiel, no capítulo 47 do seu livro, fala sobre um rio que brota do altar e vai crescendo, crescendo. Por onde passa, leva a vida de Deus às outras pessoas. Até aqui, talvez, você venha sendo motivo de dor, de lágrima. Mas, agora, você será motivo de alegria para sua família.

Jesus oferece uma vida de poder (7:38). Quando as águas de um rio são represadas, você dispõe de uma fonte imensa de energia. Você terá uma poderosa usina hidrelétrica dentro do seu peito. Quando as lutas chegarem, haverá poder para viver uma vida vitoriosa.

Em terceiro lugar, *o cumprimento da gloriosa promessa* (7:39). Jesus estava falando a respeito daquela plenitude do Espírito Santo que é dada à igreja. Essa dádiva se cumpriria no Pentecostes, pois, antes de o Espírito Santo descer, Jesus precisava subir. Quando Jesus concluiu sua obra expiatória, subiu aos céus e derramou o Espírito Santo para ficar para sempre com a igreja. Hoje, nós podemos usufruir o cumprimento dessa gloriosa promessa. De acordo com D. A. Carson, João não pode estar dizendo que o Espírito ainda não existia, ou que ainda não havia operado nos profetas. O próprio João mencionou a operação do Espírito sobre Jesus e nele próprio (1:32; 3:34). O que o evangelista quer dizer é que o Espírito do reino que está chegando vem como resultado – de fato, consequência – da obra completa do Filho, e, até aquele ponto, o Espírito Santo não fora dado no sentido cristão ou pleno do termo.[18]

Jesus, a água da vida

Nessa mesma linha de pensamento, Charles Erdman ressalta que o cumprimento de tal promessa não se daria enquanto Jesus não fosse glorificado na morte, ressurreição e ascensão. Quando isto se completasse, uma vez revelado Jesus no seu verdadeiro caráter de Filho divino, Filho de Deus, Salvador do mundo, então seu Espírito seria dado, como foi no Pentecostes, vindo sobre todos quantos nele depositam sua confiança.[19]

Em quarto lugar, *as diferentes reações ao discurso de Jesus* (7:40-53). Como aconteceu no final do discurso sobre o pão da vida, aqui também, no discurso sobre a água da vida, os ouvintes de Jesus se dividiram em diferentes reações. Alguns disseram que Jesus era profeta (7:40); outros afirmaram que ele era o Cristo (7:41); outros, ainda, questionaram se o Cristo poderia proceder da Galileia, uma vez que devia ser um descendente de Davi (7:41b-43). Outros, entretanto, queriam prendê-lo (7:44). Os guardas não conseguiram detê-lo, porque ficaram impactados com suas palavras: *Nunca ninguém falou como este homem* (7:46). O que eles queriam dizer era: tão divinamente, com tal graça e verdade, e, portanto, de modo tão convincente e efetivo.[20] Os principais sacerdotes e fariseus, aqueles que tinham maior conhecimento, entretanto, zombaram, dizendo que só a plebe que nada conhece da lei é que estava crendo em Jesus (7:47-49). Nicodemos, aquele que se encontrara com Jesus de noite em Jerusalém, tenta arrazoar com seus pares, mas é por eles repreendido (7:50-53). William Hendriksen diz que Nicodemos enfrentou a oposição de uma máquina religiosa poderosa e numerosa. Ele mostrou grande coragem, embora ainda não tivesse alcançado o pináculo da confissão cristã.[21] A essa altura, os contendores se dispersam, e cada um vai para sua casa, enquanto Jesus segue para o monte da

Oliveiras, provavelmente para orar, pois era o lugar onde se recolhia para buscar a face do Pai. Enquanto seus ouvintes tinham uma casa para onde ir e repousar, o Filho de Deus não tinha nenhum local onde reclinar a cabeça (Mt 8:20).

Notas do capítulo 14

[1] AMARAL, Joe. *Understanding Jesus*. Ontario: Almond Publications, 2009, p. 110.

[2] BRUCE, F. F. *João: introdução e comentário*, p. 151.

[3] AMARAL, Joe. *Understanding Jesus*, p. 113-114.

[4] BRUCE, F. F. *João: introdução e comentário*, p. 152.

[5] CARSON, D. A. *O comentário de João*, p. 307.

[6] WIERSBE, Warren W. *Comentário bíblico expositivo*. Vol. 5, p. 405.

[7] BRUCE, F. F. *João: introdução e comentário*, p. 154.

[8] ERDMAN, Charles. *O evangelho de João*, p. 63.

[9] BRUCE, F. F. *João: introdução e comentário*, p. 155.

[10] MACARTHUR, John. *The MacArthur New Testament commentary – John 1-11*, p. 289.

[11] CARSON, D. A. *O comentário de João*, p. 313.

[12] Ibid., p. 317.

[13] HENDRIKSEN, William. *João*, p. 353.

[14] CARSON, D. A. *O comentário de João*, p. 323.

[15] MACARTHUR, John. *The MacArthur New Testament commentary – John 1-11*, p. 312.

[16] ERDMAN, Charles. *O evangelho de João*, p. 67.

[17] HENDRIKSEN, William. *João*, p. 357.

[18] CARSON, D. A. *O comentário de João*, p. 330.

[19] ERDMAN, Charles. *O evangelho de João*, p. 67.

[20] HENDRIKSEN, William. *João*, p. 360.

[21] Ibid., p. 361.

Capítulo 15

Condenada pelos homens, perdoada por Jesus
(Jo 8:1-11)

MUITOS ERUDITOS AO LONGO dos séculos questionaram a autenticidade do texto em apreço, afirmando que os melhores e os mais antigos manuscritos não contêm essa história. A. T. Robertson considera-o uma glosa marginal que, por causa de um erro cometido por um escriba, foi inserida no texto.[1] No entanto, Papias, um discípulo de João, parece ter conhecido e exposto essa história. O historiador Eusébio faz referência ao fato de uma mulher que havia cometido muitos pecados ter sido acusada na presença do Senhor.[2]

Agostinho declarou, em caráter definitivo, que algumas pessoas tinham removido de seus códices a seção a respeito da adúltera, por temerem que as mulheres encontrassem nesse texto uma justificativa para a infidelidade.[3] Concordo com Hendriksen quando ele diz que a passagem em tela pode ser entendida como preparação e elucidação do discurso do Senhor em João 8:12. Lembremo-nos de que essa mulher e seus acusadores estavam numa densa escuridão moral. É provável que Jesus tenha dispersado tal escuridão. Assim, não nos surpreendemos ao ler: *Eu sou a luz do mundo.*[4] Vamos, portanto, à análise da passagem!

A noite ainda se despedia, e os raios do sol nem sequer haviam surgido no pico dos montes, quando Jesus retorna do monte das Oliveiras para o templo. Como todo o povo foi ter com ele, Jesus se assentou e passou a ensiná-lo. É nesse cenário que os escribas e fariseus trazem uma mulher apanhada em flagrante adultério e atiram-na aos seus pés. Esses fiscais da vida alheia não estavam interessados na lei, nem na mulher, nem no ensino de Cristo. Queriam apenas usar de forma desonesta essa situação para apanhar Jesus no contrapé.

Esse episódio nos leva a entender que o tribunal dos homens é mais rigoroso que o tribunal de Deus, pois no tribunal dos homens a mulher saiu envergonhada e condenada; mas, no tribunal de Cristo, ela foi exortada a deixar seu pecado e a recomeçar sua vida.

O tribunal dos homens é mais rigoroso do que o tribunal de Deus. Davi quis cair nas mãos de Deus, e não nas mãos dos homens. No tribunal dos homens, vemos um Herodes no trono e um João Batista na prisão. No tribunal de Deus, mesmo um ladrão condenado e à beira da morte é salvo. No tribunal dos homens, José do Egito, mesmo inocente, vai para a prisão. No tribunal dos homens, Jesus, um inocente, é condenado à morte de cruz, e Barrabás, um salteador, recebe indulto. No tribunal dos homens, essa mulher apanhada em adultério está prestes a ser apedrejada; mas, no tribunal de Deus, ela é perdoada e absolvida.

A dolorosa condição da acusada (8:1-3)

Chamo a atenção a seguir para cinco fatos em relação a essa mulher.

Em primeiro lugar, *ela aproveita a festa para pecar*. A festa dos tabernáculos estava chegando ao fim. As caravanas já se haviam dispersado. O povo que tinha vindo de todas as cidades, vilas e campos e permanecido uma semana habitando em cabanas improvisadas, já estava enrolando suas tendas para voltar para casa. Ela aproveitou o burburinho da multidão para dar vazão aos seus desejos e cair nas teias do pecado.

Em segundo lugar, *ela traiu seu marido*. Essa mulher era casada. A palavra grega usada aqui para adultério é *moikeia*, que descreve uma relação extraconjugal. Ela violou os votos de fidelidade conjugal, quebrou a aliança, feriu a lei de Deus e transgrediu o sétimo mandamento. Conforme William Hendriksen, muitos comentaristas dizem que essa mulher não poderia ser casada, porque a lei de Moisés especifica a morte por apedrejamento somente no caso de uma moça prometida em casamento que fosse culpada de adultério (Dt 22:23-30). No entanto, para uma mulher casada que viesse a cometer esse pecado, a ordem era que perdesse sua vida, embora não se indique a maneira pela qual essa punição devesse ser aplicada. Mas, em oposição a esse entendimento, permanece o fato de que o termo "adultério" aponta, em caráter definitivo, para alguém que já está casado.[5] O adultério era considerado um dos mais terríveis pecados na concepção dos judeus. Os rabinos diziam: "Todo judeu deve morrer antes de cometer idolatria, assassinato e adultério".[6]

Em terceiro lugar, *ela foi flagrada no ato do seu pecado*. Essa mulher não tinha desculpa. Não havia como fugir ou negar seu envolvimento sexual com outro homem. Há muitas pessoas que mentem, enganam e escapam. Não era o caso dessa mulher.

Em quarto lugar, *ela foi humilhada publicamente*. A mulher foi arrastada à força. Seus acusadores não a trataram com dignidade. Não a viram como uma pessoa que tem nome e sentimentos, mas apenas como mais um caso. Levaram-na para o pátio do templo, um lugar público, e a colocaram de pé diante da multidão, na frente de Jesus. Expuseram-na ao opróbrio. Esmagaram-na emocionalmente. Ultrajaram-na em público.

Em quinto lugar, *ela cometeu um pecado passível de morte*. A lei de Moisés previa a morte para o homem e a mulher flagrados no ato do adultério (Lv 20:10). No caso de moça virgem desposada, ou seja, noiva, a lei estabelecia a pena do apedrejamento tanto para a moça como para quem se deitasse com ela (Dt 22:23,24). Portanto, no tribunal da lei, essa mulher estava condenada. No tribunal dos religiosos, ela é acusada. No tribunal da opinião pública, ela é condenada como uma ninguém. No tribunal da consciência, ela é condenada, pois não se defende. Ela era a própria figura da miséria.

A crueldade dos acusadores (8:4-7a)

Era festa em Jerusalém, e os escribas e fariseus estavam cheios de inveja de Jesus. Eles queriam matá-lo (7:19) ou prendê-lo (7:30,31). Mandaram os guardas detê-lo (7:32). Os guardas voltam extasiados com as palavras de Jesus, e os

Condenada pelos homens, perdoada por Jesus

judeus ficam furiosos (7:47). A multidão se dispersa para o outro dia. De madrugada, Jesus volta a falar à multidão. Então, eles se lançam contra Jesus nesse incidente. Levam a prisioneira ao tribunal (8:3), apresentam acusação contra ela (8:4), anunciam os estatutos sobre os quais ela era acusada (8:5) e pedem que Jesus julgue o caso (8:5,6).[7]

A seguir, destacamos quatro atitudes dos acusadores.

Em primeiro lugar, *a conduta dos acusadores foi grosseira* (8:3,4). Charles Erdman diz que o motivo dos fariseus não era o amor a Deus, nem o zelo pela justiça, nem a paixão pela pureza e pela santidade, muito menos a indignação contra o pecado, mas apenas o desejo de confundir Jesus, forçando-o a dizer alguma palavra ou frase que pudesse servir de base para sua prisão, condenação e morte.[8]

Os fariseus usavam a autoridade para condenar, e não para restaurar. Eram detetives, e não pastores. E foram grosseiros com a mulher e com Jesus. Em relação à mulher, não se importaram com ela nem com sua família. Ela era apenas uma peça de um jogo sujo contra Jesus. Usaram-na para os seus propósitos nefandos. Expuseram-na à execração pública. Concordo com William Barclay quando ele diz que, para os acusadores, aquela mulher não tinha nome, personalidade, coração, sentimento, nem emoções; não era mais que uma peça no jogo com o qual tratavam destruir Jesus.[9]

Em relação a Jesus, eles queriam encontrar um motivo para acusá-lo e matá-lo. E assim intentaram três coisas contra ele. Em primeiro lugar, tentaram jogar Jesus contra a lei de Moisés; segundo, tentaram jogar Jesus contra a lei romana; terceiro; tentaram jogar Jesus contra o povo. O alvo dos fariseus era colocar Jesus diante de um dilema: se ele perdoasse e absolvesse a mulher, estaria em oposição à lei de Moisés e contra ele se poderia argumentar que estava fomentando as pessoas a cometerem adultério (Lv 20:10; Dt 22:22-24); se ele a condenasse à morte, estaria usurpando atribuições do governo romano (18:28-31), porque os romanos haviam retirado dos judeus o poder de infligir penas capitais.[10]

D. A. Carson corrobora essa interpretação quando diz que, se Jesus rejeitasse a lei de Moisés, sua credibilidade seria instantaneamente minada: ele seria descartado como uma pessoa sem lei e talvez fosse acusado de crimes graves nos tribunais. Se ele mantivesse a lei de Moisés, não somente estaria apoiando uma atitude largamente impopular, como também algo que provavelmente não era aplicado na vida pública e, pior, que teria sido difícil harmonizar com sua conhecida compaixão pelos subjugados e desacreditados e sua rapidez para perdoar e restaurar. Se, em nome de Moisés, Jesus pronunciasse a sentença de morte sobre essa mulher, e ela fosse de fato executada, ele teria infringido os direitos exclusivos do governador romano, o único que nesse período detinha autoridade para impor sentenças de morte.[11]

Erdman ainda constata que a religião de algumas pessoas parece consistir em ódio a seus semelhantes ou na paixão de ver os outros castigados. O caráter dessas pessoas revela-se muitas vezes pelos meios que elas empregam para atingir seus propósitos.[12]

Em segundo lugar, *a conduta dos acusadores foi hipócrita* (8:5). Hipocrisia é falar ou fazer alguma coisa e sentir outra. Podemos ver vários sinais de hipocrisia neles.

Eles professaram grande zelo e reverência pela lei. Pareciam ser guardiões dos oráculos divinos. Eram santos homens que velavam pelo cumprimento fiel das Escrituras, mas

Condenada pelos homens, perdoada por Jesus

maquinavam matar Jesus. Por isso, zombaram de Deus e desrespeitaram a lei que pareciam defender.

Eles professavam grande preocupação pela moralidade privada e pública. Apresentaram-se como defensores da família. Gente que não pode permitir o erro. O adultério é, de fato, um atentado contra Deus, o cônjuge, os filhos, o corpo, a igreja. Mas eles não eram zelosos da família. A intenção deles eram matar Jesus.

Eles demonstraram grande respeito para com Cristo. Eles o chamaram de mestre, de Rabi, enquanto no coração maquinavam o mal contra ele. São traidores, falsos e mentirosos. São cheios de veneno e enganadores.

Eles professaram estar em grandes dificuldades e ansiosos por luz e ajuda. Eles não estavam interessados na mulher, nem na lei, nem na moralidade pública. Estavam cheios não de zelo pelo cumprimento da lei, mas de inveja por Cristo. Eles queriam mesmo era pegar Jesus no contrapé. Não buscavam a glória de Deus, mas a projeção de si próprios.

Em terceiro lugar, *a conduta dos acusadores foi maliciosa.* A malícia dos escribas e fariseus pode ser demonstrada por quatro aspectos, como veremos a seguir.

Eles não se importaram com a vida da mulher (8:3,5). Eles expuseram a mulher a uma situação de vergonha pública. Queriam eliminá-la como um objeto descartável. No coração deles, não havia amor. Evocavam a lei para matar, e não para amar. Concordo com William Hendriksen quando ele diz que o interesse principal dos acusadores não era a mulher. Eles apenas a estavam usando como um laço para pegar Jesus. Este, sim, era a verdadeira vítima! E, para realizarem esse propósito diabólico contra Jesus, jogaram para o alto qualquer gentileza ou vergonha que tivessem. A vergonha e os temores da mulher, ao ser exposta publicamente, não lhes significava nada, conquanto alcançassem o objetivo que tinham proposto. Assim eram os líderes religiosos de Jerusalém.[13]

Eles usaram a lei para tentar (8:5). O propósito deles era tentar Jesus. Fizeram da lei uma isca, uma armadilha. Usaram a lei para alcançar seus propósitos malignos. Satanás também usa a Palavra de Deus para tentar.

Eles bajularam Jesus para tentá-lo (8:4). Eles chamavam Jesus de mestre, mas não o honravam, não o ouviam, nem lhe obedeciam. Aquela era um lisonja falsa, um elogio falaz, uma bajulação hipócrita.

Eles persistiram no mesmo erro (8:7). Aqueles fiscais da vida alheia estavam cegos e com o coração endurecido. Só conseguiam ver o pecado dos outros, mas não os próprios. O zelo pela lei não era para salvar vidas, mas para condená-las. Eles eram acusadores, e não ajudadores.

Em quarto lugar, *a conduta dos acusadores foi reprovável.* Podemos concluir que a atitude daqueles homens foi reprovável por vários aspectos.

Eles não amavam a lei nem aborreciam o pecado. Não buscavam a glória de Deus, mas a glória pessoal. Não estavam preocupados com a honra do nome de Deus, mas com o próprio prestígio.

Eles revelaram ser parciais e preconceituosos. Só trouxeram a mulher e deixaram o homem escapar. A lei previa morte para o homem também. Acusaram o mais fraco. Revelaram parcialidade e preconceito.

Eles se tornaram mais culpados do que a acusada. Tornaram-se culpados pela lei que defendiam. Foram declarados culpados no tribunal da consciência, pela dureza do coração. A ré saiu perdoada, e eles acabaram ainda mais endurecidos. Ela absolvida; eles condenados. MacArthur diz que,

Condenada pelos homens, perdoada por Jesus

ironicamente, aqueles que quiseram montar uma armadilha para Jesus saíram envergonhados; aqueles que desejaram condenar a mulher saíram condenados. Infelizmente, o senso de culpa deles não os levou ao arrependimento e à fé em Cristo.[14]

Esse episódio nos enseja uma solene lição: Os mais depravados e maus são os mais severos acusadores!

A misericórdia de Jesus (8:7b-11)

Destaco quatro atitudes de Jesus nesse julgamento.

Em primeiro lugar, *Jesus demonstra que só aquele que está livre de pecado tem o direito de exercer seu juízo sobre as faltas dos outros* (8:7). Jesus já havia advertido no Sermão do Monte que não devemos julgar para não sermos julgados. Jesus falou que, com a medida que julgarmos, seremos julgados. Alertou acerca do perigo de querermos tirar o cisco do olho do outro, enquanto temos uma trave no nosso. Exigimos dos outros aquilo que não praticamos. Somos intolerantes com os outros e complacentes com nós mesmos. Somos críticos com os outros e tolerantes com nós mesmos. Jesus usa aqui uma referência direta de Deuteronômio 17:7 e Levítico 24:14 – as testemunhas do crime devem ser as primeiras a atirar a pedra, e não podem ter participação no crime em si.

Em segundo lugar, *Jesus rasga o véu e demonstra o pecado dos acusadores* (8:6-9). Jesus poderia ter tornado público o segredo do coração desses acusadores. Poderia ter exposto a condição deles diante de todos. Mas, guardou silêncio diante da acusação e passou a escrever no chão. William Hendriksen diz que não aprouve ao Senhor nos revelar se ele escreveu algumas palavras ou se desenhou alguma figura no chão; e, se escreveu, a quem direcionou suas palavras, o que escreveu e por que escreveu.[15]

É claro que o texto não nos diz o que Jesus escreveu, mas a palavra *katagrafein* é sugestiva. Significa escrever uma sentença contra alguém. Barclay é da opinião de que Jesus enfrentou esses sádicos tão seguros de si com a lista de seus próprios pecados.[16] Jesus disse: *Quem dentre vós estiver sem pecado seja o primeiro a atirar uma pedra nela* (Jo 8:7). É digno de nota que a palavra grega *anamartetos*, "sem pecado", significa não só sem pecado, mas também sem um desejo pecaminoso. Portanto, Jesus estava dizendo: Vocês só podem apedrejá-la se nunca desejaram no coração fazer o mesmo.[17] A referência é a Deuteronômio 17:7: *A mão das testemunhas será a primeira contra ele para matá-lo, e depois a mão de todo o povo; assim exterminarás o mal do meio de ti.* Jesus tocou no nervo exposto, na ferida. O pecado deles era pior do que o pecado daquela mulher. Ela estava envergonhada e sem coragem de levantar o rosto por causa do seu pecado, mas eles nutriam indiferença para com a mulher e inveja e ódio de Jesus a ponto de tramarem matá-lo. Concordo com Warren Wiersbe quando ele diz que, em vez de julgar a mulher, Jesus julgou os juízes.[18]

Joe Amaral é assaz oportuno quando aponta que o contexto desse episódio é ainda a afirmação pública de Jesus, realizada no templo: *Se alguém tem sede, venha a mim e beba.* Os judeus estão rejeitando essa oferta feita pelo Messias. Quais são as implicações dessa rejeição? Há uma profecia em Jeremias 17:13 que diz: *Ó SENHOR, esperança de Israel, todos aqueles que te abandonarem serão envergonhados. Os que se apartam de ti terão seus nomes escritos no solo; porque abandonam o SENHOR, a fonte de águas vivas.* Oh, que passagem! Esses acusadores conheciam essa profecia, por isso deixando as pedras, se foram.[19]

Condenada pelos homens, perdoada por Jesus

Em terceiro lugar, *Jesus não esmaga a cana quebrada* (8:10,11). Podemos testificar como segue.

Jesus valoriza a lei, expõe a gravidade do pecado, mas ama o pecador para restaurá-lo (8:7). Com o seu silêncio e poucas palavras, Jesus ensinou três verdades profundas: a lei é santa; o pecado é maligno; o seu amor pelos pecadores é infinito. Estou de pleno acordo com o que diz Warren Wiersbe sobre o fato de a lei e a graça serem complementares, e não concorrentes. Ninguém jamais foi salvo por guardar a lei, mas ninguém foi salvo pela graça sem que antes tivesse sido convencido de seus pecados pela lei.[20]

Jesus não expõe os próprios acusadores ao opróbrio (8:7-9). Ele age de maneira diferente daqueles que expuseram a mulher ao ridículo. Jesus conhecia seus pensamentos. Sabia do plano abominável deles. Ele poderia ter exposto esses acusadores à execração. Podia denunciar o segredo do coração deles. A derrota dos acusadores foi patentíssima. Acusados pela consciência, retiraram-se, começando a debandada pelos mais velhos, que evidentemente idearam o plano, seguindo-se os mais moços, até o último.[21] Diz D. A. Carson que aqueles que tinham vindo para envergonhar Jesus saíram por fim envergonhados.[22]

Jesus age com misericórdia com a mulher (8:10,11). Ele veio não para condenar, mas para salvar. A mulher merecia morrer, mas ele usa seu poder para restaurar. Ele veio buscar e salvar o que se havia perdido. Ele veio para os doentes. O perdão não é barato. Jesus deu sua vida. Ele valoriza aquela mulher, chamando-a por um título honroso, o mesmo que usou para sua mãe: *Mulher*. Concordo, entretanto, com MacArthur, quando ele diz que o perdão não é um salvo-conduto para pecar. Jesus não condenou a mulher, mas ordenou que ela abandonasse seu estilo de vida pecaminoso.[23]

Em quarto lugar, *Jesus restaura a dignidade da mulher* (8:10,11). Quatro verdades nos provam esse ponto, como vemos a seguir.

Jesus não diminuiu a gravidade do seu pecado. Ele não disse que ela era inocente ou que seu pecado não tinha importância. Jesus não tratou o pecado com leviandade. Ele não mandou a mulher para casa como se nada tivesse acontecido.

Jesus não a condena. Somente Jesus tinha condições morais de condenar aquela mulher, mas escolheu dar a ela uma oportunidade de se arrepender.

Jesus a encorajou. Ele disse a ela: *Vai*. Volta à vida. Não fique carregando seus traumas, recalques e culpa. Ela vai livre, perdoada, restaurada e com dignidade.

Jesus a exortou a não voltar ao pecado. A natureza do verdadeiro arrependimento não é o arrependimento e novamente o arrependimento, mas o arrependimento e frutos dignos do arrependimento. O arrependimento é mais do que um sentimento; é a firme atitude de abandonar o pecado. O perdão de Cristo em sua graça não é uma desculpa para pecar. Nada de reincidência. Jesus aborrece o pecado. Ele está abrindo uma avenida de obediência para ela. A lição eloquente que fica é esta: Os mais santos são os mais misericordiosos.

Notas do capítulo 15

1 ROBERTSON, A. T. *Introduction to the textual criticism of the New Testament.* New York: George H. Doran, 1925, p. 154.

2 *História eclesiástica* III, xxxix, 17.

3 HENDRIKSEN, William. *João*, p. 367.

4 Ibid.

5 Ibid., p. 369.

6 BARCLAY, William. *Juan II.* Buenos Aires: La Aurora, 1974, p. 7.

7 HENRY, Matthew. *Matthew Henry Comentário bíblico Novo Testamento – Mateus-João*, p. 860-861.

8 ERDMAN, Charles. *O evangelho de João,* p. 68.

9 BARCLAY, William. *Juan II*, p. 11.

10 ERDMAN, Charles. *O evangelho de João,* p. 69.

11 CARSON, D. A. *O comentário de João*, p. 336.

12 ERDMAN, Charles. *O evangelho de João,* p. 69.

13 HENDRIKSEN, William. *João*, p. 370-371.

14 MacArthur, John. *The MacArthur New Testament commentary – John 1-11*, p. 329.

15 HENDRIKSEN, William. *João*, p. 371.

16 BARCLAY, William. *Juan II*, p. 9.

17 Ibid.

18 WIERSBE, Warren W. *Comentário bíblico expositivo.* Vol. 5, p. 411.

19 AMARAL, Joe. *Understanding Jesus*, p. 121.

20 WIERSBE, Warren W. *Comentário bíblico expositivo.* Vol. 5, p. 412.

21 ERDMAN, Charles. *O evangelho de João,* p. 70.

22 CARSON, D. A. *O comentário de João*, p. 337.

23 MacArthur, John. *The MacArthur New Testament commentary – John 1-11*, p. 330.

Capítulo 16

Jesus,
a luz do
mundo
(Jo 8:12-59)

JESUS ESTAVA ENSINANDO no templo, quando foi interrompido pelos escribas e fariseus que traziam uma mulher apanhada em adultério. Depois que Jesus frustrou os desígnios dos acusadores da mulher e a despediu com a recomendação de que não pecasse mais, voltou a falar aos que estavam no templo.

Jesus apresenta-se aqui como a luz do mundo, o libertador dos cativos, o Filho de Deus, que tem vida em si mesmo, o único que pode dar vida eterna. Os judeus não conseguem compreender a fala de Jesus, pois não discernem sua natureza divina nem sua obra salvadora. Do alto de sua arrogância espiritual, consideram-se livres e seguros por ter o sangue de Abraão correndo em suas veias. Jesus, porém, reduz a nada essa pretensa segurança dos judeus, mostrando a eles que, por quererem matá-lo, não praticavam as obras de Abraão; por isso, não eram filhos de Abraão, mas filhos do diabo, a quem imitavam em suas obras.

Vamos destacar a seguir alguns pontos importantes.

O testemunho que Jesus dá de si mesmo como a luz do mundo (8:12-20)

Jesus já havia se apresentado como *o pão da vida* para os famintos e *a água viva* para os sedentos. Agora, faz mais uma declaração solene: *Eu sou a luz do mundo* para aqueles que estão em trevas. Carson diz que a metáfora da luz está impregnada de alusões ao Antigo Testamento. A glória da própria presença de Deus na nuvem conduziu o povo para a terra prometida (Êx 13:21,22) e o protegeu daqueles que o destruiriam (Êx 14:19-25). Os israelitas foram treinados para cantar: *O Senhor é a minha luz e a minha salvação* (Sl 27:1). A Palavra de Deus é lâmpada para os nossos pés e luz para o nosso caminho (Sl 119:105). A luz de Deus é irradiada nas outras nações em revelação (Ez 1:4) e salvação (Hc 3:3,4). A luz é o próprio Deus em ação (Sl 44:3).[1]

Alguns pontos devem ser aqui observados.

Em primeiro lugar, *uma afirmação gloriosa* (8:12a). F. F. Bruce diz que, no Antigo Testamento, Deus é a luz do seu povo (Sl 27:1); na luz da sua presença, eles encontram graça e paz (Nm 6:24-26). O servo do Senhor é nomeado luz das nações, para que a salvação de Deus alcance até os limites da terra (Is 49:6). A Palavra ou lei de Deus também é chamada de luz que orienta o caminho dos obedientes (Sl 119:105). Dessa forma, Jesus, o Filho do Pai, o servo do Senhor, o Verbo encarnado, personifica essa linguagem do Antigo Testamento.[2]

Jesus é a luz do mundo. Sem Jesus, o mundo está mergulhado em densas trevas. Sem Jesus, prevalece a ignorância espiritual. Sem Jesus, as pessoas estão cegas e não sabem para onde vão. Sem Jesus, as pessoas estão perdidas, confusas e sem rumo. Sem Jesus, as pessoas caminham para as trevas eternas. Concordo com William Hendriksen quando ele diz que Jesus é a luz do mundo, o que significa que, para os ignorantes, ele proclama sabedoria; para o impuro, santidade; e para os dominados pela tristeza, alegria.[3] Nessa mesma linha de pensamento, MacArthur diz que Jesus traz salvação a este mundo amaldiçoado pelo pecado. Para as trevas da falsidade, ele é a luz da verdade; para as trevas da ignorância, ele é a luz da sabedoria; para as trevas do pecado, ele é a luz da santidade; para as trevas do sofrimento, ele é a luz da alegria; e para as trevas da morte, ele é a luz da vida.[4]

Em segundo lugar, *uma promessa bendita* (8:12b). Jesus é categórico em afirmar que aqueles que o seguem não andarão em trevas, mas terão a luz da vida. A vida com Jesus é uma jornada na luz da verdade, na luz da santidade e na luz da mais completa felicidade. William Barclay diz que a palavra grega *akolouthein*, traduzida aqui por "seguir", tem cinco significados: 1) um soldado que segue seu capitão; 2) o escravo que acompanha seu senhor; 3) a aceitação de uma opinião, veredito ou juízo de um conselheiro sábio; 4) a obediência às leis de uma cidade ou Estado; 5) alguém que segue a linha de argumentação de um mestre. Portanto, necessitamos de sabedoria do céu para seguir o caminho na terra. A pessoa que tem um guia seguro e um mapa correto chegará, sem dúvida, a seu destino sã e salva. Jesus Cristo é esse guia; ele é o único que possui o mapa da vida. Segui-lo significa transitar a salvo pela vida e depois entrar na glória.[5]

Em terceiro lugar, *uma contestação infundada* (8:13). Por não aceitarem a verdade de que Jesus é o enviado de Deus, que não fala por si mesmo, mas veio em nome do Pai, a fim de cumprir a vontade do Pai, eles contestam sua declaração, argumentando que o testemunho de si mesmo é desprovido de valor e não pode suster-se.

Em quarto lugar, *uma explicação irrefutável* (8:14-18). Jesus refuta a falácia do argumento dos judeus, mostrando que seu testemunho era verdadeiro por causa de sua origem. Jesus sabe de onde vem e para onde vai. Ele veio do Pai e volta para o Pai. Ele vem de cima, do alto, do céu, de Deus. O julgamento dos judeus é segundo a carne. Eles são movidos pela cegueira espiritual, pelo preconceito e pelo ódio. Se Jesus vinha do Pai, se era um com o Pai e estava no mundo para fazer a vontade do Pai, não estava em desacordo com o ensino de Moisés acerca da necessidade de duas pessoas para validar um testemunho. Logo, Jesus deixa claro que ele e o Pai estão em plena harmonia no testemunho que Jesus dá de si mesmo como a luz do mundo.

Os judeus tentam arrazoar com Jesus, perguntando-lhe: *Onde está teu Pai?* (8:19). Jesus responde que o problema é que eles não o conheciam nem a seu Pai, pois, se o conhecessem, também conheceriam seu Pai. Ninguém pode conhecer verdadeiramente Deus a não ser através de Jesus (1:18). Jesus veio para nos mostrar o Pai (14:8,9). Ele e o Pai são um (10:30). Essas palavras de Jesus foram proferidas no lugar do gazofilácio, local de segurança máxima do templo, onde as ofertas eram depositadas. A hostilidade a ele era tanta que João nos informa que Jesus não foi preso ali, porque ainda não havia chegado a sua hora (8:20). F. F. Bruce diz que prisão, julgamento e execução, quando viessem, seriam apenas estágios em sua viagem de volta para aquele que o enviara ao mundo.[6]

A importância suprema da pessoa de Jesus (8:21-30)

Em outra ocasião, Jesus volta a falar com os judeus e, nessa fala, revela a suprema importância de sua pessoa. Destacaremos alguns pontos importantes nesse sentido.

Em primeiro lugar, *sem Jesus, o ser humano perece em seus pecados* (8:21). Jesus em breve morreria numa cruz, ressuscitaria dentre os mortos e voltaria para o céu. Mas os judeus obstinados em seus pecados pereceriam inevitavelmente, pois fechariam a porta da graça, recusando o enviado de Deus.

Em segundo lugar, *sem fé em Jesus, o grande Eu sou, o ser humano está condenado a morrer em seus pecados* (8:22-24). Os judeus já haviam pensado que Jesus se retiraria para a dispersão dos gregos (7:35). Agora, chegam ao extremo de pensar que Jesus se referia a cometer suicídio (8:22). Jesus corrige esse pensamento às avessas dizendo aos judeus que a diferença entre eles é de origem. Os judeus, bem como todos os seres humanos, são cá de baixo, terrenos, mas Jesus é de cima, do céu, vem de Deus. Por isso, rejeitar Jesus é fechar a única porta da salvação. Não crer que ele é o Filho de Deus, a luz do mundo, é morrer em seus pecados. E morrer em pecado é a pior maneira de morrer, pois é não apenas morrer fisicamente, mas também ser banido eternamente da face de Deus para um lugar de trevas e ranger de dentes.

Jesus deixa claro que o homem precisa crer nele como o Eu sou. Não há aqui nenhuma adjetivação. Ele não é apenas o pão da vida, a água da vida, a luz do mundo, a porta, o bom pastor, a ressurreição e a vida, o caminho, a verdade e a vida, a videira verdadeira. Ele é o Eu sou. O Deus que tem vida em si mesmo. O Deus incausado e o causador de todas as coisas. Não crer que Jesus é o próprio Deus autoexistente, eterno, imenso, infinito, imutável, onipotente, onisciente, onipresente e transcendente é morrer em seus pecados.

Em terceiro lugar, *Jesus é o enviado de Deus* (8:25-30). Os judeus perguntaram a Jesus: *Quem és tu?* (8:25). Jesus responde, mostrando o que já lhes dissera outras vezes. Ele reafirma que o testemunho que dá de si mesmo é o mesmo testemunho daquele que o enviou, mas o judeus não conseguem compreender que Jesus está falando sobre o Pai. Jesus esclarece, então, que, quando for levantado, ou seja, crucificado pelos próprios judeus, então entenderão que ele de fato é o Eu sou, o enviado do Pai. E, mesmo que ele seja abandonado pelas multidões, pelos discípulos e até pelos apóstolos, jamais será abandonado por seu Pai, uma vez que sempre fez o que lhe agrada. Com essas palavras, muitos creram nele (8:30). É bem verdade que essa fé ainda era deficiente e não passaria pela prova.

A liberdade oferecida por Jesus (8:31-36)

Jesus, agora, se dirige aos que creram nele, aprofundando o entendimento das implicações da fé. Alguns pontos merecem destaque em seu discurso.

Em primeiro lugar, *a exigência do discipulado* (8:31). Um discípulo não é um crente superficial, mas alguém que permanece em Cristo. Não basta ter um entusiasmo inicial e depois retroceder, como a semente que caiu em solo rochoso. Não basta crer e alimentar no coração outras preocupações, como a semente que caiu no meio do espinheiro. A verdadeira fé que desemboca no verdadeiro discipulado é evidenciada por um relacionamento estreito com Cristo.

Jesus, a luz do mundo

Em segundo lugar, *a condição da liberdade* (8:32). Jesus agora se apresenta como a verdade. O conhecimento da verdade traz plena liberdade. Onde reina o engano, prevalece a escravidão. Onde grassa e sopita a mentira, as amarras não se rompem. Onde medra a superstição, as pessoas não são livres. Jesus é categórico: *E conhecereis a verdade, e a verdade vos libertará* (8:32).

Em terceiro lugar, *a escravidão do pecado* (8:33-35). Quando Jesus falou sobre liberdade, os judeus arrotaram sua arrogância espiritual, dizendo: *Somos descendentes de Abraão e nunca fomos escravos de ninguém; por que dizes: Sereis livres?* (8:33). O povo de Israel fora escravizado por sete nações, conforme registrado no livro de Juízes. As dez tribos do Norte foram levadas cativas pela Assíria, enquanto as duas tribos do Sul passaram setenta anos no cativeiro na Babilônia. E, naquele exato momento, os judeus se encontravam sob o domínio de Roma.[7] Embora os judeus estivessem subjugados politicamente, jamais se sentiram escravos espiritualmente; embora fossem cativos externamente, jamais se julgaram escravos interiormente. Jesus refuta a tola ideia deles dizendo que eram escravos, e escravos da pior espécie. Eles eram escravos do pecado. O pecado os dominava como um severo senhor de escravos. Eram subjugados e dominados pelo pecado (8:34). D. A. Carson tem razão em afirmar que, para Jesus, o cativeiro máximo não é a escravidão a um sistema político ou econômico, mas a viciosa escravidão ao fracasso moral, à rebelião contra o Deus que nos fez. O senhor despótico não é César, mas um vergonhoso egocentrismo, uma má e escravizante devoção às coisas criadas à custa da adoração ao criador.[8]

William Hendriksen enfatiza que Jesus apresenta seus inimigos como escravos em cadeias, sem nenhuma liberdade verdadeira. Agora – mudando um pouco a figura –, ele indica outro aspecto dessa condição de escravidão. Um escravo pode desfrutar dos privilégios da casa de seu senhor por um pouco de tempo, mas nunca para sempre. Ele pode ser expulso, dispensado ou vendido a qualquer momento, mas o filho, porém, sempre fica na casa. Os judeus, que se vangloriavam de ser descendência de Abraão, fariam bem em se lembrar disso. A antiga dispensação, com seus privilégios para Israel, havia terminado. Os verdadeiros filhos de Abraão continuarão em sua casa e desfrutarão, permanentemente, de seus privilégios, mas os escravos de Abraão terão de sair. Somente um filho usufrui de liberdade.[9]

Em quarto lugar, *Jesus é o verdadeiro libertador* (8:36). Jesus arremata seu argumento apresentando-se mais uma vez aos judeus como o Filho de Deus e, agora, especialmente, como o único que pode libertá-los da escravidão do pecado. O pecado escraviza, mas Jesus liberta. O pecado produz morte, mas Jesus é a vida. O pecado condena, mas Jesus perdoa. O pecado mata, mas Jesus dá a vida eterna.

O grave perigo do autoengano religioso (8:37-47)

Jesus mostrará, com cores fortes, a triste possibilidade de existirem filhos do diabo entre a semente de Abraão. Chamo a atenção para três pontos a seguir.

Em primeiro lugar, *a verdadeira filiação implica a correta imitação* (8:37-40). Jesus reconhece que os judeus são descendência de Abraão. Contudo, apenas ter o sangue de Abraão correndo nas veias não é o que os define como filhos de Abraão, e sim seguir o exemplo de Abraão e praticar as mesmas obras. A descendência de Abraão procurava matar aquele cuja vinda Abraão previu com alegre expectativa (8:56). Logo, as obras dos judeus que queriam matar Jesus eram diametralmente opostas às obras de Abraão. Jesus, como Filho de Deus, falava e fazia o que via no seu Pai; os judeus também estavam falando e fazendo o que viam em seu pai; mas, como os judeus queriam matá-lo e se recusavam terminantemente a recebê-lo como o enviado de Deus, provavam que esse pai não era Abraão. Os judeus estavam enganados acerca de sua filiação. Julgavam ser quem não eram, uma vez que o importante não é ter o sangue de Abraão correndo nas veias, mas ter a fé de Abraão habitando no coração.

Em segundo lugar, *os verdadeiros filhos de Deus amam Jesus* (8:41-43). Quando Jesus falou aos judeus que eles não eram filhos de Abraão, porque a obra que faziam não eram as mesmas de Abraão, replicaram de imediato: [...] *Não somos filhos de prostituição. Temos um Pai, que é Deus* (8:41). Jesus argumenta que, se de fato Deus fosse pai deles, haveriam de amá-lo, pois havia vindo da parte de Deus (8:42). Por causa da filiação, eles teriam uma incapacidade irremediável de compreender sua linguagem e ouvir sua Palavra (8:43). Conforme argumenta D. A. Carson, é óbvio que Jesus não nega as verdades dos textos do Antigo Testamento, mas nega sua aplicação a seus oponentes. O motivo implícito já havia sido dado: a filiação espiritual, no único sentido que importa, é atestada por semelhança e conduta, seja o "pai" Abraão ou Deus.[10]

Em terceiro lugar, *os verdadeiros filhos de Deus ouvem as palavras de Deus* (8:44-47). Jesus chega ao auge de sua acusação aos judeus dizendo que eles não eram filhos de Abraão nem consequentemente filhos de Deus, como pensavam. Eram filhos do diabo, pois estavam fazendo a vontade do diabo: não queriam a verdade como o diabo; viviam agarrados à mentira como o diabo; e estavam cheios de ódio a ponto de quererem matá-lo, tal qual o diabo é assassino (8:44). Fisicamente, esses judeus certamente eram filhos de Abraão, mas, moral e espiritualmente, eram filhos do diabo. Porque eram filhos do pai da mentira, não criam em Jesus, que lhes falava a verdade (8:45). Concordo com D. A. Carson quando ele diz que a tragédia do mentiroso não é somente que ele engana a si mesmo e aos outros, mas, sobretudo, que ele não sustenta a verdade.[11]

Jesus acentua a impecabilidade dos judeus (8:46). Não obstante, eles não creem em Jesus, embora o mestre lhes proclame a verdade. Jesus deixa claro que só ouve as palavras de Deus aqueles que são de Deus. Se os judeus não o ouvem, logo não são de Deus (8:47).

As evidências da divindade de Jesus (8:48-59)

Quanto mais luz era lançada sobre os judeus, mais cegos e prisioneiros da escuridão eles ficavam. Em vez de capitularem às evidências, aceitarem a verdade e crerem em Jesus, os judeus assacaram contra Jesus pesadas acusações. Destacamos dois pontos a seguir.

Em primeiro lugar, *as falsas acusações contra Jesus* (8:48,52). Os judeus levantaram contra Jesus duas acusações levianas. A primeira delas era eivada de preconceito. Chamaram-no de samaritano (8:48). Carimbaram Jesus como um homem mestiço, híbrido, sincrético, abominável. A segunda acusação estava empapuçada de blasfêmia. Disseram que Jesus tinha demônio. O rotularam de possesso e endemoninhado. Afirmaram que Jesus, em vez de ser o enviado do Pai, era regido por Satanás.

Em segundo lugar, *a defesa que Jesus faz de si mesmo* (8:49-59). Jesus já havia afirmado sua impecabilidade (8:46). Agora, diz com todas as letras: "Eu não tenho demônio"

Jesus, a luz do mundo

e contra-ataca: *Eu não busco glória para mim mesmo* [...] *Se eu glorificar a mim mesmo, a minha glória não tem valor. Quem me glorifica é meu Pai, do qual dizeis ser o vosso Deus* (8:50,54). A essa altura, Jesus faz uma afirmação gloriosa: *Em verdade, em verdade vos digo que, se alguém obedecer à minha palavra, nunca verá a morte* (8:51). Jesus está dizendo que ele pode dar a vida eterna. Embora a morte física possa atingir os que guardam a sua palavra, jamais impedirá que estes desfrutem a vida eterna.

Os judeus compreenderam o discurso de Jesus e atacaram-no novamente. Reafirmaram que ele tinha demônio, pois julgaram muita petulância querer ser maior do que o pai Abraão e os profetas que morreram. Como Jesus poderia prometer que aqueles que guardassem sua palavra não veriam a morte eternamente (8:52,53)? Jesus, entretanto, nocauteia os judeus, dizendo-lhes que Abraão viu o seu dia e se alegrou (8:54). Obtusos de entendimento, questionaram: *Ainda não tens cinquenta anos e viste Abraão?* (8:57). Jesus, então, arremata: *Em verdade, em verdade vos digo que, antes que Abraão existisse, Eu sou* (8:58). A existência de Jesus transcende o tempo. Ele é, portanto, exaltado infinitamente acima de Abraão.[12] Concordo com William Barclay quando ele diz que em Jesus não vemos só um homem que viveu e morreu. Vemos o Deus atemporal, que foi o Deus de Abraão, de Isaque e de Jacó, que era antes do tempo, que será depois do tempo, que sempre é. Em Jesus, o Deus eterno se manifestou aos seres humanos.[13] Aqui só restavam duas possibilidades: ou os judeus estavam diante do maior embusteiro e blasfemo, ou diante do Filho de Deus. Movidos pela incredulidade, pegaram em pedras para matá-lo, mas Jesus se ocultou e saiu do templo (8:59). Charles Swindoll elenca cinco razões pelas quais os judeus

João — As glórias do Filho de Deus

rejeitaram o Messias: 1) falta de conhecimento (8:14); 2) falta de percepção (8:15,23); 3) falta de apropriação (8:37); 4) falta de desejo (8:44); 5) falta de humildade (8:52,53).[14]

NOTAS DO CAPÍTULO 16

[1] CARSON, D. A. *O comentário de João*, p. 338.

[2] BRUCE, F. F. *João: introdução e comentário*, p. 166.

[3] HENDRIKSEN, William. *João*, p. 376.

[4] MACARTHUR, John. *The MacArthur New Testament commentary – John 1-11*, p. 334.

[5] BARCLAY, William. *Juan II*, p. 19.

[6] BRUCE, F. F. *João: introdução e comentário*, p. 168.

[7] WIERSBE, Warren W. *Comentário bíblico expositivo*. Vol. 5, p. 414.

[8] CARSON, D. A. *O comentário de João*, p. 350-351.

[9] HENDRIKSEN, William. *João*, p. 391-392.

[10] CARSON, D. A. *O comentário de João*, p. 353.

[11] Ibid., p. 354.

[12] HENDRIKSEN, William. *João*, p. 408.

[13] BARCLAY, William. *Juan II*, p. 46.

[14] SWINDOLL, Charles R. *Insights on John*, p. 174-175.

Capítulo 17

Jesus,
a verdadeira luz que
traz luz ao cego
(Jo 9:1-41)

No CAPÍTULO 8 DO EVANGELHO de João, Jesus se apresentou como a luz do mundo. Agora, ele ilustra seu ensino curando um homem cego de nascença. Jesus dá mais uma prova de sua divindade, uma vez que era crença comum que só Deus poderia dar vista a um cego de nascença. Uma vez que a cegueira era considerada maldição divina, só Deus poderia remover essa maldição. Além disso, dar vista a um cego de nascença é uma obra criadora, e só Deus tem poder para criar.[1]

Esse é um dos milagres mais bem documentados nas Escrituras, pois os vizinhos, os pais e os opositores precisaram admitir que, de fato, o homem era cego de nascença e agora estava enxergando.

O capítulo contém sete cenas: 1) o milagre (9:1-7); 2) o homem interrogado pelos vizinhos (9:8-12); 3) o homem interrogado pelos fariseus (9:13-17); 4) os pais interrogados (9:18-23); 5) o homem interrogado novamente (9:24-34); 6) a procura de Jesus pelo homem (9:35-38); 7) o significado do milagre (9:39-41).[2]

Destacamos a seguir alguns pontos importantes na exposição do texto em tela.

Um milagre singular (9:1-7)

Jesus ainda está em Jerusalém. Ao caminhar, vê um homem cego de nascença (9:1). Nos Evangelhos, esse é o único milagre relatado no qual se diz que alguém sofria desde seu nascimento. Um homem cego é visto ou, então, permanecerá na escuridão. Há algumas pessoas que ou Jesus as enxerga ou, então, ficarão esquecidas, marginalizadas, cobertas pelo manto escuro das trevas. Cinco fatos nos chamam a atenção nesse milagre operado por Jesus.

Em primeiro lugar, *uma pergunta perturbadora* (9:2). Ao verem o homem cego, os discípulos sacaram da algibeira uma questão perturbadora: *Rabi, quem pecou para que ele nascesse cego: ele ou seus pais?* Em vez buscar uma solução para o problema alheio, eles queriam especular sobre o mais intrincado problema filosófico: a origem do mal. William Hendriksen diz que os judeus relacionavam cada infelicidade a um pecado em particular. Dessa forma, os amigos de Jó relacionaram suas aflições a seus supostos pecados de crueldade em relação às viúvas e aos órfãos (Jó 4:7; 8:20; 11:6; 22:5-10); e no tempo de Jesus esse tipo de raciocínio ainda prevalecia (Lc 13:2-5). Obviamente, Jesus não aprovava essa ênfase exagerada.[3]

Em segundo lugar, *uma resposta esclarecedora* (9:3). Jesus responde que nem o homem pecou nem seus pais, mas ele

Jesus, a verdadeira luz que traz luz ao cego

nasceu cego para que se manifestassem as obras de Deus. É claro que Jesus não estava com isso insinuando haver pessoas sem pecado nem induzindo os discípulos a crer que todo sofrimento é resultado imediato de um pecado imediato. Também Jesus não estava afirmando que aquele homem havia nascido cego especificamente para ser, agora, alvo de seu milagre. Jesus estava dizendo que o sofrimento alheio não deveria ser alvo de especulação, e sim de uma ação misericordiosa. F. F. Bruce, na mesma linha de pensamento, diz que isso não significa que Deus intencionalmente fez a criança nascer cega para, depois de muitos anos, revelar sua glória tirando-lhe a cegueira; pensar assim também seria uma afronta ao caráter de Deus. O sentido é que Deus é soberano sobre a infelicidade da cegueira da criança e, quando ela se tornou adulta, a fez recuperar a vista, a fim de que visse a glória de Deus na face de Cristo.[4] Larry Richards diz que tragédias dão a Deus uma oportunidade de se revelar de formas singulares. Foi uma tragédia que tirou de Joni Eareckson Tada sua capacidade de andar. Por meio de Joni, no entanto, o Senhor tem encorajado milhares de pessoas e demonstrado sua glória.[5]

Em terceiro lugar, *uma ordem urgente* (9:4). Jesus confirma sua declaração, dizendo que as obras do Pai devem ser feitas com presteza e urgência, pois haverá um tempo, quando a noite chegar, que não será mais possível trabalhar.

Em quarto lugar, *uma declaração magnífica* (9:5). Antes de abrir os olhos ao cego, Jesus reafirmou a seus discípulos o que havia dito aos judeus: *Eu sou a luz do mundo* (8:12; 9:5).

Em quinto lugar, *um milagre inédito* (9:6,7). Esse milagre é inédito na História. Não havia ainda nenhum registro de que um cego de nascença tivesse sido curado (9:32). Larry Richards diz que Jesus concedeu visão a um homem que nascera cego. Não foi a restauração de visão perdida. Foi um ato de criação: criar algo que não existia.[6]

Cada cura de Jesus tinha um ritual diferente. Ele nunca tratou as pessoas como massa. Sempre cuidou de cada indivíduo de forma pessoal e singular. Nesse caso, Jesus usou um método aparentemente estranho. Antes de curar o homem, cuspiu na terra, fez um lodo com a saliva e passou essa terra molhada nos olhos do cego. William Barclay explica que a saliva era muito comum no mundo antigo como recurso terapêutico.[7] Depois, Jesus mandou o homem ir ao tanque de Siloé se lavar. O homem foi, lavou-se e voltou vendo. Jesus produziu nele um desconforto e depois o curou. Jesus o tocou e depois o sarou. Jesus o desafiou a crer em sua palavra e depois o milagre ocorreu. Concordo com Matthew Henry quando ele diz que há mais glória nesta narrativa concisa: Ele *foi, lavou-se e voltou enxergando* do que na frase de César: *Veni, vidi, vici* ("Vim, vi, venci"). Quando o lodo foi lavado dos olhos do cego, todas as outras limitações foram removidas também, de modo que as dores e os sofrimentos do nascimento acabaram, e as dores e os terrores passaram, as ligações com o pecado se foram, e uma luz e uma liberdade gloriosas surgiram.[8]

O interrogatório dos vizinhos (9:8-12)

O extraordinário milagre operado por Jesus desperta nos vizinhos do homem cego três questionamentos.

Em primeiro lugar, *eles querem saber quem* (9:8,9). Quando os vizinhos viram curado o homem que haviam conhecido cego, perguntaram: "É ele mesmo, aquele que vivia a pedir esmolas?" Outros disseram: "Não, mas se parece com ele". A essa altura, o próprio homem curado esclarece:

Jesus, a verdadeira luz que traz luz ao cego

"Sou eu!" O milagre, assim, é certificado por aqueles que conheciam o homem de vista e sabiam de sua história.

Em segundo lugar, *eles querem saber como* (9:10,11). Tendo verificado a veracidade do milagre, os vizinhos fazem uma segunda pergunta: *Então, como os teus olhos foram abertos?* (9:10). O cego mendigo, agora curado, não tinha respostas claras, mas informou o que sabia: *O homem que se chama Jesus* era o autor desse poderoso milagre. E aproveitou o ensejo para narrar todos os detalhes da sua cura: o ato de Jesus, a ordem de Jesus e o resultado maravilhoso de sua obediência.

Em terceiro lugar, *eles querem saber onde* (9:12). Sendo informados de que o homem Jesus era o protagonista da extraordinária façanha, os vizinhos quiseram saber onde ele está. O homem, porém, não tinha ainda todas as respostas. Só sabia o que Jesus havia feito em sua vida, mas não sabia onde ele estava.

O interrogatório dos fariseus (9:13-34)

A essa altura, os vizinhos levam o homem curado aos fariseus, e aí começa uma saga cheia de coragem por um lado e cheia de arrogante cegueira espiritual por outro. Na mesma medida em que os olhos da alma do homem curado são abertos para aprofundar sua fé, os fariseus mergulham cada vez mais fundo no obscurantismo espiritual. Erdman diz que, custasse o que custasse, eles precisavam desmoralizar o milagre. E é o que procuram fazer, mas sem resultado. Assim é hoje também, só que trocando as fórmulas religiosas dos fariseus por axiomas da ciência dos céticos e racionalistas. Muitos dizem que o sobrenatural não existe, milagres não acontecem e, por consequência, os decantados feitos de Jesus não passam de fábulas. Ele não nasceu de uma virgem. Não restaurou vista a cegos e jamais ressurgiu dos mortos. Tais pessoas têm suas teorias e, por causa delas, rejeitam fatos.[9]

Houve cinco interrogatórios dos fariseus com esse homem. Vamos examiná-los a seguir.

Em primeiro lugar, *a pergunta da dúvida* (9:13-16). Os fariseus fazem a mesma pergunta dos vizinhos: Como? E o homem dá a mesma resposta, agora de forma mais abreviada: *Ele aplicou barro sobre os meus olhos, lavei-me e passei a enxergar* (9:15). O problema é que essa cura, à semelhança do que ocorreu com o paralítico de Betesda, também se deu num sábado e, na distorcida hermenêutica dos fariseus, Jesus estava quebrando a guarda do sábado. Por isso, ele não podia ser um homem de Deus. Larry Richards diz que a interpretação legalista dos fariseus de guardar o sábado era muito mais importante para eles do que um ato surpreendente de Deus. Devemos ter cuidado para não permitir que nossa teologia nos impeça de reconhecer a verdadeira obra de Deus.[10]

Outros, porém, fisgados pela dúvida, perguntam: *Como pode um homem pecador fazer tamanhos sinais?* (9:16). E houve dissensão entre eles. Segundo F. F. Bruce, havia dois pontos de vista opostos. O primeiro baseava-se na premissa de que "um homem que quebra a lei do sábado não pode ser de Deus". Se, no entendimento dos opositores, Jesus havia quebrado a lei do sábado, ele não poderia ser de Deus. O segundo ponto de vista baseava-se na premissa de que "qualquer pessoa que cura um cego – especialmente um cego de nascença – é de Deus".[11] A conclusão óbvia é que Jesus não havia transgredido a lei do sábado, mas transgredido a interpretação equivocada dos escribas sobre

Jesus, a verdadeira luz que traz luz ao cego

o sábado. A partir daí, era inevitável concluir que a interpretação vigente sobre a lei do sábado precisava ser revista.

Em segundo lugar, *a pergunta do testemunho pessoal* (9:17). Novamente, os fariseus sabatinam o cego. Agora, querem saber o que ele pessoalmente pensa acerca do homem que lhe abriu os olhos. A resposta foi imediata: *Ele é profeta* (9:17). O fariseus vão se complicando à medida que tentam desconstruir a realidade inegável desse milagre.

Em terceiro lugar, *a pergunta aos pais do cego* (9:18-23). Os fariseus, prisioneiros do preconceito, não acreditaram que esse homem fosse verdadeiramente cego e que agora via. Então, decidem tirar a prova dos nove com o pai do cego. Eles fazem duas perguntas aos pais. A primeira é: *É este o vosso filho, que dizeis ter nascido cego?* A segunda: *Como, pois, ele está enxergando?* Dessas duas perguntas, os pais respondem com firmeza à primeira. *Sabemos que este é o nosso filho e que nasceu cego.* Da outra pergunta, porém, eles se esquivaram, jogando o problema para o próprio filho. A motivação para essa postura era a intolerância religiosa dos judeus, pois a decisão já havia sido tomada. Quem ficasse do lado de Jesus seria expulso da sinagoga. William Barclay diz que a excomunhão da sinagoga era uma poderosa arma usada pelas autoridades (12:42; 16:2). Havia dois tipos de excomunhão: 1) A proibição mediante a qual se expulsava alguém da sinagoga pelo resto da vida. Nesse caso, a pessoa era anatematizada em público. O entendimento era que a pessoa expulsa estava excluída da presença de Deus e dos homens. 2) A sentença de excomunhão temporária, que mantinha a pessoa afastada da comunhão com Deus e com as pessoas. Foi por essa razão que os pais do homem curado esquivaram-se de responder com mais profundidade às autoridades.[12]

Aquele que fosse expulso da sinagoga não tinha direito a assistência se ficasse pobre ou passasse por necessidades muito grandes. Quem tivesse um comércio não poderia negociar com pessoas da comunidade. Os amigos deixariam de falar com o banido. Confessar Cristo diante da ameaça de ser "expulso da sinagoga" exigia uma coragem que os pais desse homem não tinham.[13] O dilema dos fariseus, porém, só aumentava, pois agora não havia mais do que duvidar. Eles estavam diante de um milagre notório, Jesus era o seu agente, e esse sinal acontecera num sábado.

Em quarto lugar, *a estratégia de colocar o cego curado contra Jesus* (9:24,25). Os fariseus tentaram criar uma fenda irreconciliável entre Deus Pai e Jesus, induzindo o homem curado a passar para o lado deles e se posicionar contra Jesus, considerando-o um pecador. Longe de ceder à sedução e pressão dos fariseus, o que fora cego deu outro ousado testemunho: *Se é pecador, não sei. Uma coisa sei: eu era cego e agora estou enxergando!* (9:25). William Hendriksen diz que, com ousadia, ele coloca tanto seu *não sei* quanto seu *sei* contra o *nós sabemos* deles. É como se o cego dissesse: "Contra a palavra de autoridade de vocês, eu coloco este grande fato da experiência: embora eu fosse cego antes, agora enxergo. Fatos são mais palpáveis do que opiniões infundadas".[14]

Em quinto lugar, *a tentativa da contradição* (9:26-34). Os fariseus tentam induzir o homem a uma contradição, com a mesma pergunta: *O que ele te fez? Como te abriu os olhos?* (9:26). Perdendo a paciência com seus incansáveis interrogadores, o homem não detalha mais os fatos, porém alfineta-os com outra pergunta: *Acaso também quereis tornar-vos discípulos dele?* Querendo humilhar o homem com arrogância autogratificante, disseram que ele, sim, podia

Jesus, a verdadeira luz que traz luz ao cego

ser discípulo de Jesus, mas eles, os guardiões da lei, eram discípulos de Moisés (não se dando conta de que Moisés iria condená-los).

A essa altura, os fariseus tentam atacar Jesus, dizendo que tinham convicção de que Deus havia falado a Moisés, mas nem sequer sabiam de onde procedia Jesus. Mais uma vez, o cego os espicaça com seu arrazoado contundente: _Isto é de fato surpreendente; não sabeis de onde ele vem, mas ele me abriu os olhos!_ Em outras palavras, vocês deveriam saber. E acrescenta que, se Jesus fez esse milagre inédito, certamente Deus o atendeu, uma vez que só Deus opera um milagre dessa natureza. O argumento do cego é demolidor: _Se ele não fosse de Deus, nada poderia fazer_ (9:33), uma vez que Deus não escuta a oração de homem mau (Jó 27:9; Sl 66:18; Is 1:15; Ez 8:18; Pv 15:29). Mas, longe de se renderem à verdade, os fariseus preferem hostilizar o homem, dizendo-lhe: _Tu nasceste totalmente em pecado e vens ensinar a nós? E o expulsaram_ (9:34). Quantas vezes ainda hoje os insultos tomam lugar dos argumentos, e quão frequentemente as pessoas voltam as costas, com aparente desdém, para fatos que não podem negar nem refutar![15]

Erdman diz com razão que os fariseus se viram diante de um dilema: lá estava o homem, de vista perfeita, que nascera cego e Jesus lhe abriu os olhos. Ou eles negavam o fato, ou admitiam a natureza divina de Jesus. Aos céticos de hoje, igualmente, os fatos deixam perturbados. Por exemplo, eles negam os milagres, mas admitem que Jesus era mestre supremo no terreno da moral e louvam-no como homem bom.[16] É preciso deixar claro que esta é uma incoerência gritante. Jesus não pode ser um homem bom se o que diz de si mesmo não é verdade. Se Jesus não é o Filho de Deus, então é um mentiroso. Se Jesus não fez as obras que diz ter feito, então é um impostor. Logo, afirmar que ele é um homem bom e negar sua natureza divina e suas obras miraculosas é cair numa contradição insuperável.

O encontro de Jesus com o cego (9:35-38)

Ouvindo Jesus que os fariseus o haviam expulsado, foi ao seu encontro e lhe perguntou: *Crês no Filho do homem?* O homem redarguiu: *Quem é ele, senhor, para que eu nele creia? Jesus lhe disse: Tu já o viste, e é ele quem está falando contigo. Disse o homem: Eu creio, Senhor! E o adorou* (9:35-38). O mesmo Jesus que abriu os olhos do cego abre, agora, os olhos de sua alma. Ele não apenas recebe uma cura; mas também adora o Filho do homem, o Senhor. É maravilhoso constatar que, ao mesmo tempo que os judeus o expulsam do templo, o Senhor do templo vai ao seu encontro para buscá-lo.[17]

Na mesma proporção que os fariseus faziam uma viagem rumo ao abismo mais profundo da incredulidade, esse homem fazia uma viagem rumo à maturidade e ao aprofundamento da fé. Sua compreensão sobre Jesus foi crescente. No começo, era apenas o homem Jesus (9:11). Depois, o ex-cego o considerou um profeta (9:17). Em seguida, admitiu que Jesus era um operador de milagres (9:27). Avançou para a compreensão de que era um homem de Deus (9:33). Creu nele como o Filho do homem (9:35) e, finalmente, o adorou como Senhor (9:38).

Jesus expõe a cegueira dos fariseus (9:39-41)

Enquanto o homem curado se prostra para adorá-lo, Jesus aproveita o momento para enfatizar diante dos olhos estupefatos dos fariseus sua missão de abrir as janelas do entendimento para uns e fechar as portas da compreensão para outros (9:39). Os cegos veem e os que se julgam

Jesus, a verdadeira luz que traz luz ao cego

entendidos ficam cegos. As palavras e as obras de Jesus abrem os olhos de uns e entenebrecem outros.

Alguns dentre os fariseus, inconformados e sentindo-se atingidos por essa fala, perguntam a Jesus: *Será que nós também somos cegos?* Jesus já havia chamado os judeus de filhos do diabo. Agora, Jesus deixa claro que o pecado deles é se julgarem iluminados, guardiões da correta interpretação. William Hendriksen, nessa mesma linha de pensamento, escreve:

> Se vocês estivessem não apenas sem luz (o verdadeiro conhecimento de Deus, santidade, justiça, alegria), mas também conscientes dessa condição deplorável, e desejando ansiosamente pela salvação de Deus, nenhuma acusação seria feita a vocês. Mas, porque vocês dizem: nós enxergamos, seu pecado permanece. Em outras palavras: Se não conseguem ver a enormidade de suas misérias e de seus pecados, vocês não poderão gozar do verdadeiro conforto. Seu pecado permanece, pois vocês rejeitaram a salvação de Deus.[18]

NOTAS DO CAPÍTULO 17

[1] AMARAL, Joe. *Understanding Jesus*, p. 123.
[2] RICHARDS, Larry. *Todos os milagres da Bíblia*, p. 258.

3 HENDRIKSEN, William. *João*, p. 415.

4 BRUCE, F. F. *João: introdução e comentário*, p. 183.

5 RICHARDS, Larry. *Todos os milagres da Bíblia*, p. 259.

6 Ibid., p. 257.

7 BARCLAY, William. *Juan II*, p. 52.

8 HENRY, Matthew. *Matthew Henry comentário bíblico Novo Testamento – Mateus-João*, p. 889.

9 ERDMAN, Charles. *O evangelho de João*, p. 77-78.

10 RICHARDS, Larry. *Todos os milagres da Bíblia*, p. 259.

11 BRUCE, F. F. *João: introdução e comentário*, p. 186.

12 BARCLAY, William. *Juan II*, p. 57.

13 RICHARDS, Larry. *Todos os milagres da Bíblia*, p. 260.

14 HENDRIKSEN, William. *João*, p. 435.

15 ERDMAN, Charles. *O evangelho de João*, p. 79.

16 Ibid., p. 78.

17 BARCLAY, William. *Juan II*, p. 60.

18 HENDRIKSEN, William. *João*, p. 442.

Capítulo 18

Jesus,
o bom pastor
(Jo 10:1-42)

O CAPÍTULO 10 DE JOÃO é uma sequência do capítulo anterior. Jesus ainda está enfrentando os fariseus, os líderes cegos que se julgavam sábios e grandes intérpretes da lei. Concordo com Charles Erdman quando ele diz que a metáfora que inicia o capítulo 10 de João está inseparavelmente ligada ao episódio do capítulo precedente. É de fato a continuação do discurso que nosso Senhor começou na presença dos fariseus e do ex-cego. Sua finalidade foi, primeiro, censurar a maneira como os fariseus trataram o homem a quem Jesus dera a visão; segundo, animar o ex-cego em sua fé e confiança; e, terceiro, salientar o ministério amoroso e Salvador de nosso Senhor.[1] William Hendriksen explica esse fato da seguinte maneira:

> O bom pastor dá sua vida pelas ovelhas; os fariseus, por outro lado, como maus pastores, não estão preocupados com as ovelhas, e as lançam fora. O homem cego de nascença, uma verdadeira ovelha, tinha sido excomungado pelas autoridades judaicas, mas Jesus, o bom pastor, foi procurá-lo e o encontrou. Portanto, torna-se evidente que 10:1-21 é a continuação lógica e cronológica de 9:35-41:[2]

O texto em tela pode ser dividido em oito partes bem distintas, como veremos a seguir.

A parábola do verdadeiro pastor (10:1-6)

O Antigo Testamento frequentemente se refere a Deus como pastor e ao povo como rebanho (Sl 23:1; 77:20; 79:13; 80:1; 95:7; 100:3; Is 40:11). F. F. Bruce afirma que essa parábola deve ser lida observando o pano de fundo de Ezequiel 34. Ali, Deus é o pastor do seu povo e nomeia pastores subordinados para cuidar do seu rebanho. Mas esses pastores, como o pastor inútil de Zacarias 11:17, alimentam-se das ovelhas, em vez de alimentarem as ovelhas. Longe de cuidar das ovelhas, esses pastores se omitiam e sacrificavam as ovelhas, arrancando-lhes a lã e comendo-lhes as carnes. Esses pastores indignos são expulsos, e Deus mesmo cuidará de apascentar suas ovelhas. Deus entregará suas ovelhas a alguém digno de confiança: *E sobre elas levantarei um só pastor, o meu servo Davi, que cuidará delas e lhes servirá de pastor* (Ez 34:23). Essa é uma referência inequívoca ao Messias, da linhagem de Davi (Ez 34:24,25). Uma pessoa que fala como Jesus nessa parábola do bom pastor está dizendo, indiretamente, ser ele mesmo o Messias davídico.[3]

A parábola que Jesus narra só pode ser compreendida plenamente se nos reportarmos à prática pastoril daquela época, naquela região. Na Judeia, lugar de montanhas e vales, havia poucos lugares seguros com pastos suficientes para as ovelhas. Os pastores saíam com seus rebanhos e à noite precisavam colocar essas ovelhas no aprisco, um lugar seguro para protegê-las dos lobos e hienas. Havia dois tipos de aprisco. No inverno, havia um grande aprisco para onde vários pastores levavam seus rebanhos. Esse aprisco tinha uma porta forte que ficava trancada, e a chave era confiada ao porteiro. No dia seguinte, o pastor chamava suas ovelhas e saía com elas em busca de pastos verdes e águas tranquilas. No verão, os pastores ficavam com seus rebanhos nos campos e os recolhiam a um pequeno aprisco de pedras. Esse aprisco tinha uma abertura por onde as ovelhas entravam e saíam, e o próprio pastor era a porta. Jesus está se referindo a esses dois apriscos. No primeiro aprisco (10:1-3), os ladrões tentavam roubar as ovelhas subindo as paredes. No segundo aprisco, o próprio pastor servia de porta para as ovelhas. Jesus disse: *Eu sou a porta das ovelhas* (10:7).

Jesus explicita na parábola a gritante diferença entre o ladrão e o pastor das ovelhas. O ladrão não entra pela porta do aprisco das ovelhas. Não é legítimo; é usurpador. Não tem interesse em cuidar das ovelhas, mas em roubá-las. Seu propósito não é servi-las, mas delas servir-se.

Já o pastor pode ser conhecido por seis marcas. Em primeiro lugar, para o pastor, o porteiro abre a porta. Ele é legítimo. Tem credenciais. É o dono das ovelhas cujo trabalho é cuidar das ovelhas. Segundo, as ovelhas conhecem a sua voz. Distinguem sua voz da voz dos estranhos. O pastor tem cheiro de ovelhas. Ama as ovelhas e tem intimidade

João — As glórias do Filho de Deus

com elas. Terceiro, o pastor conhece cada ovelha particularmente e chama cada uma pelo seu nome. O relacionamento do pastor com as ovelhas é individual. Ainda que seu rebanho seja numeroso, ele conhece cada ovelha pelo nome. Quarto, o pastor conduz suas ovelhas para fora do aprisco. Leva-as para os campos verdes e as águas tranquilas. Guia suas ovelhas nas veredas da justiça. Mesmo quando atravessa com elas o vale da sombra da morte, jamais as desampara; ao contrário, consola-as com seu cajado e bordão. Mesmo nos desertos mais cáusticos, prepara para elas uma mesa e, diante de seus inimigos, unge sua cabeça com óleo. Quinto, o pastor vai adiante das ovelhas. Jesus lidera; ele não induz![4] Vai adiante para abrir o caminho, para afugentar os predadores, para livrar suas ovelhas de perigos. O pastor não toca as ovelhas como um vaqueiro toca o gado, empurrando-o; o pastor é um guia. Sexto, o pastor é seguido pelas ovelhas. Elas não seguem estranhos; seguem apenas o pastor.

Os fariseus não compreenderam a parábola de Jesus, pois na verdade eles não eram pastores, mas ladrões e salteadores. Não cuidavam das ovelhas, mas buscavam apenas seus interesses. Erdman diz que os fariseus não tinham adquirido o poder que exerciam entrando "pela porta" de algum ofício ou função divinamente instituídos. Haviam subido "por outra parte". O seu poder despótico tinha sido conquistado por meios ilegais. Eram tais quais ladrões, no engano e hipocrisia que revelavam, e tais quais salteadores, na sua violência e audácia. Cristo, ao contrário, viera comissionado divinamente no ofício designado de Messias. Ele era o verdadeiro pastor.[5]

Jesus, o bom pastor

A porta das ovelhas (10:7-10)

Se antes Jesus fez um contraste na parábola entre o pastor e os ladrões e salteadores (10:1-6), agora ele faz um contraste entre a porta e os ladrões e salteadores (10:7-10). Jesus afirma categoricamente que ele mesmo é a porta: *Eu sou a porta das ovelhas* (10:7). Ninguém pode entrar no aprisco de Deus senão por meio de Jesus. Não há outra porta. Não há outro caminho. Não há outro Salvador. Não há outro mediador. O próprio Jesus é a porta. Não se trata de uma cerimônia ou de uma doutrina. Não se trata de uma igreja nem de uma denominação. A porta é Jesus!

Quatro verdades podem ser observadas acerca de Jesus como a porta das ovelhas, como veremos a seguir.

Em primeiro lugar, *Jesus é a porta da salvação* (10:9). *Eu sou a porta. Se alguém entrar por mim, será salvo* [...]. Jesus é a porta da salvação, a porta do céu. Há uma porta larga que conduz à perdição, mas só Jesus é a porta da salvação. Só Jesus é a porta do céu. Ninguém poderá entrar na bem-aventurança senão por Jesus. Ninguém poderá ir ao Pai senão por Jesus.

Em segundo lugar, *Jesus é a porta da libertação* (10:9). [...] *Entrará e sairá* [...]. Há portas que conduzem à escravidão, mas Jesus é a porta que conduz à liberdade. Quem entra pela porta que é Jesus entra e sai. As ovelhas de Cristo são livres. Deus nos chamou para a liberdade.

Em terceiro lugar, *Jesus é a porta da provisão* (10:9). [...] *e achará pastagem*. Quem entra pela porta que é Jesus encontra pastagem. Nele há provisão farta e vida abundante. A nossa provisão espiritual é encontrada em Cristo. Ele é o nosso alimento. Ele é o pão da vida. Ele é a água da vida. O legalismo farisaico estava matando as pessoas; mas quem vai a Jesus encontra uma vida maiúscula, superlativa e abundante.

Em quarto lugar, *Jesus é a porta da vida abundante* (10:10). [...] *eu vim para que tenham vida, e a tenham com plenitude.* Jesus é a vida e veio para dar vida, vida plena, abundante, eterna.

Vimos os predicados da porta das ovelhas. Agora, veremos duas marcas dos ladrões e salteadores.

Primeira, *quanto ao seu ofício, os ladrões e salteadores não têm legitimidade* (10:8). Os que vieram antes de Cristo são ladrões e salteadores. E, obviamente, Jesus não está se referindo a João Batista nem aos profetas, pois estes apontaram para Jesus e foram fiéis em seu ministério. É claro que Jesus está falando sobre os líderes que, em vez de conduzirem as ovelhas em segurança ao aprisco de Deus, afugentaram as ovelhas como os fariseus fizeram com o homem que foi expulso (9:34). Os fariseus, chamados por Jesus de filhos do diabo, agiam como o ladrão que vem roubar, matar e destruir (10:10).

Segunda, *os ladrões e salteadores quanto à sua ação são devastadores* (10:10). *O ladrão vem somente para roubar, matar e destruir* [...]. Em primeira instância, o ladrão aqui é o fariseu (10:1). Esses líderes religiosos matavam e destruíam as pessoas que eles tinham roubado (Mt 23:15).[6] O ladrão não tem outra agenda a não ser roubar, matar e destruir. Ele vem somente para isso. Esse é um retrato imediato dos fariseus. Também aponta para todos os líderes religiosos que oprimem e destroem o povo em vez de apascentá-lo. Essa é uma descrição clara do próprio diabo, inspirador de todos os falsos pastores.

O bom pastor (10:11-18)

Jesus faz mais um contraste, agora entre o pastor e o mercenário. O mercenário é alguém contratado para cuidar das

Jesus, o bom pastor

ovelhas, mas ele não é pastor nem dono das ovelhas. Faz o seu trabalho para receber um salário. Não está ali para arriscar sua vida e, sim, para ganhar seu sustento. O pastor, porém, sendo dono das ovelhas, importa-se com elas, defende-as e até está pronto a dar sua vida por seu animais.

Entre tantos nomes de Jesus, bom pastor é um dos que mais nos chamam a atenção. Jesus nos chama de ovelhas, e a ovelha é um animal indefeso, inseguro e míope, que não pode alimentar a si mesma, proteger a si mesma nem limpar a si mesma. A ovelha é totalmente dependente. Há um gritante contraste entre o poder do divino pastor com a fragilidade da ovelha. Há um gritante contraste entre as necessidades da ovelha e a rica provisão oferecida pelo pastor.

Os grandes líderes do povo de Deus exerceram a função de pastor. Os patriarcas Abraão, Isaque e Jacó eram pastores de ovelhas. Moisés era pastor de ovelhas. O rei Davi também era pastor de ovelhas. Deus é chamado de pastor de Israel. Israel é chamado de rebanho de Deus. A Judeia, lugar de montanhas e vales, não era adequada para a agricultura. Prevalecia a pecuária. Havia muitos rebanhos de ovelhas.

O Messias nos é apresentado no livro de Salmos como o bom pastor que dá a vida pelas ovelhas (Sl 22), como o grande pastor que vive para as ovelhas (Sl 23) e como o supremo pastor que voltará para as ovelhas (Sl 24).

Em João 10:11, Jesus se apresenta como o bom pastor que dá vida pelas suas ovelhas. O adjetivo "bom" aqui não é *agathos,* mas *kalos.* O sentido básico da palavra é "maravilhoso". A palavra *kalos* indica o caráter excelente de Jesus. Esse pastor corresponde a um ideal tanto em caráter como em sua obra. Ele é único em sua categoria.[7] O autor aos Hebreus, no capítulo 13, versículo 20, nos fala que o Jesus

João — As glórias do Filho de Deus

ressurreto dentre os mortos é o grande pastor das ovelhas, aquele que nos aperfeiçoa em todo o bem para cumprirmos a vontade de Deus. E o apóstolo Pedro, em sua primeira epístola, capítulo 5, versículo 4, fala-nos do supremo pastor que se manifestará para dar às suas ovelhas a imarcescível coroa da glória.

Várias verdades devem ser destacadas sobre Jesus como o bom pastor.

Em primeiro lugar, *o bom pastor sacrifica-se pelas ovelhas* (10:11,15b). Jesus não é apenas pastor. Ele é o bom pastor. O bom pastor não é aquele que oprime, explora e devora as ovelhas, mas aquele que dá a vida por elas. Jesus deixa isso explícito nos versículos 11 e 15. Os fariseus haviam acabado de expulsar da sinagoga o cego curado por Jesus. Eles usaram seu poder eclesiástico para oprimir as pessoas e lançá-las fora. Jesus, o bom pastor, veio não para expulsar as ovelhas, mas para dar a vida por elas. Jesus veio para morrer pelas ovelhas. Ele amou as ovelhas e por elas se entregou. Concordo com William Barclay quando ele diz que Jesus não foi uma vítima das circunstâncias. Não foi como um animal que se arrasta para o sacrifício contra sua vontade. Jesus entregou sua vida voluntariamente.[8] Como Jesus deu sua vida pelas ovelhas?

Ele se deu voluntariamente. As pessoas não puderam tirar sua vida. Ele voluntariamente a entregou para tornar a reassumi-la (10:17). Não foi Judas que, por ganância, levou Jesus à cruz. Não foi Pedro que, por covardia, negou a Jesus que o levou à cruz. Não foi o Sinédrio judaico que, por inveja, julgou Jesus réu de morte e o levou à cruz. Não foi Pilatos que, por conveniência política, sentenciou Jesus à morte e o levou à cruz. Não foi a multidão ensandecida, insuflada pelos sacerdotes, que levou Jesus à cruz. Ele foi

Jesus, o bom pastor

para a cruz voluntariamente. Ele se entregou por amor. Ele se deu voluntariamente.

Ele se deu sacrificialmente. Ele não amou suas ovelhas apenas de palavras. Verteu seu sangue pelas ovelhas. Não havia outro meio mais ameno. Não havia outro caminho de salvação. Para salvar suas ovelhas, a lei de Deus que foi violada precisava ser obedecida. A justiça de Deus ultrajada precisava ser satisfeita. Somente o sacrifício de Cristo, o Cordeiro sem mácula, poderia salvar as ovelhas.

Ele se deu vicariamente. Jesus morreu em lugar das ovelhas. Sua morte não apenas possibilitou a salvação das ovelhas, mas realmente a efetivou. O sacrifício de Cristo foi substitutivo. Ele morreu em lugar das ovelhas. Ele pagou sua dívida. Não morreu para abrandar o coração de Deus, mas como expressão do amor de Deus. Não foi a cruz que inundou o coração de Deus pelas ovelhas, mas foi o coração inundado de amor pelas ovelhas que providenciou a cruz. A cruz é o maior arauto do amor de Deus. Nela, Jesus morreu por pecadores. Nela, o Justo morreu pelos injustos. Nela, encontramos uma fonte de vida e salvação. Em cinco ocasiões ao longo desse sermão, Jesus afirma claramente a natureza sacrificial de sua morte (10:11,15,17,18). Ele não morreu como um mártir, executado por homens; morreu como um substituto, entregando a vida voluntariamente por suas ovelhas. Concordo com Warren Wiersbe quando ele diz que, "apesar de o sangue de Cristo ser *suficiente* para a salvação do mundo, só é eficaz para os que creem".[9]

Em segundo lugar, *o bom pastor conhece intimamente suas ovelhas* (10:14,15). Entre o pastor e suas ovelhas, há um conhecimento mútuo profundo. O pastor conhece as ovelhas, e as ovelhas conhecem o pastor. Esse conhecimento não é apenas teórico e intelectual, mas íntimo, estreito, místico. O bom pastor tem intimidade com suas ovelhas. Deleita-se no relacionamento com elas. Não somos chamados mais de servos, mas de amigos. Assim como o Pai o conhece e como ele conhece o Pai, da mesma forma suas ovelhas o conhecem. É um relacionamento pessoal, profundo, íntimo. A vida eterna é comunhão com Deus e com Cristo. A vida eterna é intimidade com Deus e com Jesus. Vamos estar com ele, vê-lo face a face. Vamos ser como ele é. Vamos glorificá-lo e reinar com ele. Vamos servi-lo e fruí-lo por toda a eternidade.

Em terceiro lugar, *o bom pastor tem outras ovelhas que ainda não estão no aprisco* (10:16). Deus prometeu dar a Abraão uma numerosa descendência. Pessoas de todas as tribos, povos, línguas e nações foram compradas por Deus, e essas pessoas precisam ouvir a voz do pastor e ser agregadas ao aprisco de Deus. O rebanho de Cristo ainda não está completo. Há outras ovelhas dispersas que precisam ser levadas para o aprisco (10:16). Isso significa que precisamos fazer missões até os confins da terra. O bom pastor morreu para comprar com o seu sangue os que procedem de toda tribo, língua, povo e nação (Ap 5:9). As ovelhas que ainda estão dispersas precisam ser conduzidas por Cristo. É ele quem chama essas ovelhas e as chama pelo evangelho (10:16b; 17:20). Jesus disse que elas ouvirão a sua voz (10:16c). Isso significa que a proclamação do evangelho é uma missão vitoriosa, pois a vocação é eficaz, e o chamado é irresistível. Jesus não apenas estabelece a missão e garante a vocação eficaz, mas também promete comunhão universal com todos os salvos: [...] *e haverá um rebanho e um pastor* (10:16d).

A igreja de Cristo, o rebanho do bom pastor, não é uma denominação. É um rebanho composto por todas as

Jesus, o bom pastor

ovelhas, por todos aqueles e só aqueles que foram lavados no sangue de Jesus. Concordo com William Hendriksen quando ele diz que uma grande verdade é proclamada aqui, a saber: o rebanho de Cristo não estaria mais confinado aos crentes dentre os judeus. Um novo período estava alvorecendo. A igreja se tornaria internacional. A grande bênção do Pentecostes e a era evangélica que o seguiria são preditas aqui.[10]

Em quarto lugar, *o bom pastor tem uma voz poderosa* (10:16). Quando uma ovelha pela qual Jesus, o bom pastor, verteu o seu sangue ouve e atende à voz do evangelho, Jesus a conduz ao aprisco. O evangelho é o poder de Deus para a salvação de todo aquele que crê. A eleição divina, longe de ser um desestímulo à pregação, é a garantia do seu sucesso.

Em quinto lugar, *o bom pastor tem um só rebanho* (10:16). Há muitas igrejas e muitas denominações, mas um único rebanho. Há um só povo, uma só igreja verdadeira, uma só família, uma só noiva, uma só cidade santa. Todos aqueles que creem em Cristo e seguem-no como o bom pastor fazem parte desse rebanho.

Em sexto lugar, *o bom pastor morreu voluntariamente e ressuscitou pelas ovelhas* (10:17,18). O bom pastor é o Filho de Deus, o amado do Pai. Ele não morreu como um mártir, nem como uma vítima do sistema. Embora os judeus e gentios se tenham mancomunado para pregá-lo na cruz, sua morte foi voluntária. Sua morte não foi um acidente, nem sua ressurreição foi uma surpresa. O bom pastor tem poder para dar sua vida e reassumi-la.

Vejamos, agora, três características do mercenário. O mercenário não é o ladrão nem o salteador, mas um empregado contratado para cuidar das ovelhas. Ele toma conta delas em troca do seu salário. Não há nele nenhuma disposição de enfrentar riscos para defender as ovelhas. Quais são suas peculiaridades?

Primeira, *o mercenário não é pastor* (10:12). O mercenário não conhece as ovelhas, não ama as ovelhas, não se interessa pelas ovelhas. Ele é apenas um empregado, um assalariado que cuida de animais em troca de seu sustento.

Segunda, *o mercenário não é o dono das ovelhas* (10:12). Ele não tem cuidado pelas ovelhas. Se uma delas se desgarra do rebanho, ele não vai atrás dela. Se as ovelhas ficam enfermas, ele não se esmera para curá-las. Se alguma é atacada por uma fera, ele não lamenta. Jesus, porém, é o dono das ovelhas. Ele nos comprou com o seu sangue (1Pe 1:18). Nós somos suas ovelhas. Somos propriedade exclusiva dele. Somos a sua herança, a sua delícia, a menina dos seus olhos. Fomos selados por Deus. O selo nos diz que somos propriedade exclusiva de Deus. O selo nos diz que somos propriedade inviolável de Deus. O selo nos diz que somos propriedade legítima e genuína de Deus.

Terceira, *o mercenário não se sacrifica pelas ovelhas* (10:12b, 13). Quando um lobo ataca o rebanho, o mercenário foge. Seu interesse é poupar sua vida, e não as ovelhas. Ele está interessado em sua segurança, e não no bem-estar das ovelhas. Ele foge porque não tem cuidado com as ovelhas. Ele não é o pastor nem o dono das ovelhas. Ele não serve às ovelhas; serve-se delas.

A dissensão (10:19-21)

Quando os judeus ouviram Jesus falar novamente sobre seu profundo relacionamento com o Pai, ou seja, seu amor e seu mandato de dar a vida e reassumi-la (10:17,18), muitos tentaram demover seus ouvintes, lançando uma

Jesus, o bom pastor

blasfema acusação: _Ele está endemoniado e perdeu o juízo_ (10:20). Outros, porém, refutaram prontamente: _Essas palavras não são de um endemoninhado_ [...] e argumentaram: [...] _Será que um demônio pode abrir os olhos aos cegos?_ (10:21). William Barclay tem razão em dizer que os atos de Jesus não são os atos de um louco. Ele curou os enfermos, alimentou os famintos, consolou os aflitos. A loucura do megalomaníaco é egoísta. Busca sua glória e seu prestígio. A vida de Jesus, ao contrário, estava dedicada a servir aos outros.[11]

A festa (10:22-26)

Celebrava-se em Jerusalém a festa da Dedicação. A cidade de Jerusalém estava apinhada de gente, e o templo era buscado por todos. Destacamos aqui quatro pontos a respeito.

Em primeiro lugar, _a ocasião_ (10:22). Era a festa da Dedicação. Multidões rumavam para a cidade de Jerusalém. Essas festas eram sombras da realidade que haveria de vir. Todas apontavam para a era messiânica.

Em segundo lugar, _o local_ (10:23). Jesus estava passeando no templo, no pórtico de Salomão, o mesmo local onde os apóstolos mais tarde ensinariam (At 3:11). Jesus não era um eremita. Ele estava onde o povo estava. Aproveitava as oportunidades para ensinar o povo.

Em terceiro lugar, _a pergunta inquietante_ (10:24). Jesus já havia feito muitas declarações perturbadoras para os judeus: _Eu sou o pão da vida. Eu sou a luz do mundo. Eu sou o bom pastor_. Mas ainda não havia dito a eles claramente, como dissera à mulher samaritana, "Eu sou o Messias". Esse era o ponto decisivo. Eles esperavam o Messias.

JoÃo — As glórias do Filho de Deus

Em quarto lugar, *a resposta esclarecedora* (10:25,26). Jesus reprova a incredulidade dos judeus, respondendo-lhes que já havia dito para eles quem era, e que as obras que ele fazia em nome do Pai testificavam a seu respeito. O problema da incredulidade dos judeus devia-se ao fato de não serem eles suas ovelhas (10:26). Aqueles que não são suas ovelhas endurecerão o coração. Esses seguirão a voz de estranhos e mercenários, em vez de dar ouvidos à voz do pastor. Há dois tipos de chamado: um externo e outro interno. Um é dirigido aos ouvidos, e outro, ao coração. Jesus disse que muitos são chamados, mas poucos escolhidos. Jesus faz ver aos seus inquiridores que não é por falta de provas que eles não creem, mas porque não têm perfeita disposição moral.

As ovelhas (10:27-29)

Depois de dizer aos judeus que eles não criam porque não eram suas ovelhas, Jesus passa a falar sobre os privilégios de suas ovelhas.

Em primeiro lugar, *as ovelhas ouvem a voz do pastor* (10:27). Não ouvem a voz de estranhos, mas a voz do pastor. A graça é irresistível. Os que são de Cristo ouvem as palavras de Cristo. Os que são de Deus ouvem a voz de Deus. Um dia, você ouviu a voz do pastor e atendeu a ela. Você ouviu uma mensagem. Você leu um folheto. Você foi tocado por uma passagem das Escrituras, e o Espírito Santo abriu seu coração. O Espírito Santo plantou em você a divina semente. O Espírito Santo regenerou você. Você então atendeu ao chamado e respondeu com arrependimento e fé. Você foi justificado e selado com o Espírito Santo.

Em segundo lugar, *as ovelhas são conhecidas do pastor* (10:27). As ovelhas são amadas pelo pastor e conhecidas por ele pessoalmente. O Senhor conhece os que lhe pertencem

Jesus, o bom pastor

(2Tm 2:19). As ovelhas de Cristo têm o seu selo. Jesus conhece você pessoalmente, profundamente, amorosamente. Ele sabe o seu nome. Jesus conhecia Simão (Jo 1:42) e chamou Zaqueu pelo nome (Lc 19:5). Antes de você nascer, Jesus já o amava. Antes de você ser formado no ventre da sua mãe, ele já tinha colocado os seus olhos em você. Ele amou você primeiro. Escolheu você não por causa dos seus méritos, mas por causa da generosa graça dele. Jesus conhece sua natureza. Embora todos sejamos iguais, cada ovelha possui uma característica especial. Jesus conhece as nossas necessidades. Ele supre as nossas necessidades.

Em terceiro lugar, _as ovelhas seguem o pastor_ (10:27). As ovelhas ouvem e seguem. O pastor é seu guia. O pastor é seu líder. Elas andam nas veredas da justiça. O bom pastor vai à nossa frente. Ele não nos empurra. Não nos fustiga. Não nos ameaça com açoites. Ele vai à nossa frente. Prepara-nos pastos verdes. Leva-nos às águas tranquilas. Atravessa conosco o vale da sombra da morte. Prepara para nós uma mesa no deserto. Unge a nossa cabeça com óleo e faz o nosso cálice transbordar.

Em quarto lugar, _as ovelhas recebem vida eterna_ (10:28). A vida eterna não é uma conquista das obras, mas uma oferta da graça. É um presente concedido pelo pastor. As bênçãos da ovelha de Cristo não são apenas terrenas, mas também celestiais. Não são apenas temporais, mas também eternas. Não são apenas para agora, mas também para a eternidade. Essa vida não pode ser interrompida nem perdida; do contrário, não seria eterna. As ovelhas de Cristo nasceram de novo. Nasceram de cima, do céu. Têm seu nome arrolado no livro da vida. Elas pertencem ao rebanho de Deus. Estão no aprisco de Deus. Foram predestinadas na eternidade e, na mente e nos decretos de Deus, já estão no céu. A vida eterna não é comprada por mérito nem obtida mediante obras. Essa vida é uma dádiva divina. É um presente da graça.[12] É gratuita, mas não barata. Os dons de Deus são irrevogáveis. O Senhor nos dá a vida eterna e não a toma de volta!

Em quinto lugar, *as ovelhas recebem segurança eterna* (10:28b,29). O Pai e o Filho garantem às ovelhas segurança eterna. William Barclay diz corretamente que isso não significa que as ovelhas sejam livres de dor, sofrimento e morte. Significa que no momento mais amargo e na hora mais escura seguem sendo conscientes dos braços eternos que as rodeiam e as sustentam. Conhecem uma segurança que todos os perigos e alarmes do mundo não podem fazer naufragar. Até no mundo que se precipita para o abismo, elas conhecem a serenidade de Deus.[13] As ovelhas de Cristo jamais perecem. Elas são uma dádiva do Deus Pai ao Deus Filho. São o bem mais precioso de Jesus. São sua herança particular. Cristo não é homem para mentir. A nossa garantia não está baseada nos nossos méritos nem na nossa força. A segurança da salvação não tem como alicerce a nossa fé ou mesmo a nossa perseverança, mas a promessa daquele que não pode falhar. Nossa âncora segura é o próprio supremo pastor. Nele está nossa certeza. Ele é a âncora da nossa esperança.

Jesus está dizendo que nem os lobos (os falsos mestres) nem o diabo podem nos arrebatar das suas mãos (Rm 8:31-39). Nossa segurança é absoluta. Nossa salvação tem sua base e sua consumação no céu. Nossa salvação tem sua garantia em Deus e nos seus decretos eternos. Nossa salvação é assegurada pelo sacrifício perfeito, suficiente, cabal e vicário de Cristo.

Jesus diz que, da mão do Pai, ninguém pode arrebatar suas ovelhas, e ele e o Pai são um. Estamos seguros nas mãos do Pai e do Filho. Temos a Trindade como garantia da nossa eterna salvação. Estamos escondidos com Cristo em Deus (Cl 3:3). Estamos assentados com Cristo nas regiões celestiais. Estamos nas mãos daquele que se assenta no alto e sublime trono. Estamos nas mãos daquele que governa os céus e a terra.

O Filho de Deus (10:30-39)

Jesus destaca, de forma mais profunda, sua relação com o Pai, deixando claro, aos olhos dos incrédulos judeus, sua inegável divindade. Ele é o Filho de Deus, e isso pode ser provado de três formas claras.

Em primeiro lugar, *pela sua natureza* (10:30). *Eu e o Pai somos um*. Quando Jesus disse que ele e o Pai são *um*, não quer dizer que são a mesma pessoa, mas que são da mesma essência. Jesus é o Verbo eterno, pessoal e divino que se fez carne. Jesus é luz de luz, Deus de Deus, coigual, coeterno e consubstancial com o Pai. William Hendriksen está correto ao afirmar: "Essas duas pessoas nunca se tornaram uma *pessoa*. Daí Jesus não dizer: 'Nós somos *uma pessoa*', porém diz: 'Nós somos *uma substância*'. Embora duas pessoas, as duas são uma *substância* ou *essência*".[14]

Em segundo lugar, *pelas suas obras* (10:31-33). Os judeus pegaram em pedras para apedrejar Jesus (10:31), pois, no entendimento deles, ao se fazer um com Deus, ele estava blasfemando, e o pecado da blasfêmia era castigado com apedrejamento (Lv 24:16). Então, usando a estratégia da ironia, Jesus lhes pergunta: *Eu vos mostrei muitas boas obras da parte de meu Pai; por qual delas quereis me apedrejar?* (10:32). Eles respondem que o que os incomoda não são suas obras, mas suas declarações.

Em terceiro lugar, *pelas Escrituras* (10:34-38). Jesus lança mão das Escrituras para selar seu argumento de que não está blasfemando ao se apresentar como o Filho de Deus,

João — As glórias do Filho de Deus

pois o Pai o santificou e o enviou ao mundo para fazer suas obras. E reafirma categoricamente: [...] *o Pai está em mim e eu no Pai* (10:38). Mais uma vez, a reação dos judeus é hostil. Em vez de crerem em Cristo, resolveram prendê-lo, mas Jesus se livrou de suas mãos (10:39).

O retiro (10:40-42)

Diante da contínua e severa resistência dos judeus, Jesus se retira definitivamente e vai para a distante região da Pereia (10:40). Cumpre-se o que havia sido escrito: *Ele veio para o que era seu, mas os seus não o receberam* (1:11). Jesus saiu de Jerusalém para não voltar antes do domingo de Ramos, uns três ou quatro meses mais tarde.[15]

Longe do cenário religioso de Jerusalém, os judeus, exasperados com as declarações de Jesus, se aquietam. Muitos, entretanto, vão ter com Jesus e testificam que, embora João Batista não tenha realizado nenhum milagre, tudo quando disse a seu respeito conferia com a verdade (10:41). Longe do carregado clima religioso de Jerusalém, fora do alcance da fiscalização dos escribas e fariseus, muitos creram em Jesus (10:42).

Falando sobre a influência póstuma de João Batista, F. F. Bruce esclarece:

> João Batista já havia sido aprisionado e assassinado tempos atrás, mas suas palavras não tinham sido esquecidas. Ninguém chamado para ser testemunha poderia desejar um elogio maior do que o de todas as coisas que ele disse serem verdadeiras. Se os discípulos de João ao sepultá-lo (Mc 6:29) tivessem procurado um epitáfio adequado para ele, não poderiam ter pensado em palavras melhores do que o testemunho destes seus antigos ouvintes em Betânia dalém do Jordão. Na verdade, algumas das coisas que João dissera sobre Jesus ainda não tinham se tornado realidade; ele ainda não tirara o pecado do

Jesus, o bom pastor

mundo nem começara a batizar com o Espírito Santo, porque ainda não tinha sido glorificado (7:39). Mas o testemunho de João foi confirmado de maneira tão completa pela evidência que viam e ouviam, durante o breve período de tempo que Jesus passou entre eles, que muitos creram em Jesus. Assim, o testemunho de João permanece eficaz depois de ele mesmo sair de cena.[16]

NOTAS DO CAPÍTULO 18

[1] ERDMAN, Charles. *O evangelho de João*, p. 79.
[2] HENDRIKSEN, William. *João*, p. 446.
[3] BRUCE, F. F. *João: introdução e comentário*, p. 194.
[4] HENDRIKSEN, William. *João*, p. 456.
[5] ERDMAN, Charles. *O evangelho de João*, p. 80.
[6] HENDRIKSEN, William. *João*, p. 461.
[7] Ibid.
[8] BARCLAY, William. *Juan II*, p. 78.
[9] WIERSBE, Warren W. *Comentário bíblico expositivo*. Vol. 5, p. 425.
[10] HENDRIKSEN, William. *João*, p. 466.
[11] BARCLAY, William. *Juan II*, p. 80.
[12] HENRY, Matthew. *Matthew Henry comentário bíblico Novo Testamento – Mateus-João*, p. 911.
[13] BARCLAY, William. *Juan II*, p. 85.
[14] HENDRIKSEN, William. *João*, p. 481.
[15] BRUCE, F. F. *João: introdução e comentário*, p. 205.
[16] Ibid.; p. 206.

Capítulo 19

Jesus,
a ressurreição e a vida
(Jo 11:1-57)

Este é o sétimo, o último e o maior dos milagres públicos operados por Jesus e registrados nesse evangelho. Foi realizado na última semana antes de Jesus ser preso e morto na cruz. Seu propósito foi despertar a fé nos salvos e a fúria definitiva dos inimigos. O mesmo sol que amolece a cera endurece o barro. O mesmo milagre que produz fé em alguns provoca a fúria de outros.

A hora havia chegado, e Jesus estava pronto para enfrentá-la. Na mesma trilha de pensamento, Charles Erdman diz que essa singular narrativa é de importância vital para a história desse evangelho. O milagre que ela focaliza foi o mais admirável e o mais significativo de

João — As glórias do Filho de Deus

todos os "sinais" operados por nosso Senhor; àqueles que o presenciaram, serviu para lhes despertar e fortalecer a fé, enquanto provocou temor e ódio mortal nas autoridades que agora se dispuseram finalmente a levar Jesus à morte.[1]

Charles Erdman nos ajuda a entender o texto em tela, mostrando que essa passagem tratará de amizade (11:1-6), coragem (11:7-16), promessa (11:17-27), simpatia (11:28-37), poder (11:38-44) e conspiração (11:45-57).[2] Vamos examinar esses pontos a seguir.

A amizade (11:1-6)

No meio do deserto de hostilidades enfrentado por Jesus em Jerusalém, havia um oásis em Betânia: a amizade de Marta, Maria e Lázaro. Jesus se hospedara na casa deles. Agora, essa família enfrenta um grave problema, uma enorme aflição. Vejamos.

Em primeiro lugar, *uma enfermidade grave* (11:1,2). Lázaro, irmão de Marta e Maria, estava enfermo. O amor de Jesus por ele não manteve longe de sua vida a doença, nem a amizade de Jesus o blindou das dificuldades. Algumas lições podem ser aprendidas com esse episódio.

As crises são inevitáveis. Lázaro, mesmo sendo amigo de Jesus, ficou doente.

As crises podem aumentar. Lázaro piorou e chegou a morrer. Há momentos em que somos bombardeados por problemas que escapam ao nosso controle: enfermidades, perdas, prejuízos, luto. Oramos, e nada acontece. Aliás, as coisas pioram. Queremos alívio, e a dor aumenta. Queremos subir e afundamos ainda mais.

As crises produzem angústia. Quando a enfermidade chega a nossa casa, ficamos profundamente angustiados. Nessas horas, nossa dor aumenta, pois nossa expectativa era

Jesus, a ressurreição e a vida

receber um milagre, e ele não chega. Como os discípulos de Emaús, começamos a conjugar os verbos da vida apenas no passado: *Nós esperávamos que fosse ele quem redimisse a Israel, mas [...]* (Lc 24:21, ARA).

Em segundo lugar, *um pedido urgente* (11:3). Marta e Maria enviam um mensageiro a Jesus pedindo ajuda. Apenas lhe informam que aquele a quem Jesus ama está enfermo. Nada mais era necessário acrescentar, pois quem ama tem pressa em socorrer a pessoa amada. Elas tinham plena convicção de que Jesus seria solícito em atender prontamente ao seu rogo. Concordo com Charles Erdman quando ele diz que a amizade de Jesus não nos isenta dos sofrimentos desta vida, mas nos garante sua simpatia e alívio nas dores.[3]

Em terceiro lugar, *uma resposta misteriosa* (11:4,5). Com essa resposta, Jesus não está dizendo que Lázaro não morreria nem que morreria apenas para ser ressuscitado, demonstrando, desse modo, a glória de Deus. Jesus sabia que Lázaro estava morto ao receber a notícia. O que ele está dizendo é que a essa enfermidade não se seguiria um triunfo ininterrupto da morte; antes, ela seria um motivo para a manifestação da glória de Deus, na vitória da ressurreição e da vida.[4] A glória de Deus refulge nessa subjugação da morte.[5] O amor de Jesus por Lázaro e suas irmãs não impediu que eles passassem pelo vale da morte, mas lhes trouxe vitória sobre a morte. Concordo com as palavras de Charles Erdman a respeito:

> Quando a tribulação assedia um crente, é perigoso afirmar que o seu propósito é algum benefício, ou que o seu motivo é alguma bênção futura. Os propósitos de Deus estão além de nossa compreensão; o sofrimento é um mistério que nem sempre podemos desvendar. Mas é absolutamente certo que, para um amigo de Jesus,

o resultado do sofrimento será algum bem eterno, alguma manifestação da glória de Deus.[6]

Como conciliar o amor de Jesus com o nosso sofrimento? Vejamos a seguir.

A família de Betânia era amada por Jesus. Jesus amava Marta, Maria e Lázaro, mas, mesmo assim, Lázaro ficou enfermo. Se Jesus amava a Lázaro, por que permitiu que ele ficasse doente? Por que permitiu que suas irmãs sofressem? Por que permitiu que Lázaro morresse? Aqui está o grande mistério do amor e do sofrimento.

Marta e Maria fizeram a coisa certa na hora da aflição. Buscaram ajuda em Jesus. Elas sabiam que Jesus mudaria sua agenda e as atenderia sem demora.

Elas buscaram ajuda na base certa. Basearam-se no amor de Jesus por Lázaro, e não no amor de Lázaro por Jesus. Quem ama tem pressa em socorrer a pessoa amada. Hoje dizemos: "Jesus, aquele a quem amas está com câncer. Jesus, aquele a quem amas está se divorciando? Jesus, aquele a quem amas está desempregado".

Por que Jesus não curou Lázaro a distância. Jesus poderia ter impedido que Lázaro ficasse doente e também poderia tê-lo curado a distância. Ele já havia curado o filho do oficial do rei a distância (4:46-54). Por que não curou seu amigo a quem amava? A atitude de Jesus parece contradizer o seu amor.

Alguns judeus não puderam conciliar o amor de Cristo com o sofrimento da família de Betânia (11:37). Eles pensaram que amor e sofrimento não podiam andar juntos. O fato de sermos amados por Jesus não nos dá imunidades especiais. O Pai amava o Filho, mas permitiu que ele bebesse o cálice do sofrimento e morresse na cruz em nosso lugar. O fato

Jesus, a ressurreição e a vida

de Jesus nos amar não nos torna filhos prediletos. O amor de Jesus não nos garante imunidade especial contra tragédias, mágoas e dores. Nenhum dos discípulos teve morte natural, exceto João. Jesus não prometeu imunidade especial, mas imanência especial. Nunca nos prometeu uma explicação; prometeu a si mesmo, aquele que tem todas as explicações.

Em quarto lugar, _uma demora surpreendente_ (11:6). Como conciliar a nossa necessidade com a demora de Jesus? (11:6,39). Em vez de mudar sua agenda para socorrer Lázaro, Jesus ficou ainda mais dois dias onde estava. Em vez de ir pessoalmente, mandou apenas um recado. Marta precisou lidar não apenas com a doença do irmão, mas também com a demora de Jesus. Perguntas surgiram em sua mente: Por que ele não veio? Será que ele virá? Será que ele nos ama mesmo? Muitos passaram a censurar a demora de Jesus. Marta oscilou entre a fé e a lógica. Pois como entender as palavras de Jesus: _Essa doença não é para a morte, mas para a glória de Deus, para que o Filho de Deus seja glorificado por meio dela_ (11:4), se, quando o mensageiro a entregou a Jesus, Lázaro já havia morrido? Charles Erdman explica esse ponto muito bem quando escreve:

> Jesus não demorou para dar tempo a que Lázaro morresse. Este já havia morrido e estava sepultado, quando Jesus recebeu o recado. O Senhor chegou a Betânia no quarto dia (11:17,39): um dia gastou-o na viagem, outro levara o mensageiro na sua, e dois passara nosso Senhor no lugar, depois que recebeu a notícia. Ele sabia que Lázaro estava morto.[7]

A demora de Jesus põe nos lábios de Marta um profundo lamento (11:21). Muitas vezes, Jesus parece demorar. Deus prometeu um filho a Abraão e Sara, e só cumpriu a promessa 25 anos depois. Jesus só foi ao encontro dos discípulos quando eles enfrentavam uma terrível tempestade no mar da Galileia, apenas na quarta vigília da noite. Jairo foi pedir socorro a Jesus, mas, quando chegou a sua casa, sua filha já estava morta. A fé de Marta passou por três provas: a ausência de Jesus (11:3), a demora de Jesus (11:21) e a morte de Lázaro (11:39).

Uma pergunta que se impõe neste contexto é: Como conciliar o nosso tempo (*cronos*) com o tempo (*kairos*) de Jesus? A distância entre Betânia e o lugar onde Jesus estava era de mais de 32 quilômetros. Levava um dia de viagem. O mensageiro gastou um dia para chegar até Jesus. Logo que o mensageiro saiu de Betânia, Lázaro morreu. Quando deu a notícia a Jesus, Lázaro já estava morto e sepultado. Jesus demora mais dois dias. E gasta outro dia para chegar. Daí, quando chegou, Lázaro já estava sepultado havia quatro dias. Jesus se alegrou por não estar em Betânia antes da morte de Lázaro (11:15). Ele deu graças ao Pai por isso (11:41b). Jesus sempre agiu de acordo com a agenda do Pai (2:4; 7:6,8,30; 8:20; 12:23; 13:1; 17:1). Ele sabe a hora certa de agir. Ele age segundo o cronograma do céu, e não segundo a nossa agenda. Ele age no tempo do Pai, e não segundo a nossa pressa. Quando ele parece demorar, está fazendo algo maior e melhor para nós. Marta e Maria pensaram que Jesus tinha chegado atrasado, mas ele chegou na hora certa, no tempo oportuno de Deus (11:21,32). Jesus não chega atrasado. Ele não falha. Não é colhido de surpresa. Ele conhece o fim desde o princípio, o amanhã desde o ontem. Ele enxerga o futuro desde o passado. Jesus sabia que Lázaro estava doente e depois que Lázaro já estava morto. Ele tardou a ir porque sabia o que ia fazer.

Contudo, por que Jesus demorou mais dois dias? Havia uma crença entre os rabinos que um morto poderia

Jesus, a ressurreição e a vida

ressuscitar até o terceiro dia por intermédio de um agente divino. A partir do quarto dia, porém, somente Deus, pessoalmente, poderia ressuscitá-lo. Ao ressuscitar Lázaro no quarto dia depois do sepultamento, os judeus precisariam se dobrar diante da realidade irrefutável da divindade de Jesus.[8]

A coragem (11:7-16)

O clima em Jerusalém estava absolutamente desfavorável para Jesus. Ele se havia retirado exatamente para não acirrar ainda mais os ânimos dos judeus radicais, que queriam sua prisão e morte. Agora, Jesus resolveu voltar à Judeia, o pivô central da crise, o miolo da tempestade. Destacamos alguns pontos nesse sentido.

Em primeiro lugar, *uma ameaça real* (11:7,8). Os discípulos alertam Jesus sobre o perigo inevitável que eles enfrentariam, caso voltassem para a Judeia. Jerusalém não era mais um lugar seguro. Ir para lá era colocar o pé na estrada da morte.

Em segundo lugar, *uma explicação oportuna* (11:9,10). Jesus animou seus discípulos a entenderem que o lugar mais seguro onde estar é o centro da vontade de Deus e o lugar mais vulnerável, ainda que seguro, é fora da vontade de Deus. Quando nos dispomos a fazer a obra de Deus, no tempo de Deus, ainda que enfrentemos toda sorte de oposição, encontramos o sorriso do Pai, e aí está nossa máxima segurança.

Em terceiro lugar, *uma informação importante* (11:11-15). Jesus comunicou a seus discípulos a morte de Lázaro e sua disposição de ir a Betânia para ressuscitá-lo. Os discípulos não entenderam a linguagem de Jesus, e o Senhor explicou-lhes que a aparente demora tinha o propósito de fortalecer-lhes a fé. Nesse contexto, crer significa tirar o olhar de nós, de todas as nossas possibilidades e esperanças, e dirigi-lo a Jesus.[9]

A morte dos crentes é frequentemente comparada ao sono (Gn 47:30; Mt 27:52; At 7:60). Quem dorme, acorda. A morte não é definitiva. A morte não tem a última palavra. A morte não é um adeus, mas apenas um até logo! A Palavra de Deus diz que, para o crente, morrer é lucro (Fp 1:21), é bem-aventurança (Ap 14:13), é deixar o corpo e habitar com o Senhor (2Co 5:8), é partir para estar com Cristo, o que é incomparavelmente melhor (Fp 1:23). Obviamente, isso não significa o "sono da alma". Embora a alma esteja adormecida para o mundo que deixou (Jó 7:9; Ec 9:6), está desperta em seu mundo (Lc 16:19-31; 23:43; 2Co 5:8; Fp 1:21-23; Ap 7:15-17; 20:4).

Em quarto lugar, *um companheirismo corajoso* (11:16). Tomé sabia que aquela era uma missão martírica. Mas conclama seus condiscípulos a serem solidários com o mestre quer na vida quer na morte.

A promessa (11:17-27)

O ensino essencial de todo esse episódio está contido na promessa de Jesus: *Eu sou a ressurreição e a vida; quem crê em mim, mesmo que morra, viverá; e todo aquele que vive, e crê em mim, jamais morrerá* [...] (11:25,26).[10] Quando Jesus chegou a Betânia, Lázaro já estava sepultado há quatro dias. A casa de Marta e Maria estava cheia de parentes e amigos não apenas da aldeia de Betânia, mas também de pessoas vindas de Jerusalém. Conforme o costume oriental, essas pessoas cumpriam o obrigação das exéquias e do consolo durante uma semana. Os judeus, portanto, ainda estavam consolando as duas irmãs enlutadas, quando Marta soube

Jesus, a ressurreição e a vida

que Jesus estava chegando. E, com Jesus, chegavam a esperança e o consolo.

Concordo com Werner de Boor quando ele diz que somente Jesus possui a capacidade de consolar por ocasião da morte, pois só ele é a ressurreição e a vida.[11] Como era próprio de sua personalidade irrequieta, Marta saiu ao encontro de Jesus, enquanto Maria ficou em casa com os amigos. Destacamos alguns pontos a seguir.

Em primeiro lugar, *Marta entre a decepção e a fé* (11:21,22). Marta vai ao encontro de Jesus com uma declaração que trazia uma ponta de decepção e ao mesmo tempo uma grande demonstração de fé: *Senhor, se estivesses aqui, meu irmão não teria morrido. Mas sei que, mesmo agora, Deus te concederá tudo quanto lhe pedires* (11:21,22). William Barclay ressalta que, quando Marta se encontra com Jesus, foi seu coração que falou através de seus lábios.[12] Marta lamenta a demora, mas crê que Jesus, em resposta à oração a Deus, pode reverter a situação humanamente irremediável. Vale destacar que Marta ainda não tem plena consciência de que Jesus é o próprio Deus.

Em segundo lugar, *Marta entre o passado e o futuro* (11:23-26). Jesus não está preso às categorias do nosso tempo. Marta crê no Jesus que poderia ter evitado a morte (11:21), ou seja, intervindo no passado. Marta crê no Jesus que ressuscitará os mortos no último dia (11:23,24), ou seja, agindo no futuro. Mas Marta não crê que Jesus possa fazer um milagre agora, no presente. Marta vacila entre a fé (11:22) e a lógica (11:24). Somos assim também. Não temos dúvida de que Jesus realizou prodígios no passado. Não temos dúvida de que ele fará coisas extraordinárias no futuro, no fim do mundo. Mas nossa dificuldade é crer que ele opera ainda hoje com o mesmo poder. Talvez essa seja a sua angústia. Você tem orado pelo seu casamento e o vê mais perto da dissolução. Você tem orado pela conversão do seu cônjuge e o vê mais endurecido. Você tem orado pelos seus filhos, e eles continuam mais distantes de Deus. Você tem orado pelo seu emprego, e as mudanças ainda não aconteceram. Você tem orado pela sua vida emocional, e ela ainda parece um deserto.

Ah, se tudo fosse diferente: passado e futuro! O grande erro do "Ah, se fosse diferente" de Marta foi omitir o poder presente do Cristo vivo. Marta vivia no passado ou no futuro. Mas é no presente que o tempo toca a eternidade. Não podemos viver apenas de lembranças que já se passaram nem apenas das promessas que permanecem no futuro. Precisamos crer hoje. Jesus não é o grande Eu Era nem o grande Eu serei. Ele é o grande Eu sou.

Em terceiro lugar, *Marta afirma sua fé em Jesus* (11:27). Marta confirma sua fé inabalável em Jesus, confessando que ele é o Cristo, o Filho de Deus, que deveria vir ao mundo.

A simpatia (11:28-37)

Marta se retira e comunica a Maria: *O mestre está aqui e te chama* (11:28). Apressadamente, ela também sai ao encontro de Jesus, fazendo a mesma declaração de sua irmã: *Senhor, se estivesses aqui, meu irmão não teria morrido* (11:32). Maria se prostra aos pés de Jesus e chora. Jesus, vendo-a chorar e bem assim os judeus que a consolavam, e tomado por íntima compaixão, agitou-se no espírito e comoveu-se (11:33). F. F. Bruce diz que o verbo grego *embrimaomai*, traduzido por "agitou-se" (ARA), literalmente significa "bufou de indignação" e normalmente expressa algum tipo de desprazer. Esse verbo é usado para descrever a indignação dos espectadores ao verem Maria despejando

Jesus, a ressurreição e a vida

um perfume caríssimo para ungir os pés de Jesus, na casa de Simão, o leproso. Aqui o verbo descreve a reação interior de Jesus. Mas qual seria a causa de seu descontentamento? A mais provável é a presença de doença e da morte e o dano que estas causavam à vida humana.[13]

Maria aparece apenas três vezes nos Evangelhos. Nas três vezes, ela está aos pés do Senhor. Na primeira vez, estava aos pés do Senhor para aprender (Lc 10:39). Dessa feita, está aos pés do Senhor para chorar (11:32,33). Finalmente, ela está aos pés do Senhor para agradecer (12:3).

Jesus perguntou aos judeus onde haviam sepultado Lázaro. Eles conclamaram Jesus a vir e ver. Jesus chorou (11:35), demonstrando sua plena humanidade e sua imensa simpatia. Os judeus concluíram o que já havia sido registrado no versículo 3. De fato, Jesus amava a Lázaro. Outros, porém, objetaram, dizendo que ele poderia ter evitado a morte de Lázaro (11:37).

Jesus se identifica com a nossa dor (11:35). Aquele que cura as nossas chagas é ferido conosco. As lágrimas de Jesus revelam sua humanidade, sua compaixão, seu amor (11:36). William Barclay destaca o fato de que, na mentalidade grega, a característica fundamental de Deus era a *apatheia,* ou seja, a incapacidade de sentir qualquer tipo de emoção. Os gregos pensavam que Deus era um ser solitário, sem paixão e sem compaixão.[14] O choro de Jesus foi uma espécie de quebra de paradigma na crença dos gregos acerca de Deus. Jesus se importa com você e com sua dor. Ele não é o Deus distante dos deístas, nem o Deus impessoal dos panteístas; não é o Deus fatalista dos estoicos, nem mesmo o Deus bonachão dos epicureus. Ele não é o Deus morto, pregado numa cruz, nem o Deus legalista, xerife cósmico dos fariseus. Ele é o Deus Emanuel. Ele chora com você, sofre por você, se importa com você e se identifica com você em sua dor. Ele é o Deus que chora, que sofre, que trata a nossa dor. Jesus sabe o que é a dor do sem-teto, pois ele não tinha onde reclinar a cabeça. Jesus sabe o que é a dor da solidão, pois nas horas mais difíceis ele estava só. Foi deixado só no Getsêmani e na cruz. Jesus sabe o que é a dor da perseguição, pois foi caçado por Herodes, vigiado pelos fariseus, odiado pelos escribas e entregue pelos sacerdotes. Jesus sabe o que é a dor da traição, pois foi rejeitado pelo seu povo, traído por Judas Iscariotes, negado por Pedro e abandonado pelos discípulos. Jesus sabe o que é a dor da humilhação, pois foi preso, espancado, cuspido, deixado nu, pregado na cruz como um criminoso. Jesus sabe o que é a dor da enfermidade, pois tomou sobre si a nossa dor e a nossa enfermidade. Jesus sabe o que é a dor da morte, pois suportou a morte para arrancar o aguilhão da morte e nos trazer a ressurreição.

Aquele que enxuga as nossas lágrimas chora conosco. Jesus não apenas está presente com você em seu sofrimento, mas também se compadece de você. Jesus chorou em público, diante de uma multidão, condoendo-se daquela família enlutada. Ele chegou a ponto de descer ao Hades, em sua identificação com a nossa dor.

Essa verdade pode ser ilustrada como segue. Sete anos antes de o navio Titanic ser encontrado, a revista *National Geographic* começou os preparativos para o dia em que o navio fosse achado e pudesse ser fotografado. Quando foi descoberto em 1985, o fotógrafo Emory Kristof começou a conferir a profundidade da água e os problemas da visibilidade. Finalmente em 1991, com ajuda de cientistas e cinegrafistas, Kristof tirou uma série de fotos há 3:500 metros de profundidade. E estampou-as na revista. A propaganda

Jesus, a ressurreição e a vida

que precedeu o anúncio dizia: "Até que ponto chega um fotógrafo da *Geographic* para obter uma foto perfeita?" Até que ponto Deus chega para revelar seu terno amor para com os pecadores e sofredores? Até o ponto de o seu Filho descer ao abismo, ao Hades.

O poder (11:38-44)

Jesus não tem compaixão apenas; tem também poder. Ele não apenas sente os nossos dramas, mas também tem poder para resolvê-los. Destacamos a seguir alguns pontos a respeito.

Em primeiro lugar, *uma ordem expressa* (11:38,39). O mesmo Jesus que levantou Lázaro da morte poderia ter rolado a pedra do seu túmulo. Mas rolar a pedra era uma obra que os homens poderiam fazer, e esta Jesus ordenou que fosse feita. Jesus não exclui a participação humana em sua intervenção milagrosa (1:39,40,44). A ordem é clara: *Tirai a pedra.* Só Jesus tem o poder para ressuscitar um morto. Isso ele faz. Mas tirar a pedra e desatar o homem que está enfaixado, isso as pessoas podem fazer, e ele ordena que façam. Jesus chama a Lázaro da sepultura. Se Jesus não tivesse mencionado o nome de Lázaro, todos os mortos sairiam do túmulo. Mas Lázaro, mesmo morto, pôde ouvir a voz de Jesus. No dia final, na segunda vinda de Cristo, os mortos também ouvirão a sua voz e sairão do túmulo (5:28,29).

Em segundo lugar, *uma interferência incrédula* (11:39). Marta, oscilando entre a fé em Cristo e a impossibilidade humana, interfere na agenda de Jesus, dizendo que agora era tarde demais. Ela sabia que Jesus já havia ressuscitado a filha de Jairo e o filho de viúva de Naim, mas, agora, Lázaro era um cadáver em decomposição.

"Tirar a pedra" significa enfrentar uma situação que não queremos mais mexer. É tocar em situação que só nos trará mais dor. É abrir a porta para algo que já cheira mal. Temos medo de enfrentar o nosso passado de dor.

Em terceiro lugar, *uma correção necessária* (11:40). Jesus corrige Marta e ao mesmo tempo a encoraja a crer. A fé vê o que os olhos humanos não conseguem enxergar. A fé é o telescópio que amplia diante dos nossos olhos o fulgor da glória de Deus. A incredulidade nos impede de ver a manifestação plena do ser divino. Jesus disse: [...] *se creres, verás a glória de Deus*. Jesus quer não apenas que encontremos a solução, mas que nos tornemos a solução. Em vez de duvidar, questionar e lamentar, Marta deveria crer. A porta do milagre é aberta com a chave da fé.

Em quarto lugar, *uma oração de ação de graças* (11:41,42). Jesus dá graças ao Pai porque sua oração já tinha sido ouvida. O milagre que ele vai operar já estava na agenda do Pai. O milagre consolidará a fé dos discípulos e despertará a cartada final da incredulidade.

Ao mesmo tempo que tiraram a pedra e olharam para dentro do túmulo, Jesus olhou para cima e orou (11:41). Ao enfrentar o mau cheiro de um túmulo aberto, Jesus orou. Oramos nós por aqueles que estão aflitos? Cremos que Deus responde às orações? Como Jesus orou? Quando o milagre aconteceu? Quando Jesus deu graças? Não foi depois, mas antes de o milagre acontecer.

A Palavra de Deus diz que Lia era desprezada por Jacó, seu marido (Gn 29:31-35). Foi durante a quarta gestação de Lia que o milagre da graça restauradora aconteceu em seu coração: [...] *Desta vez louvarei o Senhor* [...] (Gn 29:35). O nome vem do radical da palavra "louvor". Jesus veio da tribo de Judá. Enquanto Lia baseou sua vida no

"Ah, se eu fosse bonita como a minha irmã!", "Ah, se meu marido me amasse!", seus dias eram um poço de amargura. Mas, quando ela adotou uma atitude de louvor e fé e abriu-se para Deus, o Senhor lhe deu uma nova identidade: a mãe do fundador da tribo da qual veio o Messias.

Em quinto lugar, *um milagre extraordinário* (11:43,44). A voz de Jesus é poderosa. Até um morto a escuta e obedece. Lázaro ouve, atende e sai da caverna da morte. Ele sai todo enfaixado, coberto de mortalha. Jesus ordena que o desatem e o deixem ir. Lázaro agora estava vivo, mas com vestes mortuárias. Seus pés, suas mãos e seu rosto estavam enfaixados. Precisamos nos despir das vestes da velha vida. Precisamos nos revestir das roupagens do novo homem. Precisamos ajudar uns aos outros a remover as ataduras que nos prendem. Precisamos ajudar uns aos outros a remover as ataduras do passado. Somos uma comunidade de cura, restauração e cooperação.

A conspiração (11:45-57)

O maior milagre público de Jesus tem um duplo efeito: fé (11:45) e incredulidade (11:46-57). Na reta final, as coisas se invertem. Até aqui, os fariseus são os opositores mais ferrenhos de Jesus. A partir de agora, os saduceus, de cuja linhagem saíam os principais sacerdotes, assumem a dianteira para prender e matar Jesus. Da mesma forma que a ressurreição de Lázaro é o clímax dos sinais do ministério público de Jesus, também é o marco decisivo que precipita a série de acontecimentos culminando na narrativa da Paixão.[15]

William Hendriksen vê um efeito quádruplo desse colossal milagre: 1) O milagre levou muitos judeus, que antes eram hostis para com Jesus, a crerem nele (11:45). 2)

Acrescentou mais amargura aos seus inimigos, que agora, numa sessão oficial do Sinédrio, começaram a tramar sua morte (11:46-54). 3) Causou grande excitação entre as multidões da Páscoa em Jerusalém (11:55-57). 4) Fortaleceu a fé de Maria e Marta e dos discípulos (11:4,15,26,40).[16]

Destacamos alguns pontos a esse respeito.

Em primeiro lugar, *muitos creem ao verem a ressurreição de Lázaro* (11:45). Esse era um dos propósitos desse extraordinário milagre: despertar a fé.

Em segundo lugar, *outros vão delatar Jesus aos fariseus* (11:46). Como já escrevemos, o mesmo sol que amolece a cera endurece o barro. O mesmo milagre que produz em muitos a fé desperta em outros uma atitude covarde de entreguismo.

Em terceiro lugar, *o Sinédrio é convocado a tomar posição* (11:47,48). A ressurreição de um morto que já havia sido sepultado havia quatro dias era um fato tão retumbante, somado aos outros milagres operados, que, se nenhuma atitude fosse tomada, todos iriam aderir a Jesus. E o argumento construído pelos principais sacerdotes e fariseus é assustador. Se isso acontecer, os romanos virão com mão de ferro e tomarão o templo e a própria nação. Agora, a questão não era mais a precisão de uma discussão teológica, mas uma situação de segurança nacional, de sobrevivência política. F. F. Bruce destaca o fato de que, quando esse evangelho foi escrito, a catástrofe que eles receavam já tinha ocorrido, porém não em razão da presença e das atividades de Jesus.[17]

Em quarto lugar, *a profecia surpreendente de Caifás* (11:49-52). Caifás, um dos membros do Sinédrio e sumo sacerdote, mesmo sem saber, adverte seus pares, em profecia, dizendo que eles nada sabiam, pois era necessário que um só homem morresse pelo povo. Dessa forma, ele estava

Jesus, a ressurreição e a vida

profetizando que Jesus estava prestes a morrer pela nação, e não somente pela nação, mas a fim de reunir em um só corpo os filhos de Deus, dispersos pelo mundo. Até mesmo quando os perversos pensam que estão laborando contra Jesus para destruí-lo, na verdade estão apenas cumprindo o eterno propósito de Deus, uma vez que os planos de Deus não podem ser frustrados.

A "profecia" de Caifás levou o Sinédrio a pensar que, se a segurança da nação poderia ser garantida pela morte de um homem, então a necessidade de que tal pessoa morresse resultava de um raciocínio prudente. Nesse caso, ele morreria pelo povo.[18] Seu raciocínio foi: sigam Jesus, e a nação perecerá; matem Jesus, e a nação será salva. Conclusão: Jesus deve morrer. Por ironia da História, o exato oposto ia acontecer: quando os judeus mataram Jesus, eles selaram seu destino. Os romanos vieram, de fato, e destruíram a cidade (com seu templo) e a nação. Caifás deu um significado às suas palavras; Deus deu outro.[19]

Nessa mesma linha de pensamento, Charles Erdman diz que a profecia inconsciente se cumpriu, mas completamente ao revés de como Caifás imaginara. A morte de Jesus resultou na destruição, pelos romanos, do próprio Estado que Caifás desejou salvar e igualmente na garantia de bênçãos universais, mediante Jesus, com as quais aquele sumo sacerdote nunca sonhou. As palavras de Caifás serviram como incentivo para a conspiração mais cruel que este mundo já viu. Resolveram matar Jesus.[20]

William Hendriksen é enfático ao falar sobre o tema:

> Que Caifás era um bruto, um crápula manipulador que não conhecia o significado de retidão e justiça, e que fazia tudo do jeito que ele queria e a qualquer custo, está claro nas passagens nas quais ele é mencionado (Mt 26:3,57; Lc 3:2; Jo 11:49; 18:13,14,24,28; At 4:6). Ele não

hesitava em derramar sangue inocente. Ele era, também, hipócrita, pois no final do julgamento, no exato momento em que pensou ter encontrado uma base sólida para a condenação de Cristo, rasgou suas vestes como se fosse tomado de profunda tristeza![21]

Em quinto lugar, *a firme decisão do Sinédrio* (11:53). O Sinédrio toma uma firme decisão e anuncia o veredito: Jesus precisa morrer. Então, resolve matá-lo!

Em sexto lugar, *a retirada de Jesus* (11:54). Jesus retira-se do centro da crise e vai com seus discípulos para Efraim, uma região vizinha do deserto. A sua morte aconteceria do modo que estava traçado na agenda do céu, e não segundo as pressões criminosas da terra.

Em sétimo lugar, *a procura por Jesus* (11:55,56). A festa da Páscoa, a terceira mencionada nesse evangelho (2:13; 6:4; 11:55), estava se aproximando, e as multidões já se encaminhavam para Jerusalém. Jesus era o assunto comentado por todos. A dúvida era: Será que diante do iminente perigo de ser preso e morto ele virá à festa?

Em oitavo lugar, *a ordem dos líderes religiosos* (11:57). Os principais sacerdotes e fariseus já haviam constituído o povo como detetives e investigadores. Qualquer um que tivesse qualquer informação sobre o paradeiro de Jesus deveria denunciá-lo imediatamente. Queriam prendê-lo. Warren Wiersbe tem razão ao dizer que o palco estava preparado para o maior drama da História, durante o qual o ser humano mostraria o que tem de pior, e Deus lhe daria o que tem de melhor.[22]

O propósito do milagre

Jesus tinha três propósitos bem claros com esse extraordinário milagre.

Jesus, a ressurreição e a vida

Em primeiro lugar, *a manifestação da glória de Deus* (11:4). Tudo o que Jesus ensinou e fez mirava a glória de Deus. A glória do Pai era o seu maior projeto de vida. Ele veio revelar o Pai. Veio para mostrar como é o coração de Deus. Ele nunca fugiu desse ideal. A morte de Lázaro foi uma oportunidade para que o Pai fosse glorificado. A ressurreição de um morto é um milagre maior do que a cura de um enfermo. A ressurreição de um morto de quatro dias é maior do que a ressurreição de alguém que acabou de morrer.

A coisa mais importante em nossa vida não é sermos poupados dos problemas, mas glorificarmos a Deus em tudo o que somos e fazemos. Quando somos confrontados pela doença e até mesmo pela morte, nosso único encorajamento é saber que vivemos pela fé e para a glória de Deus.

Em segundo lugar, *o despertamento da fé* (11:15,42,45). O milagre não é um fim em si mesmo. Tem o propósito de abrir portas para a fé salvadora e avenidas para uma confiança maior em Deus. Os milagres de Cristo sempre tiveram um propósito pedagógico de revelar verdades espirituais. Quando multiplicou os pães, queria ensinar que ele é o pão da vida. Quando curou o cego de nascença, queria ensinar que ele é a luz do mundo. Quando ressuscitou Lázaro, queria ensinar que ele é a ressurreição e a vida. Jesus tinha o propósito de fortalecer a fé de seus discípulos (11:15). Tinha o propósito de fazer Marta crer, antes de ver a glória de Deus (11:26,40). Tinha o propósito de despertar fé salvadora nos judeus que estavam presentes junto ao túmulo de Lázaro (11:42). Tinha o propósito de proclamar que a vida futura só pode ser alcançada pela fé nele e que a morte não tem a última palavra para aqueles que nele creem (11:25,26).

Em terceiro lugar, *a sua entrega pela morte* (11:8,16, 25,26,46-57). Na última aparição de Jesus na Judeia, os judeus queriam apedrejá-lo (Jo 10:38-42; 11:8). Tomé entende que a ida de Jesus a Jerusalém era caminhar para a própria morte (11:16). Todos sabem do risco que Jesus corre na Judeia. Marta encontra Jesus fora de casa (11:20) e chama Maria em secreto (11:28). Havia uma orquestração nos bastidores para levá-lo à morte. Quando Jesus ressuscitou Lázaro, muitos judeus creram nele (11:45). Outros, porém, saíram para entregá-lo (11:46-48,53,57). Os judeus resolveram matar não apenas Jesus, mas também Lázaro (12:9-11). Quando Jesus foi ao lar de Betânia, estava disposto a glorificar o Pai em dois aspectos: primeiro, pelo milagre da ressurreição de Lázaro e, segundo, pela sua disposição de cumprir o plano do Pai de dar a sua vida em resgate do seu povo (17:1). Os membros do Sinédrio pensaram que eles é que estavam no controle da situação, orquestrando a prisão de Jesus. Mas isso fazia parte do plano de Deus. A morte de Cristo não era apenas uma orquestração dos homens, mas também, e sobretudo, uma agenda do Pai (At 2:23).

Notas do capítulo 19

[1] ERDMAN, Charles. *O evangelho de João*, p. 86.
[2] Ibid., p. 86-95.
[3] Ibid., p. 87.
[4] Ibid.
[5] BOOR, Werner de. *Evangelho de João II*. Curitiba: Editora Evangélica Esperança, 2002, p. 24.
[6] ERDMAN, Charles. *O evangelho de João*, p. 87.
[7] Ibid., p. 88.
[8] BRUCE, F. F. *João: introdução e comentário*, p. 209-210.
[9] BOOR, Werner de. *Evangelho de João II*, p. 26.
[10] ERDMAN, Charles. *O evangelho de João*, p. 89.
[11] BOOR, Werner de. *Evangelho de João II*, p. 27.
[12] BARCLAY, William. *Juan II*, p. 104.
[13] BRUCE, F. F. *João: introdução e comentário*, p. 212.
[14] BARCLAY, William. *Juan II*, p. 111-112.
[15] BRUCE, F. F. *João: introdução e comentário*, p. 215.
[16] HENDRIKSEN, William. *João*, p. 523.
[17] BRUCE, F. F. *João: introdução e comentário*, p. 216.
[18] Ibid.
[19] HENDRIKSEN, William. *João*, p. 527-528.
[20] ERDMAN, Charles. *O evangelho de João*, p. 94.
[21] HENDRIKSEN, William. *João*, p. 526.
[22] WIERSBE, Warren W. *Comentário bíblico expositivo*. Vol. 5, p. 435.

Capítulo 20

A manifestação pública de Jesus
(Jo 12:1-50)

A HORA DECISIVA havia chegado. A festa da Páscoa estava nos seus últimos preparativos. Só faltavam seis dias, quando Jesus sai de Efraim e vai para Betânia. Enquanto em Jerusalém a morte de Jesus está sendo tramada nos bastidores do poder eclesiástico, em Betânia um jantar está sendo preparado para honrá-lo no aconchego de um lar. O Sinédrio já havia decretado que, se alguém soubesse do paradeiro de Jesus, deveria denunciá-lo (11:57), mas, em vez de tratá-lo como um criminoso, os amigos de Jesus em Betânia lhe preparam uma ceia.[1] Jesus é recebido para um jantar, possivelmente na casa de Simão, o leproso, mesmo sabendo da trama do Sinédrio para prendê-lo e matá-lo.

Depois do jantar em Betânia, Jesus entra publicamente em Jerusalém, sendo saudado pela multidão. Enquanto os fariseus o rejeitam, os gregos querem vê-lo. Jesus fala abertamente sobre sua glorificação pela morte, e os judeus revelam uma rejeição aberta ou uma fé insuficiente. Aqui encerra o ministério público de Jesus. Daqui para a frente, ele vai endereçar seu ensino apenas a seus discípulos.

A devoção amorosa de Maria (12:1-3,7,8)

Essa é a terceira vez que Maria está quedada aos pés de Jesus. Na primeira vez, esteve aos pés de Jesus para aprender (Lc 10:39); na segunda, prostrou-se aos pés de Jesus para chorar (11:32). Dessa feita, demonstra a ele seu acendrado amor por intermédio de uma generosa oferta (12:3). Esse episódio ocorre seis dias antes da Páscoa, na casa de Simão, o leproso (Mc 14:6). Não sabemos ao certo se esse Simão era o pai dos três irmãos de Betânia, o marido de Marta, ou simplesmente um amigo da família.

Tanto Marta quanto Maria demonstram sua devoção a Cristo. Marta expressa sua consideração e afeição a Jesus mediante os pratos que preparou e colocou à mesa; Maria derrama um precioso perfume sobre a cabeça e os pés do seu Senhor.

O texto em apreço apresenta um contraste. Dessa feita, o contraste não é entre Maria e Marta (Lc 10:38-42), embora as peculiaridades das duas irmãs ainda estejam em evidência. O contraste agora é entre Maria e Judas Iscariotes. A avareza disfarçada de amor aos pobres deste e a oferta sacrificial daquela estão em flagrante oposição. Aos motivos de Maria contrapõem-se a falácia e a avareza do ladrão e traidor.[2]

Vale ressaltar que o gesto de Maria violou vários clichês culturais. Ela ofereceu o seu melhor a Jesus sem se importar

A manifestação pública de Jesus

com o protocolo, a etiqueta ou as regras culturais. Que regras ela violou? Primeiro, a sociedade esperava que, como mulher, ela estivesse servindo. Segundo, tocar os pés de outra pessoa era considerado algo degradante. E, terceiro, Maria não apenas tocou os pés de Jesus, mas também os enxugou com os seus cabelos, sendo estes a coroa e a glória da mulher. O gesto de soltar os cabelos em público era indigno para uma mulher naquele tempo. Quarto, o caro perfume que ela derramou sobre os pés de Jesus era um tesouro que as mulheres guardavam para as suas próprias bodas.[3] Mesmo quebrando paradigmas, o gesto de Maria, embora censurado pelos homens, foi enaltecido por Jesus. Destacaremos alguns aspectos do gesto de Maria.

Em primeiro lugar, *Maria deu o seu melhor* (12:3). Os evangelistas Marcos e Mateus não nos informam o nome da mulher que ungiu Jesus, mas João nos conta que foi Maria de Betânia, a irmã de Marta e Lázaro (12:1-3). Jesus estava na casa de Simão, o leproso, na cidade de Betânia, participando de um jantar. A descrição das irmãs de Lázaro – Marta servindo e Maria cultuando – novamente chama a atenção por sua semelhança com o retrato que Lucas traça no único trecho em que as menciona (Lc 10:38-41).[4] Esse jantar possivelmente foi motivado pela gratidão de Simão e Maria. Esta, num gesto pródigo de gratidão e amor, quebrou um vaso de alabastro e derramou o preciosíssimo perfume sobre a cabeça de Jesus. O perfume havia sido extraído do puro nardo, isto é, das folhas secas de uma planta natural do Himalaia, entre o Tibete e a Índia. Pelo fato de a planta provir de uma região tão remota e ser transportada no lombo de camelos através de regiões montanhosas, era altamente cotada.[5]

Em segundo lugar, *Maria deu sacrificialmente* (12:3). O gesto de amor e adoração de Maria foi público, espontâneo,

313

sacrificial, generoso, pessoal e desembaraçado.[6] A libra de bálsamo equivalia a uns 327 gramas de perfume.[7] Cada grama desse perfume excelente valia um denário. O total desse caro unguento equivalia ao salário de um trabalhador comum durante um ano inteiro. Maria deu não apenas o seu melhor, mas deu, também, sacrificialmente. Aquele perfume foi avaliado por Judas em 300 denários (12:4,5). Representava o salário de um ano de trabalho. Assim como Davi, Maria se recusou a dar ao Senhor o que não lhe havia custado coisa alguma (2Sm 24:24). Judas Iscariotes fica indignado com Maria e considera seu gesto um desperdício. Ele culpa Maria de ser perdulária e administrar mal os recursos. Murmura contra ela, dizendo que aquele alto valor deveria ser dado aos pobres. Warren Wiersbe diz que Judas criticou Maria por desperdiçar dinheiro, enquanto ele desperdiçou a própria vida.[8] O que Maria fez foi único em criatividade, régio em generosidade e maravilhoso em intemporalidade, diz William Hendriksen.[9] Concordo com Werner de Boor quando ele diz que o amor não é calculista; o amor esbanja![10] O amor, depois de dar tudo, só lamenta não ter mais para dar!

Em terceiro lugar, *Maria buscou agradar somente ao Senhor* (12:7). Maria demonstrou seu amor a Jesus de forma sincera e não ficou preocupada com a opinião das pessoas à sua volta. Não buscou aprovação ou aplauso das pessoas nem recuou diante das suas críticas. O amor é extravagante, sempre excede! A devoção de Maria contrasta vivamente com a malignidade dos principais sacerdotes e a vil traição de Judas.

Em quarto lugar, *Maria demonstrou amor em tempo oportuno* (12:7). Maria demonstrou seu amor generoso a Jesus antes de sua morte e antecipou-se a ungi-lo para a sepultura

(Mc14:8). As outras mulheres também foram ungir o corpo de Jesus, mas, quando chegaram, ele já não estava lá, pois havia ressuscitado (Mc 16:1-6). Muitas vezes, demonstramos o nosso amor tardiamente. A mais eloquente declaração do amor de Davi por seu filho Absalão ocorreu depois da morte do filho. Absalão sempre quis ouvir isso de seu pai, mas, quando Davi declarou seu amor a ele, Absalão já não podia mais ouvir. Muitas vezes, enviamos flores depois que alguém morre, quando a pessoa já não pode mais sentir seu aroma.

Em quinto lugar, *Maria foi elogiada pelo Senhor* (12:7,8). Jesus chamou o ato de Maria de boa ação (Mc 14:6) e disse que seu gesto deveria ser contado no mundo inteiro, para que sua memória não fosse apagada (Mc 14:9). Jesus diz que os pobres precisam ser assistidos, mas eles estão sempre entre os homens; ele, porém, morreria nessa mesma semana, e apenas Maria discerniu esse fato para honrá-lo antecipadamente.

A avareza hipócrita de Judas Iscariotes (12:4-6)

O pródigo amor de Maria é contrastado com a avareza hipócrita de Judas Iscariotes. A esse respeito, destacamos dois pontos.

Em primeiro lugar, *a falsa filantropia de Judas Iscariotes* (12:4,5). Judas Iscariotes fica irritado com o gesto pródigo de Maria e justifica sua exasperação com o argumento de que o dinheiro despendido nesse caro perfume poderia socorrer muitos pobres. D. A. Carson diz que a cobiça pessoal de Judas por coisas materiais se disfarça aqui em altruísmo.[11] Judas Iscariotes, que já havia sido identificado por Cristo como aquele que haveria de traí-lo (6:71), mais uma vez é mencionado como o traidor (12:4). F. F. Bruce acrescenta que todas as suas ações e palavras anteriores são vistas à luz desse fato. Por isso, cada vez que ele é mencionado no começo dos Evangelhos, é sempre identificado como o traidor.[12]

Em segundo lugar, *a desonestidade desmascarada de Judas Iscariotes* (12:6). A motivação de Judas Iscariotes com tanto dinheiro gasto na unção de Jesus não era com o cuidado dos pobres. Como tesoureiro que era, e guardador dos recursos do colegiado, lançava mão desses valores. Judas não era um filantropo, mas um ladrão. Não era um defensor dos pobres, mas um avarento desonesto. F. F. Bruce ressalta que, por trás das palavras de Judas, havia um espírito mercenário, e não um interesse altruísta pelos pobres. Judas não só carregava a bolsa, mas também se apropriava do seu conteúdo.[13] Esse é o único lugar no Novo Testamento em que Judas Iscariotes é chamado de ladrão. Concordo com Charles Erdman quando ele diz que por certo nunca devemos esquecer nossas obrigações para com os necessitados; mas, repreendendo Judas Iscariotes, Jesus defende as dádivas que em qualquer tempo lhe façamos por devoção, e condena a filantropia espúria que não é motivada por amor a ele.[14]

A decisão hostil da liderança religiosa (12:9-11)

Ao mesmo tempo que Jesus é honrado em Betânia, os principais sacerdotes resolvem matá-lo. A hostilidade deles não tem limites. Querem matar também Lázaro, porque este era uma testemunha viva e eloquente do poder de Jesus. A vida de Lázaro era um sermão poderoso e irrefutável. Se Lázaro permanecesse vivo, seria impossível abafar a verdade incontroversa do poder incomparável de Jesus. Lázaro se tornou um foco para as conspirações dos sumos sacerdotes. A vida dele dava base para a fé em Jesus; portanto, ele também tinha de ser destruído.[15] Werner de Boor chama a atenção para o fato de que Lázaro não produziu relatórios sobre o mundo dos mortos. As pessoas não se achegavam para "ouvi-lo", e sim para "vê-lo".[16]

Nessa mesma linha de pensamento, Charles Erdman afirma que Maria foi criticada por Judas, mas seu irmão Lázaro tornou-se objeto do ódio mais encarniçado dos principais sacerdotes, uma vez que era uma testemunha singular do poder de Cristo e levou muitos à fé. É por acaso de estranhar que as testemunhas de Cristo, ainda hoje, sejam alvo do ódio de seus inimigos?[17]

Por que os principais sacerdotes resolveram matar Jesus e também Lázaro? William Barclay sugere duas razões.[18] Em primeiro lugar, uma ameaça política. Os saduceus eram a aristocracia endinheirada entre os judeus que cuidavam dos negócios do templo. Os sacerdotes eram saduceus. Ao mesmo tempo que cuidavam do sacerdócio, formavam também um partido colaboracionista. Seu interesse era assegurar a própria riqueza. Uma vez que Jesus fez uma faxina no templo, tirando de lá os cambistas e expulsando os vendilhões, eles se sentiram ameaçados. Viam Jesus como o possível líder de uma rebelião. A segunda razão era discordância teológica. Os saduceus não acreditavam na ressurreição dos mortos. A ressurreição de Lázaro não apenas aumentava a popularidade de Jesus, mas, também, jogava uma pá de cal sobre a falsa teologia que eles professavam.

A entrada triunfal em Jerusalém (12:12-19)

Da tranquilidade de um jantar em Betânia, João muda a cena para a agitação e o barulho de um cortejo na entrada de Jerusalém. Esse episódio é registrado pelos quatro evangelistas e é a única manifestação pública que Jesus admitiu durante o seu ministério. Seu propósito era cumprir a profecia do Antigo Testamento (Zc 9:9).[19]

Essa era a hora mais esperada do ministério de Jesus. Aqui se cumpria seu desejo e propósito eterno. Ele veio para morrer e, agora, estava entrando triunfalmente em Jerusalém para cumprir esse plano eterno do Pai. Warren Wiersbe aponta que a festa da Páscoa era o prazer dos judeus e o desespero dos romanos.[20] Era uma festa para aqueles e o medo de uma insurreição para estes. Nessa festa, a população de Jerusalém, que girava em torno de cinquenta mil pessoas, chegava a quintuplicar.

O texto em tela enfatiza seis realidades.

Em primeiro lugar, *a consumação de um propósito eterno* (12:12,13). A vinda de Jesus ao mundo foi um plano traçado na eternidade. Deus Pai o enviou, e ele voluntariamente obedeceu à vontade do Pai. Jesus veio para dar sua vida. Agora havia chegado o grande momento. Não houve nenhuma improvisação. Nenhuma surpresa. Ele veio para esta hora. E essa hora havia chegado!

Charles Erdman é oportuno quando escreve:

> João tem apresentado muitas testemunhas de ser Jesus o Messias, porém nenhuma de tal modo brilhante como a multidão que lhe presta homenagem, por ocasião de sua entrada na cidade santa, no dia seguinte àquele em que foi ungido em Betânia. Muitos aspectos desse episódio, registrado aliás pelos outros evangelistas, são aqui omitidos, mas em nenhuma outra narrativa há um testemunho mais explícito, dado por uma multidão em festa, de que na pessoa de Jesus apareceu o Messias prometido. Clamando: *Hosana! Bendito seja o que vem em nome do Senhor*, citavam um salmo que todos os judeus consideravam conter uma predição do Messias que havia de vir (Sl 118:26).[21]

A manifestação pública de Jesus

Em segundo lugar, *a apresentação humilde de Jesus* (12:14,15). A entrada de Jesus em Jerusalém foi externamente despretensiosa. Ele não entrou cavalgando um cavalo fogoso, brandindo uma espada nem acompanhado de um exército. Não veio como um conquistador político, mas como o redentor da humanidade. A entrada triunfal de Jesus em Jerusalém foi totalmente diferente daquelas celebradas pelos conquistadores romanos. Quando um general romano retornava para Roma depois de sua vitória sobre os inimigos, era recebido por grande multidão. O general vitorioso desfilava em carruagem de ouro. Os sacerdotes queimavam incenso em sua honra, e o povo gritava seu nome, enquanto seus cativos eram levados para as arenas a fim de lutarem com animais selvagens. Essa era a entrada triunfal de um romano.[22] Ao montar um jumentinho, porém, Jesus estava dizendo que sua missão era de paz e que seu reino era espiritual. Estava cumprindo a profecia de Zacarias: *Alegra-te muito, ó filha de Sião; exulta, ó filha de Jerusalém; o teu rei vem a ti; ele é justo e traz a salvação; ele é humilde e vem montado num jumento, num jumentinho, filho de jumenta* (Zc 9:9).

Joe Amaral diz que, sem um claro entendimento da cultura antiga dos judeus e da cerimônia do templo, perdemos a beleza e o poder dessa manifestação de Jesus. Na festa da Páscoa, todos os cordeiros vinham de Belém.[23] O sumo sacerdote descia de Jerusalém para Belém a fim de encontrar o cordeiro perfeito para o sacrifício. Ao encontrá-lo, seguia para Jerusalém no quarto dia antes da Páscoa. Quando entrava pelo portão do templo, o povo se reunia com folhas de palmeiras para celebrar ao Senhor, clamando: "Hosana ao cordeiro de Deus que tira de nós o nosso pecado". Esse fato explica por que havia uma multidão no portão, com folhas de palmeiras e ramos nas mãos, quando Jesus entrou (Mt 21). A multidão foi ao encontro de Jesus (12:18). Aqui, mais uma profecia se cumpre. Jesus é o cordeiro perfeito, o Cordeiro de Deus que tira o pecado do mundo (1:29). Jesus é o mesmo que realizou os milagres que só o Messias poderia operar. Jesus é aquele que falou as verdades que só o Messias poderia falar.

Joe Amaral ainda chama a atenção para o fato de que Jesus entrou montando num jumentinho (Zc 9:9). No mundo antigo, quando um rei ia a um país vizinho em missão de paz, vinha montado num jumento; contudo, se o motivo era fazer guerra contra aquela nação, ia montado num cavalo. É maravilhoso perceber que, na sua primeira vinda, Jesus entrou em Jerusalém montado num jumentinho, pois veio para nos trazer salvação e paz. Contudo, em sua segunda vinda, quando virá para trazer juízo às nações, entrará montado num cavalo branco (Ap 19:11).[24]

Nessa linha de pensamento, D. A. Carson diz que três pontos se destacam aqui. Primeiro, a vinda do rei humilde está associada ao fim da guerra: isso, também, foi entendido por João como definidor da obra de Jesus, de tal forma que este nunca poderia ser reduzido a um zelote fanático. Segundo, a vinda do rei humilde está associada à proclamação de paz às nações, estendendo seu reino aos confins da terra (Zc 9:10; Sl 72:8). Terceiro, a vinda do rei humilde está associada ao sangue da aliança de Deus que resulta em libertação para os prisioneiros – termos já preciosos para João (1:29,34; 3:5; 6:35-58; 8:31-34) – e associados à Páscoa e à morte do servo-rei que está imediatamente à frente.[25]

Em terceiro lugar, *a exaltação pública de Jesus* (12:13). Tanto a multidão que estava em Jerusalém como aquela

A manifestação pública de Jesus

que o acompanhava à cidade santa, proclamava-o como o Messias, com vozes de júbilo. Essa proclamação focou duas verdades importantes: 1) _Apontou Jesus como o Salvador._ A multidão gritou: _Hosana! Bendito o que vem em nome do Senhor! Bendito o rei de Israel!_ A palavra "Hosana" é um clamor pelo Salvador, cujo significado literal é: "Dê a salvação agora".[26] 2) _Apontou Jesus como o rei._ Jesus é o rei e, com ele, chegou seu reino. Os reinos do mundo levantam-se e caem, mas o reino de Cristo jamais passará. Jesus é maior do que Davi. Davi inaugurou um reino terreno e temporal, mas o reino de Cristo é celestial e eterno.

Em quarto lugar, _a incompreensão dos discípulos_ (12:16). Embora a proclamação de Jesus como o Messias por parte da multidão tenha sido pública, seus discípulos não compreenderam as implicações desse fato. Seus olhos só se abriram depois que Jesus foi glorificado pela ressurreição.

Em quinto lugar, _o testemunho da multidão_ (12:17,18). Há aqui duas multidões. A primeira foi testemunha ocular da ressurreição de Lázaro (12:17), e a segunda ouviu a respeito desse milagre extraordinário (12:18). Tanto a multidão que viu como a multidão que ouviu dão testemunho de que Jesus é o Rei que vem em nome do Senhor.

Em sexto lugar, _a rejeição peremptória dos fariseus_ (12:19). Os fariseus escarneceram da multidão que exaltava Jesus e, em uma linguagem hiperbólica e cheia de desprezo, disseram: _Vede que nada conseguistes! O mundo inteiro vai atrás dele!_ De acordo com Charles Erdman, João finaliza a narrativa salientando um ponto que não é apresentado nos outros evangelhos, mas que está perfeitamente subordinado ao escopo de seu livro. Ele mostra que a crença do povo se deve, em larga escala, ao "sinal" da ressurreição de Lázaro, e que a popularidade sem precedentes de Jesus só faz incitar seus inimigos, as autoridades, a adotarem o mais depressa possível a sugestão extrema de Caifás e levar a cabo a morte de Cristo. Continuamente, João contrapõe as manifestações da fé às da incredulidade.[27]

D. A. Carson comenta que a cena estava carregada de potencial explosão. Jesus podia ter começado uma revolta armada exatamente naquele momento. Os fariseus observavam as multidões, inquietos. Embora menos acomodados aos senhores romanos que os saduceus, eles pensavam que o caminho da sabedoria era suportar a ocupação e se aborreciam com a crescente popularidade de Jesus. O Sinédrio tomou sua decisão (11:49-53), mas teve de executá-la furtivamente por causa das multidões.[28]

O desejo dos gregos de verem Jesus (12:20-36)

Na mesma medida em que os fariseus rejeitavam peremptoriamente Jesus, os gregos buscavam Jesus (12:20-22). Enquanto o povo da aliança rechaçava o Messias, os gentios queriam vê-lo. MacArthur diz que o texto não deixa claro quem eram esses gregos, de onde vinham, porque queriam ver Jesus nem porque procuraram Filipe.[29] Talvez isso se deva ao fato de seu nome ter origem grega. Ou talvez por serem da região gentílica de Decápolis, na Galileia. Provavelmente, esses gregos eram forasteiros que ocasionalmente subiam a Jerusalém para adorar nas festas (como o eunuco etíope em Atos 8:27), ou mesmo viviam na Galileia como prosélitos. O que importa é que, enquanto o povo da aliança rejeitou Jesus, eles, como gentios, procuravam o mestre. Filipe leva o caso a André, que o comunica a Jesus. André é o homem que sempre aparece levando alguém a Cristo. Ele levou Pedro, seu irmão, a Cristo; também levou

A manifestação pública de Jesus

o menino com cinco pães e dois peixes a Jesus. E, agora, está levando a pergunta dos gregos a Jesus.

O momento é cercado de dramaticidade. Os discípulos têm plena consciência da trama armada pelas autoridades judaicas para matarem Jesus. Esse desejo dos gregos de verem Jesus poderia soar como um escape. Não seria uma saída para Jesus e seus discípulos, à qual os próprios adversários já haviam aludido (7:35)? Ah, se eles apenas pudessem escapar desse círculo de desconfiança, rejeição e ódio, que os rodeava de modo sufocante![30]

Em vez de Jesus conceder uma entrevista aos gregos, como era seu desejo, ele aproveitou para dar um profundo esclarecimento acerca de sua glorificação, pelo sacrifício de sua morte e pela exaltação de sua ressurreição. Destacamos a seguir aqui alguns pontos.

Em primeiro lugar, *a hora de Jesus ser glorificado chegou* (12:23). Jesus responde aos gregos: *Chegou a hora de ser glorificado o Filho do homem.* Essa hora da qual Jesus falou várias vezes havia enfim chegado. A agenda feita na eternidade tornar-se-ia história. O ponto culminante de seu ministério chegou. Concordo com D. A. Carson quando ele diz que Jesus, estritamente falando, não atende ao pedido direto dos gentios, mas à situação que o pedido deles representa. No exato momento em que as autoridades judaicas estão se voltando mais violentamente contra ele, alguns gentios começam a clamar por sua atenção. Isso não é diferente de um dos grandes temas de Romanos 9–11: à parte um remanescente, Israel, como um todo, rejeita o Messias, mas ele, por intermédio de sua morte e ressurreição, agrega em sua comunidade da aliança grande número de gentios que haviam sido anteriormente excluídos do povo da aliança. Nessa instância, entretanto, a abordagem dos gregos é para Jesus um tipo de gatilho, um sinal de que a hora do ápice já raiou.[31] O mesmo autor ainda esclarece que, até esse ponto, a *hora* sempre era futura (2:4; 4:21,23; 7:30; 8:20). A *hora* nada mais é que o tempo apontado para a morte, ressurreição e exaltação de Jesus – em suma, sua glorificação. Agora, dramaticamente, o pedido dos gregos muda os parâmetros. Desse momento até a Paixão, a *hora* está em perspectiva imediata (12:27; 13:1; 17:1).[32]

Em segundo lugar, *a cruz é o palco da glorificação* (12:24-26). Bruce Milne diz corretamente que a ligação feita por Jesus entre glorificação e crucificação é fundamental para a apresentação que Jesus faz do drama da Páscoa. A morte e a ressurreição de Jesus não são divididas em derrota no Calvário e subsequente vitória na ressurreição. Em vez disso, juntas, morte e ressurreição representam um único e inseparável evento em que Jesus traz glória ao nome de Deus.[33]

Charles Erdman afirma que a cruz seria a força de atração que chamaria a Jesus todas as turbas do mundo gentílico, representadas por esses gregos curiosos.[34] No pedido dos gregos, Jesus vê *sua semente,* isto é, numerosa posteridade espiritual. Isso fora prometido ao Messias como o fruto de seu sacrifício voluntário: *Quando sua alma fizer a oferta pelo pecado, ele verá SUA SEMENTE* (Is 53:10, ARA). À parte seu sacrifício voluntário, Jesus nada podia fazer por esses gregos. À parte a cruz, não existe nenhuma colheita espiritual.[35]

Jesus ilustra sua morte com uma linguagem agrícola. O grão só pode viver e multiplicar-se caso primeiro seja lançado na terra para morrer. Ao morrer, renasce para uma nova vida e para uma extraordinária multiplicação. Se o grão não morrer, fica só e não pode se multiplicar nem alimentar

A manifestação pública de Jesus

multidões. Amar a vida a ponto de preservá-la é perdê-la, mas perdê-la é preservá-la para a vida eterna. Aqueles que entregam sua vida ao serviço de Deus, como Jesus a entregaria em breve na cruz, serão honrados pelo Pai.

A glorificação não é apenas um resultado da cruz. A cruz é a própria essência da glorificação. A cruz, com todo o seu horror, é o palco mais fulgurante da manifestação da glória de Deus. É a manifestação plena de sua justiça e de seu amor, de seu horror ao pecado e seu amor infinito aos pecadores. Jesus disse: *E eu, quando for levantado da terra, atrairei todos a mim*. A palavra "todos" aí refere-se aos gregos e quantos, de todas as nações, eles representam. O sentido é que não só judeus serão atraídos a Jesus, mas gentios também; *todos*, isto é, sem distinção, e não no sentido de sem exceção.[36] A cruz ainda hoje é o supremo magneto moral do mundo. Não são os ensinamentos de Cristo, nem o exemplo de sua vida, dissociados de sua morte; é sua cruz que atrai multidões, desafiando cada um, como seguidor devotado do Senhor, a tomar a cruz e segui-lo.[37]

Hendriksen tem razão ao dizer que a verdade solene afirmada no versículo 24 se aplica a Cristo, e a ele somente. Somente ele morre como substituto e, ao fazê-lo, ele dá frutos. Mesmo assim, existe um princípio semelhante que opera na esfera humana. É aquele afirmado nos versículos 25 e 26. Quanto a Cristo, para que haja fruto, ele tem de morrer. Quanto a seu discípulo, este deve dispor-se a morrer pela causa de Cristo (Mt 10:37-39; 16:24-26; Mc 8:34-38; Lc 9:23-26; 17:32,33).[38]

John MacArthur diz corretamente que as Escrituras enfatizam a morte substitutiva de Cristo do começo ao fim (Is 53:4-6; 2Co 5:21; 1Pe 2:24). A morte de Cristo é o cumprimento das profecias, o tema central do Novo

Testamento, o principal propósito da encarnação, o constante tema de seu ensino, o tema central da pregação dos apóstolos, o eixo principal do ensinamento das Epístolas, o coração das ordenanças da igreja e o assunto de supremo interesse no céu.[39]

Em terceiro lugar, *a cruz é uma arena de muita angústia* (12:27). Mesmo sendo a cruz o palco fulgurante da glorificação do Filho e da manifestação da glória do Pai, é também uma arena de amarga angústia. Ali Jesus não apenas sofreu as agruras do sofrimento físico, mas enfrentou a maldição do pecado e o afastamento do Pai. Sua alma está angustiada, mas Jesus não recua sequer um milímetro. Ele sabe que veio para essa hora, e essa hora havia chegado. Portanto, mesmo com a alma esmagada pela angústia, ele caminha para a cruz como um rei caminha para sua coroação. Concordo com D. A. Carson quando ele diz que essa oração é análoga à do Getsêmani. Em ambas as instâncias, seguem-se uma forte adversativa e uma intrépida resolução. É como se o horror da morte e o ardor de sua obediência estivessem se encontrando naquele momento.[40]

Em quarto lugar, *o clamor profundo de Jesus* (12:28). À sombra da cruz, o desejo mais intenso de Jesus não é escapar do sofrimento, mas glorificar o Pai e fazer sua vontade. E por isso ele clama: *Pai, glorifica o teu nome!* [...]. A resposta é imediata. Do céu vem uma voz: [...] *Já o glorifiquei, e o glorificarei mais uma vez*. O Pai já havia sido glorificado pela vida, pelo ensino e pelas obras de Jesus, mas ainda seria glorificado pela sua morte e ressurreição. O anelo do Filho é glorificar o Pai, e o anelo do Pai é ser glorificado no Filho. Estou de pleno acordo com as palavras de D. A. Carson quando ele diz que a glorificação do nome do Pai, pela qual ele pede, depende da voluntária obediência de Jesus até a

A manifestação pública de Jesus

morte. O servo que não faz a própria vontade, mas realiza a vontade daquele que o enviou – mesmo até a morte de cruz –, esse é o que glorifica a Deus.[41]

Em quinto lugar, _a profunda ignorância da multidão_ (12:29,30). Quando a multidão ouviu a voz do céu, dividiu-se em dois grupos. O primeiro era formado pelos céticos. Diziam ter ouvido um trovão. Esses são aqueles que tentam interpretar as verdades espirituais apenas como fenômenos naturais. O segundo grupo era formado pelos místicos. Eles diziam: "Foi um anjo que lhe falou". Esses até acreditaram que algo sobrenatural havia acontecido, mas não entenderam que a voz do céu era do próprio Deus. Jesus esclarece para os dois grupos que aquela voz não viera do céu por sua causa, mas por causa deles. Era mais um testemunho para eles de sua natureza divina e de sua obra expiatória e, agora, um testemunho do céu, vindo da parte do Pai. Das alturas, o próprio Pai demonstrava que a cruz vexatória, e tudo o que dela fluiria, não era derrota, mas vitória retumbante; não destruição final, mas glorificação derradeira.[42]

Em sexto lugar, _as implicações da glorificação de Jesus por sua morte_ (12:31-33). D. A. Carson destaca aqui cinco ênfases sobre o significado da glorificação de Jesus através de sua paixão.[43]

A paixão/glorificação do Filho é a hora de este mundo ser julgado (12:31). O mundo pensou que estava julgando Jesus não só enquanto debatia, perpetuamente, sobre quem ele era (6:14,42,60; 7:15; 8:48,52,53; 9:29; 10:19; 11:37), mas, de forma culminante e derradeira, na cruz. Na realidade, porém, a cruz é que estava julgando o mundo. A paixão/glorificação de Jesus significa, tanto positiva quanto negativamente, julgamento. No que diz respeito ao mundo, é julgamento negativo, pois não pode haver mais esperança para aqueles que rejeitam a única pessoa cuja morte/exaltação é a epifania da autorrevelação graciosa e salvadora de Deus. No que diz respeito aos salvos, o julgamento é positivo, pois Deus deu seu Filho como um sacrifício, assegurando a vida de muitas sementes (12:24).[44] Charles Erdman corrobora esse pensamento quando diz que tal morte seria o julgamento deste mundo, cujo caráter moral seria nela revelado, e cujo pecado seria por ela condenado.[45]

A paixão/glorificação é o tempo em que o príncipe deste mundo será expulso (12:31). Satanás, equivocadamente, pensava que a cruz seria o seu triunfo sobre Jesus, mas foi sua mais consumada derrota. Jesus já havia despojado o valente e tirado sua armadura, com a chegada do seu reino (Lc 10:18); com sua morte, porém, Jesus esmaga a cabeça da serpente. Agora, os seguidores do Cordeiro vencem o diabo com o sangue do Cordeiro (Ap 12:11). Na mesma medida em que Jesus foi entronizado, Satanás foi destronado. D. A. Carson diz corretamente que qualquer poder residual que o príncipe deste mundo ainda desfrute é mais adiante restringido pelo Espírito Santo, o consolador (16:11).[46]

A paixão/glorificação de Jesus é equivalente a Jesus ser levantado da terra (12:32,33). A morte expiatória de Jesus e sua exaltação vêm juntas (Fp 2:9; 1Tm 3:16; Hb 1:3). Assim, sua morte na cruz não significava apenas ser levantado da terra (3:14), mas, também, ser levantado para a glória. D. A. Carson é claro ao afirmar: "A morte de Jesus é o caminho para a glorificação e uma parte integral dela. Sua glorificação não é uma recompensa por sua crucificação; ela é inerente à sua crucificação".[47]

A consequência da paixão/glorificação de Jesus é que ele atrairá todos para si mesmo (12:32). É claro que Jesus não

A manifestação pública de Jesus

está falando aqui sobre universalismo. Toda mensagem deste evangelho é uma negação dessa pretensão. Como os gregos, que eram gentios, queriam ver Jesus, fica claro que Jesus está falando sobre judeus e gentios, ou seja, pessoas de todas as raças serão atraídas a ele. A palavra "todos" nesse contexto significa todos sem acepção, e não todos sem exceção. A salvação não depende do sangue nem da etnia (1:13). Jesus é o Salvador não apenas dos judeus, mas também dos samaritanos; portanto, ele é o Salvador do mundo (4:42). Ele tem outras ovelhas que não são deste aprisco (10:16). Ele é o Cordeiro de Deus que tira o pecado do mundo (1:29).

William Hendriksen lança luz sobre o assunto quando escreve:

> O fato de atrair todos os homens a Cristo significa a expulsão do diabo. Ele perde seu poder sobre as nações. Um momento antes, os gregos tinham pedido para ver a Jesus. Esse é precisamente o contexto. Esses gregos representavam as nações – eleitos de todas as nações – que viriam a aceitar a Cristo pela fé viva, mediante a soberana graça de Deus. Então, por meio da morte de Cristo, o poder de Satanás sobre as nações do mundo é quebrado. Durante a antiga dispensação, essas nações estiveram sob a escravidão de Satanás (embora, naturalmente, nunca no sentido absoluto do termo). Com a vinda de Cristo, ocorre uma mudança tremenda. No Pentecostes e depois dele, começamos a ver a reunião da Igreja entre todas as nações do mundo. Isso é o que Jesus vê com muita clareza quando esses gregos se aproximam dele.[48]

Esse desenvolvimento dramático aparece duas vezes sob o poderoso "agora" (12:31). D. A. Carson tem razão em dizer que esse advérbio "agora" não só liga esses versículos aos versículos 23 e 27, mas, também, enfatiza a natureza escatológica dos eventos que são iminentes. O julgamento do mundo, a destruição de Satanás, a exaltação do Pai no Filho do homem, a atração de homens e mulheres dos confins da terra – tudo isso poderia ser reservado para o fim dos tempos. Mas o fim dos tempos já começou. Não é que não esteja reservado para a consumação; antes, significa que o passo decisivo está para ser dado na morte/exaltação de Jesus.[49]

Em sétimo lugar, *a cegueira espiritual da multidão* (12:34). A multidão faz menção da lei, mas fez uma leitura errada da lei. Eles têm uma expectativa irreal do Filho do homem. Na leitura míope que fizeram da lei, não havia espaço para a morte do Filho do homem; por isso, interrogam a Jesus: *Quem é esse Filho do homem?* Os judeus estavam numa densa escuridão; não por falta de luz, mas por falta de discernimento espiritual.

Em oitavo lugar, *as trevas espirituais e a luz da salvação* (12:35,36). O Filho do homem é a luz, a luz do mundo, a luz da salvação. A imagem de luz e trevas aparece em outras partes no relato joanino (1:4-9; 3:17-20; 8:12; 9:39-41). A luz brilhava, e o povo deveria aproveitar essa oportunidade para ser salvo. Warren Wiersbe diz corretamente que, com um simples passo de fé, essa gente poderia ter passado das trevas espirituais para a luz da salvação.[50] Sejam quais forem os problemas ou os mistérios que cerquem a pessoa de Cristo e sua obra, devemos crer nele, segui-lo e a ele nos entregar. De outra sorte, seremos como aqueles que tropeçam dentro da noite, sem enxergar o caminho.[51]

A incredulidade dos judeus (12:37-43)

A palavra-chave desta seção, usada oito vezes, é "crer". Os israelitas não criam (12:37,38), não podiam crer (12:39), não deviam crer (12:40,41). Ouviram a mensagem e viram

A manifestação pública de Jesus

os milagres e, ainda assim, não creram.[52] Vamos destacar aqui quatro fatos.

Em primeiro lugar, *a incredulidade a despeito do testemunho dos milagres de Jesus* (12:37). Jesus fez muitos milagres na presença dos judeus e, mesmo assim, eles permaneceram incrédulos. Dessa forma, os judeus se tornaram ainda mais culpados por sua incredulidade. Não lhes faltaram evidências. A despeito das abundantes provas, fecharam o seu coração para crer. D. A. Carson diz que nem mesmo os sinais milagrosos relatados por João, cujo propósito exato era gerar fé (20:30,31), mostram-se capazes de acender o fogo da fé nessas pessoas. Elas são como os antigos israelitas a quem Moisés se dirigiu: [...] *Vistes tudo o que o Senhor fez diante dos vossos olhos ao faraó, a todos os seus servos e a toda a sua terra no Egito; as grandes provas que os teus olhos viram, os sinais e grandes maravilhas. Mas, até hoje, o Senhor não vos deu um coração para entender, nem olhos para ver, nem ouvidos para ouvir* (Dt 29:2-4).[53]

Em segundo lugar, *a incredulidade como cumprimento de profecia* (12:38). O que aconteceu com os judeus dos dias de Jesus foi o mesmo que aconteceu com os israelitas nos dias do profeta Isaías (Is 6:10). A incredulidade dos judeus não apenas demonstrou sua obstinação, mas também o cumprimento das profecias. Corroboro o que diz D. A. Carson:

> Alguma explicação deve ser dada para uma incredulidade em tão larga escala e tão catastrófica [...]. A resposta cristã, tão claramente articulada por Paulo em Romanos 9–11, como aqui, é que essa descrença não só foi prevista pelas Escrituras, mas, exatamente por isso, era necessária para as Escrituras.[54]

Em terceiro lugar, *a incredulidade como resultado do juízo divino* (12:39-41). Quando o ser humano endurece o coração, Deus o deixa endurecido. Não há maior juízo do que Deus entregar uma pessoa a si mesma, do que Deus dar ao ser humano o que ele quer. Os judeus não apenas não creram; eles não puderam crer.

Werner de Boor diz que os homens influentes de Israel se sentiam livres e superiores nessa atitude, assim como faz a pessoa incrédula em todas as épocas e no auge de sua sabedoria e liberdade. Tal pessoa não nota que em sua incredulidade ela é tudo, menos livre; antes, está acorrentada, "não é capaz de crer". Ela não vê que sua resistência contra Deus a joga justamente nas mãos desse Deus, que torna seus olhos cegos e seu coração endurecido, de modo que já não há volta nem salvação.[55] Deus cegou seus olhos e endurece-lhes o coração para não se converter e ser salva. O mesmo que Deus fez com o faraó, ele faz aqui com esses judeus obstinados. A predestinação evidente nunca é oposta à responsabilidade humana: o versículo 37 pressupõe que há culpabilidade humana, e o versículo 43 articula um motivo humano fortemente repreensível para a incredulidade.[56] D. A. Carson esclarece esse ponto da seguinte maneira:

A pressuposição de que Deus pode, como castigo, endurecer homens e mulheres aparece, com frequência, no Novo Testamento (Rm 9:18; 2Ts 2:11). Se uma leitura superficial achar isso duro, manipulador ou até robótico, quatro coisas devem ser levadas em consideração: 1) a soberania de Deus nessas questões nunca é colocada contra a responsabilidade humana; 2) o endurecimento como castigo de Deus não é apresentado como a manipulação caprichosa de um potentado arbitrário amaldiçoando seres moralmente neutros ou, até mesmo, moralmente puros, mas é apresentado como uma condenação santa de um povo culpado que é condenado a fazer e a ser o que eles mesmos escolheram; 3) a soberania de Deus nessas questões pode também ser

A manifestação pública de Jesus

> motivo de esperança, pois, se ele não é soberano nessas áreas, há pouco sentido em pedir por ajuda a ele, enquanto que, se ele é soberano, os apelos angustiados do profeta (Is 63:15-19) – e de crentes durante toda a história da igreja – fazem sentido; 4) nos dias de Isaías, o endurecimento do povo perpetrado pelo Deus soberano, o comissionamento de Isaías para um ministério aparentemente infrutífero, é um estágio na "obra muito estranha" de Deus (Is 28:21,22), que realiza os propósitos redentores definitivos de Deus. Paulo, em Romanos 9:22,23, argumenta de forma muito semelhante.[57]

Em quarto lugar, *a fé inautêntica como resultado do medo* (12:42,43). Muitas pessoas chegaram a crer em Jesus, entre elas, inclusive, muitas autoridades. Contudo, elas não demonstraram uma fé robusta e autêntica. Por causa do medo dos fariseus, não confessaram Jesus, com medo de serem expulsas da sinagoga. A fé que não tem coragem de ser publicada não é fé salvadora (Rm 10:9,10). Amaram mais a glória humana do que a glória de Deus. Essa fé medrosa e covarde não é suficiente, pois Jesus não tem seguidores anônimos. Os covardes serão lançados fora (Ap 21:8). Concordo com Warren Wiersbe quando ele diz: "É melhor temer a Deus e ir para o céu do que temer os homens e ir para o inferno".[58]

A última mensagem de Jesus à multidão (12:44-50)

Esse parágrafo contém o desafio público final de Jesus às multidões, um resumo hábil dos muitos elementos de seu ensino.[59] Essa é a última mensagem de Jesus antes de "se esconder" do povo. Mais uma vez, a ênfase é sobre a fé. Warren Wiersbe diz que vários temas essenciais do evangelho de João aparecem nessa mensagem: Deus enviou o Filho; ver o Filho significa ver o Pai; Jesus é a luz do mundo; suas palavras são as palavras do próprio Deus; a fé em Cristo traz salvação; quem rejeita Cristo enfrentará o julgamento eterno; a própria palavra de Jesus julgará os que rejeitaram Cristo e sua mensagem.[60]

Fica evidente que a acusação contra Jesus é – e foi até hoje – que ele se colocava ao lado de Deus, que praticamente tirava o lugar de Deus. Mas, o contrário é que é verdade! Jesus não se posiciona ao lado de Deus como blasfemo. Quem crê em Jesus não abandona o monoteísmo puro e não tem dois deuses lado a lado, o Pai e Jesus. Tampouco crê em um ser humano de nome Jesus. O próprio Jesus estabelece que a fé nele é em si mesma fé em Deus, e nada mais. Inversamente, toda rejeição a Jesus é ao mesmo tempo rejeição a Deus.[61]

Destacamos aqui dois pontos.

Em primeiro lugar, *as promessas de Jesus* (12:44-46). Depois de Jesus afirmar que não é apenas um enviado de Deus, como um profeta, mas o próprio Deus, ele diz que quem nele crê está crendo no próprio Deus. Depois de dizer que vê-lo é o mesmo que ver Deus, Jesus afirma claramente que ele veio como luz para o mundo, a fim de que todo aquele que crer nele não permaneça nas trevas. Todo aquele que não crê em Jesus está em trevas, mas aqueles que nele creem tornam-se filhos da luz e vivem na luz.

Em segundo lugar, *os juízos de Jesus* (12:47-50). Depois de fazer a promessa, Jesus pronuncia o juízo. Ouvir sua palavra e não guardá-la é ser julgado por essa mesma palavra, porque é a própria palavra que vem de Deus. Ouvir e guardar sua Palavra produz vida eterna; mas, ouvir e não guardar desemboca em juízo e condenação. Warren Wiersbe alerta: "É assustador pensar que, em seu julgamento, o pecador será confrontado com toda e qualquer parte das Escrituras

A manifestação pública de Jesus

que tenha lido ou ouvido. A própria palavra rejeitada se torna seu juiz".[62]

Caro leitor, vimos até aqui, através da vida, dos milagres e das mensagens de Jesus, evidências incontestáveis de que ele é o Filho de Deus, o Salvador do mundo. Vimos, também, que a única maneira de alguém ser salvo é através da fé no Filho de Deus. E você? Já colocou sua confiança plena em Jesus?

Aqui, encerra-se a primeira metade do evangelho de João. Agora Jesus se volta exclusivamente para seus discípulos. Doravante, teremos o privilégio de contemplar o brilhante contraste da vitória da fé, principal assunto da segunda parte desse livro.[63]

NOTAS DO CAPÍTULO 20

[1] MacArthur, John. *The MacArthur New Testament commentary – John 12-21.* Chicago: Moody Publishers, 2008, p. 3.

[2] Erdman, Charles. *O evangelho de João,* p. 96.

[3] Swindoll, Charles R. *Insights on John*, p. 213.

[4] Bruce, F. F. *João: introdução e comentário*, p. 219.

[5] Hendriksen, William. *Marcos*, p. 704; Hendriksen, William. *João*, p. 540.

João — As glórias do Filho de Deus

[6] WIERSBE, Warren W. *Comentário bíblico expositivo*. Vol. 5, p. 436.

[7] BRUCE, F. F. *João: introdução e comentário*, p. 219.

[8] WIERSBE, Warren. *Be diligent*, p. 133.

[9] HENDRIKSEN, William. *Marcos*, p. 705.

[10] BOOR, Werner de. *Evangelho de João II*, p. 42.

[11] CARSON, D. A. *O comentário de João*, p. 429.

[12] BRUCE, F. F. *João: introdução e comentário*, p. 220.

[13] Ibid., p. 221.

[14] ERDMAN, Charles. *O evangelho de João*, p. 96.

[15] CARSON, D. A. *O comentário de João*, p. 430.

[16] BOOR, Werner de. *Evangelho de João II*, p. 45.

[17] ERDMAN, Charles. *O evangelho de João*, p. 97.

[18] BARCLAY, William. *Juan II*, p. 129.

[19] WIERSBE, Warren W. *Comentário bíblico expositivo*. Vol. 5, p. 438.

[20] WIERSBE, Warren W. *Be Diligent*, p. 107.

[21] ERDMAN, Charles. *O evangelho de João*, p. 97-98.

[22] WIERSBE, Warren W. *Be diligent*, p. 109.

[23] *Mishnah Shekalim* 7:4.

[24] AMARAL, Joe. *Understanding Jesus*, p. 144-145.

[25] CARSON, D. A. *O comentário de João*, p. 433.

[26] Ibid., p. 432.

[27] ERDMAN, Charles. *O evangelho de João*, p. 98-99.

[28] CARSON, D. A. *O comentário de João*, p. 435.

[29] MACARTHUR, John. *The MacArthur New Testament commentary – John 12-21*, p. 25.

[30] BOOR, Werner de. *Evangelho de João II*, p. 49.

[31] CARSON, D. A. *O comentário de João*, p. 437.

[32] Ibid.

[33] MILNE, Bruce. *The message of John*, p. 186.

[34] ERDMAN, Charles. *O evangelho de João*, p. 100.

[35] HENDRIKSEN, William. *João*, p. 565-566.

[36] WIERSBE, Warren W. *Comentário bíblico expositivo*. Vol. 5, p. 441.

[37] ERDMAN, Charles. *O evangelho de João*, p. 100-101.

[38] HENDRIKSEN, William. *João*, p. 567-568.

[39] MACARTHUR, John. *The MacArthur New Testament commentary – John 12-21*, p. 34-38.

[40] CARSON, D. A. *O comentário de João*, p. 440.

[41] Ibid.

[42] Ibid., p. 442.

[43] Ibid., p. 442-444.

A manifestação pública de Jesus

[44] Ibid., p. 443.

[45] ERDMAN, Charles. *O evangelho de João,* p. 101.

[46] CARSON, D. A. *O comentário de João*, p. 443.

[47] Ibid., p. 444.

[48] HENDRIKSEN, William. *João*, p. 574.

[49] CARSON, D. A. *O comentário de João*, p. 444.

[50] WIERSBE, Warren W. *Comentário bíblico expositivo*. Vol. 5, p. 441.

[51] ERDMAN, Charles. *O evangelho de João,* p. 101.

[52] WIERSBE, Warren W. *Comentário bíblico expositivo*. Vol. 5, p. 441.

[53] CARSON, D. A. *O comentário de João*, p. 447.

[54] Ibid.

[55] BOOR, Werner de. *Evangelho de João II*, p. 57.

[56] CARSON, D. A. *O comentário de João*, p. 447.

[57] Ibid., p. 448-449.

[58] WIERSBE, Warren W. *Comentário bíblico expositivo*. Vol. 5, p. 442.

[59] CARSON, D. A. *O comentário de João*, p. 451.

[60] WIERSBE, Warren W. *Comentário bíblico expositivo*. Vol. 5, p. 442.

[61] BOOR, Werner de. *Evangelho de João II*, p. 59.

[62] WIERSBE, Warren W. *Comentário bíblico expositivo*. Vol. 5, p. 442.

[63] ERDMAN, Charles. *O evangelho de João,* p. 103.

Capítulo 21

Jesus, o servo onipotente
(Jo 13:1-38)

A PARTIR DE AGORA, Jesus não se dirige mais ao povo, às multidões, ao mundo como um todo, mas apenas aos seus discípulos. A porta da oportunidade para o povo estava fechada. O ministério público de Jesus havia chegado ao fim. João 13 a 17 é a mensagem de despedida de Jesus para seus discípulos amados, culminando com sua oração intercessora por eles e por nós.[1] Charles Erdman diz que entramos agora no capítulo 13 de João, o lugar santo do edifício sagrado desse evangelho. Acompanhando os fatos que serão narrados em cinco capítulos sucessivos, estaremos sozinhos com nosso Senhor e seus discípulos. É a noite em que Jesus

João — As glórias do Filho de Deus

é traído. Seu ministério público finda-se. O dia seguinte testemunhará sua angústia e sua morte. Ele se recolhe com os Doze a um cenáculo para com eles comer a Páscoa, instituir a ceia, seu memorial, revelar aos discípulos seu amor incomparável e prepará-los para a separação que sabe estar próxima.[2]

Warren Wiersbe diz que o texto em apreço nos apresenta Jesus em diferentes quadros, que veremos a seguir.

Jesus e o Pai: humildade singular (13:1-5)

João 13:1-5 destaca duas verdades sublimes. A primeira delas é o que Jesus sabia, e a segunda, o que Jesus fez.

Em primeiro lugar, *o que Jesus sabia* (13:1-3). São três as coisas importantes que Jesus sabia e que são destacadas no texto.

Ele sabia que sua hora havia chegado (13:1). Jesus sabia que sua hora tinha chegado. Ele andou rigorosamente debaixo da agenda do céu. Cumpriu cabalmente a agenda traçada pelo Pai.

2:4 – Jesus disse para a sua mãe em Caná: *A minha hora ainda não chegou.*

7:30 – Os guardas não puderam prendê-lo, *pois a sua hora ainda não havia chegado.*

8:20 – E ninguém o prendeu no templo *porque a sua hora ainda não havia chegado.*

12:23 – Quando Jesus entrou triunfalmente em Jerusalém, anunciou: *Chegou a hora de ser glorificado o Filho do homem.*

13:1 – Na festa da Páscoa, Jesus disse: [...] *sabendo Jesus que havia chegado a sua hora de passar deste mundo para o Pai.*

17:1 – Tendo terminado seus ensinos no cenáculo, antes de ir para o Getsêmani, Jesus disse: [...] *Pai, chegou a hora. Glorifica teu Filho, para que também o Filho te glorifique.*

Jesus, o servo onipotente

Jesus já estava à sombra da cruz. Jerusalém estava com as ruas apinhadas de gente. Cada família já se preparava para imolar o cordeiro e celebrar a Páscoa. Foram duas as razões que levaram Jesus a escolher essa data. Em primeiro lugar, o cordeiro da Páscoa era o mais vívido tipo de Cristo em toda a Bíblia. Segundo, a Páscoa era a festa onde todo o povo se reunia em Jerusalém. Sua morte seria pública. Os sacerdotes já se preparavam para a grande festa que marcava a saída do povo do cativeiro do Egito, quando Deus libertou o seu povo pelo sangue do Cordeiro.

Jesus sabia que seria traído por Judas Iscariotes (13:2). Jesus nunca esteve enganado acerca de Judas Iscariotes. Desde o início, sabia que Judas Iscariotes haveria de traí-lo. O discípulo traidor é mencionado oito vezes no evangelho de João. Satanás havia entrado em Judas (Lc 22:3) e lhe dera a inspiração necessária para iniciar o processo que terminaria com a prisão e a crucificação de Cristo. Warren Wiersbe diz que o verbo "pôr", em João 13:2: *Enquanto jantavam, o diabo já havia posto no coração de Judas, filho de Simão Iscariotes, que traísse Jesus*, significa, literalmente, "lançar" e traz à memória os dardos inflamados do maligno (Ef 6:16).[3]

Jesus sabia que o Pai tudo lhe havia confiado (13:3). Mesmo na hora mais angustiosa de sua humilhação, Jesus sabia quem era, de onde tinha vindo, o que faria e para onde retornaria. Não era uma vítima indefesa. Não era um mártir. Era o Redentor, cumprindo plenamente o projeto do Pai.

Em segundo lugar, *o que Jesus fez* (13:1,4,5). João nos informa duas atitudes de Jesus, ambas sublimes e gloriosas.

Jesus amou seus discípulos com amor perseverante (13:1). Mesmo sabendo que seus discípulos o abandonariam vergonhosamente em pouco tempo, deixando-o nas mãos dos pecadores; mesmo sabendo que Judas o trairia, que Pedro o negaria e que os outros se dispersariam, Jesus amou os seus discípulos até o fim.

Jesus amou-nos a ponto de deixar a glória, entrar no mundo, fazer-se carne, tornar-se pobre, ser perseguido, odiado, zombado, cuspido, pregado numa cruz, carregando sobre o seu corpo no madeiro os nossos pecados e morrer por nós em uma rude cruz. Esse é um amor imenso, eterno, infinito. Nenhum pregador jamais pode pregar completamente esse amor. Nenhum escritor jamais pode descrever completamente esse amor. Nenhum poeta jamais conseguiu descrever esse amor. Estou certo de que, ainda que todos os mares fossem tinta, e todos as nuvens fossem papel; mesmo que todas as árvores fossem pena e todos os seres humanos fossem escritores, nem mesmo assim se poderia descrever o amor de Cristo. Seu amor excede todo o entendimento e toda possibilidade de plena descrição.

O principal dos pecadores pode ir a Jesus com ousadia e confiar no seu perdão. Jesus se deleita em receber pecadores. Jesus não nos lança fora por causa dos nossos fracassos. Ele jamais nos rejeita por causa da nossa fraqueza. Aqueles a quem Jesus ama desde o princípio, ele ama até o fim. Aqueles que vão a ele jamais serão lançados fora.

Jesus lavou os pés de seus discípulos com humildade sincera (13:4,5). Com esse gesto, Jesus nos ensina que privilégios não implicam orgulho, mas humildade. Jesus sabia quem era. Sabia de onde tinha vindo e para onde estava indo. Sabia sua origem e seu destino. Sabia que era o rei dos reis, o Filho do Deus altíssimo. Sabia que o Pai tudo confiara a suas mãos e que era o soberano do universo. Contudo, sua majestade não o levou à autoexaltação, mas à humilhação mais profunda. O que ele sabia determinou o que ele fez.

Jesus, o servo onipotente

Sua humildade não procedeu da sua pobreza, mas da sua riqueza. Sendo rico, fez-se pobre. Sendo rei, fez-se servo. Sendo Deus, fez-se homem. Sendo soberano do universo, cingiu-se com uma toalha e lavou os pés dos discípulos.

Era costume que, antes de se assentarem à mesa, as pessoas lavassem os pés. Os discípulos tinham vindo de Betânia. Seus pés estavam cobertos de poeira. Eles não podiam assentar-se à mesa antes de lavar os pés. Esse era o serviço dos escravos, principalmente do escravo mais humilde de uma casa. Jesus estava no cenáculo com eles. Ali não havia servos. Jesus esperou que eles tomassem a iniciativa de lavar os pés uns dos outros. Mas eles eram orgulhosos demais para fazer um serviço de escravo. Ninguém tomou a iniciativa. Aliás, os discípulos abrigavam no coração a dúvida de quem era o mais importante entre eles (Lc 22:24-30). O vaso de água, a bacia, a toalha-avental, dispostos ali à vista de todos, os acusavam. Esses utensílios constituíam uma acusação silenciosa contra aqueles homens! Mesmo assim, ninguém se mexia.[4] Eles pensavam que privilégios implicava grandeza, reconhecimento, aplausos e regalias. Jesus, porém, reprova a atitude deles, mostrando-lhes que, entre os que o seguem, mede-se a grandeza de qualquer um pelo serviço prestado.[5] D. A. Carson diz corretamente que os discípulos ficariam felizes em lavar os pés de Jesus; eles não podiam conceber, entretanto, a ideia de lavar os pés uns dos outros, visto que essa era uma tarefa normalmente reservada aos servos inferiores. Pares não lavam os pés uns dos outros, exceto raramente e como sinal de grande amor.[6]

Foi no meio de tais homens que se sentiam muito importantes, entre eles Judas Iscariotes, o traidor, que Jesus se levanta. Mesmo sabendo que era o Filho de Deus e que tinha vindo do céu e voltava para o céu, Jesus cinge-se com uma toalha, deita água em uma bacia e começa a lavar os pés dos discípulos e a enxugá-los com a toalha. Jesus repreende o orgulho dos discípulos com sua humildade. Jesus mostra que, no reino de Deus, maior é o que serve. A grandeza no reino de Deus não é medida por quantas pessoas estão a seu serviço, mas a quantas pessoas você está servindo. Devemos ter o mesmo sentimento que houve também em Cristo Jesus. Ele, sendo Deus, não julgou como usurpação o ser igual a Deus. Ele se esvaziou. Ele se humilhou. Ele sofreu morte humilhante, e morte de cruz. Devemos nos revestir de humildade. Porque aquele que se humilhar será exaltado.

Jesus, sendo o soberano do universo, cingiu-se com uma toalha. Sendo o rei dos reis, inclinou-se para lavar os pés sujos dos seus discípulos. Ah, como precisamos dessa lição de Jesus hoje! Temos hoje muitas pessoas importantes na igreja, mas poucos servos. Muita gente no pedestal, mas poucas inclinadas com a bacia e a toalha na mão. Muita gente querendo ser servida, mas poucas prontas a servir. A humildade de Jesus repreende o nosso orgulho. Concordo com as palavras de William Barclay: "O mundo se encontra cheio de gente que está de pé sobre sua dignidade quando deveria estar ajoelhada aos pés de seus irmãos".[7]

Humildade e amor são virtudes que as pessoas do mundo podem entender, se elas não compreendem doutrinas. O cristão mais pobre, o mais fraco e o mais ignorante pode todos os dias encontrar uma ocasião para praticar amor e humildade. Cristo nos ensinou a fazer isso. O que Jesus teve em mente não foi um rito externo, o lava-pés, mas uma atitude interna de humildade e vontade de servir.

Jesus, o servo onipotente

Jesus e Pedro: eficácia da salvação e santificação diária (13:6-11)

A respeito do diálogo que se estabeleceu entre Jesus e Pedro, durante o lava-pés, destacamos aqui três pontos.

Em primeiro lugar, _a perplexidade de Pedro_ (13:6). O Senhor está ajoelhado diante dos seus discípulos, lavando-lhes os pés. Eles até que poderiam lavar os pés de Jesus, como Maria, em Betânia, fizera com o caro perfume, mas Jesus lavar-lhes os pés? Pedro fica completamente tomado de perplexidade e pergunta a Jesus: _Senhor, tu me lavarás os pés a mim?_ Pedro revela nesse texto, mais uma vez, o seu temperamento ambíguo e contraditório. Num momento, ele proíbe Jesus de lhe lavar os pés; em outro momento, quer ser banhado dos pés à cabeça. Pedro não entende o que Jesus está fazendo. Ele vê, mas não compreende. Seu coração estava certo, mas sua cabeça estava completamente errada. Pedro tem mais amor do que conhecimento, mais sentimento do que discernimento espiritual. Ao mesmo tempo que chama Jesus de Senhor, diz-lhe: [...] _tu lavarás os meus pés?_ Pedro errou quanto ao estado de humilhação de Cristo e errou também quanto ao significado do ato realizado por Jesus. Ele pensou num ato literal enquanto Jesus estava apontando para uma purificação espiritual. A linguagem de Jesus aqui é a mesma do capítulo 3, quando ele fala sobre o nascimento espiritual, do capítulo 4, quando ele fala sobre a água espiritual, e do capítulo 6, quando ele fala sobre o pão espiritual. Agora Jesus fala sobre a limpeza espiritual. Pedro já havia demonstrado essa ambiguidade: confessa Jesus e depois o repreende (Mt 16:16,22). Agora, chama Jesus de Senhor e ao mesmo tempo o proíbe de lavar-lhe os pés (13:6-8). Promete ir com Jesus até a morte e então o nega três vezes (13:36-38).

Em segundo lugar, *a incompreensão de Pedro* (13:7,8). Jesus responde a Pedro que sua ação só seria compreendida por ele mais tarde. Pedro não estava, nesse momento, alcançando o significado espiritual do gesto de Jesus. Via apenas um ato físico, um serviço incompatível com a grandeza de seu mestre. Pedro precisava entender o que era ser lavado por Cristo. Jesus não estava falando sobre uma lavagem física, mas espiritual. Quem não for lavado, purificado, justificado e santificado por Cristo não tem parte com ele (1Cor 6:11). Cristo precisa lavar-nos para reinarmos com ele em sua glória. William Hendriksen diz que o significado dessa passagem é simples, porém muito profundo. "Pedro, a menos que, por meio de minha obra completa de humilhação – da qual essa lavagem de pés é apenas parte – eu o limpar de seus pecados, você não participará comigo dos frutos de meu mérito redentor".[8] Concordo com as palavras de D. A. Carson: "Os dois eventos – o lava-pés e a crucificação – são, na verdade, da mesma qualidade. O reverenciado e exaltado Messias assume a função de servo desprezado para o bem de outros".[9] Judas não estava limpo, ou seja, ele não tinha sido transformado, convertido.

Em terceiro lugar, *a súplica de Pedro* (13:9-11). Pedro pula de um extremo ao outro. Essa era uma característica de sua personalidade. Como uma gangorra, oscilava de um lado para o outro (Mt 14:28,30; 16:16,22; Jo 13:37; 18:17,25). Pedro não quer apenas que seus pés sejam lavados, mas pede um banho completo. Jesus responde que isso não era necessário. O banho (símbolo da salvação) já havia acontecido. Pedro precisava agora de purificação (símbolo da santificação). Necessitava entender que, uma vez salvo, salvo para sempre. Quem já se banhou não precisa lavar senão os pés. A salvação é uma dávida eterna. A palavra grega

Jesus, o servo onipotente

"lavar" nos versículos 5-6,8,12,14 é *nipto* e significa "lavar uma parte do corpo". Mas a palavra grega "lavar" no versículo 10 é *louo* e significa "lavar o corpo completamente".[10] A distinção é importante, porque Jesus estava ensinando aos discípulos a importância de uma caminhada santa. Quando um pecador confia em Jesus, é banhado completamente, seus pecados são perdoados (1 Co 6:9-11; Tt 3:3-7; Ap 1:5), e Deus nunca mais se lembra desses pecados (Hb 10:17). Contudo, como os crentes andam neste mundo, eles são contaminados e precisam ser purificados. Não precisam de nova justificação, mas de constante purificação. As Escrituras dizem: *Se confessarmos os nossos pecados, ele é fiel e justo para nos perdoar os pecados e nos purificar de toda injustiça* (1Jo 1:9). Quando andamos na luz, temos comunhão com Cristo. Quando somos purificados, andamos em intimidade com Cristo. Nessa mesma linha de pensamento. F. F. Bruce diz que o banho é uma referência ao cancelamento inicial do pecado e à purificação da culpa, que é recebida na regeneração, enquanto a repetida lavagem dos pés corresponde à remoção regular da impureza incidental da consciência por meio da confissão dos pecados a Deus e de uma vida de acordo com sua Palavra.[11]

Pedro precisava entender que os salvos necessitam de contínua purificação. Precisamos ser lavados continuamente e purificados das nossas impurezas. O mesmo sangue que nos lavou em nossa conversão nos purifica agora diariamente em nossa santificação. Essa verdade pode ser ilustrada pelo sacerdócio do Antigo Testamento. Em sua consagração, o sacerdote era banhado por inteiro (Êx 29:4), um ritual realizado uma só vez. No entanto, era normal que ele se contaminasse enquanto exercia seu ministério diário, de modo que precisava lavar as mãos e os pés na bacia de bronze que ficava no átrio (Êx 30:18-21). Só então ele podia entrar no santuário para cuidar das lâmpadas, comer o pão da proposição e queimar o incenso.[12]

Jesus e seus discípulos: felicidade verdadeira (13:12-17)

Concordo com Warren Wiersbe quando ele diz que a chave dessa passagem é João 13:17: *Se, de fato, sabeis essas coisas, sereis bem-aventurados se as praticardes.* A sequência é importante: humildade, santidade e felicidade. A felicidade é resultado de uma vida conduzida dentro da vontade de Deus.[13]

Jesus já havia ensinado seus discípulos acerca da humildade e do serviço, mas agora lhes dá uma lição prática. Vamos destacar a seguir três pontos nesse sentido.

Em primeiro lugar, *a lição sublime* (13:12-14). Ao terminar de lavar os pés dos discípulos, Jesus retorna à mesa e pergunta se os discípulos tinham entendido a lição. Então afirma: *Vós me chamais mestre e Senhor; e fazeis bem, pois eu o sou. Se eu, Senhor e mestre, lavei os vossos pés, também deveis lavar os pés uns dos outros.* Os discípulos tinham uma clara compreensão de quem era Jesus. Chamavam-no de mestre e Senhor. A teologia deles estava certa. Tinham-no na mais alta conta. Sabiam que ele era o próprio Filho de Deus, o Messias, o Salvador do mundo. Mas, sem deixar de ser mestre e Senhor, Jesus lhes lavou os pés. Se Jesus, sendo o maior, fez o serviço do menor, os discípulos deveriam servir uns aos outros em vez de disputar entre si quem era o maior entre eles. Jesus nocauteia aqui a disputa por prestígio e desfaz as barracas da feira de vaidades. Em vez de buscar glória para nós mesmos, devemos nos munir de bacia e toalha para servirmos uns aos outros.

Jesus, o servo onipotente

Em segundo lugar, *o exemplo supremo* (13:15,16). Jesus não foi um alfaiate do efêmero, mas o escultor do eterno. Ele não ensinou apenas com palavras, mas, sobretudo, com exemplos. O exemplo não é apenas uma forma de ensinar, mas a única forma eficaz de fazê-lo. Se o servo não é maior do que o seu senhor e se o senhor serve, então, os servos não têm desculpas para não servirem uns aos outros. Warren Wiersbe argumenta de forma correta:

O servo não é maior do que seu Senhor; assim, se o Senhor tornar-se um servo, o que é feito dos servos? Ficam no mesmo nível que o Senhor!

Ao se tornar um servo, Jesus não nos empurrou para baixo; ele nos elevou! Dignificou o sacrifício e o serviço [...]. O homem verdadeiramente grande é aquele que faz os outros se sentirem grandes, e foi isso o que Jesus fez com seus discípulos, ensinando-os a servir.[14]

Em terceiro lugar, *o resultado extraordinário* (13:17). A vida cristã não se limita ao conhecimento da verdade. O conhecimento precisa desembocar na obediência. A felicidade não está apenas em saber, mas, sobretudo, no praticar o que se sabe, pois o ser humano não é aquilo que ele sabe nem o que ele sente, mas o que ele faz. Concordo mais uma vez com Warren Wiersbe quando ele diz que é importante manter essas lições na ordem correta: humildade, santidade, felicidade. Sujeitar-se ao Pai, manter a vida pura e servir aos outros: esta é a fórmula de Deus para a verdadeira alegria espiritual.[15]

Jesus define o que é felicidade (13:17). *Bem-aventurados*, aqui, significa muito felizes. Mas quem é feliz? É aquele que serve, e serve aos mais fracos, da maneira mais humilde. Feliz é aquele que não apenas chama Jesus de mestre e Senhor, mas também imita Jesus, servindo ao próximo. Ser feliz segundo o mundo é estar acima dos outros. É ser servido por todos. Ser feliz no reino de Deus é rebaixar-se para servir aos mais fracos. A grandeza no reino de Deus não é medida por quantas pessoas nos servem, mas a quantas pessoas nós servimos. A felicidade não é um fim em si mesma, mas um subproduto de uma vida que vivemos dentro da vontade de Deus. O mundo pensa que a felicidade é resultado de outros nos servirem, mas a real felicidade é servirmos aos outros em nome de Jesus. O mundo pergunta: "Quantas pessoas servem você?" Mas Jesus pergunta: "A quantas pessoas você está servindo?" No reino de Deus, o maior é o servo de todos.

O crente não deve se envergonhar de fazer nenhuma coisa que Jesus tenha feito (13:17). Jesus deixou a glória, o céu, os anjos, o trono e veio ao mundo para servir, para servir pecadores como eu e você. Na vida cristã, não há espaço para vaidade e orgulho. Nosso rei foi servo. Ele se esvaziou. Despiu-se da sua glória. Nasceu numa manjedoura. Não tinha onde reclinar a cabeça. Cingiu-se com uma toalha. Lavou os pés de homens fracos e cheios de vaidade. Fez um trabalho próprio dos escravos. E seus discípulos deveriam fazer o mesmo.

Jesus nos ensina sobre a inutilidade do conhecimento religioso que não é acompanhado pela prática (13:17). Um conhecimento que não se traduz em trabalho, em obra, em serviço, é estéril e não pode trazer felicidade. Não basta conhecer a verdade se não somos transformados por ela. O conhecimento sem amor envaidece. A fé sem obras é morta. A doutrina sem vida é inútil. O conhecimento sem obediência nos torna mais culpados diante de Deus. O conhecimento sem prática não nos coloca acima do nível dos demônios (Mc 1:24; Tg 2:20). Satanás conhece a verdade, mas não tem nenhuma disposição para obedecer. Conhecimento sem

Jesus, o servo onipotente

prática descreve o caráter de Satanás, e não do crente. Por isso, Satanás é sumamente infeliz. Um crente feliz é aquele que não apenas conhece, mas pratica o que conhece.

Jesus e Judas Iscariotes: hipocrisia reprovável (13:18-32)

Jesus agora separa o joio do trigo, o cabrito das ovelhas, e afirma que conhece aqueles que escolheu, mas entre seus discípulos há um lobo com pele de ovelha, que é diabo, ladrão e traidor. Vamos destacar aqui alguns pontos.

Em primeiro lugar, *o conhecimento perscrutador de Jesus* (13:18-20). Jesus revela mais uma vez sua divindade, por intermédio de sua onisciência. Durante os três anos de ministério, Jesus protegeu o traidor, dando-lhe inúmeras oportunidades, mas o coração de Judas tornou-se mais e mais endurecido. Agora, chegara a hora de tirar sua máscara, e Jesus deixa claro que Judas Iscariotes não é um crente, um discípulo, um homem salvo.

Judas Iscariotes tinha sido escolhido pelo próprio Cristo no mesmo nível e ao mesmo tempo que haviam sido escolhidos Pedro, Tiago, João e os demais apóstolos. Judas Iscariotes foi escolhido depois de uma noite de oração, de acordo com a vontade de Deus, para estar com Jesus, para pregar o evangelho, para orar pelos enfermos e para expulsar demônios.

Por três anos, Judas Iscariotes andou com Cristo. Viu seus milagres e ouviu seus gloriosos ensinamentos. Viu Cristo curando os aleijados, dando vista aos cegos, purificando os leprosos e ressuscitando os mortos. Durante três anos, Judas Iscariotes viu Jesus andando por toda parte e libertando os oprimidos do diabo.

Durante três anos, Judas Iscariotes realizou a obra de Deus. Quando Jesus enviou os discípulos dois a dois, Judas

Iscariotes estava no meio deles. Ele participou do grupo dos Doze e também do grupo dos Setenta. Judas Iscariotes pregou o evangelho para os outros, orou pelos enfermos e expulsou demônios em nome de Jesus. Mas agora estamos vendo esse homem possuído pelo diabo e caminhando para a destruição. Judas Iscariotes tapa os ouvidos à voz de Cristo e abre o coração aos sussurros do diabo. Ele abrigou em seu coração as sugestões do diabo; o diabo entrou nele e o levou para o inferno. D. A. Carson ressalta que, não obstante Jesus esteja próximo de ser traído, não é uma vítima infeliz. Mesmo a deslealdade de Judas Iscariotes somente pode servir aos propósitos redentores da missão na qual Jesus foi enviado.[16]

Concordo com as palavras de F. F. Bruce:

> O próprio Senhor afirma que a Escritura tinha de se cumprir na ação de Judas (17:12). Isto não significa que Judas foi especificamente levado a este ato de traição por um decreto do destino contra o qual teria sido impossível lutar. Mesmo estando prevista a traição de Jesus por um dos seus companheiros mais chegados, foi por escolha pessoal de Judas que ele e não outro acabou desempenhando este papel.[17]

Em segundo lugar, *a angústia de Jesus* (13:21). A exposição de Judas Iscariotes diante do grupo não era motivo de alegria, mas de profunda angústia para o Filho de Deus. Judas Iscariotes perdeu a maior de todas as oportunidades. Desperdiçou todas as suas chances. Escolheu viver sob o manto da hipocrisia. Portou-se como um santo com coração demoníaco.[18] Alimentou seu coração com o veneno da avareza. Tornou-se um ladrão e traidor. E tudo isso trouxe imensa angústia para Jesus.

Em terceiro lugar, *o traidor anunciado* (13:21-25). Jesus deixa os discípulos em suspense, ao dizer: [...] *um de vós me trairá*. Jesus tinha total controle da situação. Ele não foi tomado de surpresa. Sabia exatamente o que estava acontecendo e o que iria acontecer, nos detalhes.[19] Essa informação provoca perplexidade na mente dos discípulos. Todos querem saber quem é. Pedro pede ao discípulo amado, que estava reclinado sobre o peito de Jesus, para perguntar: *Senhor, quem é?* Essa é a primeira vez em que nos é apresentado o discípulo que o evangelista destaca como aquele a quem ele amava. Ele aparece em quatro ocasiões nos últimos capítulos desse evangelho: 1) aqui, no cenáculo (13:23); 2) ao pé da cruz de Jesus (19:26); 3) diante do túmulo vazio (20:2-8); 4) no lago de Tiberíades, quando o Senhor ressurreto apareceu a sete discípulos (21:20-22).[20]

Em quarto lugar, *o traidor identificado* (13:26). Jesus responde com uma senha: É aquele a quem eu der o pedaço de pão molhado. E tendo molhado o pedaço de pão, deu-o a Judas, filho de Simão Iscariotes.

Judas Iscariotes nos mostra quão longe um homem pode ir em sua profissão religiosa sem ser convertido, quão profundamente uma pessoa pode se envolver com as coisas de Deus e ser apenas um hipócrita. Judas Iscariotes nos mostra a inutilidade dos maiores privilégios sem um coração sincero diante de Deus. Privilégios espirituais sem a graça de Deus não salvam ninguém. Ninguém é salvo por ser um líder religioso, por ocupar um lugar de destaque na denominação ou por exercer um ministério espetacular. Judas Iscariotes nos alerta sobre o perigo de ter apenas um conhecimento intelectual do evangelho, mas um coração ainda não convertido. Judas Iscariotes nos mostra que ser batizado ou ser membro de igreja não é garantia de que estamos certos diante de Deus.

Judas Iscariotes nos adverte sobre a necessidade de sondarmos o nosso coração. Judas Iscariotes amou mais o dinheiro do que sua alma. Amou mais o dinheiro do que a Jesus. Aquele não foi um deslize momentâneo na vida de Judas. Jesus já conhecia o seu coração. Jesus sabia que ele era um *diabo* (6:70). Jesus sabia que ele era ladrão (12:6). Aqui a máscara cai, e Judas Iscariotes acolhe a sugestão do diabo. Aqui, ele simplesmente evidencia de quem era servo, quem mandava em sua vida e a quem ele de fato obedecia. Ah, devemos orar continuamente para que o nosso cristianismo seja genuíno. Mesmo que nossa vida seja frágil, precisamos dizer: *Senhor, tu sabes todas as coisas e sabes que te amo*.

Judas Iscariotes é um alerta para nós sobre o perfeito conhecimento que Cristo tem de todo o seu povo. Jesus pode distinguir entre uma falsa profissão de fé e a verdadeira graça. A igreja pode ser enganada, mas Jesus não. Homens maus como Judas Iscariotes podem ocupar os postos mais altos na liderança da igreja, mas nunca enganarão Jesus. Jesus conhece aqueles a quem ele escolheu (13:18,19; 2Tm 2:19). Esse conhecimento de Jesus alerta os hipócritas sobre o arrependimento. Jesus deu todas as oportunidades para Judas Iscariotes se arrepender. Ele o chamou, o ensinou, o comissionou e lhes lavou os pés. Jesus o tratou como amigo. Deu-lhe todos os privilégios que deu aos outros discípulos. Mas o mesmo sol que amolece a cera endurece o barro. Os discípulos foram salvos; Judas pereceu.

Em quinto lugar, *o traidor endemoninhado* (13:27). Satanás, que estava por trás de todas as ações de Judas Iscariotes até aqui, agora entra nele e passa a governar suas ações até levá-lo ao suicídio. William Hendriksen destaca o fato de que Satanás havia colocado uma "sugestão maligna" no coração de Judas (13:2). Judas tinha agido com base nessa sugestão. Agora, Satanás entra no coração dele. Esse é o método que o diabo usa costumeiramente para com aqueles que não resistem a ele. Satanás toma total posse da alma do traidor. Judas Iscariotes é agora uma pessoa completamente endurecida. As advertências de Jesus não tinham recebido a devida atenção. Agora, não mais seriam dadas. Jesus nada mais tem a fazer com relação a Judas.[21]

Em sexto lugar, *o traidor desafiado* (13:27b-29). Rapidamente, Jesus despede Judas Iscariotes e ao mesmo tempo revela que ele, Senhor de todos, era plenamente senhor da situação. Todos os detalhes de sua paixão, inclusive a hora certa de cada coisa, estavam em suas mãos, e não nas mãos do traidor. Aquele não era o momento escolhido pelo Sinédrio ou por Judas Iscariotes. Por essa razão, Judas teria de trabalhar mais depressa.[22] Jesus diz para Judas não adiar mais sua intenção maligna. Sua máscara havia caído. Sua identidade fora revelada. Sua ação não podia mais ser postergada. A hora de Jesus havia chegado. Jesus declara abertamente: *Em verdade, em verdade vos digo que um dentre vós me trairá*. Ao mesmo tempo dirige-se a Judas e diz: *O que estás para fazer, faze-o depressa*.

Em sétimo lugar, *o traidor mergulhado na escuridão* (13:30). Judas Iscariotes saiu imediatamente. E era noite. Noite lá fora e também noite em seu coração. A noite trevosa da traição levou-o à noite eterna, de escuridão sem fim. A escuridão que estava em seu coração levou-o para as trevas eternas. Jesus é a luz do mundo, mas Judas rejeitou Jesus e saiu na escuridão; e, para Judas, ainda é noite! Charles Erdman é oportuno, quando escreve:

> O caráter de Judas oferece-nos o retrato mais deplorável da incredulidade que o evangelho registra. Suas oportunidades de conhecer a

Cristo foram inexcedíveis, mas resistiu à luz, alimentou o pecado da avareza, não se comoveu diante da manifestação inigualável do amor do mestre, que fora a ponto de baixar-se e lavar-lhe os pés. Agora, à mesa, Jesus lhe dá o último sinal de amizade; trava-se ali, na alma de Judas, a última batalha, porém Satanás prevalece; e ele sai para dentro da noite de sua eterna desgraça e condenação.[23]

Em oitavo lugar, *o Senhor glorificado* (13:31,32). A saída de Judas Iscariotes para entregar Jesus nas mãos dos pecadores era a senha final para o começo da Paixão. Jesus vê essa hora amarga, entrementes, como o momento de sua glorificação e da glorificação do Pai nele. Em lugar nenhum, Deus foi glorificado de modo tão puro e tão completo como no Calvário. Judas se retira. Seu caminho o leva ao sumo sacerdote. Ele conduzirá o pelotão de aprisionamento até o jardim no monte das Oliveiras e entregará Jesus.[24]

Jesus e o amor: o novo mandamento (13:33-35)

Jesus comunica aos discípulos a mais dolorosa notícia: ele partirá, e eles não poderão acompanhá-lo. Em seguida, dá-lhes um novo mandamento. Warren Wiersbe diz que, no texto original, o termo "amor" e seus correlatos são usados 12 vezes em João 1 a 12, enquanto em João 13 a 21 aparecem 44 vezes. Trata-se de um tema-chave no ensinamento de Jesus daqui para a frente.[25]

Destacamos aqui dois pontos.

Em primeiro lugar, *Jesus anuncia sua partida* (13:33). Muitos já haviam abandonado Jesus por causa de seus ensinos (6:66). Seus discípulos o abandonariam em breve (Mt 26:31,32). Mas, agora, Jesus choca os discípulos, dizendo o que dissera aos judeus. Ele partirá, e os discípulos não poderão acompanhá-lo (13:33). Pedro havia dito a Jesus: *Senhor, para quem iremos?* (6:68). Na mente dos discípulos, havia uma incógnita: "Como Jesus pode nos amar até o fim (13:1), se ele vai partir e nos deixar? Quem ama, fica", pensaram eles. Nessa hora em que Jesus vê diante de si a aflição de seus discípulos, ele emprega o termo "filhinhos".

Em segundo lugar, *Jesus dá um novo mandamento* (13:34,35). Amar ao próximo como a si mesmo não era um mandamento novo, mas uma prescrição da lei. Agora Jesus dá um novo mandamento (13:34; 15:12,17; 1Jo 3:23; 2Jo 5). Concordo com Werner de Boor quando ele diz que Jesus não está dando um 11º mandamento em acréscimo aos outros Dez Mandamentos. Pelo contrário, é um mandamento que abarca os demais, descerrando seu verdadeiro sentido.[26]

Em que sentido esse é um novo mandamento?

O mandamento é novo pelo seu exemplo (13:34). [...] *assim como eu vos amei* [...]. Jesus amou os discípulos e andou com eles. Jesus amou os discípulos e os ensinou. Jesus amou os discípulos e os exortou. Jesus amou os discípulos e os serviu. Jesus amou os discípulos e deu sua vida por eles. Jesus amou os discípulos não como a si mesmo, porém mais do que a si mesmo. Ele amou os discípulos e morreu na cruz por eles.

O mandamento é novo pela sua exigência (13:34). [...] *que também vos ameis uns aos outros*. Jesus não apenas deu sua vida pelos discípulos, mas agora ordena que os discípulos amem uns aos outros da mesma maneira como ele os amou. O apóstolo João expressa essa ideia claramente em sua epístola: *Nisto conhecemos o amor: Cristo deu sua vida por nós, e devemos dar nossa vida pelos irmãos* (1Jo 3:16).

O mandamento é novo pelo seu resultado (13:35). Jesus ensina que o amor é a apologética final, o argumento decisivo, a evidência mais robusta de que somos seus discípulos. O discípulo é aquele que transforma suas palavras em ações, e seu amor, em serviço sacrificial. Não há maior força evangelística do que a prática desse novo mandamento, o exercício do amor. Bruce Milne diz corretamente que uma comunidade amorosa é a autenticação visível do evangelho.[27] F. F. Bruce, citando Tertuliano, pai da igreja do século 2, ressalta que os pagãos diziam dos cristãos: "Vejam como eles se amam! Como estão prontos a morrer uns pelos outros!"[28] Werner de Boor acentua essa realidade:

> Quando a igreja não vive ela mesma como um povo de irmãos, no qual de fato as pessoas se amam, se suportam, se perdoam, se auxiliam e se corrigem, no qual as coisas acontecem de forma totalmente diferente do que no "mundo", então sua palavra evangelística fica sem força, sendo permanentemente refutada pela realidade deplorável da igreja. Inversamente, porém, a vida de uma comunhão humana em amor, alegria, paciência, amabilidade, bondade e brandura representa por si mesma uma poderosa evangelização, um testemunho eficaz para dentro do mundo, que em suas aflições anseia por comunhão autêntica. Numa igreja dessas torna-se visível que Jesus é verdadeiramente um Libertador e o que ele é capaz de realizar como Libertador.[29]

John Charles Ryle diz que é importante enfatizar que Jesus não está dizendo que os dons espirituais, os milagres, a ortodoxia ou o conhecimento bíblico são as marcas do verdadeiro discípulo. O discípulo de Cristo é conhecido pelo amor. Não faz sentido para as pessoas ouvirem de nós acerca de eleição, renegeração, justificação e conversão se elas não observarem em nós a prática do amor.[30]

Jesus, o servo onipotente

Jesus e Pedro: a admoestação (13:36-38)

Os discípulos estavam atordoados e muitíssimo perturbados com a comunicação de que Jesus iria deixá-los. Logo agora que a situação estava mais tensa! Eles haviam deixado tudo para segui-lo e agora ficariam sozinhos? Destacamos três pontos desse contexto.

Em primeiro lugar, *a pergunta de Pedro* (13:36). Pedro, em nome do grupo, quer saber para onde Jesus vai. Ele não quer que Jesus vá sozinho nem quer ficar órfão. Jesus dá a resposta que Pedro não queria ouvir. "Você não pode me seguir agora; só mais tarde." Pedro fica ainda mais intrigado com essa situação. Werner de Boor diz que Jesus se encaminha para a morte de cruz. Agora não é incumbência de Pedro acompanhá-lo até lá e morrer ao lado de Jesus. Isso será feito por pessoas bem diferentes (Lc 23:33). Pedro primeiro terá de percorrer praticamente sua vida inteira no serviço do Senhor até que, no final, virá também a sua cruz. Então, ele também terá compreendido que a trajetória para essa morte é o caminho para a glória. Em seu último diálogo com Pedro, Jesus lhe concede mais uma vez, com maior clareza, essa visão de seu futuro (21:18).[31]

Em segundo lugar, *a promessa de Pedro* (13:37). Pedro não tem respostas satisfatórias, mas muitas perguntas inquietantes. Já que ele não pode seguir o mestre, ele quer saber por quê. Será que o caminho seria muito difícil? Será que a hostilidade seria muito grande? Então, faz questão de declarar a Jesus a profundidade de sua lealdade, prometendo-lhe: [...] *Darei a miha vida por ti*. Pedro estava sendo sincero, mas estribado num fundamento roto. Pedro não conhecia o próprio coração. A gabolice de Pedro leva-o a considerar-se melhor do que seus pares (Mc 14:29) e a demonstrar a Jesus o maior de todos os sacrifícios. Pedro está disposto a morrer por Cristo.

Em terceiro lugar, *a negação de Pedro* (13:38). Jesus adverte Pedro, dizendo-lhe que, em vez de dar sua vida por ele, o discípulo o negaria três vezes naquela mesma noite. Jesus desmonta a autoconfiança de Pedro. Coloca abaixo toda a fortaleza de sua coragem. Anuncia que, para onde ele vai, seu discípulo mais ousado retrocederá com negação covarde e palavras de blasfêmia. Uma pergunta deve ser aqui levantada: Qual é a diferença entre o Judas que traiu Jesus e o Pedro que negou Jesus? A diferença é que Judas nunca foi convertido, e Pedro era convertido. Judas traiu Jesus deliberada, refletida e calculadamente. Ele traiu Jesus a sangue frio. Já Pedro negou Jesus num impulso, num momento de fraqueza. O pecado de Judas foi premeditado; o de Pedro não.[32]

O texto que acabamos de considerar nos ensina lições fundamentais: Diante dos privilégios, devemos agir com humildade. Diante da contaminação do mundo, necessitamos de purificação constante. Diante da vaidade do mundo, precisamos aprender que a verdadeira felicidade é servir, e não ser servido. Diante da eternidade e do destino da nossa alma, precisamos vigiar para não cair no abismo da hipocrisia. Diante dos desafios da obra, devemos amar uns aos outros. E, diante das provas da caminhada, devemos depender totalmente do Senhor.

Notas do capítulo 21

[1] WIERSBE, Warren W. *Comentário bíblico expositivo*. Vol. 5, p. 443.
[2] ERDMAN, Charles. *O evangelho de João*, p. 105.
[3] WIERSBE, Warren W. *Comentário bíblico expositivo*. Vol. 5, p. 443.
[4] HENDRIKSEN, William. *João*, p. 606.
[5] ERDMAN, Charles. *O evangelho de João*, p. 106.
[6] CARSON, D. A. *O comentário de João*, p. 462.
[7] BARCLAY, William. *Juan II*, p. 156.
[8] HENDRIKSEN, William. *João*, p. 609.
[9] CARSON, D. A. *O comentário de João*, p. 467.
[10] WIERSBE, Warren W. *Comentário bíblico expositivo*. Vol. 5, p. 445.
[11] BRUCE, F. F. *João: introdução e comentário*, p. 242-243.
[12] WIERSBE, Warren W. *Comentário bíblico expositivo*. Vol. 5, p. 445.
[13] Ibid., p. 446.
[14] Ibid.
[15] Ibid., p. 447.
[16] CARSON, D. A. *O comentário de João*, p. 471.
[17] BRUCE, F. F. *João: introdução e comentário*, p. 247.
[18] BARCLAY, William. *Juan II*, p. 161.
[19] HENDRIKSEN, William. *João*, p. 625.
[20] BRUCE, F. F. *João: introdução e comentário*, p. 248.
[21] HENDRIKSEN, William. *João*, p. 629.
[22] Ibid., p. 629-630.
[23] ERDMAN, Charles. *O evangelho de João*, p. 109.
[24] BOOR, Werner de. *Evangelho de João II*, p. 75-76.
[25] WIERSBE, Warren W. *Comentário bíblico expositivo*. Vol. 5, p. 448.
[26] BOOR, Werner de. *Evangelho de João II*, p. 76-77.
[27] MILNE, Bruce. *The message of John*, p. 206.
[28] BRUCE, F. F. *João: introdução e comentário*, p. 254.
[29] BOOR, Werner de. *Evangelho de João II*, p. 78.
[30] RYLE, John Charles. *John*. Vol. 3. Grand Rapids: Banner of the Truth Trust, 1987, p. 53.
[31] BOOR, Werner de. *Evangelho de João II*, p. 79.
[32] BARCLAY, William. *Juan II*, p. 169.

Capítulo 22

Jesus, o terapeuta da alma
(Jo 14:1-31)

O CLIMA ERA DE muita tensão. Lá fora, os principais sacerdotes, mancomunados com os fariseus, tramavam a morte de Jesus. Depois de tantos milagres e tão profundos ensinamentos, os judeus permaneciam incrédulos ou, na melhor das hipóteses, com uma fé deficiente. No recôndito do tabernáculo, Jesus confronta o orgulho de seus discípulos, lavando seus pés. Depois, desmascara Judas Iscariotes, apontando-o como traidor. Se não bastassem todos esses acontecimentos, Jesus comunica a seus discípulos que partirá e que eles não poderão segui-lo. Quando Pedro se dispõe a dar a própria vida, Jesus o admoesta dizendo que essa coragem toda se tornaria pó diante da prova, e Pedro o negaria três vezes naquela mesma noite.

Jesus estava se despedindo dos seus discípulos. Aquela era a quinta-feira do Getsêmani, a quinta-feira do suor de sangue, a quinta-feira da traição de Judas, a quinta-feira da negação de Pedro, a quinta-feira da prisão de Jesus.

D. A. Carson diz que é Jesus quem está se dirigindo para a agonia da cruz; é Jesus quem está profundamente perturbado no coração (12:27) e no espírito (13:21); todavia, nessa noite das noites, o momento crucial de todos os tempos que seria apropriado para os seguidores de Jesus lhe darem apoio emocional e espiritual, ele ainda é o único que se doa, que conforta e que instrui.[1]

Diante de tudo isso, os discípulos estão com o coração turbado. O coração aqui é o eixo em torno do qual giram os sentimentos e a fé, bem como a mola mestra das palavras e ações.[2] A alma deles é uma tempestade. É nesse contexto que Jesus se levanta como terapeuta da alma, a fim de confortá-los.

John Charles Ryle diz que coração turbado é a coisa mais comum no mundo. Esse problema atinge pessoas de todos os estratos sociais, de todos os credos religiosos e de todas as faixas etárias. Nenhuma tranca consegue manter fora de nossa vida essa dor. Um coração pode ficar turbado pelas pressões que vêm de fora ou pelos temores que vêm de dentro. Até mesmo os cristãos mais consagrados precisam beber muitos cálices amargos entre a graça e a glória.[3]

William Hendriksen diz que os discípulos estavam: a) *tristes,* em razão da iminente partida de Cristo e da esmagadora solidão que os atingia; b) *envergonhados,* em razão do egoísmo que haviam evidenciado, perguntando quem era o maior entre eles; c) *perplexos,* em razão da predição

Jesus, o terapeuta da alma

de que Judas trairia Jesus e Pedro o negaria e os demais ficariam dispersos; d) *vacilantes na fé,* pensando: "Como o Messias pode ser alguém que será traído?"; e) *angustiados,* diante das aflições, açoites, perseguições, prisões e torturas que enfrentariam pela frente.[4]

Jesus os consola, dizendo: *Não se turbe o vosso coração* (ARA). O que pode confortar um coração turbado? Como podemos encontrar consolo na hora da aflição? O texto em tela nos dá a resposta.

Colocando nossa confiança em Cristo apesar das circunstâncias (14:1)

Jesus conforta seus discípulos dizendo que, da mesma maneira que eles creem em Deus como seu refúgio no denso nevoeiro da vida, deveriam crer também em Cristo. Com isso, Jesus reafirma sua divindade. Mas o que significa crer em Jesus? A forma do verbo no indicativo e no imperativo significa: "Já que vocês confiam em Deus, continuem confiando em mim". Essa não é apenas uma fé intelectual; um assentimento racional não pode nos ajudar na hora da tempestade. Essa também não é apenas uma fé intelectual e emocional; esse é o tipo de fé dos demônios: eles creem e estremecem. Essa, finalmente, não é fé na fé.

Uma pequena fé no grande Deus vale mais do que uma grande fé no objeto errado. Muitos dizem: "Ah! Eu tenho uma grande fé". Confiam na fé que têm, e não no grande Deus. A fé em Cristo não é uma fé kierkegaardiana, um salto no escuro. Confiar em Deus e no seu Filho é crer, confessar e descansar no seu poder, na sua sabedoria, na sua providência, no seu amor e na sua salvação.

A fé em Cristo é o remédio para a doença do coração turbado. As crises vêm. Os problemas aparecem. As tempestades ameaçam. Os ventos contrários conspiram contra nós, mas "continuem crendo em mim", aconselhou Jesus. As sombras cairão sobre nós. A perseguição virá. A cruz é inevitável, mas "continuem confiando em mim", exortou Jesus. As prisões e os açoites nos alcançarão. O sofrimento e a morte nos apanharão, mas "continuem confiando em mim", instruiu Jesus. A solidão, a crise financeira, a doença, o luto, a dor, as lágrimas, os vales profundos, as noites escuras virão, mas "continuem confiando em mim", conclamou Jesus. A cruz será um espetáculo horrendo, os homens me cuspirão no rosto e me pregarão na cruz, mas "continuem confiando em mim", declarou Jesus. A fé em Jesus é o único remédio para um coração turbado. A fé olha para Jesus, e não para a tempestade. A fé ri das impossibilidades. A fé triunfa nas crises.

Sabendo que neste mundo somos peregrinos, mas o céu é o nosso lar porque Jesus voltará para nos buscar (14:2,3)

A partida de Jesus é para o bem dos discípulos. É verdade que ele está indo embora, mas está indo para preparar um lugar para eles; virá e os levará para que eles possam estar onde ele está. Concordo com as palavras de D. A. Carson: "Quando Jesus fala de ir preparar lugar, não se trata de ele entrar em cena e, depois, começar a preparar o terreno; ao contrário, no contexto da teologia joanina, é o próprio ato de ir, via cruz e ressurreição, que prepara o lugar para os discípulos".

Diante das provas, das tribulações e do sofrimento, precisamos levantar a cabeça e olhar para a recompensa final. Na jornada cristã, há sofrimento, dor e cruz, mas o fim desse caminho é a glória, o céu. A nossa leve e momentânea tribulação produz para nós eterno peso de glória.

Jesus, o terapeuta da alma

O sofrimento do tempo presente não pode ser comparado com as glórias por vir a serem reveladas em nós. Olhar para a frente, para a recompensa, para a herança imarcescível, para a pátria eterna, para o lar celestial, nos capacita a triunfar sobre as turbulências da vida.

Como Jesus descreve o céu?

Em primeiro lugar, *o céu é a casa do Pai* (14:2). O céu é onde se encontra o trono de Deus. Lá estão as hostes de anjos e a incontável assembleia dos santos glorificados. O céu é a nossa pátria. Lá está o nosso tesouro, o nosso galardão, a nossa herança incorruptível. No céu, Deus enxugará as nossas lágrimas. No céu, entoaremos um novo cântico ao Cordeiro pelos séculos dos séculos.

Os filhos de Deus estarão lá. Se o céu é a casa do Pai, significa que o céu é o nosso lar. Aqui no mundo somos estrangeiros, mas no céu estaremos em casa, na casa do Pai. O céu é lugar de segurança, pois lá não entrará maldição. Lá não há gente doente, aleijada, ferida, oprimida. Lá não há cortejo fúnebre. A casa do Pai é o lugar onde somos sempre bem-vindos. Lá ouviremos: *Vinde, benditos de meu Pai. Possuí por herança o reino que vos está preparado desde a fundação do mundo* (Mt 25:34). A casa do Pai é onde todos os filhos são tratados sem preconceito, sem acepção.

Em segundo lugar, *o céu é o lugar onde há muitas moradas* (14:2). No céu, há lugar para todos os filhos de Deus. Apocalipse 21:16 diz que a cidade celestial mede 2:200 quilômetros de largura por 2:200 quilômetros de comprimento. Essa é uma linguagem figurada para mostrar que há lugar para todos. No céu, não teremos apenas moradas, mas também morada permanente.

Em terceiro lugar, *o céu é o lugar preparado para um povo preparado* (14:3). Nós não compramos esse lugar no céu.

Nós não o merecemos. Esse lugar nos é dado como presente. É graça, pura graça. Jesus preparou esse lugar na cruz, na sua morte, ressurreição, ascensão e intercessão. Lá na cruz, Jesus abriu-nos um novo e vivo caminho para Deus. Ele é o caminho, a verdade e a vida, e ninguém pode ir ao Pai senão por ele. Ele entrou no céu como o nosso precursor. Ele entrou na glória primeiro, abrindo-nos a fila como irmão primogênito. Estamos a caminho da glória!

Em quarto lugar, *o céu é o lugar onde teremos comunhão eterna com Cristo* (14:3). A maior glória do céu é estarmos com Cristo para sempre e sempre. Vamos contemplar o seu rosto, servi-lo, exaltá-lo. A eternidade inteira não será suficiente para nos deleitarmos nele, para exaltarmos sua majestade. Cristo será o centro da nossa alegria no céu. Lá veremos Jesus como ele é. Lá não haverá dor, nem luto, nem tristeza. Lá esqueceremos as agruras desta vida. Lá não faremos perguntas. Lá nossa alegria será completa. William Barclay diz que não temos por que especular como será o céu. Basta-nos saber que estaremos com Jesus para sempre![5]

Em quinto lugar, *o céu é o lugar onde teremos plena comunhão uns com os outros* (14:3). No céu, seremos uma só família, um só rebanho, uma só igreja, uma só noiva do Cordeiro. Vamos nos conhecer. Vamos nos relacionar em pleno e perfeito amor. No céu vamos abraçar os patriarcas, os profetas, os apóstolos e os entes queridos que nos antecederam.

Jesus conforta seus discípulos dizendo-lhes que a separação é momentânea, mas a comunhão em glória será eterna, pois ele partirá, mas voltará. Duas perguntas devem ser aqui feitas.

A primeira pergunta é: *Como Jesus voltará?* (14:3). Jesus voltará certamente. Ele prometeu: "Eu voltarei. Venho

Jesus, o terapeuta da alma

sem demora. Eis que cedo venho. Vigiai para que este dia não vos apanhe de surpresa". Jesus voltará pessoalmente. O mesmo que subiu é o que voltará. Jesus voltará visivelmente. Todo olho o verá. Todas as nações se lamentarão sobre ele. Ele virá com o clangor da trombeta de Deus. Será o evento mais estupendo da História. Será o dia do fim. Jesus voltará gloriosamente. A última palavra não será do mal. A verdade triunfará sobre a mentira. O ímpio não prevalecerá na congregação dos justos, mas será disperso como a palha. A igreja triunfará com Cristo. Quando a voz do arcanjo soar e a trombeta de Deus ressoar, Cristo aparecerá nas nuvens como relâmpago, com poder e muita glória. Jesus matará o anticristo com o sopro da sua boca. Ele julgará as nações. Lançará os ímpios e o diabo no lago de fogo. Receberemos, então, um novo corpo e subiremos com ele. Oh, que consolo saber que o melhor está pela frente! Que não caminhamos para um fim triste, mas para um fim glorioso e apoteótico!

A segunda pergunta é: *Quando Jesus voltará?* (14:3). Jesus voltará inesperadamente. Muitos serão surpreendidos. Muitos não estarão vigiando. Muitos não estarão preparados (Mt 25:1-11). Muitos lamentarão amargamente por terem vivido desapercebidamente. As pessoas não se aperceberão até que ouvirão o toque da trombeta. Então, será tarde demais! Jesus virá como ladrão de noite, em hora inesperada.

Sabendo que Jesus é o caminho para Deus (14:4-6)

Jesus havia dito aos discípulos que iria partir e que eles não poderiam ir com ele (13:36). Agora, assegura que eles sabem o caminho para onde ele vai (14:4). Isso provoca uma pergunta imediata de Tomé: *Senhor, não sabemos para onde vais. Como podemos saber o caminho?* (14:5). A resposta de Jesus é uma das mais importantes declarações registradas nos Evangelhos: *Eu sou o caminho, a verdade e a vida; ninguém vem ao Pai senão por mim* (14:6). Jesus é a verdade que alimenta a nossa mente, a vida que satisfaz a nossa alma e o único caminho seguro para Deus. Nessa mesma linha de pensamento, D. A. Carson diz que Jesus é o caminho para Deus, precisamente porque ele é a verdade de Deus (1:14) e a vida de Deus (1:4; 3:15; 11:25). Jesus é a verdade porque incorpora a suprema revelação de Deus. Ele próprio é a exegese de Deus (1:18) e é corretamente chamado de Deus (1:1,18; 20:28). Jesus é a vida (1:4), aquele que tem vida em si mesmo (5:26), *a ressurreição e a vida* (11:25), *o verdadeiro Deus e a vida eterna* (1Jo 5:20). Somente pelo fato de Jesus ser a verdade e a vida, é que ele pode ser o caminho para Deus.[6]

John Charles Ryle diz que Jesus é o caminho para o céu. Ele não é apenas o guia, o mestre e o legislador como Moisés. Ele é pessoalmente a porta, a escada e a estrada através de quem nos aproximamos de Deus. Ele nos abriu o caminho da árvore da vida, que foi fechada quando Adão e Eva caíram. Pelo seu sangue, temos plena confiança para entrar na presença de Deus. Jesus é a verdade, toda a substância da verdadeira religião. Sem ele, o ser humano mais sábio está mergulhado em trevas. Jesus é toda a verdade, a única verdade que satisfaz os anseios da alma humana. Jesus é a vida. Nele estava a vida. Ele veio para trazer vida, e vida em abundância.[7]

Como o caminho, Jesus é o caminho de Deus para o ser humano – todas as bênçãos divinas descem do Pai por meio do Filho – e o caminho do ser humano para Deus. Como a verdade, ele é a realidade última em contraste com

Jesus, o terapeuta da alma

as sombras que o precederam, além de ser aquele que se opõe à mentira, a fonte fidedigna da revelação redentora, a verdade que liberta e santifica. Como a vida, Jesus é aquele que tem vida em si mesmo, é a fonte e o doador da vida, aquele que veio para que tenhamos vida em abundância.[8] Sem Cristo, não pode haver nenhuma verdade redentora, nenhuma vida eterna; portanto, nenhum caminho para o Pai.[9] Tomás à Kempis lança luz sobre essas palavras de Jesus quando escreve:

> Sigam-me. Eu sou o caminho e a verdade e a vida. Não é possível andar fora do caminho, não é possível conhecer fora da verdade, não é possível viver fora da vida. Eu sou o caminho pelo qual vocês devem andar; a verdade em que vocês devem crer; a vida na qual vocês devem pôr por esperança. Eu sou o caminho inerrante, a verdade infalível, a vida infindável. Eu sou o caminho reto, a verdade absoluta, a vida verdadeira, bendita, não criada. Se vocês permanecerem no meu caminho conhecerão a verdade, e a verdade os libertará, e tomarão posse da vida eterna.[10]

Sabendo que Jesus é o revelador do Pai (14:7-11)

Jesus diz aos discípulos que conhecê-lo é conhecer o Pai. Essa declaração levou Filipe a fazer uma pergunta: _Senhor, mostra-nos o Pai, e isso nos basta_ (14:8). Até então, os discípulos não tinham compreendido que aquele que vê Jesus vê o Pai, pois Jesus e o Pai são um. Três verdades são enfatizadas aqui por Jesus.

Em primeiro lugar, _Jesus é a exegese do Pai_ (14:7-9). Jesus já havia afirmado: _Ninguém jamais viu a Deus. O Deus unigênito, que está ao lado do Pai, foi quem o revelou_ (1:18). Agora, diz que quem o conhece, conhece o Pai (14:7), e quem o vê, também vê o Pai (14:9). Jesus é a exegese de Deus. _Nele habita corporalmente toda a plenitude_ *da divindade* (Cl 2:9). Ele é o resplendor da glória e a expressão exata do ser de Deus (Hb 1:3).

Em segundo lugar, *Jesus é o arauto do Pai* (14:10). Jesus não apenas é um com o Pai, mas é também o porta-voz do Pai. O que ele fala não fala por si mesmo, mas fala da parte do Pai. As obras que ele realiza não as realiza por si mesmo, mas as faz pelo poder do Pai.

Em terceiro lugar, *Jesus é o agente do Pai* (14:11). A evidência absoluta da unidade entre o Pai e o Filho é que o Filho realiza as mesmas obras do Pai. Ele é o agente do Pai. Ele é o Verbo criador. O Pai e ele trabalham até agora.

Sabendo que podemos buscar o Pai em oração (14:12-15)

A oração é um dos melhores remédios para um coração perturbado.[11] Falar com Deus faz bem à alma. Falar com Deus nos satisfaz! Jesus nos ensina três princípios sobre oração aqui.

Em primeiro lugar, *devemos orar com fé* (14:12). Essa declaração de Jesus tem sido mal interpretada por muitos. As maiores obras que os discípulos crentes farão não são maiores quanto à natureza das obras, mas maiores em extensão. Aqui vale o princípio de que o servo não é maior do que o seu Senhor (13:16). Nessa mesma linha de pensamento, William Hendriksen diz que, em grande parte, as obras de Cristo consistiram em milagres no reino físico, realizados principalmente entre os judeus. Quando agora ele fala em *obras maiores,* com toda probabilidade está pensando naquelas obras em conexão com a conversão dos gentios. Essas obras eram de caráter mais elevado e maiores em escala.[12]

A fé no Cristo exaltado, que está à destra do Pai, tem o governo do mundo em suas mãos e derramou sobre a igreja o seu Espírito, pode abrir-nos portas mais amplas para colhermos frutos mais abundantes do que aqueles colhidos por Cristo. No dia de Pentecostes, Pedro, com um único sermão, levou para o reino quase três mil pessoas. Nessa mesma linha de pensamento, John Charles Ryle diz que "maiores obras" significam mais conversões. Não há obra maior do que a conversão de uma alma.[13]

Warren Wiersbe aponta como óbvio que não é o cristão que realiza essas "coisas maiores"; antes, quem opera os milagres é Deus trabalhando no cristão e através dele: e *o Senhor cooperava com eles* (Mc 16:20).[14] Werner de Boor diz que a obra terrena de Jesus aconteceu antes da cruz e se encaminhou para a cruz. A obra dos discípulos parte da "exaltação de Jesus".[15]

Em segundo lugar, *devemos orar em nome de Jesus* (14:13,14). A oração com fé, endereçada a Deus, em nome de Jesus, é a chave que abre os celeiros do céu. Warren Wiersbe tem razão ao dizer que orar em nome de Jesus não é, entretanto, uma "fórmula mágica" que acrescentamos automaticamente às orações que fazemos a Deus. Significa pedir o que Jesus pediria, o que lhe agradaria e o glorificaria.[16] Não erguemos nossas orações aos céus fiados em nosso mérito, mas nos méritos infinitos de Jesus. Obviamente, esse *tudo o que pedirdes em meu nome* (14:13) não é uma fórmula mágica. Ao contrário, é tudo aquilo que é consoante à vontade de Deus, compatível com a verdade de Deus e que glorifica o nome de Deus. Não é um cheque em branco, assinado por Cristo, para ser descontado no banco celestial. Nossas orações precisam ser estribadas nos méritos de Cristo e feitas segundo a vontade de Deus. De acordo com Werner de Boor, nenhuma pessoa que ora a Jesus pode esperar que ele faça algo que contrarie sua essência.[17]

Em terceiro lugar, *devemos orar em obediência amorosa* (14:15). A vida de quem ora é a base da oração. A oração do ímpio é abominável aos olhos de Deus. As Escrituras dizem: *Até a oração de quem se desvia de ouvir a lei é detestável* (Pv 28:9). Antes de aceitar a nossa oração, Deus precisa, primeiro, aceitar nossa vida. A oração é endereçada ao Pai a quem amamos, e a prova do nosso amor a Deus é nossa amorosa obediência.

Sabendo que temos o Espírito Santo (14:16,17)

Jesus subirá para o Pai, mas o Pai, em resposta à sua oração, enviará o Espírito Santo, o outro consolador, para estar para sempre com a igreja, consolá-la em suas angústias e guiá-la pelas veredas da verdade. Quatro verdades são aqui destacadas.

Em primeiro lugar, *o Espírito Santo é o consolador semelhante a Jesus* (14:16). *E eu rogarei ao Pai, e ele vos dará outro consolador* [...]. Há duas palavras gregas para *outro*. A primeira é *heteros,* que significa "outro diferente"; e a segunda, *allos,* que significa "outro igual, da mesma substância". Em resposta à sua oração, o Pai enviará *allos parákletos, outro consolador.* O Espírito é Deus, com os mesmos atributos do Pai e do Filho. Hendriksen diz que o Espírito é *outro* consolador, e não um consolador *diferente.*[18] A palavra grega *paracletos* significa "advogado", "consolador", "a pessoa que traz para o lado a outra", a fim de ajudá-la, protegê-la e livrá-la.[19] A palavra *parákletos* é o ajudador ou defensor, um amigo no tribunal.[20] D. A. Carson diz que, no grego secular, *parakletos* significa primariamente "assistente jurídico, advogado, isto é, alguém que ajuda outra pessoa no tribunal, como advogado, testemunha ou como representante".[21]

Em segundo lugar, *o Espírito Santo é o consolador permanente dos discípulos* (14:16b). [...] *para que fique para sempre convosco.* O Espírito Santo jamais deixaria os discípulos. Daria a eles consolo, direção e poder. Nas horas mais amargas, daria consolo. Nas horas mais confusas, daria direção. Nas horas mais cruciais, daria poder.

Em terceiro lugar, *o Espírito Santo é a fonte da verdade* (14:17). O mundo não pode conhecer nem receber o Espírito Santo, pois o mundo anda enredado pelo engano, alimentado pela mentira, perdido num emaranhado de ideias. O Espírito Santo é a fonte da verdade. Ele inspirou as Escrituras e nos ilumina a mente para que as entendamos.

Em quarto lugar, *o Espírito Santo é o Deus que habita em nós* (14:17b). [...] *vós o conheceis, pois ele habita convosco e estará em vós.* No dia de Pentecostes, o Espírito Santo veio habitar no meio, ao lado e dentro dos discípulos.[22] O Deus Emanuel, "Deus conosco", voltou para o Pai, mas o Espírito Santo, o outro consolador, não apenas está conosco, mas também está em nós. Ele não veio apenas para habitar entre nós, mas, também, para morar em nós. Nosso corpo transformou-se no lugar santíssimo, no santo dos santos de sua habitação.

Sabendo que desfrutaremos o amor do Pai (14:18-24)

Antes de partir, Jesus deixou claro aos discípulos que não os deixaria órfãos nem abandonados (14:18). Conforme William Hendriksen, o que Jesus quis dizer foi o seguinte: "Minha partida não será como a de um pai cujos filhos ficam órfãos quando ele morre. No Espírito, eu mesmo estarei voltando para vocês". O Espírito revela e glorifica o Cristo, aplica seus méritos ao coração dos crentes e torna seus ensinamentos efetivos na vida deles. Portanto, quando o Espírito é derramado, Cristo verdadeiramente retorna.[23]

O Pai compartilha conosco o seu amor. Três verdades são destacadas.

Em primeiro lugar, *o amor de Deus manifestou-se nos discípulos no passado* (14:19,20). O mundo não verá mais Jesus quando ele partir, porque, mesmo tendo-o visto e ouvido, o mundo o rejeitou, mas seus discípulos o verão, porque, assim como Jesus viverá pelo poder da ressurreição, nós viveremos nele. Então, assim como o Filho está no Pai e o Pai no Filho, nós também estaremos em Jesus, e ele, em nós.

Em segundo lugar, *o amor de Deus manifesta-se aos cristãos no presente* (14:21,23,24). Aquele que ama a Jesus é o que guarda os seus mandamentos. Aquele que ama a Jesus e guarda os seus mandamentos é aquele que é amado pelo Pai. É a estes que Jesus se manifesta.

Em terceiro lugar, *o amor de Deus manifestar-se-á na volta de Jesus Cristo* (14:22). *Disse-lhe Judas, não o Iscariotes: Donde procede, Senhor, que estás para manifestar-te a nós e não ao mundo?"* Se Jesus se manifestasse ao mundo, seria para juízo, uma vez que o mundo o rejeitou. A cada dia que passa, é o Senhor exercendo sua paciência e esticando sua misericórdia, oferecendo ao mundo a oportunidade de arrepender-se.

Sabendo que podemos desfrutar a paz de Cristo (14:25-31)

Jesus, como terapeuta da alma, conclui sua mensagem de consolo falando sobre quatro verdades imporantes.

Em primeiro lugar, *o Espírito ensinador virá para nós* (14:25,26). O Espírito Santo, enviado pelo Pai em nome do Filho, ensinará aos discípulos todas as coisas e trará à memória deles tudo o que eles aprenderam de Jesus. Nas

Jesus, o terapeuta da alma

horas mais graves do cerco do adversário, o Espírito Santo trará as palavras certas, nas horas certas, aos discípulos.

Em segundo lugar, *a paz consoladora estará em nós* (14:27). MacArthur fala sobre quatro características dessa paz que Cristo dá: 1) a natureza da paz: *Deixo-vos a paz* [...]; 2) a fonte da paz: [...] *a minha paz vos dou* [...]; 3) o contraste da paz: [...] *Eu não a dou como o mundo a dá* [...]; 4) a perverança na paz: [...] *Não se perturbe o vosso coração nem tenha medo.*[24]

Jesus vai para o Pai, mas deixa com seus discípulos a sua paz. Essa paz não é a mesma paz que o mundo dá. A paz do mundo é apenas uma trégua. É apenas ausência de problemas. Concordo com D. A. Carson quando ele diz que o mundo não tem o poder de dar paz. Há tanto ódio, egoísmo, amargura, malícia, ansiedade e medo que toda tentativa na direção da paz é rapidamente submergida.[25] A paz de Cristo é alegria inefável no meio da luta. É a presença sobrenatural na fornalha. É a proteção segura na cova dos leões. É a coragem inabalável no vale da morte. A paz de Cristo é a paz que defende nosso coração e nossa mente da invasão da ansiedade. Werner de Boor diz que essa paz, como revela toda a história da Paixão, é uma paz completa em meio às piores aflições e na mais extrema escuridão dos suplícios. Durante todos os eventos amargos, desde a prisão até o último suspiro na cruz, não sai dos lábios de Jesus nem uma única palavra sem paz.[26]

Em terceiro lugar, *o Salvador virá para junto de nós* (14:28,29). Jesus disse que os discípulos deveriam se alegrar por sua volta para o Pai, pois isso desembocaria no envio do outro consolador. Isso iniciaria sua obra intercessora junto ao trono da graça (Hb 2:17,18; 4:14-16; 7:25). Warren Wiersbe afirma acertadamente: "Temos o Espírito dentro de nós, o Salvador acima de nós e a Palavra diante de nós – recursos tremendos para nos dar paz!".[27]

Quando Jesus diz: [...] *pois o Pai é maior do que eu* (14:28), ele não nega sua divindade nem sua igualdade com Deus, pois, se o fizesse, cairia em contradição (10:31). Concordo ainda com as palavras de Warren Wiersbe:

> Quando Jesus estava na terra, limitou-se, necessariamente, a um corpo humano. Em um gesto espontâneo, colocou de lado o exercício independente de seus atributos divinos e se sujeitou ao Pai. Nesse sentido, o Pai era maior do que o Filho. É evidente que, quando o Filho voltou para o céu, tudo o que havia colocado de lado lhe foi restituído (17:1,5).[28]

Em quarto lugar, *o inimigo será derrotado para nosso benefício* (14:30,31). Jesus conclui esse capítulo citando dois grandes inimigos espirituais: o mundo e o diabo. Cristo venceu o mundo e o diabo (12:31), e Satanás não tem poder sobre ele. Não há nada em Jesus Cristo que o diabo possa controlar. Uma vez que estamos "em Cristo", Satanás também não pode controlar nossa vida. Nem Satanás nem o mundo podem perturbar nosso coração.[29]

NOTAS DO CAPÍTULO 22

[1] CARSON, D. A. *O comentário de João*, p. 487.

[2] HENDRIKSEN, William. *João*, p. 647.

[3] RYLE, John Charles. *John*. Vol. 3, p. 55.

[4] HENDRIKSEN, William. *João*, p. 647.

[5] BARCLAY, William. *Juan II*, p. 174.

[6] CARSON, D. A. *O comentário de João*, p. 491.

[7] RYLE, John Charles. *John*. Vol. 3, p. 66.

[8] HENDRIKSEN, William. *João*, p. 653-654.

[9] Ibid., p. 655.

[10] KEMPIS, Tomás de. *Imitação de Cristo*. 56:1.

[11] WIERSBE, Warren W. *Comentário bíblico expositivo*. Vol. 5, p. 452.

[12] HENDRIKSEN, William. *João*, p. 660.

[13] RYLE, John Charles. *John*. Vol. 3, p. 75.

[14] WIERSBE, Warren W. *Comentário bíblico expositivo*. Vol. 5, p. 452.

[15] BOOR, Werner de. *Evangelho de João II*, p. 88.

[16] WIERSBE, Warren W. *Comentário bíblico expositivo*. Vol. 5, p. 453.

[17] BOOR, Werner de. *Evangelho de João II*, p. 89.

[18] HENDRIKSEN, William. *João*, p. 663.

[19] ERDMAN, Charles. *O evangelho de João*, p. 114.

[20] BRUCE, F. F. *João: introdução e comentário*, p. 259.

[21] CARSON, D. A. *O comentário de João*, p. 499-500.

[22] HENDRIKSEN, William. *João*, p. 667.

[23] Ibid., p. 668.

[24] MACARTHUR, John. *The MacArthur New Testament commentary – John 12-21*, p. 123-127.

[25] CARSON, D. A. *O comentário de João*, p. 506.

[26] BOOR, Werner de. *Evangelho de João II*, p. 96.

[27] WIERSBE, Warren W. *Comentário bíblico expositivo*. Vol. 5, p. 455.

[28] Ibid., p. 456.

[29] Ibid.

Capítulo 23

A intimidade com Jesus e a inimizade do mundo
(Jo 15:1–16:4)

João capítulo 14 encerra com uma decisão de Jesus de sair do lugar onde estava (14:31). Seria levantar-se da mesa onde ceavam? Seria sair do cenáculo rumo ao Getsêmani? Provavelmente não, pois João 18:1 nos informa mais claramente que ele só saiu do cenáculo rumo ao Getsêmani depois da oração sacerdotal.

Aqui está a sétima e última expressão de Jesus: *Eu sou*. Já havia dito: *Eu sou o pão da vida. Eu sou a luz do mundo. Eu sou a porta. Eu sou o bom pastor. Eu sou a ressurreição e a vida. Eu sou o caminho, a verdade e a vida. Eu sou a videira verdadeira.*

Neste texto, Jesus trata da metáfora da videira, do seu estreito relacionamento com seus discípulos e da irreconciliável inimizade que o mundo nutre por ele e por seus discípulos. D. A. Carson diz que, no Antigo Testamento, a videira é um símbolo comum para Israel, o povo da aliança de Deus (Sl 80:9-16; Is 5:1-7; 27:2ss.; Jr 2:21; 12:10ss.; Ez 15:1-8; 17:1-21; 19:10-14; Is 10:1,2). Mais notável ainda é o fato de que, sempre que o Israel histórico é referido sob essa figura, enfatiza-se o fracasso da videira em produzir bom fruto, junto com a correspondente ameaça do julgamento de Deus sobre a nação. Nesse momento, em contraste com tal fracasso, Jesus declara: *Eu sou a videira VERDADEIRA*, isto é, aquela para quem Israel apontava, aquela que produz bom fruto. Jesus, em princípio, já substituiu o templo, as festas judaicas, Moisés, vários lugares santos; nesse ponto, ele substitui Israel como o próprio local do povo de Deus. A videira verdadeira não é, portanto, o povo apóstata, e sim o próprio Jesus, e aqueles que são incorporados a ele.[1]

Charles Swindoll diz que, no capítulo 15 de João, Jesus destaca três relacionamentos vitais do cristão: 1) 15:1-11 – o relacionamento do crente com Cristo. O termo chave é "permanecer", usado 10 vezes em 11 versículos. A ênfase é união. 2) 15:12-17 – o relacionamento do crente com os demais crentes. O termo chave é "amor", usado 4 vezes em 6 versículos. A ênfase é comunhão. 3) 15:18-27 – o relacionamento do crente com o mundo. O termo-chave é "odiar", usado 7 vezes em 10 versículos. A ênfase é perseguição.[2]

Estamos ligados a Cristo, por isso precisamos produzir frutos (15:1-11)

Na metáfora da videira, Jesus mostra quão profundamente estamos ligados a ele. Hendriksen diz que essa unidade é moral, mística e espiritual.[3] A união mística com

A intimidade com Jesus e a inimizade do mundo

Cristo, ilustrada pela união entre o pastor e as ovelhas, a cabeça e o corpo, o noivo e a noiva, o fundamento e o edifício, recebe agora uma nova imagem, a videira e os ramos. Trata-se de uma união orgânica, vital, profunda.

Ao expor essa vívida metáfora, Jesus trata de quatro assuntos que enriquecem nosso entendimento acerca de nosso estreito relacionamento com ele.

Em primeiro lugar, *a videira*. Em todo o Antigo Testamento, Israel é apresentado como a videira, a vinha do Senhor. Deus a plantou e a cercou com cuidados, mas Israel produziu uvas bravas. Então, agora, Jesus diz: *Eu sou a videira verdadeira* (15:1).

Em segundo lugar, *os ramos*. Sozinho, um ramo é frágil, infrutífero e imprestável, servindo apenas para ser queimado (Ez 15:1-8). O ramo não é capaz de gerar a própria vida; antes, deve retirá-la da videira. De igual forma, é nossa união vital com Cristo que nos permite dar frutos.[4]

Em terceiro lugar, *o agricultor*. O trabalho do agricultor é cuidar da videira, a fim de que seus ramos produzam muitos frutos. Para isso, o agricultor levanta, limpa e poda os ramos. O agricultor poda os ramos de duas maneiras: a primeira é limpando e podando os ramos para que sejam renovados; a segunda, é removendo os ramos secos e sem vida para lançá-los fora e queimá-los.[5]

Em quarto lugar, *os frutos*. O propósito de uma videira não é produzir madeira nobre, lenha ou sombra, como algumas outras árvores. Tampouco a videira é uma planta ornamental. O único propósito da videira é produzir frutos. Concordo com William Hendriksen quando ele diz que esses frutos são os bons motivos, desejos, disposições (virtudes espirituais), palavras, obras – tudo isso com origem na fé, em harmonia com a lei de Deus e feito para a sua glória.[6]

O propósito precípuo de Jesus aqui é mostrar que o Pai está trabalhando na vida dos discípulos, que permanecem em Cristo, a fim de que produzam muitos frutos. Os discípulos são os ramos, e a finalidade dos ramos que permanecem ligados a Cristo é produzir frutos. Se eles não permanecem em Cristo, não fazem parte da videira, da família, da igreja, do rebanho; secam e são lançados no fogo e queimados. Deus, como viticultor, espera de nós frutos.

Nessa metáfora, Jesus falou sobre quatro tipos de ramos: 1) nenhum fruto (15:2); 2) fruto (15:2); 3) mais fruto (15:2); 4) muito fruto (15:8). Qual é a importância de produzir frutos? Jesus diz: [...] *eu vos escolhi e vos designei a ir e dar fruto, e fruto que permaneça* [...] (15:16). Estamos aqui para produzir frutos para Deus e dar glória ao seu nome através de uma vida frutífera.

Qual é o nível de produção de frutos dos cristãos?

Primeiro, *nenhum fruto* (15:2). Muitos estudiosos da Bíblia interpretam o versículo 2 desse capítulo como se um crente que não produz fruto não pudesse ser um cristão verdadeiro, ou seja, sua ligação com Cristo é apenas aparente. Esses acreditam que tais pessoas estão ligadas a Cristo apenas por um ritual ou pela membresia em uma igreja, sem jamais ter nascido de novo. São pessoas que não têm a graça de Deus no coração. A união delas com Cristo é nominal, e não real. Têm o nome de que vivem, mas estão mortas. Onde não há fruto, não há vida.

Outros, porém, interpretam que "cortar" significa que, se você não der fruto, pode perder a salvação. Mas o ponto central do versículo 2 é: *está em mim*. É impossível estar em Cristo sem ser cristão. É impossível estar em Cristo e perder a salvação.

A. W. Pink argumenta que uma tradução mais clara da palavra grega *airo* não seria "cortar", mas "tomar" ou "levantar". Esse mesmo verbo *airo* aparece com significado diferente de "cortar", como podemos ver em Mateus 14:20 ("recolher"); Mateus 27:32 ("levar") e João 1:29 ("tirar"). Na verdade, das 24 ocorrências do verbo *airo* no evangelho de João, em 8 vezes, o sentido é de "tomar ou levantar".[7]

Bruce Wilkinson diz que, tanto na literatura grega como nas Escrituras, *airo* não significa apenas "cortar", mas também "levantar".[8] Edward Robinson destaca que *airo* significa prioritariamente "levantar, erguer, elevar", como pedras (8:59), serpentes (Mc 16:18), âncoras (At 27:13).[9] Charles Swindoll, nessa mesma linha de pensamento, aponta que o verbo grego *airo*, traduzido aqui por "cortar", deve ser primariamente entendido como "levantar do chão". Embora João tenha usado o termo *airo* tanto no sentido de "cortar" (11:39; 11:48; 16:22; 17:15) como de "levantar" (5:8-12; 8:59), nossa preferência deve ser por "levantar", uma vez que um viticultor jamais corta os ramos durante a estação do crescimento. Ao contrário, ele levanta os ramos que caem e amarra-os junto aos demais. A imagem do "cortar e lançar fora" só será introduzida no versículo 6:[10]

O termo "levantar" sugere a imagem de um agricultor se abaixando para erguer um galho. É muito comum o viticultor amarrar os ramos da videira a fim de que eles não cresçam para baixo e percam sua vitalidade de produção. Os galhos novos tendem ir para baixo e a crescer perto do chão. Mas eles não produzem fruto ali. Quando os galhos crescem junto ao chão, as folhas ficam cobertas de poeira. Quando chove, ficam cheias de lama e mofam. O galho, então, adoece e fica inútil.

O que o agricultor faz com o ramo que cresce junto ao chão? Corta-o e joga-o fora? Absolutamente não! O ramo é muito valioso para ser cortado. Ele precisa ser lavado, levantado e amarrado de volta aos outros ramos, e logo começará a frutificar. Quando um cristão cai, Deus não o joga fora nem o abandona. Levanta-o, limpa-o e ajuda-o novamente a vicejar. Para o cristão, o pecado é como a sujeira que cobre as folhas da parreira. O ar e a luz não conseguem penetrar, e o fruto não se desenvolve.[11]

Como o divino viticultor nos levanta do pó? Como ele faz um galho estéril produzir fruto? A metáfora de Jesus traz a lume o importante propósito da disciplina na vida do cristão. A disciplina tem por objetivo levantar o caído a fim de que ele frutifique para a glória Deus. Embora seja um ato doloroso, é também, e sobretudo, um ato de amor. A disciplina não é agradável nem para o filho nem para o Pai, mas é a demonstração de um amor responsável. É o método de Deus para tirar o caído da esterilidade. As Escrituras dizem que Deus toma a iniciativa de corrigir os filhos que se desviam, assim como o viticultor toma as medidas necessárias para corrigir um galho desviado (Hb 12:5,6). Mostram, ainda, que o projeto de Deus na disciplina não é provocar dor, mas produzir fruto. A disciplina não precisa ser contínua. Tão logo o galho deixa de se arrastar pelo chão, tão logo o crente se arrepende, a disciplina cessa. Deus não espera que você procure a disciplina. Ele quer que você saia dela (Hb 12:11). A Palavra de Deus é decisiva em declarar que, sem disciplina não somos filhos, mas bastardos. Deus sempre disciplina aqueles que não produzem fruto. É aí que você troca o cesto vazio por cachos suculentos de uva (Hb 12:8).

A intimidade com Jesus e a inimizade do mundo

A Palavra de Deus menciona três graus da disciplina divina: 1) *A correção* (Hb 12:5). A correção ou repreensão é uma advertência verbal. Deus nos adverte por meio de sua Palavra e de sua providência. 2) *A reprovação* (Hb 12:5). A reprovação é um grau mais avançado na disciplina. Quando o filho não atende à repreensão verbal, ele é reprovado. 3) *O açoite* (Hb 12:6). Quando o filho não atende à advertência nem se corrige após ser reprovado, o próximo passo é o açoite, o chicote, o castigo físico.

Deus não descarta seus filhos. Aqueles que tropeçam e caem não são lançados fora, como coisa imprestável. É como ocorre na casa de um ferreiro. Há três tipos de ferramentas. O primeiro tipo é a sucata. São ferramentas enferrujadas, quebradas, aparentemente imprestáveis. O segundo tipo é a ferramenta que está na bigorna. O ferreiro pega a sucata e a coloca no fogo, depois a açoita na bigorna, moldando-a e afiando-a para tornar-se valorosa e útil. O terceiro tipo de ferramenta é a que está afiada e pronta para ser usada. Deus não desiste de seus discípulos, como o ferreiro não desiste da sicuta nem o viticultor desiste do ramo que caiu.

Segundo, *fruto e mais fruto* (15:2). Depois que Jesus contou aos discípulos como o viticultor cuida do ramo estéril, ele pegou um ramo que demonstrava crescimento desordenado, mas produzia apenas alguns cachos de uvas (15:2). O viticultor sabe que, para conseguir mais frutos da vide, é preciso ir contra a tendência natural da planta. Por causa da tendência da vinha em crescer vigorosamente, muitos galhos têm de ser cortados a cada ano. As parreiras podem ficar tão densas que a luz solar não alcança a área em que o fruto deve formar-se. Livre, a parreira sempre favorecerá mais crescimento de folhagem do que de uvas.

É por essa razão que o viticultor corta os brotos desnecessários, independentemente de quanto pareçam vigorosos, pois o único propósito da vinha são as uvas.[12] William Hendriksen diz com razão que o propósito dessa limpeza diária na vida dos filhos de Deus é torná-los progressivamente mais frutíferos. Aquele que produziu trinta por um provavelmente pode produzir sessenta ou até mesmo uma centena.[13]

Um viticultor usa quatro expedientes na poda: 1) remove os brotos mortos e prestes a morrer; 2) garante que o sol chegue aos galhos cheios de frutos; 3) corta a folhagem luxuriante que impede a produção de frutos; 4) corta os brotos desnecessários, independentemente de quanto pareçam viçosos. Como viticultor, Deus segue o mesmo processo conosco: ele corta as partes da nossa vida que nos roubam a vitalidade e nos impedem de frutificar. O viticultor procura tanto a quantidade quanto a qualidade.

A poda é o meio que Deus usa em nossa vida para frutificarmos mais. A disciplina tem que ver com o pecado, e a poda tem que ver com a nossa vida. A disciplina é para nos corrigir e nos levar de volta para o caminho; a poda é para sermos mais produtivos. Deus nos disciplina quando estamos fazendo algo errado; Deus nos poda quando estamos fazendo algo certo. Deus nos disciplina para darmos fruto; ele nos poda para darmos mais frutos. Na disciplina, o que precisa ser retirado é o pecado; na poda, o que precisa ser retirado é o eu.[14] A disciplina termina quando nos arrependemos do pecado; a poda só terminará quando Deus concluir sua obra em nós na glorificação.

Os cristãos mais frutíferos são aqueles que mais têm sido podados pela tesoura de Deus. Os viticultores podam as vinhas com maior frequência com o passar dos anos. Sem a poda, a planta enfraquece, a colheita diminui. Deus jamais aplicaria a poda se um método mais suave provocasse o mesmo resultado. Nem toda experiência dolorosa resulta de poda. A dor da poda vem agora, mas o fruto virá depois.

Terceiro, *muito fruto* (15:8). O segredo para a vida frutífera é permanecer em Cristo. Nesses onze versículos, o verbo "permanecer" aparece dez vezes. Esse é o pensamento central de Jesus. O segredo para uma vida transbordante não é fazer mais por Jesus, mas estar mais com Jesus. O desafio da permanência é passar dos deveres para um relacionamento vivo com Deus.

Nos comentários finais de Jesus sobre a vinha, ele desviou totalmente a atenção de seus discípulos da atividade para o relacionamento com ele. Depois da disciplina para remover o pecado, depois da poda para mudar as prioridades, agora Jesus diz que o segredo da vida abundante é permanecer nele.

Jesus é a videira, o tronco no qual o galho precisa buscar sua seiva para frutificar. Quanto maior a conexão do ramo com o tronco, maior é a capacidade de produção desse ramo. A vida, a força, o vigor, a beleza e a fertilidade do ramo estão na sua permanência no tronco. Em nós mesmos, não temos vida, nem força, nem poder espiritual. Tudo o que somos, sentimos e fazemos vem de Cristo. Ele é a fonte. Jesus disse: [...] *sem mim, nada podeis fazer* (15:5). D. A. Carson é oportuno ao registrar:

> A partir dessa vida de oração frutífera, Jesus adverte, "Meu Pai é glorificado". No quarto evangelho é mais comum o Filho ser glorificado; mas Deus também glorifica a si mesmo no Filho (12:28), e é glorificado em Jesus ou através dele (13:31; 14:13; 17:4). Desde que o

fruto dos crentes seja uma consequência da obra redentora do Filho, o resultado da vida pulsante da videira (15:4), e a resposta do Filho às orações de seus seguidores (14:13), segue-se que a frutificação deles traz glória para o Pai através do Filho. Mais precisamente, a frutificação dos crentes é parte e parcela da forma com a qual o Filho glorifica seu Pai.[15]

O propósito de Deus não é que você faça mais por ele, mas que você escolha estar mais com ele. "Permanecer" significa "ligar-se intimamente". Jesus nos ensina, aqui, oito verdades, como veremos a seguir.

1. *Permanecer em Cristo é um imperativo, e não uma opção* (15:4). Deus está mais interessado em nossa vida do que em nosso trabalho. Deus está mais interessado em relacionamento do que em atividade. Ele quer você mais do que suas obras. Permanecer não equivale a quanto você conhece de teologia, mas a quanto você tem sede de Deus. Ao permanecer, você busca, anseia, aguarda, ama, ouve e responde a Jesus. Permanecer significa ter mais de Jesus em sua vida, mais dele em suas atividades, seus pensamentos e desejos.

2. *Permanecer em Cristo é vital para a salvação* (15:6). Se um ramo não permanece na vidadeira, esse ramo não tem vida; é lançado fora, jogado na fornalha e se queima. Jesus advertiu que, se uma videira deixasse de produzir fruto, sua madeira só serviria para ser lançada no fogo (Ez 15:1-8). O fogo simboliza julgamento e atesta a inutilidade daquilo que ele consome.[16] William Hendriksen destaca os cinco elementos de punição para o homem que não está ligado a Cristo: 1) Ele é lançado fora como um ramo (3:18; 6:37). 2) Ele seca. Embora essa pessoa possa ter uma vida prolongada, ela não tem paz (Is 48:22) nem alegria (Jl 1:12). Ele

A intimidade com Jesus e a inimizade do mundo

é [...] *como árvores sem folhas nem fruto, duplamente mortas, cujas raízes foram arrancadas* (Jd 12). 3) Seus ramos são apanhados (Mt 13:30; Ap 14:18). 4) Ele é lançado no fogo (Mt 13:41,42). 5) Ele é queimado (Mt 25:46).[17]

3. *Permanecer em Cristo é vital para produzir fruto* (15:4,5). Jesus disse: [...] *O ramo não pode dar fruto por si mesmo* [...] *porque sem mim nada podeis fazer.* Fora da videira, o ramo é estéril e inútil. Contudo, quando o ramo está ligado à videira, sendo podado na hora certa, ele produz muito fruto. Mas levanta-se aqui uma questão: Qual é a natureza desse fruto? Obediência, novos convertidos, amor, caráter cristão? O propósito dos ramos é produzir muito fruto (15:5), porém o contexto nos mostra que esse fruto é consequência da oração, em nome de Jesus, e é para a glória do Pai (15:7,8,16). Concordo com D. A. Carson quando ele diz que o fruto na metáfora da videira representa tudo o que é produto de oração efetiva em nome de Jesus, incluindo a obediência aos mandamentos (15:10), a experiência da alegria (15:11), a paz (14:27), o amor de uns pelos outros (15:12) e o testemunho diante do mundo (15:16,27). Esse fruto não é nada menos que o resultado da perseverante dependência que o ramo tem da videira. Estou de acordo com as palavras de William Hendriksen: "Esperar que o homem frutifique sem que permaneça em Cristo é ainda mais estulto do que esperar que um ramo que foi cortado da videira produza uvas![18]

4. *Permanecer em Cristo é a evidência de que somos discípulos de Cristo* (15:8). Jesus disse: *Meu Pai é glorificado nisto: em que deis muito fruto; e assim sereis meus discípulos.* Uma vida frutífera é a melhor evidência para o nosso coração de que somos realmente discípulos de Cristo. Jesus disse que se conhece a árvore pelo fruto. Uma árvore boa

precisa produzir bons frutos, mais fruto (15:2) e muito fruto (15:5,8). A vitalidade da videira, Jesus Cristo, é enfatizada. Essa videira permite àqueles que nela permanecem produzir não só frutos, mas muito fruto.[19] Certa feita, Jesus estava indo para Jerusalém e teve fome. Olhou para uma figueira e viu muitas folhas. Foi procurar fruto e não achou. Aquela figueira anunciava fruto, mas não tinha fruto. Então, Jesus a fez secar. A árvore nunca mais produziu fruto. Fruto é o que o Senhor espera de nós, e não folhas. Ele não se contenta com aparência; ele quer fruto.

5. *Permanecer em Cristo é vital para experimentar o fluir do amor de Deus* (15:9). Jesus afirmou: *Como o Pai me amou, assim também eu vos amei; permanecei no meu amor.* Quando temos intimidade com Deus, sentimos quanto somos amados e então temos pressa para estar novamente na sua presença. Jesus deseja compartilhar a sua vida conosco.

6. *Permanecer em Cristo leva consigo a promessa da oração respondida* (15:7,8). A oração eficaz é fruto de um relacionamento profundo com Jesus. Ele foi claro: *Se permanecerdes em mim, e as minhas palavras permanecerem em vós, pedi o que quiserdes, e vos será concedido.* Werner de Boor diz que, quando as palavras de Jesus determinam todo o nosso comportamento e nos transformam em praticantes de seus mandamentos, preenchendo e formatando todo o nosso pensar, falar e agir, então estaremos verdadeiramente orando "em nome de Jesus" e, então, temos a promessa ilimitada de sermos atendidos.[20]

7. *Permanecer em Cristo é impossível sem obediência a ele* (15:10). *Se obedecerdes aos meus mandamentos, permanecereis no meu amor* [...]. A desobediência sempre cria uma quebra no relacionamento com Deus. Você pode sentir

A intimidade com Jesus e a inimizade do mundo

emoção num culto no domingo, mas, se continuar a ter um estilo de vida pecaminoso durante a semana, jamais terá sucesso na permanência. Aquele que diz que ama a Cristo e não lhe obedece está enganando a si mesmo.

8. *Permanecer em Cristo é o caminho para a alegria* (15:11). Eu vos tenho dito essas coisas para que a minha alegria permaneça em vós, e a vossa alegria seja plena. Quando permanecemos em Cristo, produzimos muito fruto. O Pai é glorificado. E uma alegria indizível e cheia de glória enche o nosso coração.

Somos amigos de Cristo, por isso precisamos obedecer (15:12-17)

Jesus agora lança mão de outra imagem para enfatizar o estreito relacionamento entre ele e seus discípulos. Ele sai da área agrícola para a área dos relacionamentos. Embora seus discípulos continuem sendo seus servos, passa a chamá-los de amigos (15:13). A evidência dessa amizade é o amor (15:12) e a obediência (15:14), e o propósito dessa amizade é a abundância de frutos (15:16). Destacamos aqui seis pontos importantes.

Em primeiro lugar, *o mandamento singular* (15:12,17). Jesus repete aqui a mesma ordem dada em João 13:34, quando falou sobre o novo mandamento. Mais uma vez, ele reafirma que o amor entre os discípulos precisa ter o peso do sacrifício. Quem ama se dispõe a dar sua vida pelo irmão (1Jo 3:16).

Em segundo lugar, *o exemplo supremo* (15:13). Jesus não é um teórico, blasonando do alto de sua cátedra teorias divorciadas de sua vida. Jesus não é um alfaiate do efêmero, mas o escultor do eterno. Ele exemplifica a ordem com sua prática. Mostra, por antecipação, que sua morte na cruz, em favor de seus discípulos, era o selo inviolável de seu amor. O amor não consiste apenas em palavras; não é um mero sentimento. O amor é uma ação, uma entrega, a expressão de um sacrifício. Não somos, portanto, o que falamos nem o que sentimos, mas o que fazemos. Concordo com Werner de Boor quando ele diz que quem ama se esquece de si mesmo e se empenha pelo outro. O empenho mais sublime é o da própria vida. Mas não está sendo dito aqui que Jesus empenha seu *bios* ou sua *zoe*, mas sim sua *psyche*, sua alma. Isso caracteriza a vida como existência total, pessoal.[21]

Em terceiro lugar, *a prova cabal* (15:14). *Vós sois meus amigos, se fizerdes o que vos mando.* Há diversos tipos de amizade. Há a amizade de taberna, que nada mais é do que uma reprovável parceria no pecado. Há a amizade utilitarista, que se aproxima de alguém apenas para auferir vantagens. A amizade sobre a qual Jesus está falando aqui é um relacionamento de compromisso com os mesmos valores, com os mesmos propósitos. Por isso, ninguém pode arrogar a si o privilégio de ser amigo de Jesus, sem pronta obediência às suas ordenanças. D. A. Carson esclarece esse ponto:

> Essa obediência não é o que os torna amigos; e sim o que caracteriza seus amigos. Claramente, portanto, essa "amizade" não é estritamente recíproca: esses amigos de Jesus não podem se voltar e dizer que Jesus será amigo deles se ele fizer o que eles dizem. Embora Abraão (2Cr 20:7; Is 41:8; Tg 2:23) e Moisés (Êx 33:11) sejam chamados de amigos de Deus, Deus nunca é chamado de amigo deles; ambora Jesus possa se referir a Lázaro como seu amigo (11:11), Jesus não é chamado de amigo de Lázaro. Deus e Jesus jamais são referidos nas Escrituras como o "amigo" de qualquer pessoa. Obviamente, isso não quer dizer que Deus ou Jesus seja um "não amigo": se a amizade for

A intimidade com Jesus e a inimizade do mundo

medida estritamente na base de quem ama mais, pecadores culpados não podem encontrar amigo melhor e mais verdadeiro que no Deus e Pai de nosso Senhor Jesus Cristo, e no Filho que ele enviou. No entanto, a amizade mútua e recíproca do tipo moderno não está em questão, e não pode estar sem rebaixar a Deus.[22]

Em quarto lugar, *a intimidade singular* (15:15). Está claramente demonstrado que Jesus não se satisfaz com obediência meramente servil. Seus amigos demonstram amizade quando fazem o que ele manda. Obediência é uma expressão de seu amor.[23] O amigo é diferente do servo. O servo trabalha sem que o senhor compartilhe com ele seus planos, sua obra, seus sentimentos. O amigo de Jesus tem não apenas sua palavra e sua companhia, mas também seu coração. Jesus compartilha com seus amigos tudo o que ouviu do Pai. Ele traz os anelos do coração do Pai e os divide com seus amigos. John Wesley, pensando em sua conversão, descreveu-a como o momento em que ele trocou a fé de um escravo pela fé de um filho.[24]

Em quinto lugar, *a escolha soberana* (15:16a). Nenhum discípulo pode bater no peito e exibir privilégios superiores em seu relacionamento com Jesus. Fomos escolhidos. E a escolha é fruto da graça, e não do mérito. Precisamos nos aproximar com humildade diante daquele que, inexplicavelmente, nos amou primeiro e nos separou por sua graça para sermos sua propriedade exclusiva e seus amigos achegados.

Em sexto lugar, *o propósito glorioso* (15:16b). Jesus destaca dois propósitos de nossa posição como seus amigos. O primeiro é darmos frutos que permaneçam a fim de que o Pai seja glorificado; o segundo é obtermos pleno êxito na vida de oração.

Somos amigos de Cristo, por isso o mundo nos odeia (15:18–6:4)

Tiago, irmão do Senhor, declara que quem quiser ser amigo do mundo constitui-se inimigo de Deus (Tg 4:4), e o evangelista João diz que quem amar o mundo, o amor do Pai não está nele (1Jo 2:15). Agora, Jesus deixa claro que os discípulos serão odiados pelo mundo pelo fato de serem seus amigos (15:18-20). William Barclay explica que, quando João escreveu seu evangelho, já fazia muito tempo que esse ódio contra os cristãos havia começado. O governo romano considerava os cristãos pessoas desleais ao império, uma vez que se recusavam a adorar o imperador como uma divindade. Os romanos viam na adoração ao imperador o grande elo de união desse vasto império que se estendia desde o Eufrates até a Grã-Bretanha, desde a Alemanha até o norte da África. Roma era tolerante com seus súditos. Desde que queimassem incenso ao imperador e o adorassem como *Kurios,* Senhor, podiam professar livremente sua religião. Para os cristãos, porém, Jesus era o único Senhor. O governo perseguia os cristãos porque estes insistiam que não havia outro rei além de Cristo.[25]

Nesse sentido, destacamos a seguir alguns pontos importantes.

Em primeiro lugar, *o mundo nos odeia porque pertencemos a Cristo* (15:18,19). O mundo aqui é o mundo sem Deus, organizado em oposição a Deus e, por essa razão, oposto ao seu povo.[26] Porque não somos do mundo e para fora do mundo fomos escolhidos por Cristo para sermos o seu povo, o mundo nos encara como estrangeiros e nos odeia, assim como odiou Cristo. Jesus adverte seus discípulos quanto às perseguições que deverão suportar por sua

A intimidade com Jesus e a inimizade do mundo

causa: *E sereis odiados por todos por causa do meu nome* [...] (Mt 10:22). O ódio do mundo por Jesus esteve presente desde o início do seu ministério público e nunca se extinguiu de todo.[27] Werner de Boor diz com razão que aqueles que foram convocados para o amor, os que vivem no amor uns pelos outros, esses devem, ao mesmo tempo, saber com toda a clareza que precisam viver num mundo de ódio. A primeira resposta do mundo aos discípulos de Jesus é o ódio.[28]

Em segundo lugar, *o mundo nos persegue porque somos servos de Cristo* (15:20,21). O Senhor relembra aqui o que já havia ensinado (13:16). Uma vez que o servo não é maior do que o seu senhor, e o senhor foi perseguido pelo mundo, logo nós, servos de Cristo, que agora somos seus amigos, certamente seremos também perseguidos pelo mundo. O mundo na verdade não nos odeia; odeia o nome de Cristo em nós. Odeia-nos porque não conhece Deus. Quando Saulo de Tarso foi derrubado ao chão no caminho de Damasco, a pergunta de Jesus a ele não foi: "Por que você persegue a igreja?", "Por que você persegue meus discípulos?", "Por que você persegue meus servos?" ou "Por que você persegue meus amigos?" A pergunta foi: *Saulo, Saulo, por que me persegues?* (At 9:4). Saulo perseguia Cristo na vida dos discípulos de Cristo.

Em terceiro lugar, *o mundo torna-se culpado porque ouviu o enviado de Deus e o odiou* (15:22,23). O pecado do mundo não é de ignorância, mas de rejeição consciente e afrontosa. Jesus veio, falou as palavras do Pai, gotejou em seus ouvidos a santa doutrina vinda do céu, mas, longe de receberem a mensagem com mansidão, odiaram o mensageiro com violência. O mundo odiou não apenas o Filho enviado, mas também o Pai que o enviou. Hendriksen comenta que os

João — As glórias do Filho de Deus

judeus tinham o costume de pensar que podiam chamar Deus de Pai (8:41), enquanto ao mesmo tempo criam que Jesus tinha demônio (8:48). Eles alegavam que amavam o Pai, embora seja evidente que odiavam o Filho. Mas, em vista do fato de que o Pai e o Filho são um em essência (10:30), essa atitude era impossível.[29]

Em quarto lugar, *o mundo torna-se culpado porque viu as obras do enviado de Deus e o odiou* (15:24-27). O mundo não apenas ouviu a voz de Deus por intermédio de seu Filho, mas viu suas obras portentosas, como jamais alguém no passado pudera ver. O que fez o mundo? Humilhou-se? Arrependeu-se? Não! Fechou o coração com o cadeado da incredulidade e cerrou os punhos, com ódio consumado, contra Cristo e seu Pai. Essa rejeição tão violenta, porém, aconteceu para se cumprirem as Escrituras (15:25). O homem pensa que está no controle, que é o agente da ação, mas, mesmo quando mantém a soberba fronte erguida contra Deus, está apenas fazendo o que Deus já determinou em sua soberania inescrutável.

Jesus deixa claro para os discípulos que, mesmo que o mundo tenha uma rejeição tão radical, o Espírito Santo da verdade, que ele enviará, dará pleno testemunho a seu respeito e capacitará os discípulos a fazerem o mesmo (15:26,27).

Em quinto lugar, *o mundo promove perseguição religiosa por causa de sua cegueira espiritual* (16:1-4). Quando João escreveu esse evangelho, no final do século 1, a igreja já estava sofrendo severa perseguição. Nesse tempo, todos os apóstolos já estavam mortos pelo viés do martírio. Muitos crentes da Ásia Menor, onde João morava, já haviam abandonado a fé (1:15). Nesse tempo, o apóstolo Paulo já havia sido decapitado, e Pedro, crucificado.

A intimidade com Jesus e a inimizade do mundo

Hendriksen destaca que os seguidores do Nazareno seriam excomungados da vida religiosa e social de Israel. Seriam destituídos de todas as esperanças e prerrogativas dos judeus. Seriam vistos por seus antigos amigos como piores do que os pagãos. Ficariam sem seu emprego, seriam exilados de sua família e perderiam até mesmo o privilégio de um sepultamento honroso. A linha de raciocínio poderia ser como segue: "Por acaso não nos foi ensinado desde a infância que há somente um Deus verdadeiro e que só a ele devemos adorar? Agora esses seguidores de Jesus alegam que ele também é Deus. Isso é blasfêmia que deve ser punida com a morte".[30] Concordo, entretanto, com D. A. Carson quando ele diz que o maior perigo que os discípulos enfrentarão em relação à oposição do mundo não é a morte, mas a apostasia.[31] Aqueles que perseguem a igreja julgam com isso prestar culto a Deus (16:2).

Não há nenhum radicalismo mais perigoso do que o religioso. Jesus fala que a perseguição contra os seus servos e amigos virá com um viés religioso. Eles serão expulsos das sinagogas e mortos e, com isso, julgarão estar prestando culto a Deus. Hoje estamos vendo o crescimento espantoso da cristofobia. A religião mais perseguida do mundo é a cristã. O mundo ainda odeia Cristo, por isso persegue Cristo na igreja.

João — As glórias do Filho de Deus

Notas do capítulo 23

[1] Carson, D. A. *O comentário de João*, p. 514.
[2] Swindoll, Charles. *Insights on John*, p. 255.
[3] Hendriksen, William. *João*, p. 690.
[4] Wiersbe, Warren W. *Comentário bíblico expositivo*. Vol. 5, p. 457.
[5] Ibid., p. 458.
[6] Hendriksen, William. *João*, p. 691.
[7] Pink, A. W. *Exposition of the gospel of John*. Vol. 3. Cleveland: Cleveland Bible Truth Depot, 1929, p. 337.
[8] Wilkinson, Bruce. *Segredos da vinha*. São Paulo: Mundo Cristão, 2002, p. 36.
[9] Robinson, Edward. *Léxico grego do Novo Testamento*. Rio de Janeiro: CPAD, 2012, p. 21-22.
[10] Swindoll, Charles. *Insights on John*, p. 257.
[11] Wilkinson, Bruce. *Segredos da vinha*, p. 36-37.
[12] Ibid., p. 63.
[13] Hendriksen, William. *João*, p. 692.
[14] Wilkinson, Bruce. *Segredos da vinha*, p. 67.
[15] Carson, D. A. *O comentário de João*, p. 518.
[16] Ibid.
[17] Hendriksen, William. *João*, p. 695.
[18] Ibid., p. 694.
[19] Ibid.
[20] Boor, Werner de. *Evangelho de João II*, p. 104.
[21] Ibid., p. 107.
[22] Carson, D. A. *O comentário de João*, p. 523.
[23] Hendriksen, William. *João*, p. 702.
[24] Wesley, John. *Journal*, I. London: Wesleyan Conference Office, 1872, p. 76.
[25] Barclay, William. *Juan II*, p. 204.
[26] Bruce, F. F. *João: introdução e comentário*, p. 268.
[27] João 1:5,10,11; 3:11; 5:16,18,43; 6:66; 7:1,30,32,47-52; 8:40,44,45,48,52,57,59; 9:22; 10:31,33,39; 11:50,57; 12:37-43.
[28] Boor, Werner de. *Evangelho de João II*, p. 110.
[29] Hendriksen, William. *João*, p. 710.
[30] Ibid., p. 719.
[31] Carson, D. A. *O comentário de João*, p. 531.

Capítulo 24

O ministério do Espírito Santo
(Jo 16:5-33)

O ESPÍRITO SANTO desempenha um papel importantíssimo no evangelho de João. O Espírito veio sobre Jesus em seu batismo (1:32). Nenhum indivíduo pode entrar no reino de Deus sem nascer da água e do Espírito (3:5). Jesus falou que aquele que nele crê, como dizem as Escrituras, do seu interior fluirão rios de água viva, e ainda deixou claro que essa experiência é resultado da ação do Espírito Santo (7:38,39). Reunido com seus discípulos no cenáculo, Jesus lhes apresentou o Espírito Santo como o outro consolador (14:16), o Espírito da verdade (14:17), o consolador que o Pai enviará em seu nome para ensinar os discípulos e fazê-los lembrar de seus ensinos

João — As glórias do Filho de Deus

(14:26) e o consolador que dará testemunho a seu respeito (15:26). Agora, Jesus prossegue falando sobre o Espírito Santo no capítulo 16, tratando de sua obra no mundo (16:7-11) e também na vida dos discípulos de Cristo (16:12-15). Concordo com Hendriksen quando ele diz que há uma transição gradativa da admoestação do capítulo 15 para a predição do capítulo 16. Assim como no capítulo 14 predominava o tom do "conforto" e no capítulo 15 de "admoestação", no capítulo 16 prevalece a "predição".[1]

À luz do texto em apreço, vejamos a seguir algumas lições de destaque.

A obra do Espírito Santo no mundo (16:5-11)

Jesus comunica mais uma vez sua partida para junto do Pai, que o enviou (16:5). Essa informação de sua partida tornou-se a principal causa da tristeza de seus discípulos (16:6). Jesus, porém, alerta-os sobre a necessidade de ir e até os tranquiliza dizendo que é melhor ele partir, porque dessa forma o Espírito Santo consolador virá sobre eles. Jesus deixa claro que, antes de o Espírito Santo descer, ele próprio precisa subir. O Pentecostes somente pode acontecer depois da Sexta-feira da Paixão. Apenas a ida de Jesus para a cruz e para o trono do Pai torna possível que ele envie o Espírito Santo, o consolador, aos discípulos. Dessa maneira, a saída de Jesus não apenas representa alegria para si mesmo (14:28), mas também ajuda para seus discípulos.[2] Jesus já havia dito aos discípulos que sua partida tinha o propósito de preparar-lhes lugar (14:2), capacitá-los a fazerem obras maiores (14:12), dar-lhes maior conhecimento (14:20) e chegar mais perto deles, no Espírito (14:28).

A ênfase desse parágrafo, entretanto, é sobre a obra do Espírito Santo no mundo. Três verdades são aqui enfatizadas.

O ministério do Espírito Santo

Em primeiro lugar, *a obra do Espírito Santo é convencer o mundo do pecado* (16:8,9). *E quando ele vier, convencerá o mundo do pecado* [...] *porque não creem em mim.* O maior pecado das pessoas hostis a Deus, que as condena para sempre, não são seus desvios teológicos nem seus devaneios morais, mas sua resistente incredulidade, a despeito de toda verdade que tenham ouvido e de todas as obras de Deus que tenham visto. Não faltaram ao mundo evidências eloquentes de que Jesus é o enviado de Deus para a sua salvação; nada obstante, o mundo rejeitou Cristo por causa da sua culpável incredulidade. Charles Erdman diz que Cristo é bom, santo e puro; rejeitá-lo é reconhecer-se culpado do crime de se opor à bondade, à santidade, à pureza e ao amor. Diante de Cristo apresentado na pregação, o caráter das pessoas se define. Jesus é a sua pedra de toque.[3] Nessa mesma linha de pensamento, F. F. Bruce diz que não se trata aqui da mesma coisa que às vezes é chamada de "convicção de pecado", produzida pelo Espírito no coração, que leva ao arrependimento e à fé. Não é esse o aspecto da atividade do Espírito Santo que está em tela aqui. O Espírito ao mundo dá testemunho de que o Jesus que foi rejeitado, condenado e morto pelo mundo foi recompensado e exaltado por Deus. O fato de ele ser rejeitado, condenado e executado expressou com clareza violenta a recusa do mundo em crer nele; essa incredulidade agora é exposta como pecado.[4] Werner de Boor, nessa mesma linha de pensamento, diz que o mundo tem a sua concepção de pecado e considera Jesus o pecador ímpio que merece a morte de um criminoso. O mundo também rejeita suas testemunhas e seus mensageiros como culpados que precisam ser exterminados (At 9:21). O Espírito Santo, porém, convencerá as pessoas de que, pelo contrário, precisamente essa incredulidade diante de Jesus é o pecado verdadeiro e crucial. O único pecado em que as pessoas se perdem definitivamente é a incredulidade, a rejeição daquele que trouxe o amor salvador de Deus até nós.[5]

Em segundo lugar, *a obra do Espírito Santo é convencer o mundo da justiça* (16:8,10). [...] *convencerá o mundo* [...] *da justiça, porque vou para meu Pai, e não me vereis mais*. A justiça de Deus foi plenamente manifestada ao mundo no sacrifício de Cristo na cruz. Ao se tornar nosso substituto e morrer em nosso lugar, ele cumpriu por nós cabalmente todas as demandas da lei e satisfez todos os reclamos da justiça divina. O Espírito Santo vem ao mundo para convencer o mundo dessa verdade gloriosa. Erdman esclarece esse ponto de forma vívida, quando diz que, por sua ressurreição e ascensão, Jesus provou ser um homem justo, e tudo quanto afirmou de si, com relação à divindade, foi dado como justo ou autêntico. A ressurreição e a ascensão de Jesus ainda hoje são o fundamento sobre o qual o Espírito Santo convence o mundo de que Jesus é o Cristo, o Filho de Deus.[6] D. A. Carson, nessa mesma linha de pensamento, afirma que um dos mais surpreendentes propósitos de Jesus, no que diz respeito ao mundo, era mostrar o vazio de suas pretensões e expor, com sua luz, a escuridão do mundo pelo que ela é (3:19-21; 7:7; 15:22,24). Mas agora, como Jesus está indo, essa obra de condenação do mundo continuará através do Paracleto. Ele reforça essa condenação do mundo precisamente porque Jesus não está presente para realizar a tarefa.[7]

Em terceiro lugar, *a obra do Espírito Santo é convencer o mundo do juízo* (16:8,11). [...] *convencerá o mundo* [...] *do juízo, porque o príncipe deste mundo já está condenado*. A morte, a ressurreição e a ascensão de Cristo são o julgamento legal e a derrota definitiva do diabo, o príncipe deste mundo. Jesus triunfou sobre ele na cruz. Despojou-o, venceu-o e esmagou sua cabeça. Ao pé da cruz, o diabo arregimentou as forças todas de que dispunha. E ali foi derrotado para sempre. Sua condenação foi decidida, e sua sentença foi declarada. Cada vez que Cristo é proclamado na pregação, sob o poder do Espírito Santo, Satanás sofre mais uma perda, e cada alma salva é nova prova de que o diabo está "julgado".[8]

Em resumo, temos aí o pecado do mundo, a justiça de Cristo e o julgamento de Satanás, tudo provado pelo Espírito Santo sobre a base da rejeição de Cristo, de seu triunfo na cruz e de sua ressurreição. Esses grandes fatos, quando apresentados por testemunhas, sob o poder do Espírito Santo, são infalíveis no convencimento do mundo. O primeiro e grande cumprimento dessa promessa ocorreu no dia de Pentecostes, quando Pedro, cheio do Espírito Santo, apresentou essas provas, e cerca de três mil pessoas foram convencidas de seus pecados, convertidas a Cristo e salvas.[9]

A obra do Espírito Santo nos crentes (16:12-15)

Jesus tem plena consciência de que as demais coisas reservadas para seus discípulos eles não conseguem alcançar ainda (16:12). Só quando Jesus ressuscitar e os discípulos receberem o Espírito Santo, as coisas ficarão claras para o coração deles. Jesus destaca duas obras do Espírito Santo em relação aos crentes.

Em primeiro lugar, *o Espírito Santo exerce o ministério de ensino* (16:13). O Espírito Santo é o Espírito da verdade. Jesus é a verdade (14:6), e a Palavra de Deus é a verdade (17:17). Portanto, tudo o que Espírito Santo ensina está coerentemente alinhado com a pessoa e obra de Cristo e com as Sagradas Escrituras. Não há nada mais inverossímil do que alguém afirmar que experiências místicas forâneas às Escrituras e práticas que destoam da doutrina de Cristo são movidas e inspiradas pelo Espírito Santo. Ele é o Espírito da verdade que vem para nos guiar em toda a verdade. Concordo com Hendriksen quando ele diz que a função do Espírito na Igreja é "guiar", literalmente, "mostrar o caminho". O Espírito não usa armas externas. Ele não *empurra,* mas *guia.*[10]

Em segundo lugar, *o Espírito Santo exerce o ministério do holofote* (16:14,15). Um holofote é uma luz cuja finalidade é iluminar não a si mesma, mas um alvo específico. O Espírito Santo não vem para glorificar a si mesmo, mas para glorificar Jesus. Se quisermos saber se uma pessoa está cheia do Espírito Santo, basta examinar se ela está vivendo uma vida cristocêntrica. O propósito do ministério do Espírito Santo é exaltar Jesus, anunciá-lo e torná-lo conhecido. Werner de Boor diz que, através do Espírito Santo, desenvolve-se *a iluminação do conhecimento da glória de Deus na face de Cristo* (2Co 4:6). O Filho não deseja ter outra glorificação além dessa. Quando a glória de Deus for vista em sua face, então o Filho estará maravilhosamente glorificado.[11]

A alegria triunfante da vitória sobre a morte (16:16-22)

Depois de enfatizar que o Espírito Santo virá para ensinar os discípulos e também para exaltá-lo como o enviado de Deus, Jesus passa a falar a respeito da transformação que sua ressurreição produzirá na vida deles. Destacamos aqui alguns pontos.

Em primeiro lugar, *um enigma a ser decifrado* (16:16-19). Jesus usa uma linguagem enigmática para falar aos discípulos: *Um pouco, e já não me vereis; mais um pouco, e me vereis* (16:16). Essas palavras de Jesus deixam os discípulos confusos, e eles não entendem o que Jesus quer dizer. Estaria Jesus falando sobre sua morte e ressurreição ou sobre sua ascensão e parúsia? O contexto nos leva a entender que Jesus está se referindo ao pouco tempo que existirá entre sua morte e sua ressurreição, e não ao intervalo existente entre sua ascensão e parúsia.

Em segundo lugar, *um princípio de transformação* (16:20). A morte de Cristo na cruz levará o diabo e o mundo a celebrarem uma estrondosa vitória sobre Jesus. Nesse momento, seus discípulos se entregarão ao choro e ao lamento. No entanto, a morte de Cristo não foi sua derrota, mas sua glorificação. Cristo em sua morte venceu o diabo e triunfou sobre seus inimigos em sua ressurreição. Então, os discípulos de Cristo, que estavam tristes, converterão sua tristeza em alegria. O caso aqui não é de substituição da tristeza pela alegria, mas de transformação.[12]

Em terceiro lugar, *um exemplo de transformação* (16:21). Jesus ilustra o princípio com o exemplo da mulher grávida que sofre para dar à luz, mas transforma essa dor em alegria ao ver o fruto de seu ventre. Ao nascer o filho, a mulher não se lembra mais de sua aflição. Sua tristeza é convertida em alegria. Warren Wiersbe destaca que a dor da mãe não foi substituída por sua alegria, mas foi transformada em alegria. O mesmo bebê que lhe causou dor também é o motivo de sua alegria. Deus ainda faz o mesmo, pois transforma a tribulação em triunfo e a tristeza em alegria![13]

Em quarto lugar, *uma recompensa da transformação* (16:22). Jesus aplica a lição dizendo aos discípulos que, quando eles o virem ressurreto e vitorioso, seu coração se alegrará, e essa alegria será tão robusta e duradoura que ninguém poderá tirá-la.

A oração, fonte de plena alegria (16:23-28)

Jesus já havia ensinado seus discípulos acerca da oração no cenáculo (14:12-14; 15:7,16). Agora, ensina que a oração é uma fonte de bênçãos, alegria e compreensão espiritual (16:23-28). Sua partida para o Pai não os deixará mais pobres, porém mais ricos, pois ele irá para o Pai, enviará sobre eles o Espírito Santo e, junto ao trono da graça, intercederá por eles, como sumo sacerdote e advogado. Jesus diz a eles que o Pai os ouvirá e, em seu nome, lhes suprirá todas as necessidades. Destacamos aqui três pontos.

Em primeiro lugar, *a oração é uma fonte de bênção* (16:23). Jesus não está ensinando que a oração é um cheque em branco que podemos apresentar a Deus em nome de Jesus no banco celestial. A oração tem princípios que devem ser observados. Precisa ser remetida ao Pai, em nome de Jesus, de acordo com sua vontade.

Em segundo lugar, *a oração é uma fonte de alegria* (16:24). Jesus diz que, a partir de agora, uma vez que ele vai para o Pai, os discípulos devem orar em seu nome e, ao fazê-lo, serão atendidos para que a alegria deles seja completa. A oração não é apenas um instrumento para receber o que pedimos, mas uma fonte de alegria, pois, melhor do que a dádiva de Deus, é a comunhão deleitosa com ele. A alegria em Deus é melhor do que a dádiva de Deus.

Em terceiro lugar, *a oração é uma fonte de discernimento espiritual* (16:25-28). Jesus já havia usado várias figuras com seus discípulos no cenáculo: o lava-pés, a casa do Pai, a videira, os ramos e o nascimento de uma criança. Agora, em vez de usar figuras, fala diretamente acerca do Pai. O próprio Pai os ama e responde às suas orações. Jesus termina esse parágrafo fazendo um resumo de seu ministério: *Vim do Pai para o mundo; outra vez deixo o mundo e vou para o Pai*. Aqui está a mais gloriosa promessa a respeito da oração, pois Jesus volta para o Pai como sumo sacerdote, intercedendo por nós (Rm 8:34; Hb 7:25) e também como nosso Advogado (1Jo 2:1). Warren Wiersbe diz que, na função de sumo sacerdote, Jesus nos dá graça a fim de nos guardar do pecado. Como nosso Advogado, ele nos restaura quando confessamos nossos pecados. Seu ministério no céu é o que possibilita nosso ministério de testemunho na terra, pelo poder do Espírito.[14]

Pretensão – advertência – paz (16:29-33)

Jesus está se despedindo de seus discípulos. Suas palavras tornam-se cada vez mais claras e diretas. Isso provoca a reação dos discípulos, que lhe dizem que agora estão entendendo suas palavras. Longe de parabenizá-los, Jesus adverte que eles o abandonariam, mas os conforta dizendo que eles enfrentarão aflições no mundo, mas devem ter bom ânimo, pois ele venceu o mundo. Destacamos três pontos a seguir.

Em primeiro lugar, *uma confissão confiante* (16:29,30). A declaração dos discípulos, embora confiante, foi um tanto presunçosa, pois eles abandonariam Jesus dentro de poucas horas. Mesmo depois da ressurreição de Cristo, seus discípulos ainda não demonstraram clara compreensão da natureza de seu reino (At 1:4-8).

Em segundo lugar, *uma advertência solene* (16:31,32). Jesus questiona a fé dos discípulos e adverte-os de que eles o abandonariam e seriam dispersos, mas garante-lhes que não ficará só, pois o Pai estará com ele.

Em terceiro lugar, *uma promessa consoladora* (16:33). Jesus não adverte seus discípulos para deixá-los abatidos, mas para terem paz nele. Alerta-os de que o futuro não seria marcado por amenidades, pois enfrentariam aflição no mundo. Não obstante essa aflição irremediável, os discípulos deveriam ficar firmes e ter bom ânimo, pois ele venceu o mundo. Se no mundo os discípulos terão tribulação, em Cristo os discípulos terão paz. Essa mesma vitória está ao alcance de seus discípulos. O próprio João registra isso em sua primeira carta: *Pois todo o que é nascido de Deus vence o mundo; e esta é a vitória que vence o mundo: a nossa fé. Quem vence o mundo, senão aquele que crê que Jesus é o Filho de Deus?* (1Jo 5:4,5). Concordo com Hendriksen quando ele diz que é fabuloso que, neste exato momento, quando o Homem de dores conclui seu discurso final no cenáculo, um pouco antes de trilhar o vale escuro da morte, ele se dirija a seus discípulos com estas palavras notáveis: *Não vos desanimeis![5]*

Notas do capítulo 24

[1] Hendriksen, William. *João*, p. 717-718.

[2] Boor, Werner de. *Evangelho de João II*, p. 115-116.

[3] Erdman, Charles. *O evangelho de João*, p. 121-122.

[4] Bruce, F. F. *João: introdução e comentário*, p. 273.

[5] Boor, Werner de. *Evangelho de João II*, p. 116.

O ministério do Espírito Santo

[6] ERDMAN, Charles. *O evangelho de João,* p. 122.

[7] CARSON, D. A. *O comentário de João*, p. 539.

[8] ERDMAN, Charles. *O evangelho de João,* p. 122.

[9] Ibid.

[10] HENDRIKSEN, William. *João*, p. 728.

[11] BOOR, Werner de. *Evangelho de João II*, p. 119.

[12] WIERSBE, Warren W. *Comentário bíblico expositivo.* Vol. 5, p. 469.

[13] Ibid.

[14] Ibid., p. 471.

[15] HENDRIKSEN, William. *João*, p. 748.

Capítulo 25

A oração do Deus Filho ao Deus Pai
(Jo 17:1-26)

ESSA É A ORAÇÃO mais magnífica feita aqui na terra e registrada em todas as Escrituras. Que privilégio enorme ouvir Deus, o Filho, conversar com Deus, o Pai. Aqui entramos no santo dos santos. Aqui nos curvamos para auscultar os mais profundos desejos do Filho de Deus antes de caminhar para a cruz. Charles Erdman, citando Melâncton, registra: "Nenhuma voz já se ouviu na terra, ou no céu, com maior arrebatamento, nem mais santa, mais frutífera, mais sublime, do que a do próprio Filho de Deus nesta oração".[1]

F. F. Bruce diz que, nessa oração, o Senhor consagra-se para o sacrifício em que ele é, ao mesmo tempo, sacerdote e vítima. Também é uma oração de consagração em favor daqueles por quem o sacrifício é oferecido – os discípulos que estavam no cenáculo e os que depois viriam a crer através do testemunho deles.[2] Warren Wiersbe destaca que Jesus ora por si mesmo e diz ao Pai que concluiu sua obra aqui na terra (17:1-5), ora por seus discípulos, pedindo ao Pai que os guarde e os santifique (17:6-19), e ora pela igreja inteira, para que possamos ser unidos nele e, um dia, participarmos de sua glória (17:20-26).[3]

À guisa de introdução, destacamos quatro pontos a respeito dessa passagem.

Em primeiro lugar, *a circunstância dessa oração*. Jesus acabara de pregar um sermão falando aos discípulos sobre o Pai. Agora, ele fala ao Pai sobre os discípulos. No ministério de Cristo, pregação e oração sempre andaram juntos. Aqueles que pregam devem também orar. Aqueles que falam às pessoas sobre Deus devem falar a Deus sobre as pessoas. Somente têm poder para falar às pessoas aqueles que primeiro falam com Deus. Essa oração deixa claro que Jesus foi o vencedor. Ele termina o capítulo 16 encorajando seus discípulos: [...] *não vos desanimeis! Eu venci o mundo*. John Charles Ryle, nessa mesma linha de pensamento, diz que essa é uma oração feita após o sermão aos discípulos, depois da inauguração do sacramento da ceia; é uma oração de despedida, uma oração antes do sacrifício de Jesus, uma oração intercessora.[4]

Em segundo lugar, *o conteúdo dessa oração*. Jesus fez três súplicas distintas nessa oração: ele orou por si mesmo, dizendo ao Pai que havia concluído sua obra aqui na terra (17:1-5); orou por seus discípulos, pedindo ao Pai que os guardasse e os santificasse (17:6-19); e orou por sua igreja, para que possamos ser unidos nele e, um dia, participarmos de sua glória (17:20-26).

A oração do Deus Filho ao Deus Pai

Em terceiro lugar, *o contexto imediato dessa oração*. Jesus estava no prelúdio do seu sofrimento. No cenáculo, com os discípulos, já havia instituído a ceia e partido o pão. Já havia alertado que Judas Iscariotes o trairia e que os demais se dispersariam. Já estava mergulhando nas sombras daquela noite fatídica, quando seria preso e condenado à morte.

Em quarto lugar, *a ênfase dessa oração*. William McDonald, citando Marcus Rainsford, fala sobre a ênfase da oração de Jesus. Jesus não disse nenhuma palavra contra seus discípulos nem fez referência alguma à queda ou ao fracasso deles. Jesus concentra sua oração no eterno propósito do Pai na vida dos seus discípulos e na sua relação com eles. Todas as petições de Jesus nessa oração são por bênçãos espirituais e celestiais. O Senhor não pede riquezas e honras, nem mesmo influência política no mundo, para seus discípulos. O pedido de Jesus resume-se a pedir ao Pai que os guarde do mal, que os separe do mundo, os qualifique para a missão e os traga salvos para o céu. A prosperidade da alma é a melhor prosperidade.

Podemos sintetizar a petição de Jesus em quatro áreas: salvação, segurança, santidade e unidade.

Salvação (17:1-5)

Jesus destaca quatro verdades gloriosas acerca da salvação nessa primeira parte de sua oração.

Em primeiro lugar, *o instrumento da salvação – a cruz de Cristo* (17:1). Jesus chama a atenção em sua oração para três aspectos da cruz.

A hora tinha chegado. O nascimento, a vida e a morte de Cristo não foram acidentes, mas faziam parte de uma agenda traçada na eternidade. Muitas vezes, Cristo disse que sua hora ainda não tinha chegado; mas, agora, sua hora de ir para a cruz havia chegado, e ele irá não como um derrotado, mas como um rei caminha para o trono. É na cruz que ele cumpre o plano da redenção. É na cruz que ele esmaga a cabeça da serpente. É na cruz que ele despoja os principados e potestades. É na cruz que ele revela ao mundo o imenso amor de Deus. Concluímos, portanto, que essa oração foi proferida na mesma noite de sua agonia no Getsêmani e poucas horas antes de sua paixão.

A cruz é o instrumento de glória para o Pai. A prioridade de Jesus era a glória de Deus, e sua crucificação trouxe glória ao Pai. A cruz glorificou a sabedoria, a fidelidade, a santidade e o amor do Pai. A cruz mostrou sua sabedoria em providenciar um plano no qual ele pôde ser justo e o justificador do pecador. A cruz mostrou sua fidelidade em guardar suas promessas e sua santidade em requerer o cumprimento das demandas da lei. Jesus glorificou o Pai em seus milagres (2:11; 11:40), mas o Pai foi ainda mais glorificado por meio dos seus sofrimentos e da sua morte (12:23-25; 12:31,32).

A cruz é o instrumento de glória para o Filho. A cruz glorificou sua compaixão, sua paciência e seu poder em dar sua vida por nós, dispondo-se a sofrer por nós, a se fazer pecado por nós, a se tornar maldição por nós para comprar-nos com seu sangue. Cristo não foi para a cruz como uma vítima arrastada ao altar do holocausto. Ele disse: *Ninguém a tira [a minha vida] de mim, mas eu a dou espontaneamente* (Jo 10:18). Paulo acrescentou: *[Cristo] me amou e se entregou por mim* (Gl 2:20). Concordo com as palavras de D. A. Carson: "A odiosa profanidade do Gólgota significa apenas a glorificação do Filho".[5]

Em segundo lugar, *a essência da salvação* (17:2,3). Mais uma vez, duas verdades são enfatizadas.

Jesus recebeu autoridade para dar a vida eterna (17:2). A vida eterna é uma dádiva do Pai oferecida pelo Filho. Todo aquele que nele crê tem a vida eterna. Quem nele crê não entra em juízo, mas passou da morte para a vida. Não há vida eterna fora de Jesus Cristo. Só ele pode nos conduzir a Deus. Só ele é o caminho para Deus. Só ele pode nos reconciliar com Deus. Só ele é a porta do céu.

A vida eterna é conhecer o único Deus (17:3). A vida eterna consiste em "conhecer". Conhecer aqui não é uma mera adoção de ideias corretas sobre Deus, mas um apreender essencial mediante uma entrega plena e um relacionamento vivo. Concordo com Werner de Boor quando ele diz que o "e" na frase da oração de Jesus não denota adição, juntando duas grandezas distintas. Não reconhecemos primeiro Deus e em segundo lugar Jesus Cristo, mas em Jesus encontramos o único Deus vivo e verdadeiro. Inúmeras pessoas em todo o mundo encontram em Jesus Cristo o verdadeiro Deus e, por consequência, a vida eterna.[6]

Fica, portanto, evidente que a vida eterna é mais do que um tempo interminável nos recônditos da eternidade. Bruce Milne diz corretamente que a vida eterna é, em essência, qualidade de vida em vez de quantidade de vida. Vida eterna não é essencialmente uma vida que jamais se finda, mas o conhecimento daquele que é eterno.[7] A vida eterna é um relacionamento íntimo e profundo com Deus, num deleite inefável do seu amor para todo o sempre. Não é apenas conhecimento teórico, mas relacionamento íntimo. A vida eterna é experimentar o esplendor, a alegria, a paz e a santidade que caracterizam a vida de Deus. É claro que a vida eterna não é apenas uma experiência futura, mas presente; denota existência infinda, sim, mas igualmente uma felicidade celestial.[8] A vida eterna é conhecer Deus por meio de Jesus. Ele é o mediador que veio nos reconciliar com o Pai. Deus estava em Cristo reconciliando consigo o mundo (2Co 5:18). A vida eterna não é um prêmio das obras, mas uma comunhão profunda com Jesus por toda a eternidade.

Em terceiro lugar, *a consumação da salvação* (17:4). A salvação é uma obra consumada. A salvação não é um caminho que abrimos da terra para o céu, mas o caminho que Deus abriu do céu para a terra. A salvação foi uma obra que o Pai confiou ao Filho, e ele veio e a terminou. Temos a salvação pela completa obediência de Jesus e pelo seu sacrifício vicário. Na cruz ele bradou: *Está consumado!* Não resta mais nada a fazer. Ele já fez tudo. Essa expressão significa três coisas: 1) Quando um pai dava uma missão ao filho e este a cumpria, dizia para o pai: *Tetélestai.* 2) Quando se pagava uma nota promissória, batia-se o carimbo: *Tetélestai.* 3) Quando se recebia a escritura de um terreno, escrevia-se: *Tetélestai.*

Em quarto lugar, *a recompensa da salvação* (17:5). Duas verdades são destacadas aqui.

Jesus pede para reassumir a mesma glória que tinha antes da encarnação. Cristo veio do céu, onde desfrutou glória inefável com o Pai desde toda a eternidade. Abriu mão de sua majestade e se esvaziou e se humilhou a ponto de ser chamado apenas de filho do carpinteiro. Mas, agora, ele volta para o céu e retoma seu posto de glória, de honra e de majestade. F. F. Bruce diz que a glória que ele receberá do Pai é a mesma que ele desfrutou na presença dele antes da criação, naquele "princípio" em que o Verbo era eterno com o Pai (1:2).[9] Concordo com o que Erdman escreve:

> Se desejarmos um argumento irrefutável que prove a deidade de Cristo, aí temos somente neste capítulo de João. A sublime consciência

A oração do Deus Filho ao Deus Pai

que aí revela do que era, o fato de arrogar a si o domínio do universo, a referência que faz a uma existência anterior em unidade viva com o eterno Deus, tudo isso para nós só pode provar uma das três: ou ele era louco, ou blasfemo, ou era Deus mesmo.[10]

Jesus pede que sua igreja veja a mesma glória que ele terá no céu. Vamos compartilhar a glória de Cristo (17:24). Estaremos com ele, reinaremos com ele e o veremos face a face (1Jo 3:2). Não apenas estaremos no céu, mas estaremos em tronos. Reinaremos com ele por toda a eternidade.

Segurança (17:6-14)

Três verdades são destacadas.

Em primeiro lugar, *a nossa segurança está fundamentada na eleição do Pai* (17:2,6,8,9,11,12,24). Sete vezes Jesus afirmou que os discípulos lhe foram dados pelo Pai. Não apenas Jesus é o presente de Deus para a igreja; a igreja é o presente do Pai para Jesus. Não fomos nós que encontramos Deus; foi ele que nos encontrou. Não fomos nós que inicialmente amamos a Deus; foi ele que nos amou primeiro. Não fomos nós que escolhemos Deus; foi ele que nos escolheu. Não fomos nós que chegamos a Cristo; foi o Pai que nos levou até ele. A segurança da nossa salvação não está fundamentada no nosso caráter, mas no caráter de Deus e na obra perfeita de Cristo. É ele quem nos guarda. É ele quem nos livra. É ele quem nos salva, nos conduz e nos leva para o céu. Jesus deixou claro que aqueles que o Pai lhe dá, esses é que vêm a ele, e aqueles que vêm a ele, de maneira alguma os lançará fora (6:37-40).

Em segundo lugar, *a nossa segurança está baseada no cuidado de Cristo* (17:12). Jesus é o bom pastor que deu sua vida pelas ovelhas. Ele cuida das suas ovelhas e as conduz ao céu. Jesus guardou e protegeu seus discípulos, e nenhum deles se perdeu, exceto o filho da perdição. Por que Jesus não guardou Judas? Pelo simples motivo de que Judas nunca pertenceu a Cristo. Jesus guardou fielmente todos os que o Pai lhe deu, mas Judas nunca lhe foi dado pelo Pai. Judas não cria em Jesus Cristo (6:64-71), não havia sido purificado (13:11), não estava entre os escolhidos (13:18) e não havia sido entregue a Cristo (18:8,9). Judas não é, de maneira alguma, um exemplo de cristão que "perdeu a salvação". Antes, ele exemplifica um incrédulo que fingiu ser salvo e, no final, foi desmascarado. Se Jesus pôde guardar e proteger seus discípulos em seu corpo de humilhação, quanto mais em seu corpo de glória. Se ele pôde guardar seus discípulos enquanto viveu na terra, quanto mais pode nos guardar entronizado à destra do Pai em seu trono de glória!

Em terceiro lugar, *a nossa segurança está baseada na intercessão de Cristo* (17:9,11,15,20). Cristo orou pelos discípulos. Nas suas diversas dificuldades, Jesus intercedeu por eles. Orou por eles quando estavam passando por uma avassaladora tempestade (Mt 14:22-33). Orou por Pedro quando este estava sendo peneirado pelo diabo (Lc 22:31,32). Agora ora por eles antes de ir para o Getsêmani.

Jesus fez dois pedidos fundamentais em favor dos discípulos.

Que eles fossem guardados do mundo (17:14). O mundo é o sistema que se opõe a Deus. O mundo odeia os discípulos. Os discípulos precisam ser guardados para não serem tragados pelo mundo. Demas, tendo amado o mundo, abandonou a fé (2Tm 4:10).

Que eles fossem guardados do maligno (17:15). O mal aqui seria mais bem traduzido por "maligno", como na oração

A oração do Deus Filho ao Deus Pai

do Senhor (Mt 6:13). O maligno é um inimigo real. Ele entrou em Judas e o levou pelo caminho da morte. Paulo diz que ele cega o entendimento dos incrédulos (2Co 4:4). Paulo diz que devemos ficar firmes contra as ciladas do diabo (Ef 6:11). E Pedro afirma que o diabo anda ao nosso redor buscando a quem possa devorar (1Pe 5:8). Paulo pede que não lhe ignoremos os desígnios (2Co 2:11). A Bíblia assevera que Jesus está à destra de Deus e intercede por nós (Rm 8:34). E ainda diz que podemos ter segurança de salvação, porque ele vive para interceder por nós no céu (Hb 7:25).

Santidade (17:15-20)

A nossa entrada no céu será inteiramente pela graça, e não pelas obras, mas o céu em si mesmo não seria deleitoso para nós sem um caráter santo. Nosso coração deve estar sintonizado no céu antes de nos deleitarmos nele. Somente o sangue de Cristo nos capacita a entrar no céu, mas somente a santidade nos capacita a regozijar-nos nele. A esse respeito, destacamos dois pontos importantes.

Em primeiro lugar, *somos santificados pela Palavra de Deus* (17:8,14,17). Cristo nos transmitiu a Palavra (17:8) e nos deu a Palavra (17:14). A Palavra de Deus é a dádiva de Deus para nós. Sua origem é divina, uma dádiva preciosa do céu. Agora, somos santificados pela Palavra (17:17). A Palavra é a verdade, e não apenas contém a verdade (17:17). Ela é o instrumento da nossa santificação (17:17). Sem o conhecimento da Palavra, não há crescimento espiritual. Dwight Moody escreveu na capa de sua Bíblia: "Este livro afastará você do pecado ou o pecado afastará você deste livro". Jesus já havia ensinado: *Vós já estais limpos pela palavra que vos tenho falado* (15:3).

A Palavra é a arma da vitória. É a espada do Espírito. De que maneira a Palavra de Deus nos permite vencer o mundo? Ela nos dá alegria (17:13). A alegria do Senhor é a nossa força (Ne 8:10). A Palavra nos dá a certeza do amor de Deus (17:14). O mundo nos odeia, mas o Pai nos ama. O mundo deseja tomar o lugar do amor do Pai em nossa vida (1Jo 2:15-17). A Palavra nos transmite o poder de Deus para vivermos uma vida santa (17:17). É o instrumento pelo qual Deus chama as pessoas à salvação (17:20). A igreja não cria a mensagem; ela a proclama. Não é o conhecimento da igreja, a eloquência do pregador ou os métodos que usamos, mas é o poder da Palavra de Deus que leva o ser humano a Cristo. Hoje somos chamados de geração Coca-Cola, geração Internet, geração *shopping center* e também geração analfabeta da Bíblia.

Em segundo lugar, *somos santificados pelo correto relacionamento com o mundo*. Cinco verdades são aqui enfatizadas.

Não somos do mundo (17:14,16). Não somos do mundo. Nascemos de cima, do alto, do Espírito. Nossa origem é do alto. Devemos buscar as coisas lá do alto. Jesus disse: *Se o mundo vos odeia, sabei que primeiramente odiou a mim. Se fôsseis do mundo, o mundo amaria o que era seu. Mas o mundo vos odeia porque não sois do mundo; pelo contrário, eu vos escolhi do mundo* (15:18,19). F. F. Bruce diz com exatidão que os discípulos foram dados pelo Pai a Cristo, procedentes "do mundo" (17:6), mas eles "não são do mundo" (17:14,16), apesar de "continuarem no mundo" (17:11) e não serem imediatamente tirados dele (17:15). Eles permanecem no mundo não porque lhes falte outra saída; eles são, em termos positivos, enviados de

A oração do Deus Filho ao Deus Pai

volta ao mundo como representantes e mensageiros do seu mestre.[11]

Somos odiados pelo mundo (17:14). O mundo nos odeia porque pertencemos a Cristo. A Bíblia afirma que quem se faz amigo do mundo constitui-se em inimigo de Deus (Tg 4:4). Diz ainda que quem ama o mundo, o amor do Pai não está nele (1Jo 2:15). O apóstolo Paulo destaca que não podemos nos conformar com este mundo (Rm 12:2).

Somos chamados do mundo (17:19). Jesus se separou para salvar os discípulos, e agora devemos nos santificar para ele. A palavra "santificar" significa "separar". Essa separação não é geográfica, mas moral e espiritual.

Estamos no mundo, mas somos guardados do mundo (17:11,15). Santidade não equivale a isolamento. Não tem que ver com geografia e espaço. Não é isolar-se entre quatro paredes ou em guetos e perder o contato com as pessoas. Precisamos estar presentes no mundo como sal e luz. Precisamos influenciar, pois somos o perfume de Cristo. Precisamos estar presentes, pois somos a carta de Cristo lida por todos os homens. Contudo, estamos no mundo como luzeiros. Estamos no mundo a fim de apontar o rumo para Deus. O objetivo da fé cristã jamais foi apartar o ser humano da vida, mas capacitá-lo para enfrentá-la vitoriosamente. Cristo não nos oferece escapes, mas poder para o enfrentamento. Oferece não uma paz fácil, mas uma luta triunfante. John Stott está certo ao dizer que a igreja tem uma dupla responsabilidade em relação ao mundo a seu redor. Por um lado, devemos viver, servir e testemunhar no mundo. Por outro, devemos evitar nos contaminar por ele. Assim, não devemos preservar nossa santidade fugindo do mundo, nem sacrificá-la nos conformando a ele.[12]

Somos enviados de volta ao mundo (17:18) Jesus nos deu uma missão e uma estratégia. Devemos ir ao mundo como Cristo veio ao mundo. Ele "tabernaculou" conosco. Fez-se carne. Ele foi amigo dos pecadores. Recebeu os escorraçados, abraçou os indignos de ser abraçados, tocou os leprosos, hospedou-se com publicanos. Sua santidade não o isolou, mas atraiu os pecadores para serem salvos. Isso foi explicado com eloquência por Michael Ramsay: "Nós declaramos e recomendamos a fé à medida que saímos e penetramos nas dúvidas dos duvidosos, nas perguntas dos questionadores e na solidão daqueles que perderam o rumo".[13]

Unidade (17:21-26)

Quão doloroso tem sido o fato de que divisões, contendas e desavenças na igreja têm provocado escândalos diante do mundo e enfraquecido a igreja de Cristo. Não raro, muitos cristãos têm empregado sua energia contendendo uns contra os outros, em vez de lutarem contra o pecado e o diabo. William Barclay é peremptório quando escreve: "As igrejas que competem entre si não podem evangelizar o mundo".[14]

A unidade sobre a qual Jesus está falando não é externa. Não é unidade de organização nem unidade denominacional. Jesus também não está falando sobre ecumenismo. A ideia de unir todas as religiões, afirmando que a doutrina divide, mas o amor une, é uma falácia. Não há unidade fora da verdade (Ef 4:1-6). Nessa mesma linha de pensamento, William Hendriksen diz que Jesus não está pedindo que algum dia todas as denominações se tornem uma única e grande denominação, pois nesse tempo nem havia denominações. Jesus está pedindo que os discípulos sejam constantemente um na posição deles contra o mundo; em

A oração do Deus Filho ao Deus Pai

outras palavras, que permaneçam sempre unidos em amor e na defesa da verdade.[15]

A unidade da igreja é sobrenatural, tangível e evangelizadora. Os discípulos, porém, mostraram um espírito de egoísmo, competitividade e desunião. Thomas Brooks escreveu: "A discórdia e a divisão não condizem com cristão algum. Não causa espanto os lobos importunarem as ovelhas, mas uma ovelha afligir outra é contrário à natureza e abominável".

Quais são as razões para a igreja buscar a unidade?

Em primeiro lugar, *porque Jesus pediu isso ao Pai* (17:11, 20,21,22). Jesus só tem uma igreja, um rebanho, uma noiva. A unidade da igreja é o desejo expresso de Jesus, o alvo da sua oração, a expressa vontade do Pai. Werner de Boor tem razão ao dizer que Jesus não considera a unidade organizacional, que pode ser mantida com instrumentos de poder, nem a unidade de ideias afins ou uma coligação com base em sentimentos convergentes. A unidade que Jesus pede para a igreja tem como paradigma e origem a unidade do Pai e do Filho no Espírito Santo.[16]

Em segundo lugar, *por causa da nossa origem espiritual* (17:21). Se nós somos filhos de Deus e membros de sua família, não podemos viver em desunião. Não há desarmonia entre o Pai e o Filho. Nunca houve tensão nem conflito entre a vontade do Pai e a do Filho. Se nascemos de Deus, se nascemos do Espírito, se somos coparticipantes da natureza divina e se Jesus é o nosso Senhor, não podemos viver brigando uns com os outros. Não estamos disputando uns com os outros. Somos irmãos, filhos do mesmo Pai. Nossa origem espiritual nos compele a buscar a unidade, e não a desunião (Fp 2:1,2). William Hendriksen corrobora esse pensamento quando diz que a unidade é de uma natureza definitivamente espiritual. Na verdade, Pai, Filho e Espírito Santo são um *em essência;* os crentes, por outro lado, são um em mente, esforço e propósito. Além do mais, existe mais aqui do que a mera comparação entre a unidade de todos os filhos de Deus, por um lado, e a unidade das pessoas da Santa Trindade, do outro. A última não é meramente *um modelo;* é o *fundamento* da primeira; torna a primeira possível. Somente as pessoas que nasceram de cima, e estão no Pai e no Filho, são também espiritualmente um e oferecem oposição conjunta ao mundo.[17]

Em terceiro lugar, *por causa da nossa missão no mundo* (17:21,23). O mundo perdido não é capaz de ver Deus, mas pode ver os cristãos. Se o mundo enxergar amor e harmonia nos cristãos, crerá que Deus é amor. Se enxergar ódio e divisão, rejeitará a mensagem do evangelho. As igrejas que competem entre si não podem evangelizar o mundo, mas prestam um desserviço à causa do evangelho. A unidade da igreja é a apologética final, o argumento irresistível. O maior testemunho da igreja é a comunhão entre seus irmãos, é o amor com que eles se amam. Jesus disse que a prova definitiva do discipulado é o amor (Jo 13:34,35). Inversamente, porém, toda a desunião dos discípulos dificulta a fé em Jesus, diz Werner de Boor.[18]

Não há evangelização eficaz sem a unidade da igreja. Não temos autoridade para pregar arrependimento ao mundo se estamos travando batalhas internas dentro da igreja. Alguns cristãos, em lugar de serem testemunhas fiéis, são advogados de acusação e juízes e, com isso, afastam os pecadores do Salvador.

Jesus falou sobre três níveis do amor: o amor ao próximo, o amor sacrificial e o amor da Trindade. É esse amor trinitariano que ele pede que haja entre os crentes. Ilustro essa verdade com um fato da vida agrícola. A batata inglesa é um tubérculo. Quando se arranca um pé de batatas, há muitas batatas em cada pé. Elas estão juntas, mas não são uma unidade. Há batatas maiores e outras menores. Há batatas mais lisas e outras mais ásperas. Depois de colhê-las, o agricultor as coloca num saco e as vende no mercado. Elas estão comprimidas num vasilhame, mas não são uma unidade. O vendedor as distribui na banca do supermercado, e o comprador escolhe as que mais lhe apetece e as leva para casa, onde as coloca numa gaveta da geladeira, mas elas ainda não são uma unidade. Ainda há algumas batatas maiores que outras, mais lisas que outras. A cozinheira, então, pega as batatas, cozinha-as, corta-as e faz delas um purê. Aí, sim, elas se tornam uma unidade. Agora é impossível distinguir umas das outras, separar umas das outras. Elas são uma unidade. Essa unidade em amor é que deve existir entre os filhos de Deus!

Em quarto lugar, *por causa do nosso destino eterno* (17:24-26). Jesus pede ao Pai que os discípulos vejam sua glória e estejam no céu com ele. Se vamos estar no céu, se vamos morar juntos por toda a eternidade, como podemos afirmar que não podemos conviver uns com os outros aqui? Precisamos aprender a viver como família de Deus desde já, pois vamos passar juntos toda a eternidade.

Essa parte da oração é cheia de doçura e conforto indizível. Nós não vemos Cristo agora. Nós lemos sobre ele, ouvimos dele, cremos nele e descansamos nossa alma em sua obra consumada. Mas aqui ainda andamos pela fé, e não pela vista. Contudo, em breve, estaremos no céu com Jesus e, então, essa situação vai mudar. Então, veremos Cristo face a face. Então, nós o veremos como ele é. Então, conheceremos como também somos conhecidos.

Se já temos alegria indizível andando pela fé, quanto mais quando estivermos na glória com ele, num corpo glorificado, junto àquela gloriosa assembleia de santos. Paulo diz: [...] *e assim estaremos para sempre com o Senhor* (1Ts 4:17). E recomenda: *Portanto, consolai-vos uns aos outros com essas palavras* (1Ts 4:18). Estou de pleno acordo com o que escreveu Charles Erdman: "A oração de Jesus atinge o seu ponto culminante nessa rogativa pela glória futura da igreja. Naturalmente, os crentes já desfrutam uma glória no presente. Há, porém, uma felicidade maior em depósito para eles no futuro – uma visão real do Cristo da glória e uma participação efetiva dessa glória inefável".[19]

NOTAS DO CAPÍTULO 25

[1] ERDMAN, Charles. *O evangelho de João,* p. 125.
[2] BRUCE, F. F. *João: introdução e comentário,* p. 279.
[3] WIERSBE, Warren W. *Comentário bíblico expositivo.* Vol. 5, p. 474.
[4] RYLE, John Charles. *John.* Vol. 3, p. 192.
[5] CARSON, D. A. *O comentário de João,* p. 555.
[6] BOOR, Werner de. *Evangelho de João II,* p. 130.
[7] MILNE, Bruce. *The message of John,* p. 240.
[8] ERDMAN, Charles. *O evangelho de João,* p. 127.

[9] BRUCE, F. F. *João: introdução e comentário*, p. 281.

[10] ERDMAN, Charles. *O evangelho de João*, p. 125.

[11] BRUCE, F. F. *João: introdução e comentário*, p. 284-285.

[12] STOTT, John. *O discípulo radical*, p. 13.

[13] RAMSAY, Michael. *Images old and new.* London: SPCK, 1963, p. 14.

[14] BARCLAY, William. *Juan II*, p. 239.

[15] HENDRIKSEN, William. *João*, p. 763-764.

[16] BOOR, Werner de. *Evangelho de João II*, p. 139-140.

[17] HENDRIKSEN, William. *João*, p. 773.

[18] BOOR, Werner de. *Evangelho de João II*, p. 140.

[19] ERDMAN, Charles. *O evangelho de João*, p. 130.

Capítulo 26

Prisão, julgamento religioso e negação de Jesus
(Jo 18:1-27)

O CENÁCULO JÁ HAVIA ficado para trás. Era hora de cruzar o vale de Cedrom e entrar nas encostas do monte das Oliveiras, em busca do costumeiro lugar de oração. Antes de enfrentar a carranca do inimigo, Jesus queria contemplar a face benfazeja do Pai. Jesus se afastara da multidão para estar com os discípulos. Agora, deixa os discípulos para estar a sós com o Pai. Nas palavras de Warren Wiersbe, "o ministério particular de Jesus com seus discípulos havia chegado ao fim, e o drama da redenção estava prestes a começar".[1] F. F. Bruce diz que, depois de se consagrar para o sacrifício iminente, Jesus não faz nenhuma tentativa de ocultar-se dos seus inimigos, mas vai para o lugar onde Judas normalmente podia esperar encontrá-lo.[2]

Em relação à narrativa da Paixão, o evangelista João tem peculiaridades que não são encontradas nos Evangelhos Sinóticos. D. A. Carson escreve sobre o assunto:

> As diferenças mais frequentemente levantadas entre João e os Sinóticos são três: 1) Os romanos têm um papel mais central em João que nos Sinóticos: eles aparecem inclusive na cena da prisão (18:3), e Pilatos toma muito mais espaço. 2) Não só não há registro em João da agonia de Jesus no Getsêmani, mas também, em geral, há muito esforço em mostrar que Jesus está no controle. Não há menção do beijo traiçoeiro de Judas: Jesus vai em direção à sua prisão (18:1,4) e controla o curso dos eventos. Ele interroga seus captores e demonstra de tal forma sua glória que eles caem para trás no chão (18:3-8). 3) Há diversas passagens em João que não têm nenhum paralelo nos Sinóticos: o ato de levar Jesus a Anás (18:12-14), sua resposta ao sumo sacerdote e ao oficial que lhe bateu (18:19-24), os diálogos entre Jesus e Pilatos (18:28-37; 19:9-11) e entre Pilatos e os judeus (18:28-32; 19:4-7,13-16), a declaração de que Jesus levou sua própria cruz (19:17), um excurso sobre o significado da inscrição na cruz (19:20-22), a criação do elo entre sua mãe e o discípulo amado (19:26,27) e o grito na cruz (19:30).[3]

Vamos destacar alguns pontos relevantes do texto em tela.

A prisão de Jesus (18:1-12)

Comentando sobre a prisão e a traição de Jesus, John MacArthur diz que João apresenta quatro proeminentes aspectos da majestade e glória do nosso Salvador: 1) a suprema coragem de Cristo (18:1-4); 2) o supremo poder de Cristo (18:4b-6); 3) o supremo amor de Cristo (18:7-9); 4) a suprema obediência de Cristo (18:10,11).[4]

Prisão, julgamento religioso e negação de Jesus

A hora havia chegado, e Jesus sabia muito bem disso. Em breve, seus discípulos o abandonariam, seus inimigos lançariam mão sobre ele, ele seria interrogado, insultado, cuspido, espancado e condenado na corte religiosa como um blasfemo.

Tanto os inimigos como os discípulos de Cristo tinham ideias distorcidas a seu respeito. Seus inimigos pensavam que ele fosse um impostor, um blasfemo, que arrogava a si o título de Messias. Seus discípulos, por sua vez, pensavam que ele era um Messias político que restauraria a nação de Israel e os colocaria em uma posição privilegiada. Jesus, por sua vez, mostrou à turba, bem como aos seus discípulos, que nada estava acontecendo de improviso nem de forma acidental, mas tudo se passava daquele modo para que se cumprissem as Escrituras (Mc 14:49).

Todas as etapas da caminhada de Jesus do Getsêmani ao Calvário foram preanunciadas séculos antes de Jesus vir ao mundo (Sl 22; Is 53). A ira de seus inimigos, a rejeição pelo seu povo, o tratamento que recebeu como um criminoso, tudo foi conhecido e profetizado antes.[5] Concordo com as palavras de D. A. Carson: "Jesus não é um mártir, e sim um sacrifício voluntário, obediente à vontade de seu Pai".[6]

Jesus revela que o seu reino é espiritual e suas armas não são carnais. A hora da sua paixão havia chegado, por isso ele não foi preso, mas se entregou (18:4-6). Em toda essa desordenada cena, Jesus é o único oásis de serenidade. Ao ler o relato, temos a impressão de que foi ele, e não a polícia do Sinédrio, que dirigia as coisas. Para Jesus, a luta havia terminado no jardim de Getsêmani, e ele agora experimentava a paz de quem tinha a convicção de que estava fazendo a vontade de Deus.

Como o propósito de João é enfatizar a divindade de Cristo, ele não descreve a agonia de Cristo no Getsêmani, nem trata da oração e do suor de sangue. Registra, porém, sua posição de superioridade sobre seus inimigos.

Destacamos cinco pontos aqui.

Em primeiro lugar, *um lugar de refúgio* (18:1). O relato da agonia do Senhor Jesus no jardim de Getsêmani é uma profunda e misteriosa passagem das Escrituras. Contém coisas que os mais sábios expositores não puderam explicar plenamente. Ninguém ao longo da História jamais passou por aquilo que Jesus experimentou no Getsêmani. Seu sacrifício total, em completa obediência à vontade do Pai, era o único tipo de morte que poderia salvar os pecadores. O inferno, tal como ele é, veio até Jesus no Getsêmani e no Gólgota, e o Senhor desceu até ele, experimentando todos os seus terrores.

O jardim de Getsêmani fica no sopé do monte das Oliveiras, do outro lado do ribeiro de Cedrom, defronte do monte Sião, onde se situava o glorioso templo. Getsêmani significa "prensa de azeite, lagar de azeite". Foi naquela "prensa de azeite", no meio do olival, que Jesus ergue aos céus forte clamor regado de abundantes lágrimas (Hb 5:7). Ali ele trava a mais titânica batalha da humanidade, uma batalha de sangrento suor. Ali o eterno Deus feito carne dobrou sua fronte. Ali o bendito Filho de Deus rendeu-se incondicionalmente à vontade do Pai para remir um povo por meio do seu sangue. Warren Wiersbe traz à baila que a história da humanidade começou em um jardim, onde o homem cometeu seu primeiro pecado. O primeiro Adão desobedeceu a Deus e foi expulso do jardim, mas o último Adão mostrou-se obediente ao entrar no jardim de Getsêmani. Foi em um jardim que o primeiro Adão trouxe

Prisão, julgamento religioso e negação de Jesus

o pecado e a morte para a humanidade; mas, por sua obediência, Jesus trouxe retidão e vida a todos os que creem nele. Um dia, a História terminará em outro jardim, a cidade celestial. Ali não haverá mais morte nem maldição alguma.[7]

João nos informa que Jesus saiu do cenáculo para o jardim (18:1). Não foi uma saída de fuga, mas de enfrentamento. Ele não saiu para esconder-se, mas para preparar-se. Ele não saiu para distanciar-se da cruz, mas para caminhar em sua direção. Estou de pleno acordo com o que escreveu D. A. Carson: "Tendo 'se santificado' para a morte sacrificial iminente, Jesus não muda seus hábitos para escapar dos seus oponentes: ele vai ao lugar onde Judas Iscariotes podia ter certeza de que o encontraria".[8]

Jesus sabia que a hora agendada na eternidade havia chegado (Mc 14:35). Não havia improvisação nem surpresa. A "hora" refere-se ao sofrimento de Jesus nas mãos dos pecadores (Mc 14:41), com ênfase na sua agonia final na cruz. Para esse fim, ele havia vindo ao mundo. Sua morte já estava selada desde a fundação do mundo (Ap 13:8). No decreto eterno, no conselho da redenção, o Pai o havia entregue para morrer em lugar dos pecadores (3:16; Rm 5:8; 8:32), e ele mesmo voluntariamente havia se disposto a morrer.

Em segundo lugar, *um traidor ingrato* (18:2-9). Judas Iscariotes, embora apóstolo, jamais fora convertido. Era um diabo, um ladrão, um traidor. Por ganância, entregou Jesus aos sacerdotes; por míseras trinta moedas de prata, traiu sangue inocente. Agora, ele lidera a turba que vai fortemente armada ao Getsêmani para prender Jesus. Ao Sinédrio interessava uma prisão secreta de Jesus, sob o manto da escuridão, para que se evitasse qualquer resistência das massas populares entusiasmadas com Jesus.

João — As glórias do Filho de Deus

Na escuridão, porém, não bastavam simples informações acerca do local. Dessa forma, Judas tornou-se diretamente aquele que "entregou" Jesus.[9] Charles Erdman tem razão ao dizer que Judas Iscariotes é simplesmente um exemplo da pessoa que acaricia um pecado habitual, cede a uma paixão má e, mesmo diante de advertências e apesar da luz abundante que possui, chega a odiar essa luz a ponto de tomar posição ao lado dos inimigos de Cristo.[10]

Judas Iscariotes é acompanhado não apenas de judeus oficiais do templo, mas também de um destacamento de soldados romanos. Tratava-se de uma coorte. Uma coorte completa tinha 1.000 homens, 760 soldados de infantaria e 240 de cavalaria. Essas tropas auxiliares de Roma ficavam estacionadas em Cesareia Marítima, quartel-general de Roma em Israel. Durante os dias de festa, elas ficavam na fortaleza Antônia, a noroeste do complexo do templo em Jerusalém. Isso garantia um policiamento mais efetivo das grandes multidões que aumentavam muito a população de Jerusalém. Na festa da Páscoa, a população de Jerusalém quintuplicava. Essa festa era a alegria dos judeus e o terror dos romanos. As tropas em Jerusalém tinham o propósito de garantir a ordem diante da qualquer possibilidade de tumulto ou rebelião alimentados pelo fervor religioso. Por essa razão é que essa coorte foi chamada para apoiar os guardas do templo: o risco de reação por parte da multidão era, sem dúvida, elevado no caso da prisão de alguém com a popularidade de Jesus.[11] Concordo com D. A. Carson quando ele diz que a combinação de autoridades judaicas e romanas nessa prisão condena o mundo todo.[12]

Longe de se intimidar com o aparato militar que vem para prendê-lo, Jesus revela sua majestade; ele tem plena consciência desse momento e se apresenta a seus inimigos.

Prisão, julgamento religioso e negação de Jesus

Impactados por sua presença impávida, eles caem por terra. Jesus deixa claro que não são seus inimigos que estão no controle da situação. Jesus não está sendo preso; está se entregando. No exato momento em que está se entregando nas mãos dos pecadores, Jesus ainda protege seus discípulos e libera-os de enfrentar o mesmo destino. Aquele cálice era só dele e de mais ninguém: *Por acaso não beberei do cálice que o Pai me deu?* (Jo 18:11).

Destacamos a seguir quatro fatos acerca de Judas.

Judas, o ingrato. Judas era um dos Doze. Foi chamado por Cristo. Recebeu deferência especial entre os discípulos a ponto de cuidar da bolsa como tesoureiro do grupo. Ouviu os ensinos de Jesus e viu seus milagres. Foi amado por Cristo e desfrutou o alto privilégio de ver seus milagres e ouvir seus ensinos. Jesus lavou seus pés e advertiu-o na mesa da comunhão. Mas Judas, dominado pelo pecado da avareza, abriu brecha para o diabo entrar em sua vida. Agora, ele se associa aos inimigos de Cristo para prendê-lo.

Judas, o traidor (18:2). A traição é uma das atitudes mais abomináveis e repugnantes. O traidor é alguém que aparenta ser inofensivo. É um lobo com pele de ovelha. Traz nos lábios palavras aveludadas, mas no coração carrega setas venenosas. Judas passa para a História como aquele que "entregou Jesus". Recebe a triste alcunha de "traidor".

Judas, o enganado. Judas disse aos líderes religiosos e à turba que o acompanhava: *Aquele que eu beijar, é ele; prendei-o e levai-o com segurança* (Mc 14:44). Judas sabia que todas as tentativas utilizadas até então para prender Jesus ou mesmo matá-lo tinham fracassado. Ele pensou que Jesus reagiria à prisão ou que seus discípulos lutariam por ele. Judas Iscariotes não havia compreendido ainda que Jesus tinha vindo ao mundo para essa hora. Ele nada compreendia do plano eterno de Jesus de dar sua vida para a salvação dos pecadores.

Judas, o dissimulado. A senha de Judas para entregar Jesus era um beijo (Mc 14:44). O beijo era um sinal de afeto e respeito para um superior amado. Quando Judas disse: *Aquele que eu beijar*, usou a palavra *filein*, que é o termo comum. Mas, quando o texto diz que Judas se aproximou e o beijou (Mc 14:45), a palavra é *katafilein*. O termo *kata* é intensivo, e *katafilein* é o vocábulo usado para descrever como um amante beija a sua amada. Assim, Judas não apenas beija Jesus, mas beija-o efusiva e demoradamente. O beijo prolongado de Judas tinha a intenção de dar à multidão uma oportunidade de ver a pessoa que devia ser presa. Judas usa o símbolo da amizade e do amor para trair o Filho de Deus, e Jesus mais uma vez tirou sua máscara, dizendo-lhe: *Judas, com um beijo trais o Filho do homem?* (Lc 22:48). Essa frase deve ter ressoado nos ouvidos de Judas como uma marcha fúnebre durante o breve período de estéril remorso que precedeu sua vergonhosa morte. William Hendriksen diz que, para o ato mais infame que já se cometeu, Judas escolheu a mais sagrada das noites (a da Páscoa), o lugar mais sagrado (o santuário das devoções do mestre) e o símbolo mais sagrado, um beijo![13]

É digno de nota que, na mesa da comunhão, todos os discípulos chamaram Jesus de Senhor e apenas Judas o chamou de mestre. Agora, Judas não ousa novamente chamá-lo de Senhor. Na verdade, ninguém pode dizer que Jesus é o Senhor, senão pelo Espírito Santo (1Co 12:3). Enquanto Judas trai Jesus com um beijo, este o chama de amigo. De fato, Jesus era amigo dos pecadores. O amor divino estava abrindo a porta da última oportunidade de arrependimento e salvação para Judas. Mas ele estava completamente

Prisão, julgamento religioso e negação de Jesus

obcecado pelo diabo, ao qual havia voluntariamente permitido entrar em seu coração.

Em terceiro lugar, *uma turba fortemente armada* (18:3). A turba capitaneada por Judas e destacada para prender Jesus era composta pelos principais sacerdotes, escribas e anciãos, bem como por guardas do templo e soldados romanos (Mc 14:43). O Sinédrio tinha a seu dispor um grupo de soldados para manter a ordem do templo. João 18:3 menciona uma "escolta" que consistia em seiscentos homens, um décimo de uma legião. O Sinédrio entendeu que um destacamento de soldados seria prudente e necessário. As autoridades romanas, por outro lado, estavam muito desejosas de evitar tumultos em Jerusalém durante a celebração das festividades e rapidamente concordaram em fornecer o apoio da escolta. O fato de as tropas romanas estarem ali, junto com a polícia do templo, prova que as autoridades judaicas já tinham entrado em contato com o comando militar, provavelmente dando a entender que eles esperavam que fosse oferecida resistência armada. Fica claro que a iniciativa era das autoridades judaicas, e não dos romanos, pelo fato de que, depois da prisão efetuada, elas tiveram permissão de manter Jesus sob custódia.[14]

Esse foi o grupo que seguiu armado até os dentes com tochas, lanternas, espadas e porretes para prender Jesus (Mc 14:43). Até então, eles não tinham conseguido "apanhá-lo" nem com palavras (Mc 12:13); e agora o próprio Deus o entrega. Jesus encara sozinho os seus inimigos, sofre sozinho nas mãos deles e, sozinho, entrega a sua vida para que aqueles que o aceitarem como Senhor e Salvador nunca estejam sozinhos. Tochas e lanternas em busca da luz do mundo! Espadas e porretes para subjugar o Príncipe da Paz![15]

Em quarto lugar, *uma coragem inconsequente* (18:10,11). Pedro queria cumprir a promessa feita a Jesus de ir com ele para a prisão e para a própria morte. Pedro trava a batalha errada, com a arma errada, na hora errada, com a motivação errada. Essa não era uma luta para se medir força. Se assim fosse, Jesus pediria ao Pai mais de doze legiões de anjos, ou seja, mais de 72 mil anjos. Jesus repreende Pedro e reafirma o propósito de sua vinda ao mundo. Era hora de beber o cálice que o Pai lhe dera. Que vinha a ser esse cálice? Não era a mera morte física, senão a morte que ele iria padecer levando sobre si mesmo o nosso pecado, fazendo-se pecado por nós, morrendo em lugar dos pecadores.[16]

Pedro fez uma coisa tola atacando Malco (18:10), pois não lutamos batalhas espirituais com armas carnais (2Co 10:3-5). Não tivesse Jesus curado Malco, Pedro poderia ter sido preso também; e, em vez de três, poderia haver quatro cruzes no Calvário. Ele ainda não havia compreendido que Jesus tinha vindo justamente para aquela hora e estava decidido a beber o cálice que o Pai lhe dera (18:11). Concordo com Warren Wiersbe quando ele escreve: "Pedro lutou contra o inimigo errado, com a arma errada, pelo motivo errado e obteve o resultado errado".[17] Werner de Boor acrescenta: "O que Pedro realiza não representa nenhum ato heroico. Ele, que agora brande a espada contra um escravo, pouco depois negará Jesus diante de uma escrava".[18]

Em quinto lugar, *uma entrega voluntária* (18:12). Os inimigos de Jesus não prevaleceram sobre ele pela força. Ele mesmo se entregou. Ele voluntariamente deu sua vida. Na mesma hora em que os inimigos pensaram que estavam prevalecendo sobre ele, estavam apenas cumprindo o soberano e eterno plano de Deus.

Prisão, julgamento religioso e negação de Jesus

A negação de Pedro (18:15-18,25-27)

A negação de Pedro não se dá num vácuo. Ele já tinha sido alertado. Atitudes anteriores sinalizaram esse fracasso de Pedro. Ele confiou em si mesmo. Julgou-se superior aos seus condiscípulos. Dormiu na hora da peleja mais intensa. Demonstrou uma coragem carnal. Seguiu Jesus de longe. Aproximou-se perigosamente dos inimigos de Jesus. Pressionado pelos adversários, não teve fibra moral para assumir os riscos do discipulado. Negou seu Senhor diante da atendente da porta e dos guardas do sumo sacerdote. E não apenas negou, mas negou três vezes, com juramento (Mt 26:72) e até com blasfêmias (Mt 26:74). Pedro foi um homem ambíguo, paradoxal, de fortes contradições. Tinha arroubos de intensa ousadia e atitudes de extrema covardia. Era um homem de altos e baixos, de escaladas e quedas, de bravura e fraqueza, de avanços e recuos. Concordo com Charles Erdman quando ele diz que Pedro tartamudeia diante de alguns criados, à luz frouxa de uma fogueira, declarando que não pertence ao grupo dos discípulos de Jesus. Assim, não foi a fé que desfaleceu em Pedro, mas a coragem.[19]

Três fatos merecem destaque aqui.

Em primeiro lugar, *o perigo dos lugares errados* (18:15). O mesmo Pedro que seguiu Jesus de longe entrou no pátio da casa do sumo sacerdote. Aquele era um terreno escorregadio. Pedro expôs-se perigosamente.

Em segundo lugar, *o perigo das companhias erradas* (18:16). Pedro estava não apenas no lugar errado, mas também na companhia de pessoas erradas. *Assentou-se na roda dos escarnecedores* (Sl 1:1) Na noite mais trevosa de sua alma, buscou a luz lôbrega da fogueira da negação. Ali, enquanto seu corpo se aquecia do frio da noite, sua alma mergulhava na severa nevasca da sua história.

Em terceiro lugar, *o perigo de uma negação covarde* (18:17,18,25-27). Apesar de toda a confiança com que Pedro tinha declarado sua disposição de entregar a vida por seu mestre, no cenáculo (13:37), o evento serviu para provar que seu mestre conhecia Pedro melhor do que Pedro conhecia a si mesmo (13:38).[20] Pedro negou Jesus três vezes. Primeiro, diante da encarregada da porta (18:17). Uma criada identifica Pedro e o aponta como discípulo de Cristo, mas ele nega isso peremptoriamente. O Pedro seguro do cenáculo torna-se um homem medroso e covarde no pátio da casa do sumo sacerdote. O Pedro autoconfiante, que prometeu ir com Jesus à prisão e sofrer com ele até a morte, agora nega Jesus. O Pedro que pensou ser mais forte do que seus colegas, agora cava um abismo na sua alma, agredindo sua consciência e negando o que de mais sagrado possuía. Ele estava negando seu nome, sua fé, seu apostolado, seu Senhor. Segundo, diante dos servos do sumo sacerdote e dos guardas do Sinédrio (18:18,25). Terceiro, diante de um servo do sumo sacerdote, parente de Malco, a quem Pedro decepara a orelha com a espada (18:26,27). D. A. Carson diz que João construiu um contraste dramático pelo qual Jesus enfrenta seus interrogadores e não nega nada, enquanto Pedro se acovarda diante de seus interrogadores e nega tudo.

O evangelista Mateus nos informa que essa negação foi não apenas tríplice, mas, também, progressiva e degradante. Na primeira vez, Pedro nega Jesus diante de todos (Mt 26:70). Na segunda vez, Pedro se torna um perjuro e nega Jesus com juramento (Mt 26:72). Pedro não apenas nega que é discípulo de Cristo, mas faz isso com juramento. Ele nega com forte ênfase. Empenha sua palavra, sua honra e sua fé para negar sua relação com o Filho de Deus. Quanto mais alto fala, mais demonstra que está mentindo. Na terceira vez, Pedro se torna um praguejador e nega Jesus com palavras de blasfêmia (Mt 26:74). Além de negar Cristo com juramento, Pedro desce o último degrau da sua queda, quando começa a praguejar e a falar impropérios na tentativa de esquivar-se de Cristo. Ele quis ser o mais forte e tornou-se o mais fraco. Quis ser melhor do que os outros e tornou-se o pior. Quis colocar seu nome no topo da pirâmide e caiu de forma mais vergonhosa para o último lugar.

O julgamento religioso (18:13-14,19-24)

Para compreendermos melhor a cena do processo contra Jesus, vamos examinar também os outros evangelistas a fim de termos uma noção mais ampla desse momento decisivo na vida de Jesus. O processo que culminou na sentença de morte de Jesus está eivado de muitos e gritantes erros. As autoridades judaicas tropeçaram nas suas próprias leis e atropelaram todas as normas no julgamento de Jesus. Tanto a sua prisão no Getsêmani como seu interrogatório diante de Anás e diante do Sinédrio pleno revelam grandes deficiências na condução do processo.

Na verdade, as autoridades já haviam decidido matar Jesus antes mesmo de interrogá-lo (11:47-53; Mc 14:1). Haviam planejado fazer isso depois da festa, para evitarem uma revolta popular (Mc 14:2), mas a atitude de Judas de entregá-lo adiantou o intento deles (Mc 14:10,11). O processo não era senão um simulacro de justiça do princípio ao fim, pois não tinha outra finalidade senão dar uma aparência de legalidade ao crime já predeterminado.

As leis não permitiam que um prisioneiro fosse interrogado pelo Sinédrio à noite. No dia antes de um sábado ou de uma festa, todas as sessões estavam proibidas. Nenhuma pessoa podia ser condenada senão por meio do testemunho de duas testemunhas, mas eles contrataram testemunhas falsas. O anúncio de uma pena de morte só podia ser feito um dia depois do processo. Nenhuma condenação podia ser executada no mesmo dia, mas eles sentenciaram Jesus à morte durante a noite e logo cedo o levaram a Pilatos para que este lavrasse sua pena de morte. A reunião do Sinédrio foi ilegal, uma vez que ocorreu à noite; e o método usado também foi ilegal, visto que eles ouviram apenas testemunhas contrárias a Jesus.

Jesus passou por dois julgamentos: um eclesiástico e outro civil; o primeiro aconteceu nas mãos dos judeus, o segundo, nas mãos dos romanos. Tanto o julgamento judaico quanto o romano tiveram três estágios. O julgamento judaico foi aberto por Anás, o antigo sumo sacerdote (18:13-24). Em seguida, Jesus foi levado ao tribunal pleno para ouvir as testemunhas (Mc 14:53-65), e, então, na sessão matutina do dia seguinte, foi dado o voto final de condenação (Mc 15:1). Jesus foi então enviado a Pilatos (18:28-38; Mc15:1-5), que o enviou a Herodes (Lc 23:6-12), que o mandou de volta a Pilatos (18:39–19:6; Mc 15:6-15). Pilatos atendeu ao clamor da multidão e entregou Jesus para ser crucificado.

Os juízes de Jesus foram: Anás, o ganancioso, venenoso como uma serpente e vingativo (18:13); Caifás, rude, hipócrita e dissimulado (11:49,50); Pilatos, supersticioso e egoísta (18:29); e Herodes Antipas, imoral, ambicioso e superficial. Vejamos quais foram os passos nesse processo.

Em primeiro lugar, *Jesus diante de Anás* (18:13). Antes de ser levado ao Sinédrio, Jesus foi conduzido manietado pela escolta, o comandante e os guardas dos judeus até Anás. Este era sogro de Caifás, o sumo sacerdote. Apesar de haver sido destituído pelos romanos, muitos judeus consideravam Anás o verdadeiro sumo sacerdote, pois esse cargo era vitalício e sumamente honroso; além disso, cabeça de toda a família, ele exercia enorme influência na direção da política da nação por meio do seu genro Caifás. Nas palavras de F. F. Bruce, Anás continuava exercendo o cargo de sumo sacerdote no sentido de "emérito".[21] O cargo de sumo sacerdote, depois do governo romano, se converteu em tema de controvérsia, intrigas, corrupção e suborno. O cargo ia para o adulador que estivesse mais disposto a abaixar a cabeça para o governador romano. O sumo sacerdote era um colaboracionista que comprava a comodidade, o prestígio e o poder à custa de negociatas. A família de Anás tinha uma imensa fortuna. Eles não eram apenas comerciantes do templo; eram exploradores. Extorquiam o povo, vendendo os animais dos sacrifícios por preços exorbitantes e cobrando taxas abusivas nas transações cambiais.[22]

D. A. Carson diz que Anás ocupou o cargo de sumo sacerdote de 6. d.C. até 15 d.C., quando Valerius Gratus, predecessor de Pôncio Pilatos, o depôs. Anás continuou a exercer enorme influência não só porque muitos judeus se ressentiram com a deposição arbitrária e a indicação de sumos sacerdotes por um poder estrangeiro, mas também porque não menos que cinco dos filhos de Anás, e seu genro Caifás, ocuparam o posto em algum momento. Anás era, portanto, o patriarca de uma família sumo sacerdotal, e sem dúvida muitos ainda o consideravam o "verdadeiro" sumo sacerdote, mesmo que Caifás fosse o sumo sacerdote na concepção dos romanos.[23]

Anás era o membro dominante da máquina hierárquica judaica, um homem manipulador e esperto. Seus cinco filhos Eleazar, Jonatá, Teófilo, Matias, Anás, seu genro Caifás

JOÃO — As glórias do Filho de Deus

e um neto o seguiram no sumo sacerdotalismo. Orgulhoso, extremamente ambicioso e fabulosamente rico, Anás era o homem que deliberava. A principal fonte de sua riqueza provinha da venda dos sacrifícios dos animais, no Pátio dos Gentios. Por meio dele, a casa de oração se tornara um covil de ladrões.[24]

O interrogatório de Jesus por esse potentado tinha por objetivo orientar o sumo sacerdote, ao mesmo tempo que oferecia tempo suficiente para a convocação de um quórum do Sinédrio durante as altas horas da noite. F. F. Bruce tem razão ao dizer que, se Jesus tinha de ser acusado perante o governador romano, isso precisava ser feito pelo sumo sacerdote no exercício do cargo, como líder da nação e presidente da corte suprema; por isso, Anás enviou Jesus a Caifás.[25]

Em segundo lugar, *Jesus diante do Sinédrio* (Mc 15:53-65). O Sinédrio era a suprema corte dos judeus, composta por 71 membros. Entre eles, havia saduceus, fariseus, escribas e homens respeitáveis, que eram os anciãos. O sumo sacerdote presidia o tribunal. Nessa época, os poderes do Sinédrio eram limitados porque os romanos governavam o país. O Sinédrio tinha plenos poderes nas questões religiosas. Parece que tinha também certo poder de polícia, embora não para infligir a pena de morte. Suas funções não eram condenar, mas preparar uma acusação pela qual o réu pudesse ser julgado pelo governador romano.

Embora ilegalmente, o Sinédrio reuniu-se naquela noite da prisão de Jesus para o interrogatório. Eles já tinham a sentença pronta, mas precisavam de uma forma para efetivá-la. Os membros do Sinédrio estavam movidos pela inveja (Mc 15:10), pela mentira (Mc 14:55,56), pelo engano (Mc 14:61) e pela violência (Mc14:65). Os que interrogam

Jesus não buscam a verdade, e sim evidências contra ele. Werner de Boor conclui dizendo que o processo contra Jesus foi de fachada e, de acordo com o relato de Mateus 26:57-68, todas as formalidades foram mantidas, mas o veredito estava determinado de antemão.[26]

Vamos destacar alguns pontos importantes nesse contexto.

As testemunhas (Mc 14:56-59). Segundo a lei, não era lícito condenar ninguém à morte senão pelo testemunho concordante de duas testemunhas (Nm 35:30), de modo que não existiria "causa legal" contra ninguém até que se houvesse cumprido esse requisito. As primeiras testemunhas desqualificam-se, pois suas histórias não concordam entre si (Dt 17:6). Quão trágico é que um grupo de líderes religiosos estivesse encorajando o povo a mentir, e isso durante uma sessão muito especial. D. A. Carson tem razão ao dizer que o procedimento adequado era interrogar as testemunhas, e não o réu; de fato, as testemunhas *em favor* do réu eram ouvidas antes das testemunhas *contra* ele. Por isso, Jesus diz a Anás: *Por que me interrogas? Pergunta aos que me ouviram o que lhes falei. Eles sabem o que eu disse.*[27]

O testemunho (Mc 14:56-59). O Sinédrio procurou testemunho contra Jesus, mas não achou (Mc 14:55). Muitos testemunharam contra Jesus, mas os testemunhos não eram coerentes (Mc 14:56). Outros testemunharam falsamente, baseando-se nas palavras do Senhor em João 2:19: *Jesus lhes respondeu: Destruí este santuário, e eu o levantarei em três dias.* O próprio evangelista João interpreta as palavras de Jesus: *Mas o santuário ao qual ele se referia era o seu corpo* (Jo 2:21). Mas os acusadores torceram a fala de Jesus, acrescentando palavras que Jesus não havia dito: *Nós o ouvimos dizer: Eu destruirei este santuário, construído por mãos humanas, e em três dias edificarei outro, não feito por mãos humanas* (Mc 14:58).

Essas falsas testemunhas mantiveram a velha e falsa versão dos judeus (2:20), dando a ideia de que Jesus havia planejado uma conspiração, um atentado militar contra o santuário de Jerusalém, destruindo, assim, o centro religioso da nação. Adolf Pohl afirma que essa acusação foi explosiva porque, naquele tempo, a profanação de templos era um dos delitos mais monstruosos. Marcos nos informa que nem assim o testemunho deles era coerente (Mc 14:59). Aliás, Marcos classifica essas acusações de "falso testemunho" (Mc 14:57-59), porque Jesus nunca dissera que destruiria o templo em Jerusalém. Não havendo testemunho contra Jesus, ele devia ser solto.

O solene juramento (Mc 14:60-62). Diante das falsas acusações, Jesus guardou silêncio e não se defendeu, cumprindo, assim, a profecia: [...] *como a ovelha muda diante dos seus tosquiadores, ele não abriu a boca* (Is 53:7; 1Pe 2:23). Havia o perigo de o complô fracassar, mas Caifás estava determinado a condenar Jesus. Então, ele deixa de lado toda diplomacia e, sob juramento, faz a pergunta decisiva a Jesus: *Tu és o Cristo, o Filho do Deus bendito? Jesus respondeu: Eu sou. E vereis o Filho do homem assentado à direita do Poderoso, vindo com as nuvens do céu* (Mc 14:61,62). O evangelista Mateus registra essa pergunta sob juramento: *Ordeno que jures pelo Deus vivo e diga-nos se tu és o Cristo, o Filho de Deus* (Mt 26:63).

A resposta tão elevada e digna do Senhor a Caifás foi a primeira declaração pública na qualidade de Messias que o Senhor dera ao povo, e isso no momento em que, humanamente falando, a afirmação significava a morte. À declaração, acrescentou o Senhor a profecia da sua segunda vinda em glória. Com essa resposta, Jesus demonstra seu valor e sua confiança, pois ele sabia que sua resposta significava sua morte; no entanto, não titubeou em dá-la com clareza, pois tinha total confiança do seu triunfo final. Jesus proclama abertamente ser o Messias de Deus, cujo destino é poder e glória. Assim, Jesus proporciona ao Sinédrio todas as evidências que este buscava para o condenar à morte.

A condenação (Mc 14:63,64). A condenação de Jesus por blasfêmia da parte do Sinédrio foi tão ilegal quanto a pergunta sob juramento feito por Caifás, pois a lei exigia larga meditação antes de promulgar-se uma sentença condenatória. Não deram a Jesus nenhum direito de defesa, pois já haviam fechado seus olhos contra a luz que resplandecia da vida do Senhor, assim como seus ouvidos contra a palavra divina que saía da sua boca (At 13:27).

Os insultos (Mc 14:65). Havia pouca consideração para um réu condenado, e, imediatamente depois da sentença condenatória, os servidores dos sacerdotes começaram a esbofetear o Senhor, cuspindo nele, escarnecendo dele e iniciando, assim, o cumprimento dos desprezos e dos sofrimentos físicos que ele havia de sofrer (Is 50:6; 52:14–53:10). Embora Roma proibisse o Sinédrio de exercitar a penalidade de morte, seus membros manifestam sua ira contra Jesus. Alguns cuspiram nele; outros bateram nele. Alguns zombaram dele e exigiram que profetizasse. Os guardas o espancaram. Ironicamente, as ações deles só confirmaram o papel profético e a messianidade de Jesus, cumprindo as predições que ele próprio fizera (Mc 8:31; 10:33,34).

Vale destacar que a prisão, o interrogatório e a condenação de Jesus na quinta-feira à noite foram ações ilegais (Mc 14:54-65). De acordo com as leis dos judeus, o Sinédrio não podia reunir-se à noite para interrogar uma pessoa nem mesmo para ouvir testemunhas contra ela. Mas Jesus foi preso, interrogado e sentenciado à morte por blasfêmia na mesma noite de sua prisão (Mc 14:63,64).

O Sinédrio voltou a reunir-se na manhã de sexta-feira para planejar sua estratégia (Mc 15:1). Era preciso dar validade à reunião ilegal da noite anterior e também formalizar uma nova acusação contra Jesus que pudesse encontrar guarida diante da corte romana. As autoridades religiosas julgaram Jesus digno de morte por blasfêmia, mas essa era uma questão teológica que não tinha importância para os romanos. Então, os principais sacerdotes, junto com os anciãos, os escribas e todo o Sinédrio formalizaram uma acusação política contra Jesus. Tomaram a decisão de acusar Jesus de conduzir uma rebelião civil contra Roma. Acusaram Jesus diante de Pilatos de promover sedição e de querer ser rei.

Caifás considerava Jesus culpado de antemão e somente buscou um pretexto; Pilatos considerou Jesus inocente e buscou uma saída. Nos dois casos, Jesus foi "entregue", silenciou diante das acusações, recebeu a sentença de morte e foi cuspido e escarnecido.

No tribunal judaico, apresentou-se uma acusação teológica contra Jesus: blasfêmia. No tribunal romano, a acusação era política: sedição. Assim, acusaram Jesus de delito contra Deus e contra César. John Stott diz que tanto no tribunal judaico como no romano seguiu-se certo procedimento legal: 1) a vítima foi presa; 2) a vítima foi acusada e examinada; 3) chamaram-se testemunhas; 4) então, o juiz deu o seu veredito e pronunciou a sentença. Mas Marcos esclarece que 1) Jesus não era culpado das acusações; 2) as testemunhas eram falsas; e 3) a sentença de morte foi um horrendo erro judicial.[28]

Prisão, julgamento religioso e negação de Jesus

Voltemos nossos olhos exclusivamente para o registro de João a fim de destacarmos alguns pontos.

Em primeiro lugar, *uma liderança desqualificada* (18:12-14). Era preceito da lei de Deus que só havia um sumo sacerdote, mas, em Jerusalém, dois homens ocupavam esse posto, Anás e Caifás. Como já afirmamos, Anás havia sido deposto pelos romanos, que constituíram seu genro Caifás como sumo sacerdote. Contudo, como o povo ainda o considerava sumo sacerdote, nenhuma decisão era tomada sem antes ouvi-lo. Foi assim que levaram Jesus primeiro a Anás. Esses homens ocupavam a posição mais elevada da religião judaica, mas viviam da forma mais execrável. Haviam se corrompido doutrinária e moralmente. A religião para eles era apenas uma fonte de lucro. Transformaram a casa de Deus num covil de ladrões. Porque Jesus virou a mesa dos cambistas e os expulsou do templo, os vendilhões tornaram-se seus inimigos ferrenhos.

Em segundo lugar, *uma pergunta capciosa* (18:19). Anás interroga Jesus acerca de seus discípulos e de sua doutrina. Anás não está interessado em conhecer a verdade. Quer apenas encontrar uma ocasião para acusar Jesus diante da autoridade romana. Quer preparar uma armadilha para Jesus a fim de levá-lo ao julgamento. Concordo com William Hendriksen quando ele afirma que todo o julgamento foi uma farsa. Foi um julgamento fraudulento, uma paródia de justiça. O julgamento foi ilegal de muitas formas, como: 1) julgamentos que pudessem resultar em pena de morte não eram permitidos durante a noite; 2) a prisão de Jesus foi feita como resultado de suborno; 3) Jesus foi solicitado a se autoincriminar; 4) no caso de pena capital, a lei judaica não permitia que a sentença fosse pronunciada até o dia seguinte àquele em que o acusado foi condenado.[29] Na verdade, o julgamento de Cristo foi uma conspiração, um assassinato. Entre todas as distorções da justiça, nenhuma se compara àquela em que o sumo sacerdote celestial, Jesus Cristo, permaneceu diante dos sumos sacerdotes terrenos, Anás e Caifás.[30]

Em terceiro lugar, *uma resposta audaciosa* (18:20,21). Jesus responde que seu ensino foi público. Ele falou francamente ao mundo. Ensinou continuamente tanto no templo como nas sinagogas. Nada disse em oculto. Jesus passa da posição de interrogado para interrogador e pergunta a Anás: *Por que me interrogas? Pergunta aos que me ouviram o que lhes falei. Eles sabem o que eu disse* (18:20,21). Jesus não constrói provas contra si mesmo nem dá munição ao seu inquiridor.

Em quarto lugar, *uma agressão injustificada* (18:22). Sentindo as dores do sumo sacerdote em face da audaciosa resposta de Jesus, um de seus guardas dá uma bofetada em Jesus. Não podendo contrapor-se à verdade, os inimigos de Jesus partem para a violência e exorbitam em sua autoridade. D. A. Carson descreve essa situação da seguinte forma: "Mas, se Jesus falou a verdade, especialmente se estava questionando uma forma ilícita de interrogatório, por que o tapa? Em suma, Jesus está pedindo um julgamento justo, enquanto seus oponentes já estão desmascarados como aqueles que, incapazes de serem vitoriosos em seu caso por meios justos, são perfeitamente felizes em recorrer à trapaça".[31]

Em quinto lugar, *uma defesa irrefutável* (18:23). Jesus inverte os papéis. De investigado, passa a ser o acusador. Em vez de reconhecer qualquer ato falho em sua corajosa resposta, reafirma que sua fala foi boa, e não má, portanto merecia ser ouvido em vez de ser agredido.

Prisão, julgamento religioso e negação de Jesus

Em sexto lugar, *uma sentença injusta* (18:24). João nos informa que Anás envia Jesus manietado para a casa de Caifás, de onde o Sinédrio o sentencia à morte por dois crimes graves: blasfêmia e sedição; rebelião contra Deus e contra César; pecado religioso e político. Os Evangelhos Sinóticos nos informam que o Sinédrio, numa reunião ilegal, imoral e ilícita, contrata testemunhas falsas que formulam falsas acusações contra Jesus. O julgamento foi um arremedo de justiça, e a sentença, uma aberração legal.

Werner de Boor conclui esse julgamento religioso com as seguintes palavras:

> João não relata nada sobre toda a negociação no Sinédrio presidida por Caifás. Já desde João 5:18 sabemos que havia a determinação de matar Jesus. A resolução de executar essa morte já havia sido tomada na sessão do Sinédrio de João 11:46-53. Logo, a rigor, o processo na casa do sumo sacerdote não tem mais nenhuma importância. O relato dos acontecimentos ocorridos ali era conhecido das igrejas, devido aos Sinóticos. Mas o que João deseja expor detalhadamente às igrejas é como a crucificação de Jesus se concretizou, ou seja, a execução da pena de morte romana. É por isso que Pilatos exerce um papel decisivo. É sobre ele que obtemos muitas informações agora.[32]

JOÃO — As glórias do Filho de Deus

NOTAS DO CAPÍTULO 26

[1] WIERSBE, Warren W. *Comentário bíblico expositivo*. Santo André: Geográfica. Vol. 6, p. 481.

[2] BRUCE, F. F. *João: introdução e comentário*, p. 288.

[3] CARSON, D. A. *O comentário de João*, p. 573-574.

[4] MACARTHUR, John. *The MacArthur New Testament commentary – John 12-21*, p. 305-312.

[5] RYLE, John Charles. *Mark*. Wheaton: Good News, 1993, p. 237.

[6] CARSON, D. A. *O comentário de João*, p. 574.

[7] WIERSBE, Warren W. *Comentário bíblico expositivo*. Vol. 5, p. 481.

[8] CARSON, D. A. *O comentário de João*, p. 578.

[9] BOOR, Werner de. *Evangelho de João II*, p. 146.

[10] ERDMAN, Charles. *O evangelho de João*, p. 132.

[11] CARSON, D. A. *O comentário de João*, p. 578.

[12] Ibid., p. 579.

[13] HENDRIKSEN, William. *João*, p. 790.

[14] BRUCE, F. F. *João: introdução e comentário*, p. 289.

[15] HENDRIKSEN, William. *João*, p. 789.

[16] ERDMAN, Charles. *O evangelho de João*, p. 133.

[17] WIERSBE, Warren W. *Comentário bíblico expositivo*. Vol. 5, p. 483.

[18] BOOR, Werner de. *Evangelho de João II*, p. 148.

[19] ERDMAN, Charles. *O evangelho de João*, p. 135.

[20] BRUCE, F. F. *João: introdução e comentário*, p. 293.

[21] Ibid., p. 292.

[22] BARCLAY, William. *Juan II*, p. 251.

[23] CARSON, D. A. *O comentário de João*, p. 582.

[24] HENDRIKSEN, William. *João*, p. 801.

[25] BRUCE, F. F. *João: introdução e comentário*, p. 295.

[26] BOOR, Werner de. *Evangelho de João II*, p. 150.

[27] CARSON, D. A. *O comentário de João*, p. 585.

[28] STOTT, John. *A cruz de Cristo*. Miami: Vida, 1991, p. 40-41.

[29] HENDRIKSEN, William. *João*, p. 811.

[30] Ibid., p. 812.

[31] CARSON, D. A. *O comentário de João*, p. 586.

[32] BOOR, Werner de. *Evangelho de João II*, p. 154.

Capítulo 27

O julgamento de Jesus no tribunal romano
(Jo 18:28–19:16)

DEPOIS DE SER JULGADO no tribunal religioso, Jesus é levado ao pretório romano para ser julgado no tribunal político. O termo "pretório" indica o quartel-general de um governador romano. O governador da Judeia tinha sua residência oficial em Cesareia (At 23:35), mas em épocas de grandes concentrações populares em Jerusalém, como a festa da Páscoa, quando a população da cidade quintuplicava, o governador transferia a sede de seu governo para Jerusalém. A fortaleza Antônia, a noroeste da área do templo, ligada ao pátio externo do templo pelos degraus (At 21:35,40), era esse quartel-general.

Pôncio Pilatos, governador da Judeia, fora nomeado pelo imperador Tibério em 26 d.C. (cerca de quatro anos antes desses acontecimentos) e permaneceu no poder até março de 37 d.C. Ele era um homem fraco que tentava encobrir sua fraqueza ostentando obstinação e violência. Sua falta de tato envolveu-o em atitudes que repetidas vezes ofenderam a opinião pública judaica, e sua gestão foi marcada por diversas rebeliões sangrentas (Lc 13:1).[1]

Jesus já saiu sentenciado de morte do tribunal religioso, acusado de blasfêmia e sedição, mas Roma havia subtraído, das nações que subjugara, o poder de infligir penas capitais. Quando a Judeia se tornou província romana em 6 d.C., e o imperador nomeou um prefeito romano para governá-la, a prerrogativa de pena capital foi expressamente reservada a ele.[2] Nas palavras de Hendriksen, "o Sinédrio tinha o direito de decretar a morte, mas não tinha o direito de executar esse decreto".[3] Era, pois, necessário levar Jesus à presença do governador romano, a fim de que este confirmasse a sentença dos judeus.[4] Os judeus dependiam de Pilatos para colocar em execução a sentença proferida contra Jesus. Tanto no tribunal religioso como no civil, Jesus, embora condenado, deixou claro que os juízes eram culpados e que ele era inocente. Concordo com Charles Erdman quando ele diz que, nesse tribunal civil, como sucedera no eclesiástico, os acusadores de Cristo, e não este, é que são realmente julgados; não é o preso, e sim o juiz, que por fim é condenado.[5]

Vamos destacar alguns pontos a respeito.

Pilatos recebe as acusações dos judeus contra Jesus

Pôncio Pilatos, o governador da Judeia, é introduzido na narrativa.

O julgamento de Jesus no tribunal romano

Os homens da religião e da lei, por ciúmes e inveja, acusaram Jesus, já que não queriam perder a popularidade nem abrir mão do poder. Jeitosamente haviam criado mecanismos de enriquecimento por meio da religião e estavam mais interessados na glória pessoal do que na salvação. Como eles não tinham poder para matar ninguém (18:31), levaram Jesus ao governador Pilatos.

Logo que levaram Jesus ao pretório, Pilatos saiu para lhes falar e perguntou: *Que acusação trazeis contra este homem?* (18:29). Os principais sacerdotes acusaram Jesus de muitas coisas (Mc 15:3) e com grande veemência (Lc 23:10). Jesus, porém, ficou em silêncio e não abriu a boca. Há momentos em que o silêncio é mais eloquente do que as palavras, porque pode dizer coisas que as palavras não conseguem transmitir. Durante as últimas horas de sua vida, em quatro ocasiões diferentes, Jesus "não abriu a boca": na presença de Caifás (Mc 14:60,61), de Pilatos (Mc 15:4,5), de Herodes (Lc 23:9) e, novamente, de Pilatos (19:9). Essa atitude falou mais alto do que qualquer palavra que ele pudesse ter dito. Esse silêncio se transformou em condenação dos seus acusadores, e era prova de sua identidade como o Messias. Quais foram as acusações contra Jesus?

Acusaram Jesus de malfeitor (18:30). Os acusadores inverteram a situação. Eles eram malfeitores, mas Jesus havia andado por toda a parte fazendo o bem (At 10:38).

Acusaram Jesus de insubordinação (Lc 23:2). Disseram a Pilatos que encontraram Jesus pervertendo a nação, vedando o pagamento de tributos a César e afirmando ser ele o Cristo, o rei.

Acusaram Jesus de agitador do povo (Lc 23:5,14). Eles afirmaram: *Ele coloca o povo em alvoroço e ensina por toda a Judeia, vindo desde a Galileia até aqui.*

Acusaram Jesus de blasfêmia (19:7). Eles disseram a Pilatos que Jesus fazia a si mesmo Filho de Deus e, segundo a lei judaica, isso era blasfêmia, um crime capital para os judeus.

Acusaram Jesus de sedição (19:12). Os judeus clamavam a Pilatos: *Se soltares este homem, não és amigo de César. Todo aquele que se declara rei é contra César.* Por inveja, os judeus acusaram Jesus de sedição política. Colocaram-no contra o Estado, contra Roma, contra César. Questionaram as suas motivações e a sua missão. Acusaram-no de querer um trono, em lugar de abraçar uma cruz. A acusação contra Cristo é de que ele era o "rei dos judeus". Embora Jesus tenha admitido ser rei, explicou que o seu reino não era deste mundo, de forma que não constituía nenhum perigo para César em Roma. Essa acusação foi pregada em sua cruz em três idiomas: hebraico, grego e latim (19:19,20). O hebraico é a língua da religião, o grego é a língua da filosofia e o latim é a língua da lei romana. Tanto a religião como a filosofia e a lei se uniram para condenar a Jesus.

Voltemos nossa atenção para João 18:28-32, passagem sobre a qual destacamos alguns pontos a seguir.

A hipocrisia dos acusadores (18:28). Os acusadores de Jesus não quiseram entrar no pretório romano para não se contaminarem e poderem comer livremente a Páscoa. Não perceberam, porém, que, embora observassem os rituais externos da purificação, nutriam no coração a mentira, a inveja e a violência. Coavam mosquito e engoliam camelo. Preocupavam-se com o exterior e não cuidavam do coração. D. A. Carson escreve: "Os judeus tomam elaboradas precauções para evitar a contaminação ritual a fim de que possam participar da Páscoa, e ao mesmo tempo estão ocupados em manipular o sistema judicial para assegurar a morte daquele que é sozinho a verdadeira Páscoa".[6]

A pergunta do julgador (18:29). Pilatos estava convencido de que a motivação dos judeus era inveja. Por isso, sai do pretório para falar com os acusadores e pergunta-lhes: *Que acusação trazeis contra este homem?* (18:29). As acusações dos judeus, conforme vimos anteriormente, eram todas falsas.

A resposta dos acusadores (18:30). Os judeus justificam a entrega de Jesus a Pilatos, afirmando que ele era um malfeitor. Que mal Jesus fez? Curou os enfermos, purificou os leprosos, alimentou os famintos, libertou os cativos, ressuscitou os mortos, proclamou a verdade e andou por toda parte fazendo o bem! Mas, como eles viviam em trevas, foram ameaçados pela luz. Porque queriam glórias para si mesmos, repudiaram aquele que veio falar sobre a glória de Deus.

A transferência de responsabilidade (18:31). Sabendo que Jesus não era réu de morte, Pilatos o devolve aos judeus, recomendando que eles o julgassem conforme sua lei. Mas os judeus não queriam para Jesus um julgamento justo; já haviam decidido por sua morte. Por isso, respondem: *Não nos é permitido executar ninguém*. A pena capital aplicada pelos judeus era o apedrejamento, e nunca a crucificação. Obviamente, os judeus não poderiam executar Jesus, pois, para se cumprirem as Escrituras, Jesus teria de ser crucificado, e só os romanos poderiam aplicar essa pena (18:32).

Pilatos faz solenes perguntas aos judeus e a Jesus

O julgamento de Jesus pode ser sintetizado com as quatro perguntas feitas por Pilatos. Duas delas foram dirigidas aos judeus acusadores (18:29; 19:15) e duas dirigidas a Jesus, o acusado (18:33; 19:9). Vamos examiná-las a seguir.

A primeira pergunta foi dirigida aos judeus acusadores: *Que acusação trazeis contra este homem?* (19:29). Os judeus elencaram uma série de acusações contra Jesus, que, entretanto, podem ser resumidas em duas principais: pecado contra Deus e contra César. Conspirar contra Deus e contra Roma. Praticar pecado religioso e pecado político: blasfêmia contra Deus e conspiração contra César.

A segunda pergunta, dirigida a Jesus, o acusado: *Tu és o rei dos judeus?* (18:33). Pilatos é confrontado com a realeza de Cristo, uma realeza não política, mas espiritual. Jesus diz a Pilatos que o seu reino não é político, mas espiritual; não é terreno, mas celestial; não é defendido pelas armas convencionais, mas por armas espirituais. Seus ministros não são soldados armados, mas anjos espirituais.

A terceira pergunta, dirigida a Jesus, o acusado: *Donde vens?* (19:9). Jesus fica em silêncio diante desse questionamento. Pilatos tenta arrancar uma resposta de Jesus, ameaçando-o e dizendo que tinha autoridade tanto para soltá-lo quanto para crucificá-lo. Jesus não refuta Pilatos quanto à sua autoridade, porém esclarece que sua autoridade não vem de si mesmo, mas de Deus. Pilatos agora é quem ficará acuado, quando Jesus afirma: [...] *aquele que me entregou a ti incorre em pecado maior* (19:11). Tanto os judeus que acusavam quanto Pilatos que o julgava eram culpados diante de Deus pela sua morte. Aqueles porque o entregaram por inveja; este porque o condenaria por conveniência.

A quarta pergunta, dirigida aos judeus acusadores: *Hei de crucificar o vosso rei?* (19:15). Pilatos tentou de todas as formas se livrar de Jesus, mas não conseguiu. Está indeciso, confuso, perturbado. Daí a pergunta: *Crucificarei o vosso rei?* Longe de se comoverem com essa pergunta de Pilatos, os principais sacerdotes deram-lhe uma resposta que

O julgamento de Jesus no tribunal romano

decidiu a questão: *Não temos rei, a não ser César!* (19:15). Embora convencido da inocência de Jesus e da culpa dos acusadores, Pilatos tergiversa, dribla sua consciência e por conveniência entrega Jesus para ser crucificado (19:16).

Pilatos é confrontado pela realidade acerca de Cristo

Pilatos é confrontado por três verdades acerca de Cristo.

Em primeiro lugar, *pela realeza de Cristo* (18:33-37). Pilatos está diante de Jesus. Mesmo ultrajado e cheio de hematomas, pela crueldade como foi tratado pelo Sinédrio na noite anterior, Jesus é o rei do reis, alguém maior do que César, cujo reino é eterno e cujos limites extrapolam o Império Romano.

Em segundo lugar, *pela divindade de Cristo* (19:7-9). Os judeus disseram a Pilatos que Jesus devia morrer porque a si mesmo se fizera Filho de Deus. Pilatos tenta checar a informação com Jesus, que nada responde. O silêncio de Jesus irrita Pilatos, pois este sente que se trata de um desacato à sua autoridade. Jesus, porém, explica a Pilatos que sua autoridade não procedia de César nem de si mesmo, mas de Deus. Pilatos fica com medo. Ele não está diante de um homem comum. Está diante daquele que é o Filho de Deus, o próprio Deus encarnado. Os homens que julgam Jesus estão em irreconciliável conflito, mas Deus está no controle. Concordo com D. A. Carson quando ele diz que Judas, Caifás e Pilatos agiram sob a soberania de Deus.[7]

Em terceiro lugar, *pelo reino espiritual de Cristo* (18:36, 37). Jesus diz a Pilatos: *O meu reino não é deste mundo. Se o meu reino fosse deste mundo, os meus servos lutariam para que eu não fosse entregue aos judeus. Entretanto, o meu reino não é daqui* (18:36). O reino de Cristo é o único que jamais será destruído. É reino eterno. Todos os reinos do mundo vão

João — As glórias do Filho de Deus

passar. Os grandes impérios caíram. As grandes potências mundiais entraram em colapso. Mas o reino de Cristo subsiste para sempre. Ninguém pode tomar o reino de Cristo por assalto. Ninguém pode destruí-lo por conspiração. Ele não pode ser derrotado por armas, bombas ou terrorismo. Quem não fizer parte desse reino perecerá eternamente. Se você não nascer de novo, jamais poderá entrar no reino de Deus.

Pilatos está convencido da inocência de Jesus

Pilatos estava convicto da inocência de Jesus. Percebeu a intenção maldosa dos sacerdotes. Sabia que as acusações contra Jesus eram meramente para proteger a instituição religiosa, e não o trono de César. O que faltou em Pilatos foi coragem para sustentar aquilo em que ele acreditava. Para compreendermos melhor esse fato, vamos recorrer aos demais evangelistas. Pilatos constatou a inocência de Jesus três vezes.

No início do julgamento. Quando o Sinédrio lhe levou o caso, Pilatos disse: *Não acho culpa alguma neste homem* (Lc 23:4).

No meio do julgamento. Quando Jesus voltou, depois de ter sido examinado por Herodes, Pilatos disse aos sacerdotes e ao povo: *Vós me apresentastes este homem como agitador do povo; mas, interrogando-o diante de vós, não achei nele culpa alguma naquilo de que o acusais; nem Herodes, pois o mandou de volta a nós. Ele não fez coisa alguma digna de morte* (Lc 23:14-15).

No final do julgamento. Lucas nos informa que, pela terceira vez, Pilatos perguntou ao povo: *Mas que mal ele fez? Não achei nele nenhuma culpa digna de morte. Eu o castigarei e o soltarei em seguida* (Lc 23:22). João registra com

O julgamento de Jesus no tribunal romano

grande ênfase o drama vivenciado por Pilatos nesse julgamento. Depois de interrogar Jesus em três ocasiões distintas, Pilatos confessa aos judeus: *Não vejo nele crime algum* (18:38; 19:4; 19:6). Chegou um momento em que Pilatos temeu (19:8) e até procurou soltar Jesus (19:12).

Pilatos tenta soltar Jesus e pacificar os judeus

Pilatos estava plenamente convencido de duas coisas: a inocência de Jesus e a inveja dos judeus (Mc 15:10). Mas, por covardia e conveniência política, abafou a voz da consciência e condenou Jesus; antes, porém, fez tentativas evasivas.

Pilatos tentou deixar o caso de Jesus nas mãos dos judeus. Por duas vezes, Pilatos tentou delegar aos judeus a decisão sobre o destino de Jesus. Na primeira vez, logo que trouxeram Jesus a Pilatos, ele lhes disse: *Levai-o convosco e julgai-o segundo a vossa lei. Mas os judeus disseram: Não nos é permitido executar ninguém* (18:31). Na segunda vez, Pilatos disse, ainda mais desesperado: *Levai-o e crucificai-o vós. Eu não vejo nele crime algum* (19:6). Pilatos quer deixar a sua decisão nas mãos dos outros. Mas essa decisão era dele. E essa decisão também é sua, caro leitor.

Pilatos tentou transferir a responsabilidade enviando Jesus a Herodes. Pilatos tenta mais uma vez se esquivar e, ao saber que Jesus era da Galileia, jurisdição de Herodes, o remete à sua autoridade. Pilatos quer ficar livre de Jesus, que é levado então a Herodes, mas não abre a boca; e, então, Jesus é novamente levado à presença de Pilatos (Lc 23:5-12).

Pilatos tentou descartar Jesus com meias medidas. Pilatos disse aos judeus: *Eu o castigarei e o soltarei em seguida* (Lc 23:16,22). D. A. Carson diz que a flagelação aplicada pelos romanos podia tomar uma de três formas: a *fustigatio,* um espancamento menos severo aplicado por crimes relativamente leves, como vandalismo; a *flagelatio,* uma flagelação brutal aplicada a criminosos cujos crimes eram mais sérios; a *verberatio,* o castigo mais terrível de todos e que estava sempre associado a outras punições, incluindo a crucificação. Nessa última forma, a vítima era despida e amarrada a uma estaca para depois ser golpeada por diversos torturadores, até que eles ficassem exaustos ou seus comandantes os mandassem parar.[8]

Pilatos revela-se ao mesmo tempo cruel, açoitando o inocente, e também covarde, querendo agradar à multidão punindo o inocente. Pilatos repetidamente afirmou a inocência de Jesus (18:38; 19:6; 19:9). Seu problema era falta de coragem para sustentar aquilo em que acreditava. Ele queria agradar ao povo, com medo de um motim. Pilatos não perguntou: "Isso é certo?" Em vez disso, perguntou: "Isso é seguro? Isso é popular?" Pilatos agiu contra a lei romana, pois, se Jesus era inocente, tinha de ser imediatamente solto, e não primeiramente açoitado. Como já escrevemos, o açoite romano era algo terrível. O réu era atado e dobrado de tal maneira que suas costas ficavam expostas. O chicote era uma larga tira de couro, com pedaços de ferro e ossos nas pontas. Por esses açoites, a vítima tinha seu corpo rasgado; às vezes, um olho chegava a ser arrancado.[9] F. F. Bruce diz que esses açoites transformavam o corpo da vítima em massa sangrenta.[10] Alguns morriam durante os próprios açoites, e outros ficavam loucos. Poucos eram os que suportavam o castigo sem desmaiar. Foi isso o que fizeram com Jesus. A flagelação romana era executada de maneira bárbara. O delinquente era desnudado, amarrado a uma estaca ou coluna, e chicoteado por vários carrascos. O suplício de Jesus nos ajuda a entender Isaías 53:5: *Mas*

O julgamento de Jesus no tribunal romano

ele foi ferido por causa das nossas transgressões e esmagado por causa das nossas maldades; o castigo que nos traz a paz estava sobre ele, e por seus ferimentos fomos sarados.

Concordo com William Hendriksen quando ele diz que Pilatos ordenou esse açoitamento não como um sinal de crucificação, mas para evitar a necessidade de sentenciar Jesus a ser crucificado, uma vez que, mesmo depois do açoitamento, Pilatos ainda tentou desesperadamente libertar Jesus (19:12). Parece que Pilatos estava tentando despertar piedade pelo prisioneiro (19:5). Certamente, desejava livrar-se do caso de Jesus.[11]

Pilatos tentou a coisa certa pela forma errada. Mais uma vez, Pilatos quis se esquivar de sua responsabilidade. Ele era homem afeito a decisões. Era o governador. E queria soltar Jesus. Então, lembrou-se de uma prática costumeira: a soltura de um prisioneiro na época da Páscoa. Lembrou-se do pior homem que tinha preso, Barrabás. Pilatos tentou fazer a coisa certa (soltar Jesus), pela forma errada (a escolha da multidão). Propôs anistiar um prisioneiro criminoso, esperando que a multidão escolhesse Jesus, mas o povo preferiu Barrabás, um guerrilheiro perigoso (18:38-40). Barrabás era um homicida e tumultuador (Mc 15:7), um preso muito conhecido (Mt 27:16), um salteador (18:40).

D. A. Carson diz que Pilatos dá seu veredito (18:38) e, depois, dramaticamente, apresenta Jesus – uma figura triste, inchada, ferida, sangrando por causa daqueles espinhos cruéis e ridículos. Pilatos apresenta Jesus ao povo e diz: *Aqui está o homem!* (19:5) Pilatos está falando com intensa ironia: "Aqui está o homem que vocês acham tão perigoso e ameaçador. Será que vocês não conseguem ver que ele é inofensivo?" Se o governador zomba dessa forma de Jesus,

João — As glórias do Filho de Deus

ele, na verdade, está ridicularizando, com a mesma intensidade, as autoridades judaicas.[12]

A escolha da multidão por Barrabás revela as escolhas do ser humano sem Deus: ilegalidade em lugar da lei; guerra em lugar de paz; ódio e violência em lugar de amor. A situação de Pilatos ficava ainda mais grave. Ele era um homem prisioneiro da sua consciência.

Pilatos tentou se esquivar com uma pergunta filosófica: *Que é a verdade?* Jesus havia dito a Pilatos: [...] *Foi para isso que nasci e vim ao mundo, a fim de dar testemunho da verdade. Todo aquele que é da verdade ouve a minha voz. Então Pilatos lhe perguntou: Que é a verdade?* [...] (18:37,38). Caríssimo leitor, talvez você também venha tentando esquivar-se de sua rendição a Cristo, deixando o foco principal para distrair-se com perguntas filosóficas.

Pilatos tenta isentar-se, procurando soltar Jesus. Pilatos sabe que Jesus é inocente. Sabe que as acusações contra ele são falsas e motivadas pela inveja. João relata que Pilatos, ao tomar consciência de que Jesus era o Filho de Deus, procurou soltá-lo (19:12). As duas acusações contra Jesus eram gravíssimas, pois a primeira delas, a alegação de ser o rei dos judeus, era uma transgressão capital da lei romana; e, a segunda, a alegação de ser Filho de Deus, exigia a aplicação de pena máxima pela lei dos judeus. Pilatos está encurralado. As autoridades judaicas o pressionavam. Então, depois de mandar açoitar Jesus, ele o apresentou ferido e ultrajado à turma ensandecida. Mas o expediente falhou. As feras, quando viram sangue, sentiram o apetite aguçado e passaram a uivar por mais sangue ainda: *Crucifica-o! Crucifica-o!*[13] Pilatos faz a última pergunta cheia de amarga ironia: *Crucificarei o vosso rei?* Os principais sacerdotes responderam: *Não temos rei, a não ser César.* Charles Erdman diz que é assim que eles se confessam vassalos de Roma; é assim que renegam suas esperanças messiânicas, repudiam seus direitos nacionais e apostatam de Deus. Ganham na questão, conseguindo a morte de Jesus, mas tal sucesso marca o desastre e sela a condenação de uma raça. Chega-se ao ponto culminante de incredulidade dos judeus, em toda a história desse povo.[14]

Pilatos, finalmente, esquiva-se da sua decisão, levantando as mãos e afirmando sua inocência. Pilatos tenta jogar sobre os judeus a responsabilidade de sua covardia. Manda trazer uma bacia com água e lava as mãos, dizendo: *Sou inocente do sangue deste homem* (Mt 27:24). Nem toda a água do oceano poderia lavar suas mãos. Elas estão sujas de sangue. A tradição diz que Pilatos passou a vida toda com paranoia de lavar as mãos.

Pilatos cede, entregando Jesus para ser crucificado

Embora Pilatos considerasse Jesus inocente de qualquer crime, sucumbiu à pressão e entregou Jesus para ser crucificado. Destacamos aqui dois pontos importantes.

Em primeiro lugar, *Pilatos entregou Jesus porque a conveniência falou mais alto do que a consciência* (19:12). Os judeus disseram a Pilatos: *Se soltares este homem, não és amigo de César. Todo aquele que se declara rei é contra César.* A posição política falou mais alto que a voz da consciência. As vantagens do mundo prevaleceram sobre as venturas do céu. Pilatos condenou Cristo para não perder os favores de Roma.

Werner de Boor diz que, se quisermos compreender a seriedade dessa ameaça e o efeito sobre Pilatos, precisamos entender a situação histórica da época. Um imperador romano governava com poder pessoal absoluto. Instâncias como o senado romano não passavam de um impotente jogo de títeres na mão do imperador. Do favor ou da indignação de um imperador dependia não apenas a posição de uma pessoa, mas toda a sua existência. Isso se aplicava especialmente sob Tibério, sucessor de Augusto, que se tornara cada vez mais um homem desconfiado, medroso e por isso cruel. Provocar a suspeição desse César representava risco de vida. Pilatos tinha o título honorífico oficial de "amigo de César" e, por consequência, contava com a benevolência do imperador. No entanto, os sacerdotes de Jerusalém também tinham seus contatos em Roma. Um relato bem preparado sobre Pilatos, que simplesmente tivesse deixado escapar de suas mãos um flagrante rebelde e inimigo do imperador, poderia provocar toda a suspeita de Tibério e fazer daquele que até então era "amigo de César" alguém que perderia a posição e a vida. O que os sumos sacerdotes disseram a Pilatos podia ser tudo, menos uma ameaça vazia.[15] Concordo com D. A. Carson quando ele diz que o versículo está saturado de ironia. Para executar Jesus, as autoridades judaicas se fingiram de súditos de César mais leais que o odiado oficial romano Pilatos. Demonstraram, assim, sua escravidão não somente ao pecado (8:34), mas também à servidão política que antes negavam (8:33).[16] Pilatos leva as autoridades judaicas à blasfêmia delas, ao declararem: *Não temos rei, a não ser César*. Assim, eles não apenas rejeitaram as declarações messiânicas de Jesus, mas, também, abandonaram a esperança messiânica de Israel.[17]

Em segundo lugar, *Pilatos entregou Jesus por consumada covardia*. John Stott diz que quatro foram as razões que levaram Pilatos a entregar Jesus para ser crucificado. Primeiro, o clamor da multidão (Lc 23:23). O clamor da multidão prevaleceu. Segundo, o pedido da multidão (Lc 23:24).

O julgamento de Jesus no tribunal romano

Pilatos decidiu atender-lhes o pedido. Terceiro, a vontade da multidão (Lc 23:25). Quanto a Jesus, entregou-o à vontade deles. Quarto, a pressão da multidão (19:12). Os judeus disseram a Pilatos: *Se soltares este homem, não és amigo de César.* A escolha é entre a verdade e a ambição, entre a consciência e a conveniência.[18] Werner de Boor destaca que, mais uma vez, ocorre aqui o termo "entregar", que caracterizou a ação de Judas, foi usado por Caifás e agora marca a sentença de Pilatos. Mas, sobretudo, Jesus é aquele que foi entregue por parte do próprio Deus (Rm 8:32).[19] É digno de nota que Jesus tenha sido sentenciado a ser abatido bem na hora em que começava o abate dos cordeiros da Páscoa.[20]

NOTAS DO CAPÍTULO 27

[1] BRUCE, F. F. *João: introdução e comentário*, p. 297.

[2] Ibid., p. 298.

[3] HENDRIKSEN, William. *João*, p. 817.

[4] ERDMAN, Charles. *O evangelho de João*, p. 135.

[5] Ibid.

[6] CARSON, D. A. *O comentário de João*, p. 590.

[7] Ibid., p. 603.

JoÃo — As glórias do Filho de Deus

[8] Ibid., p. 598.

[9] BOOR, Werner de. *Evangelho de João II*, p. 161.

[10] BRUCE, F. F. *João: introdução e comentário*, p. 304.

[11] HENDRIKSEN, William. *João*, p. 836-837.

[12] CARSON, D. A. *O comentário de João*, p. 599.

[13] ERDMAN, Charles. *O evangelho de João*, p. 138.

[14] Ibid., p. 140.

[15] BOOR, Werner de. *Evangelho de João II*, p. 166-167.

[16] CARSON, D. A. *O comentário de João*, p. 604.

[17] Ibid., p. 607.

[18] STOTT, John. *A cruz de Cristo*, p. 44.

[19] BOOR, Werner de. *Evangelho de João II*, p. 169.

[20] CARSON, D. A. *O comentário de João*, p. 605.

Capítulo 28

A crucificação, a morte e o sepultamento de Jesus
(Jo 19:17-52)

A CRUZ DE CRISTO é pré-histórica. Estava incrustada no coração de Deus antes da fundação do mundo (1Pe 1:18-20; Ap 13:8; At 2:23). O Calvário não foi um acidente, mas um plano divino. Cristo veio para morrer. A morte na cruz sempre esteve em sua agenda; ele profetizou várias vezes que veio para morrer. Ele não morreu como um mártir, mas deu a sua vida voluntariamente. Ele é o Cordeiro que tira o pecado (1:29). É como a serpente levantada (3:14). É o pastor que dá a vida pelas ovelhas (10:11-18). É o grão de trigo que cai e morre para produzir muitos frutos (12:20-25). Jesus foi para a cruz não apenas porque os judeus o entregaram por inveja; não apenas porque Judas o traiu por dinheiro; não apenas porque Pilatos o condenou por covardia. Cristo foi para a cruz porque o Pai o entregou por amor. Cristo foi para a cruz porque ele mesmo se entregou voluntariamente por nós.

O Calvário é o maior drama da História. É o palco da justiça de Deus, de seu consumado repúdio ao pecado e, também, o palco do infinito amor de Deus, pois ali ele não poupou o próprio Filho para nos salvar. A cruz de Cristo é o nosso êxodo, a nossa libertação.

Depois de Jesus ser sentenciado à morte pelo Sinédrio por causa de crimes de blasfêmia contra Deus e rebelião contra César, a condenação à morte de cruz é autorizada por Pilatos, governador romano. A morte por crucificação era em si considerada uma maldição (Dt 21:23; Gl 3:13).

Três fatos estupendos acontecerão em seguida: a crucificação, a morte e o sepultamento de Jesus. Vamos examinar cada um desses pontos a seguir.

A crucificação de Jesus (19:17-22)

Jesus já estava com as forças esgotadas. Desde a noite anterior, estivera preso, sendo castigado pelos judeus. Na sexta-feira da Páscoa, Jesus, o Cordeiro de Deus, é cuspido, torturado e escarnecido. Do pretório romano, por pressão das autoridades judaicas e por covardia conveniente de Pilatos, Jesus sai carregando o maldito lenho pelas ruas estreitas e apinhadas de gente de Jerusalém. A multidão ensandecida e insuflada pelos seus líderes religiosos grita desenfreadamente palavras de escárnio ao Filho de Deus. Os soldados romanos, sem nenhuma urbanidade e piedade, açoitam aquele que já havia sido esbordoado com desmesurado rigor (19:16,17).

A crucificação, a morte e o sepultamento de Jesus

Aos empurrões e chibatadas, Jesus carrega a cruz rumo ao monte da Caveira. F. F. Bruce diz, com razão, que Jesus é "levado" para o local da execução, mas não como uma vítima relutante, obrigada a ir aonde por si mesmo não iria; ele acompanha seus carrascos por vontade própria e carregando pessoalmente a cruz.[1]

Três fatos merecem destaque aqui.

Em primeiro lugar, *Jesus carrega a sua cruz* (19:17). Aquele lenho não era apenas um instrumento de execução, mas um emblema. O mais perverso instrumento de pena de morte transforma-se no símbolo do cristianismo, pois naquela cruz Jesus carregou em seu corpo, sobre o madeiro, os nossos pecados (1Pe 2:24). Jesus não caminha para o Calvário como uma vítima impotente, como um derrotado pelo sistema. Ao contrário, caminha como um rei caminha para sua coroação.

Em segundo lugar, *Jesus é crucificado entre dois malfeitores* (19:18). A crucificação era o mais cruel e sórdido dos castigos. Consistia em fixar os braços ou mãos da vítima no travessão para então içá-lo até que ele ficasse em cima da estaca vertical, na qual seus pés eram afixados. As mãos e os pés eram presos à madeira com pregos.[2] Dores lancinantes, câimbras insuportáveis, asfixia atordoante e sede implacável torturavam as vítimas expostas ao mais vexatório espetáculo de horror. De acordo com Cícero, estadista e filósofo romano, a crucificação era o mais cruel e vergonhoso dos castigos. Essa forma de pena capital era reservada aos criminosos mais sórdidos, especialmente os que instigavam insurreições.[3]

No topo da montanha da Caveira, três cruzes foram suspensas. Do lado direito e esquerdo de Jesus, foram crucificados dois ladrões (Mt 27:38), dois malfeitores (Lc 23:33).

A cruz de Jesus estava no meio, porque o reputavam como o maior criminoso, condenado por crime de blasfêmia e sedição, e também porque em Jesus todos os homens são julgados. O ladrão e malfeitor da direita arrepende-se na última hora, e é salvo. O ladrão e malfeitor da esquerda permanece impenitente, e perece. A crucificação de Jesus tornou-se, outrossim, o grande tema da mensagem evangélica. O apóstolo chegou a afirmar: *Nós pregamos Cristo crucificado, que é motivo de escândalo para os judeus e absurdo para os gentios. Mas para os que foram chamados, tanto judeus como gregos, Cristo é poder de Deus e sabedoria de Deus* (1Co 1:23,24).

A morte de Cristo foi o mais horrendo crime. Judeus e gentios, religiosos e políticos, uniram-se para condenarem Jesus. Pedro denunciou as autoridades judaicas por matarem o autor da vida (At 3:15) e o crucificarem por mãos de iníquos (At 2:23). Destacamos alguns pontos importantes aqui.

O local da crucificação. Gólgota, o local onde Jesus foi crucificado, era também conhecido como Lugar da Caveira (Mc 15:22). Naquele tempo, os criminosos condenados à morte de cruz não tinham o direito a um sepultamento digno. Muitos deles eram deixados apodrecendo na cruz. Talvez o monte tenha recebido esse nome não apenas por causa da sua aparência de caveira, mas, também, por causa do horror de haver sempre ali corpos putrefatos.

A dor física da crucificação. A morte de cruz era a forma de os romanos aplicarem a pena de morte. Os judeus consideravam maldito aquele que fosse dependurado na cruz (Gl 3:13). A pessoa morria de câimbras, asfixia e dores crudelíssimas. A morte vinha por sufocação, esgotamento ou hemorragia. Já se disse que a pessoa crucificada, "morre mil mortes".[4]

A crucificação, a morte e o sepultamento de Jesus

A dor moral e espiritual da crucificação. Jesus foi escarnecido como profeta (Mc 15:29), como Salvador (Mc 15:31) e como Rei (15:32). Ele foi crucificado entre dois ladrões como um criminoso. Foi despido de suas vestes, que acabaram sendo repartidas pelos soldados. Foi zombado quando pregaram em sua cruz a acusação que o levou à morte (Mc 15:26). Foi escarnecido pelos transeuntes que ainda alimentavam as mentiras espalhadas pelas falsas testemunhas (Mc 15:29). Foi vilipendiado pelos principais sacerdotes e escribas que o acusaram de impotente para ajudar a si mesmo (Mc 15:31). Foi insultado até mesmo por aqueles que com ele terminaram crucificados (Mc 15:32).

A última cartada de Satanás. Satanás sempre tentou desviar Jesus da cruz. Agora, dá sua última cartada. O povo gritou para Jesus salvar a si mesmo (Mc 15:30), e os principais sacerdotes e escribas disseram-lhe: *Desça agora da cruz o Cristo, o rei de Israel, para que vejamos e creiamos* [...] (Mc 15:32). Se Jesus salvasse a si mesmo, não poderia salvar-nos. Se ele descesse da cruz, nós desceríamos ao inferno.

As trevas sobre a terra. A penúltima praga que assolou o Egito antes da morte do Cordeiro pascal foram três dias de trevas. Agora, antes de Jesus, o nosso Cordeiro pascal, ser imolado na cruz, também houve três horas de trevas sobre a terra (Mc 15:33). É conhecida a expressão de Douglas Webster, que declarou: "No nascimento do Filho de Deus, houve luz à meia-noite; na morte do Filho de Deus, houve trevas ao meio-dia".[5] A escuridão simbolizou julgamento: o julgamento de Deus sobre o nosso pecado; sua ira consumindo-se no coração de Jesus, para que ele, como nosso substituto, pudesse sofrer a agonia mais intensa, a aflição mais indescritível e o desamparo e o

JOÃO — As glórias do Filho de Deus

isolamento mais terríveis. O inferno alcançou o Calvário nesse dia, e o Salvador desceu até ele, experimentando os seus horrores em nosso lugar. William Hendriksen diz que Jesus desceu das regiões de infinito prazer nas quais desfrutava a comunhão mais íntima possível com seu Pai (1:1; 17:5) para as profundezas abismais do inferno. Na cruz ele clamou: *Deus meu, Deus meu, por que me desamparaste?* (Mt 27:46).[6]

Em terceiro lugar, *Jesus é declarado rei dos Judeus* (19:19-22). Era comum, naquela época, afixar no cimo da cruz, o crime pelo qual o réu estava sendo executado. Para escarnecer dos judeus, Pilatos manda instalar uma tábua com o título: Jesus Nazareno, rei dos Judeus. Charles Erdman diz que Pilatos fez isso com acerba ironia, significando que o único rei, ou libertador, do qual os judeus, sob a dominação de Roma, se podiam gabar, ou tinham de aguardar, era um paciente desamparado, impotente, a morrer como malfeitor.[7] Pilatos mandou escrever esse título em hebraico, latim e grego. Ou seja, as línguas da religião, da política e da filosofia. Quando os principais sacerdotes tentaram demover Pilatos a fim de mudar a frase para: *Ele [Jesus] disse: Sou o rei dos judeus*, o governador romano, já contrariado com esses líderes, não aquiesceu e manteve sua posição, afirmando: *O que escrevi, escrevi* (19:22).

As vestes de Jesus (19:23,24)

Para cumprir as profecias, os soldados que crucificaram Jesus tomaram suas vestes e sua túnica. Duas coisas são registradas a respeito.

Em primeiro lugar, *suas vestes foram divididas* (19:23). Os soldados tomaram as vestes de Jesus e fizeram quatro partes, uma parte para cada soldado.

476

A crucificação, a morte e o sepultamento de Jesus

Em segundo lugar, *sua túnica foi sorteada* (19:23,24). A túnica de Jesus era sem costura. Como inteiro era seu caráter, sem nenhuma costura ou emenda, também era inteira e sem costura sua túnica. Os soldados não a rasgaram nem a dividiram; antes, lançaram sortes para ver quem ficava com ela. Isso para cumprir a profecia de Salmos 22:18.

A mãe de Jesus (19:25-27)

O velho Simeão havia profetizado que a alma de Maria seria traspassada por uma espada (Lc 2:35). Esse dia chegou. Maria está junto à cruz com outras mulheres vendo o indescritível sofrimento de seu filho. Oh, que espada foi aquela que transpassou sua alma! Felicidade tal como nunca houve em um nascimento humano, tristeza tal como nunca se sentiu em uma morte desumana. Maria foi a primeira a beijar aquela fronte agora coroada de espinhos. Foi a primeira a segurar aquelas mãos agora presas ao lenho. Não há registro, porém, de nenhum pranto histérico nem de um desmaio por parte de Maria. Ela estava junto à cruz. A multidão zombando, o ladrão crucificado à esquerda insultando, os sacerdotes escarnecendo, os soldados endurecidos indiferentes. O Salvador sangra e morre, e ali está sua mãe contemplando a horrível zombaria. Em todos os anais da história da nossa raça, não há nenhum paralelo. Que coragem transcendente! Ela permaneceu junto à cruz de Jesus.[8]

Mesmo cravado naquele leito vertical da morte, suspenso entre a terra e o céu, Jesus estava no controle da situação. Vendo sua mãe e junto a ela o discípulo amado, disse: *Mulher, aí está o teu filho. Então disse ao discípulo: Aí está tua mãe. E, a partir daquele momento, o discípulo manteve-a sob seus cuidados* (19:26,27). Essa é a terceira palavra de Jesus na cruz. Demonstra seu cuidado com a mãe, seu zelo como

João — As glórias do Filho de Deus

filho. Arthur Pink diz corretamente que, na cruz, contemplamos seu terno cuidado e solicitude para com sua mãe, e nisso temos o padrão de Jesus Cristo apresentado a todos os filhos para que eles o imitem, ensinando-lhes como se portar para com seus pais de acordo com a leis da natureza e da graça.[9]

A morte de Jesus (19:28-30)

No breve relato que João faz da morte de Cristo, ele insere mais duas de suas palavras na cruz. Destacamos aqui três pontos.

Em primeiro lugar, *Jesus demonstra seu sofrimento físico* (19:28). A crucificação era a mais horrenda forma de pena capital. Depois de torturado, o criminoso era pregado na cruz, exposto ao calor do dia e ao frio da noite. O sangue esvaía, as câimbras torturavam, a asfixia sufocava, e a sede era esmagadora. Em vez de aliviarem sua sede, deram-lhe vinagre para agravá-la ainda mais. Esta foi a quinta palavra de Cristo na cruz: *Estou com sede.* Essa declaração retrata tanto a perfeita humanidade como a profundidade do sofrimento de Cristo na cruz. Arthur Pink diz que, nas horas da noite anterior e durante todo aquele dia, a eternidade foi condensada. Todavia, durante todo o episódio, nem uma única palavra de murmuração passou em seus lábios. Não havia queixa alguma, nenhum rogo por misericórdia. Todos os seus sofrimentos foram suportados em augusto silêncio. Como uma ovelha muda perante os seus tosquiadores, ele não abriu a sua boca (Is 53:7). Mas, agora, com o corpo arruinado, todo dorido, e a boca ressecada, ele clama: *Estou com sede.* Não foi um apelo por compaixão, nem um pedido pela mitigação de seus sofrimentos; ele expressou a intensidade das agonias pelas quais estava passando.[10]

A crucificação, a morte e o sepultamento de Jesus

Vemos, ainda, nesta palavra de Jesus na cruz, sua profunda reverência pelas Escrituras: [...] *sabendo Jesus que todas as coisas já estavam consumadas, para que se cumprisse a Escritura, disse: Estou com sede* (19:28). Ele já estava pendurado naquela cruz havia seis horas, passando por sofrimento sem paralelo; contudo, sua mente estava clara, e sua memória, intacta. Ele revisava o escopo todo da predição messiânica. As Escrituras precisavam se cumprir. Vale destacar, ainda, a plena submissão do Salvador à vontade de seu Pai. Jesus suportou o castigo atroz e a sede severa não porque estava desprovido de poder para satisfazer sua necessidade. Ele suportou toda essa agonia para cumprir cabalmente a vontade do Pai, dando sua vida em nosso resgate![11]

Em segundo lugar, *Jesus demonstra seu retumbante triunfo* (19:30). Quando Jesus tomou o vinagre, disse: *Está consumado*. Na língua grega, essa é uma única palavra: *Tetélestai*. É uma palavra de vitória. Arthur Pink diz que vemos aqui o cumprimento de todas as profecias que foram escritas sobre Cristo antes que viesse a morrer; o término do seu sofrimento; o objetivo da encarnação alcançado; a realização da expiação; a remissão dos nossos pecados; o cumprimento das exigências da lei; a satisfação da justiça divina; a destruição do poder de Satanás.[12]

A palavra grega *Tetélestai* tinha três significados básicos:

1. *Missão cumprida*. Quando um pai encarregava seu filho de uma tarefa, o filho, ao concluí-la, chegava para o pai e dizia: *Tetélestai* ("Está terminado o meu trabalho"). O Pai enviou Jesus, o seu Filho unigênito, ao mundo com a missão de cumprir a lei por nós e morrer em nosso lugar, levando sobre o seu corpo no madeiro os nossos pecados e adquirindo para nós eterna redenção. Jesus se fez carne e habitou entre nós. Viveu como um de nós, mas sem pecado.

Sentiu fome, sede, cansaço, dor, fadiga. Ele não tinha onde reclinar a cabeça. Não nasceu num berço de ouro, mas num estábulo de animais. Não pisou tapetes aveludados, mas palmilhou as estradas empoeiradas da Palestina. Não veio para ser servido, mas para servir. Andou por toda parte fazendo o bem e curando todos os oprimidos do diabo. Curou os cegos, levantou os aleijados, purificou os leprosos, ressuscitou os mortos e deu esperança àqueles que estavam escorraçados pela vida. Libertou os cativos, alforriou os prisioneiros do pecado e arrancou da casa do valente os que viviam no reino das trevas. Veio como nosso libertador, Salvador e Senhor. Tomou o nosso lugar. Veio como representante e fiador. Foi à cruz por nós. Morreu em nosso lugar, em nosso favor. Cumpriu cabalmente esse plano eterno e, no topo do Calvário, bradou aos céus e proclamou ao Pai: *Tetélestai* ("Está consumado!"). Minha missão foi concluída.

2. *Resgate definitivo.* Quando um devedor ia pagar o seu débito numa agência bancária, ao saldar toda a dívida, a promissória era carimbada: *Tetélestai* ("Está pago!"). Quando Cristo foi à cruz, ele rasgou o escrito da dívida que era contra nós e o encravou na cruz. Ele pagou a nossa dívida e quitou o nosso débito. Nossa dívida com Deus era impagável. Todos estamos aquém das exigências da lei. A lei exige perfeição total, e nós somos imperfeitos. Jamais poderíamos cumprir a lei ou satisfazer as demandas da justiça divina. Mas o que não podíamos fazer, Cristo fez por nós. Agora, em Cristo, estamos quites com a lei de Deus. Agora, as demandas da justiça divina foram satisfeitas. Agora, fomos justificados pelo sangue de Cristo. Agora, já nenhuma condenação há mais para aqueles que estão em Cristo Jesus. Estamos perdoados. Estamos justificados.

A crucificação, a morte e o sepultamento de Jesus

Não pesa mais sobre nós a culpa dos nossos pecados. Jesus se fez pecado por nós, para que fôssemos feitos justiça de Deus. Não apenas nossos pecados foram perdoados, mas toda a infinita justiça de Cristo foi depositada em nossa conta. Temos um crédito infinito diante do tribunal de Deus. Somos ricos. Estamos protegidos com as vestiduras alvas da justiça de Cristo. Podemos ter ousadia e confiança de nos aproximarmos do trono de Deus. Cristo é o nosso advogado e intercessor. Com o seu sangue, eles nos reconciliou com Deus. Ele é a nossa paz, o nosso resgatador.

3. *Posse permanente e definitiva*. Quando uma pessoa comprava um imóvel, após efetuar todo o pagamento, recebia uma escritura definitiva com o carimbo: *Tetélestai*. Quando Cristo bradou na cruz: *Está consumado*, ele nos entregou o certificado, a garantia e a escritura registrada da nossa posse de uma herança eterna, incorruptível e gloriosa no céu. Agora, tornamo-nos filhos de Deus, herdeiros de Deus e co-herdeiros com Cristo. Agora, as riquezas insondáveis de Deus são nossas. Os céus nos pertencem por herança. O céu é a casa do Pai, o nosso lar, a nossa morada, a nossa Pátria. O céu não é apenas uma vaga possibilidade, mas uma realidade concreta. Não é apenas uma esperança vazia, mas uma convicção inabalável. Cristo comprou-nos com o seu sangue. Abriu para nós um novo e vivo caminho para Deus. Entrou no céu como o nosso precursor. Ele é a porta do céu, o caminho para Deus, o galardoador daqueles que o buscam.

Em terceiro lugar, *Jesus demonstra sua serenidade e rende seu espírito* (19:30). Essa é a sétima e última palavra de Cristo na cruz. É a palavra do contentamento. Foi também o último ato do Salvador antes de expirar, um ato de plena confiança, serenidade e segurança no Pai. Vemos aqui o Salvador outra vez de volta à comunhão com o Pai. Por mais de doze horas, Jesus estivera nas mãos dos homens (Mt 17:22,23; 26:45). Voluntariamente o Salvador havia se entregado às mãos dos pecadores e agora, voluntariamente, ele entrega seu espírito nas mãos do Pai.[13] Até na hora da morte Jesus está no controle. Seu espírito não lhe foi tomado; ele mesmo rende seu espírito. Ele voluntariamente se entrega ao Pai.

O cumprimento das profecias acerca de Jesus (19:31-37)

Quatro verdades são enfatizadas por João.

Em primeiro lugar, *o pedido dos judeus* (19:31). Os judeus eram muito zelosos com sua preparação para o sábado. Por isso, voltam a Pilatos com mais um rogo. Querem sepultar logo os crucificados e, para isso, é preciso quebrar as pernas deles a fim de que morram mais depressa.

Em segundo lugar, *a ação dos soldados* (19:32,33). Aqueles que foram crucificados à direita e à esquerda de Jesus ainda estavam vivos e tiveram suas pernas quebradas. Mas, quando o soldado foi quebrar as pernas de Jesus, constatou que ele já estava morto e, assim, suas pernas não foram quebradas. Isso aconteceu para se cumprir a profecia (Êx 12:46; Nm 9:12; Sl 34:20).

Em terceiro lugar, *a constatação do soldado* (19:34,35). Quando o soldado abriu o lado do corpo de Jesus com uma lança, logo saiu sangue e água. Aquele que viu isso testificou a verdade e reconheceu que Jesus é o Filho de Deus (Mt 27:54). A explicação fisiológica pode ser que a morte de Jesus resultou da ruptura do coração em consequência de grande dor e agonia mental (Sl 69:20). Uma morte assim seria quase instantânea, e o sangue, ao fluir para o pericárdio, coagularia em coágulos vermelhos (sangue) e soro límpido (água). Esse sangue e água então teriam sido liberados pela abertura feita pela lança.[14] Warren Wiersbe chama a atenção para a possibilidade de uma simbologia nesses dois elementos: o sangue se refere à justificação, e a água, à purificação. O sangue trata da culpa do pecado; a água trata da mácula do pecado.[15]

Em quarto lugar, *o cumprimento das profecias* (19:36,37). Duas profecias precisavam se cumprir. A primeira é que os ossos de Jesus não seriam quebrados (Sl 34:20), e a segunda é que aqueles que o traspassaram hão de ver Jesus em sua glória (Zc 12:10; Ap 1:7).

O sepultamento de Jesus (19:38-42)

Destacamos aqui quatro pontos a respeito do sepultamento.

Em primeiro lugar, *o pedido de José de Arimateia* (19:38). Mateus nos dá três informações sobre esse homem: ele era de Arimateia, cidade dos judeus, rico e discípulo de Jesus (Mt 27:57). Marcos nos dá duas informações novas sobre ele: era um ilustre membro do Sinédrio e esperava o reino de Deus (Mc 15:43). Lucas nos oferece, também, duas informações novas: era homem bom e justo; e não tinha concordado com o desígnio e ação dos outros membros do Sinédrio acerca do processo e condenação de Jesus (Lc 23:50,51). João, porém, nos dá uma informação extra. Diz que ele não teve coragem para assumir seu posicionamento acerca de Cristo publicamente, com medo de retaliação (19:38). Esse homem é quem vai a Pilatos reivindicar o corpo de Jesus para ser sepultado.

Pela lei romana, os condenados à morte perdiam o direito à propriedade e até mesmo o direito de serem enterrados. Frequentemente, o corpo dos acusados de traição permanecia apodrecendo na cruz. É digno de nota que nenhum parente ou discípulo tenha reivindicado o corpo de Jesus.

José de Arimateia empregou a palavra grega *soma* para pedir o corpo de Jesus. Pilatos o cedeu, usando a palavra grega *ptoma*. A primeira palavra fala acerca da personalidade total, fato que implica o cuidado e o amor de José de Arimateia. A palavra usada por Pilatos dá ao corpo apenas o significado de cadáver ou carcaça. Essas diferentes palavras representam diferentes atitudes acerca da vida e da morte.[16]

John Charles Ryle diz que outros tinham honrado e confessado nosso Senhor quando o viram fazendo milagres, mas José o honrou e confessou ser seu discípulo quando o viu frio, ensanguentado e morto. Outros tinham demonstrado amor a Jesus enquanto ele estava falando e vivendo, mas José de Arimateia demonstrou amor quando ele estava silencioso e morto.

Em segundo lugar, *a cooperação de Nicodemos* (19:39, 40). Nicodemos era fariseu, um dos principais dos judeus (3:1) e mestre em Israel (3:10). Foi ter com Jesus de noite e provavelmente se tornou, à semelhança de José de Arimateia, um discípulo oculto de Jesus. Charles Erdman destaca que esses dois homens, José de Arimateia e Nicodemos, não tiveram a coragem de assumir suas convicções e deixaram de dar seu apoio e estímulo ao mestre quando vivo; agora aparecem para lhe prestar a última homenagem depois de morto. Trata-se de duas autoridades, homens de posição social e prestígio: José de Arimateia deposita o corpo de Jesus em túmulo novo, de sua propriedade; e Nicodemos envolve-o numa profusão de 45 quilos de ricas especiarias.[17] Nicodemos, que começou confuso no meio da noite (3:1-15),

A crucificação, a morte e o sepultamento de Jesus

terminou confessando sua fé abertamente em plena luz do dia (19:39,40).[18]

Em terceiro lugar, *o jardim* (19:41). Próximo ao monte da Caveira onde Jesus fora crucificado, havia um jardim, e ali, em um sepulcro novo, depositaram o corpo de Jesus.

Em quarto lugar, *o sepultamento* (19:42). Jesus foi sepultado nesse túmulo novo, cavado na rocha, perto do Gólgota. O sepultamento é a evidência de sua morte, e a ressurreição é a prova de sua vitória sobre a sepultura.

NOTAS DO CAPÍTULO 28

[1] BRUCE, F. F. *João: introdução e comentário*, p. 312.
[2] Ibid., p. 313.
[3] WIERSBE, Warren W. *Comentário bíblico expositivo*. Vol. 5, p. 494.
[4] HENDRIKSEN, William. *João*, p. 853.
[5] WEBSTER, Douglas. *In the debt of Christ*. London: Highway Press, 1957, p. 46.
[6] HENDRIKSEN, William. *João*, p. 853.
[7] ERDMAN, Charles. *O evangelho de João*, p. 142.
[8] PINK, Arthur W. *Os sete brados do Salvador sobre a cruz*. Disponível em: <www.monergismo.com>, p. 33-34
[9] Ibid., p. 34.
[10] Ibid., p. 59.

[11] Ibid., p. 61.

[12] Ibid., p. 66-77.

[13] Ibid., p. 78-81.

[14] HENDRIKSEN, William. *João*, p. 865.

[15] WIERSBE, Warren W. *Comentário bíblico expositivo*. Vol. 5, p. 498.

[16] McGEE, J. Vernon. *Mark*. Nashville: Thomas Nelson, 1991, p. 196.

[17] ERDMAN, Charles. *O evangelho de João*, p. 145.

[18] WIERSBE, Warren W. *Comentário bíblico expositivo*. Vol. 5, p. 498.

Capítulo 29

A gloriosa
ressurreição de Jesus
(Jo 20:1-31)

A RESSURREIÇÃO DE JESUS é a pedra de esquina, o fundamento do cristianismo. Um Cristo vencido pela morte não poderia salvar a si mesmo e muito menos a nós. O apóstolo Paulo, tratando da importância vital dessa magna verdade, afirmou que a morte de Cristo não foi um acidente, nem sua ressurreição, uma surpresa. Ele morreu segundo as Escrituras e ressuscitou segundo as Escrituras (1Co 15:1-3). Sem a ressurreição de Cristo, nossa fé seria vã, e nossa pregação, vazia. Sem a ressurreição de Cristo, não haveria remissão de pecados quanto ao passado nem esperança quanto ao futuro.

Muitas foram as tentativas para varrer da História as evidências da ressurreição

JOÃO — As glórias do Filho de Deus

de Cristo. Alguns críticos das Escrituras chegaram a dizer que Cristo não morreu, apenas teve um desmaio na cruz e, ao ser colocado num lugar fresco, cavado na rocha, reabilitou-se. Outros, conforme a precaução das autoridades judaicas, afirmam que os discípulos roubaram seu corpo e divulgaram a falsa notícia de que ele havia ressuscitado. Há aqueles, ainda, que dizem que as mulheres foram ao túmulo errado e espalharam a informação de que o túmulo de Jesus estava vazio. D. A. Carson diz que o roubo de túmulos era um crime tão comum que o imperador Cláudio (41-54 d.C.) acabou ordenando que a pena de morte fosse aplicada aos condenados por destruição de túmulos, remoção de cadáveres ou até deslocamento das pedras que fechavam a entrada dos túmulos. João não registra nada da alegação dos judeus de que os discípulos de Jesus foram os responsáveis pelo roubo do corpo de Jesus (Mt 28:13-15), mas o fato de que tal acusação pudesse ser feita demonstra que o roubo de túmulos não era incomum.[1] Outros, ainda, dizem que os romanos mais tarde colocaram o corpo de Jesus em outro túmulo.

A verdade incontroversa, entretanto, prevalece: Jesus ressuscitou como primícias de todos aqueles que dormem (1Co 15:20).

Vamos examinar com mais detalhes o texto em apreço.

A pedra removida (20:1-10)

William Hendriksen tem razão ao dizer que, provavelmente, João presume que os leitores estão familiarizados com os Evangelhos Sinóticos e limita sua história a Maria Madalena.[2] Três verdades nos chamam a atenção.

Em primeiro lugar, *a pedra removida, uma prova eloquente da ressurreição de Jesus* (20:1). A pedra era grande e ainda

A gloriosa ressurreição de Jesus

havia nela o selo inviolável do governador romano. O túmulo de Jesus foi aberto de dentro para fora. Jesus arrancou o aguilhão da morte e matou a morte ao ressuscitar dentre os mortos. Buda está no túmulo. Confúcio está no túmulo. Maomé está no túmulo. Alan Kardec está no túmulo. Mas Jesus está vivo. A pedra foi removida. Seu túmulo está vazio. Jesus não está mais lá. A morte não pôde detê-lo.

Em segundo lugar, *a remoção do corpo, uma crendice infundada* (20:2). Maria Madalena é destacada no primeiro relato da ressurreição de cada um dos quatro evangelhos, mas só aqui ela aparece sozinha. Ela foi ao sepulcro de madrugada e, ao ver a pedra removida, correu ao encontro de Pedro e do discípulo amado para dar-lhes a notícia. Entretanto, no coração dela só havia uma possibilidade: alguém teria tirado o corpo do Senhor do sepulcro, e eles não sabiam onde o haviam colocado. Os olhos de Maria e dos discípulos ainda não tinham sido abertos para compreenderem o fato glorioso da ressurreição.

D. A. Carson destaca o fato de que o testemunho apresentado por uma mulher normalmente não era aceito no tribunal.[3] Os evangelistas, não obstante, têm se esforçado para honrá-la, e cristãos sérios se lembrarão de que Deus gosta de escolher o que o mundo considera louco para envergonhar o sábio, a fim de que ninguém possa se vangloriar diante dele.[4]

Em terceiro lugar, *o sepulcro vazio, o berço da fé* (20:3-10). Pedro e João correm ao sepulcro. João, o discípulo amado, por ser mais jovem, chega primeiro, mas é Pedro quem entra no túmulo primeiro. Ali eles veem os lençóis e o lenço que cobria seu rosto. Estavam diante da mais contundente evidência da vitória de Cristo sobre a morte. O túmulo de Jesus vazio é o berço da fé. Warren Wiersbe diz que, ao escrever esse relato, João usou três termos gregos diferentes para *ver*. Em João 20:5, o verbo significa apenas "espiar, olhar de relance". Em João 20:6, significa "olhar com cuidado, observar". Já em João 20:8, quer dizer "perceber com uma compreensão intelectual". Sua fé na ressurreição estava nascendo como um novo dia![5] O mesmo Jesus que mandou tirar a pedra do túmulo de Lázaro para ressuscitá-lo remove, sem nenhum auxílio humano, a pedra de seu sepulcro.

O túmulo vazio (20:11-18)

Depois de constatarem que o túmulo estava vazio, Pedro e João voltaram para casa, mas Maria Madalena permaneceu na entrada do sepulcro. Para ela, não bastava ver as evidências da ressurreição; ela queria ver o Cristo ressurreto. Três fatos nos chamam a atenção na postura de Maria Madalena.

Em primeiro lugar, *olhar para dentro com lágrimas* (20:11-13). Maria Madalena olha para dentro do túmulo e vê dois anjos vestidos de branco sentados onde estava o corpo de Jesus. Eles perguntaram: *Mulher, por que choras?* Ela respondeu: *Porque levaram o meu Senhor, e não sei onde o puseram.* Maria chorava porque o túmulo vazio ainda não era, para ela, a evidência absoluta da ressurreição. Ela cogitava que alguém teria levado o corpo de Jesus para outro lugar.

Em segundo lugar, *olhar para trás com discernimento* (20:14-16). Depois de olhar para dentro do túmulo, Maria olhou para trás e viu Jesus em pé, mas não o reconheceu. Jesus lhe faz a mesma pergunta que os anjos fizeram: *Mulher, por que choras?* E acrescenta: *A quem procuras?* Maria, ainda com os olhos da alma fechados ao maior de todos os milagres, a ressurreição de Cristo, pensou ser ele o jardineiro e respondeu: *Senhor, se tu o levaste, dize-me onde o puseste, e eu o levarei.* Nessa hora, Jesus dirige-se a ela, chamando-a pelo nome: *Maria!* Ela, voltando-se, lhe diz, em hebraico: *Raboni (que significa mestre)!* A primeira aparição de Jesus foi a Maria Madalena. Essa mulher de quem Jesus expeliu sete demônios tornou-se a primeira testemunha ocular de sua ressurreição e a primeira missionária dessas alvissareiras boas-novas. Warren Wiersbe chama a atenção para o fato de que as primeiras testemunhas da ressurreição de Cristo tenham sido mulheres que creram. Isso porque, entre os judeus daquela época, o testemunho das mulheres não era tido em alta consideração.[6] Essas mulheres impactadas pelo túmulo vazio e pelo Cristo vivo tornam-se pregoeiras da mais gloriosa notícia que o mundo já pôde ouvir: a morte foi vencida, Cristo ressuscitou! O túmulo vazio é o berço da igreja!

Em terceiro lugar, *olhar para a frente com testemunho* (20:17,18). Jesus ordena que Maria não o detenha, porque ele ainda não havia subido para seu Pai. O que Jesus quis dizer com isso? Que a comunhão ininterrupta que Maria almejava só aconteceria depois que Jesus subisse para o Pai. A comunhão, na verdade, recomeçaria, mas seria muito mais rica, bendita e permanente. Seria a comunhão com o Senhor glorioso, no Espírito e com sua igreja.[7]

Dois fatos devem ser colocados em relevo.

A ordem dada (20:17). Jesus ordena que Maria vá ter com seus irmãos e lhes diga: [...] *estou voltando para meu Pai e vosso Pai, meu Deus e vosso Deus* Com razão, diz Matthew Henry, Jesus poderia ter-lhes enviado uma mensagem zangada: "Vá àqueles desertores traiçoeiros e diga-lhes que eu nunca mais confiarei neles, nem terei nada que ver com eles". Mas não. Ele perdoa, esquece e não lança fora.[8] Ao longo desse evangelho, Jesus chamou Deus de seu Pai e mostrou sua relação única com ele. Agora, porém, depois de ressurreto, chama seus discípulos de *meus irmãos* e diz que o seu Deus é também o Pai de seus discípulos. Jesus já havia chamado seus seguidores de *escravos* (13:16) e *amigos* (15:15) e aqui chama-os de *irmãos* (20:17). William Hendriksen diz, com acerto, que um novo relacionamento – a comunhão no Espírito, que está para ser derramado – requer um nome novo, um nome ainda mais íntimo do que o belo nome de "amigos". Os irmãos pertencem a uma única e mesma família. Eles têm muito em comum. Compartilham a mesma herança. Consequentemente, todo crente verdadeiro é um co-herdeiro com Cristo (Rm 8:17). Do mesmo modo, no sentido espiritual, Deus não é Pai de todas as pessoas, mas somente daquelas que, tendo sido escolhidas desde a eternidade, abraçaram o Filho pela viva fé. Esses crentes – todos esses, somente esses – são irmãos de Cristo.[9] O comissionamento de Maria Madalena, portanto, é para transmitir a gloriosa mensagem do amor paternal de Deus e da nossa honrosa posição de filhos de Deus.

A obediência prestada (20:18). Maria não discute nem protela a decisão. Sai imediatamente a anunciar aos discípulos o que viu e ouviu! É impossível ter uma visão do Cristo glorificado sem ter pressa para proclamar esse fato aos outros.

As portas trancadas (20:19-23)

Jesus ressuscitou no domingo pela manhã e apareceu aos discípulos pela primeira vez ao cair da tarde do mesmo dia. O *shabbath* havia terminado quando Jesus ressuscitou (Mc

16:1). Sua ressurreição aconteceu no primeiro dia da semana (20:1; Mt 28:1; Lc 24:1). A mudança do sétimo para o primeiro dia não se deu por algum decreto da igreja nem do imperador romano; foi, desde o princípio, decorrente da fé e do testemunho dos primeiros cristãos.[10] Nesse dia, os discípulos estavam com as portas trancadas, com medo dos judeus. As portas trancadas são um emblema, um símbolo. Cinco fatos merecem destaque aqui.

Em primeiro lugar, *portas trancadas pelo medo* (20:19). Antes do Pentecostes, os discípulos estavam escondidos atrás de portas trancadas por causa do medo dos judeus; depois do Pentecostes, foram presos por falta de medo.

Em segundo lugar, *portas trancadas pela falta de paz* (20:19). Jesus disse aos discípulos: *Paz seja convosco!* Os discípulos não estavam apenas com medo; estavam, também, perturbados, inquietos e desassossegados. O coração deles era um turbilhão de dúvidas, incertezas e culpa.

Em terceiro lugar, *portas trancadas pela ausência de Jesus* (20:19,20). Os discípulos estavam acostumados a ter Jesus por perto em todas as horas. Mas, desde sexta-feira, quando foi pregado na cruz e depois depositado no túmulo de José de Arimateia, eles estão privados de sua presença. Quando Jesus não está presente, nosso coração também se enche de medo. Só sua presença pode espanar a poeira da dúvida, dissipar o nevoeiro da angústia e restaurar a paz no coração aflito. Diante do testemunho ocular do Cristo vivo, os discípulos se alegram.

Em quarto lugar, *portas trancadas pela falta de propósito* (20:21). Jesus oferece aos discípulos a paz e dá a eles um comissionamento. Assim como Jesus havia sido comissionado pelo seu Pai, ele também comissiona seus discípulos. O mandato de Cristo não é apenas para fazer a obra, mas para fazer a obra da mesma maneira que ele havia feito. Jesus veio do céu não para trazer-nos uma mensagem divorciada de sua vida. Ele se fez carne, habitou entre nós e inseriu-se em nossa cultura. Tornou-se um de nós, exceto no pecado. Assim também devemos, no cumprimento da missão, aproximar-nos das pessoas para amá-las, servi-las e levar-lhes a mensagem da salvação. Concordo com D. A. Carson quando ele diz que os apóstolos receberam a comissão de continuar a obra de Cristo, e não de começar outra obra.[11]

Em quinto lugar, *portas trancadas por falta de poder* (20:22,23). Jesus não apenas comissiona seus discípulos, dando-lhes uma missão, mas também sopra sobre eles o Espírito Santo, dando-lhes capacitação e poder. Esse sopro do Espírito Santo em breve se transformaria no derramamento do Espírito, no cumprimento da promessa do Pai, na descida definitiva do Espírito para estar para sempre com a igreja. D. A. Carson, citando Calvino, diz que os discípulos são aqui "aspergidos" com a graça do Espírito, mas não "saturados" com o seu pleno revestimento de poder, o que só viria em Atos 2:[12]

Os discípulos seriam revestidos de poder no Pentecostes e, então, cumpririam a Grande Comissão. Concordo com F. F. Bruce quando ele diz que a expressão *Se perdoardes os pecados de alguém, serão perdoados; se os retiverdes, serão retidos* (20:23) deve ser entendida aqui não como uma referência à disciplina na igreja, como parece ser o contexto em Mateus 18, mas relacionada com a missão dos discípulos no mundo. Os dois passivos – *serão perdoados* e *serão retidos* – subentendem a ação divina. A função do pregador é declarar, e é Deus quem, na verdade, perdoa ou retém.[13]

A gloriosa ressurreição de Jesus

A fé claudicante (20:24-29)

Nessa primeira aparição de Jesus a seus discípulos, Tomé não estava presente. Quando foi informado do fato glorioso, duvidou fortemente. Destacamos três pontos desse episódio.

Em primeiro lugar, *Tomé, o incrédulo* (20:24,25). Tomé não acreditou no relato de seus irmãos. Estava convencido de que a morte era o fim. Não havia compreendido as palavras de Cristo e, por isso, não tinha nenhuma expectativa de que ele ressuscitasse. O lema de Tomé era: "Ver para crer!"

Em segundo lugar, *Tomé, o confrontado* (20:26,27). Oito dias depois da primeira aparição, Jesus volta a se apresentar a seus discípulos. Dessa feita, Tomé estava presente. Novamente, as portas estavam trancadas, e Jesus aparece milagrosamente entre eles. Jesus confronta-o, dizendo-lhe: *Coloca aqui o teu dedo e vê as minhas mãos. Estende a tua mão e coloca-a no meu lado. Não sejas incrédulo, mas crente!*

Em terceiro lugar, *Tomé, o crente* (20:28,29). Ao ser confrontado, Tomé responde a Jesus: *Senhor meu e Deus meu!* Em seguida, Jesus reafirma que ele precisou ver para crer, mas felizes são aqueles que não viram e creram. A fé não precisa ver para crer; a fé crê e, por isso, vê. Concordo com Charles Erdman quando ele diz que temos aqui não só a culminância da fé, mas igualmente o clímax do evangelho. João, em seguida, deixa claro que seu escopo, na produção desse livro, foi levar os leitores exatamente à mesma fé em Cristo. Se uma pessoa realmente cética como Tomé se convenceu da ressurreição de Jesus, ninguém ficará sem desculpas. Se Jesus, de fato, ressurgiu, podemos concluir, como Tomé, que ele é divino. Se Jesus permitiu que Tomé o adorasse como Deus, devemos entregar-nos a ele em adoração e amor, que provou ser, por sua ressurreição, "Deus verdadeiro de verdadeiro Deus".[14] D. A. Carson é oportuno ao escrever: "O cético mais obstinado legou para nós a mais profunda confissão".[15]

O propósito estabelecido (20:30,31)

O evangelista João destaca nos últimos versículos do capítulo 20 duas verdades, que veremos a seguir.

Em primeiro lugar, *o método do evangelho* (20:30). O apóstolo João deixa claro que não foi exaustivo em seu registro. Por maior que seja a extensão dos sinais milagrosos operados por Jesus, João selecionou apenas alguns para atestar a verdade incontroversa de que Jesus verdadeiramente é o Filho de Deus.

Em segundo lugar, *o propósito do evangelho* (20:31). João tem dois propósitos em mente ao escrever esse evangelho. O primeiro deles é apresentar Jesus como o Cristo, o Messias, o Filho de Deus. E o segundo é mostrar que a vida eterna é uma oferta dada a todos aqueles que creem em seu nome. Concordo com Warren Wiersbe quando ele diz que a vida eterna não é apenas um "tempo sem fim", mas é a própria vida de Deus vivida a partir de agora. O cristão não precisa morrer para começar a ter vida eterna; ele já a tem em Cristo hoje.[16]

D. A. Carson acrescenta que, embora o propósito de João seja primariamente evangelístico, deve-se admitir que, por toda a história da igreja, esse evangelho serviu não só como um meio para alcançar os descrentes, mas também como um meio de instrução, edificação e conforto para os crentes.[17]

A gloriosa ressurreição de Jesus

NOTAS DO CAPÍTULO 29

[1] CARSON, D. A. *O comentário de João*, p. 637.

[2] HENDRIKSEN, William. *João*, p. 878.

[3] *Mishná Rosh há-Shanah*.

[4] CARSON, D. A. *O comentário de João*, p. 637.

[5] WIERSBE, Warren W. *Comentário bíblico expositivo*. Vol. 5, p. 502.

[6] Ibid., p. 501.

[7] HENDRIKSEN, William. *João*, p. 887.

[8] HENRY, Matthew. *Matthew Henry Comentário bíblico Novo Testamento – Mateus-João*, p. 1070.

[9] HENDRIKSEN, William. *João*, p. 888.

[10] WIERSBE, Warren W. *Comentário bíblico expositivo*. Vol. 5, p. 506.

[11] CARSON, D. A. *O comentário de João*, p. 650.

[12] Ibid., p. 651.

[13] BRUCE, F. F. *João: introdução e comentário*, p. 335.

[14] ERDMAN, Charles. *O evangelho de João*, p. 150.

[15] CARSON, D. A. *O comentário de João*, p. 660.

[16] WIERSBE, Warren W. *Comentário bíblico expositivo*. Vol. 5, p. 511.

[17] CARSON, D. A. *O comentário de João*, p. 664.

Capítulo 30

Manifestação, restauração e comissão
(Jo 21:1-25)

ALGUNS ESTUDIOSOS REJEITAM esse capítulo 21 como joanino, por entenderem que o capítulo 20 é uma perfeita conclusão do livro. Alegam que há muitos termos usados no texto em tela que não foram empregados por João ao longo do livro. Outros veem o capítulo 21 como um adendo posterior incluído por outro autor.[1] Contudo, no reverso dessa posição, afirmamos que esse capítulo é absolutamente compatível com o propósito do livro e cabe muito bem como uma coroação de toda a obra. Sem essa conclusão, onde está registrada a restauração da vida e do ministério de Pedro, teríamos dificuldade de entender sua proeminência nos doze primeiros

João — As glórias do Filho de Deus

capítulos de Atos após seu fracasso tão rotundo. Sem essa conclusão, o rumor de que João viveria para ver Cristo voltar (21:23) não teria sido refutado. Sem essa conclusão, não teríamos conhecimento de que Pedro glorificaria a Deus pelo gênero de sua morte.[2]

Esse capítulo registra mais uma manifestação do Cristo ressurreto a seus discípulos. John Charles Ryle diz que podemos observar quatro aspectos nessa manifestação de Jesus a seus discípulos. Primeiro, ele se manifestou no momento adequado, quando estavam mais confusos e desanimados. Segundo, ele se manifestou de forma gradual. Terceiro, ele se manifestou de forma amorosa, chamando-os de "filhos". Quarto, ele se manifestou de forma poderosa, repetindo a cena da pesca milagrosa.[3]

Destacaremos cinco pontos na exposição desse capítulo.

Uma pescaria frustrada (21:1-3)

No primeiro dia da semana, as mulheres foram ao túmulo de Jesus e depararam com a pedra removida. Ao entrarem no túmulo, um anjo que estava postado do lado direito, no lugar onde o corpo de Jesus havia sido posto, pediu que elas não ficassem com medo, pois Jesus havia ressuscitado. O anjo transmitiu-lhes uma ordem: *Mas ide, dizei a seus discípulos, e a Pedro, que ele vai adiante de vós para a Galileia. Ali o vereis, como ele vos disse* (Mc 16:7). Mesmo depois de ter aparecido aos discípulos duas vezes em Jerusalém, faltava o cumprimento dessa promessa.

Essa manifestação junto ao mar de Tiberíades, lugar onde Pedro e outros discípulos trabalhavam como pescadores e foram chamados para o ministério, seria, certamente, o ápice das demonstrações inequívocas da ressurreição de Jesus. Essa viagem da Judeia para a Galileia, de Jerusalém

Manifestação, restauração e comissão

para o mar de Tiberíades, deve ter sido, especialmente para Pedro, marcada por fortes emoções. Por que Jesus queria encontrar-se com eles na Galileia? Por que a menção especial do nome de Pedro? O que Jesus diria a Pedro, depois de sua consumada covardia e de sua reincidente negação?

É debaixo desse turbilhão de sentimentos adversos que Pedro diz a seus seis companheiros de ministério: *Vou pescar* (21:3). Como Pedro era um líder, e como liderança é sobretudo influência, os outros também disseram: [...] *Nós também vamos contigo* [...] (21:3). Então, eles saíram e entraram no barco, mas naquela noite nada apanharam. Por que foram pescar? Por que eram pobres e precisariam ganhar o próprio sustento? Por que queriam preencher o tempo da espera com um trabalho que sabiam fazer? Por que estavam desanimados e pensavam que a única opção que lhes restava era voltar ao passado e retomar sua antiga profissão? Por que se julgavam inadequados para continuarem sendo apóstolos depois de terem abandonado o seu Senhor na hora mais crítica? Sem resposta segura para todas essas perguntas, temos uma constatação inequívoca do resultado da pescaria: naquela noite, eles nada apanharam. Naquela noite, o mar não estava para peixe. Eles tinham rompido todas as pontes com o passado, e o caminho era dali para a frente, e não uma jornada de marcha a ré.

Uma revelação graciosa (21:4-14)

Essa é a terceira vez que o Jesus ressurreto aparece a seus discípulos. Dessa feita, a sete deles. Cinco fatos podem ser aqui destacados.

Em primeiro lugar, *a presença de Jesus* (21:4). No clarear da madrugada, Jesus estava na praia. Os discípulos que já voltavam da pescaria infrutífera e estavam a menos de 100 metros da praia não o reconheceram. Talvez pela escuridão da noite que ainda não tinha sido de todo dissipada, ou talvez por causa da escuridão de seus olhos que ainda não tinha sido plenamente removida.

Em segundo lugar, *a pergunta de Jesus* (21:5). Com o propósito de fazer uma conexão com seus discípulos, Jesus lhes pergunta: *Filhos, não tendes nada para comer?* O simples fato de chamá-los de "filhos", *paidia,* demonstra o profundo afeto de Jesus por eles e a manifestação plena de sua graça restauradora. Os discípulos, frustrados, responderam-lhe: "Não". Essa pergunta acentua o fato de que o trabalho deles havia sido infrutífero naquela noite. A pescaria não lograra êxito, e, sozinhos, eles jamais poderiam suprir as próprias necessidades ou mesmo as das multidões.

Em terceiro lugar, *a ordem de Jesus* (21:6). Jesus ordena que os discípulos lancem a rede à direita do barco e garante que eles encontrarão peixes. Sem tardança, eles obedecem à ordem, mesmo sem convicção da verdadeira identidade de seu interlocutor. Essa ordem era mais uma ponte de contato para Jesus ter acesso ao coração dos discípulos e abrir seus olhos para o fato de sua ressurreição. No começo do ministério de Jesus, eles já haviam experimentado, nesse mesmo mar, uma pesca miraculosa. A primeira pesca foi quando Jesus fez de Pedro um pescador de homens; essa foi quando Jesus restaurou Pedro para ser um pastor de ovelhas. Jesus tira das mãos de Pedro a rede de pescador e, em seu lugar, coloca o cajado de pastor.

Em quarto lugar, *o milagre de Jesus* (21:6b-8). Ao obedecerem à ordem de Jesus, a rede se enche de peixes grandes. Nesse momento, João sussurra aos ouvidos de Pedro: "É o Senhor!" E Pedro, sem titubear, lança-se ao mar e corre na direção de Jesus. O milagre era uma prova eloquente

Manifestação, restauração e comissão

e suficiente de que estavam diante daquele que vencera a morte.

Em quinto lugar, *a refeição de Jesus* (21:9-14). Quando os discípulos saltaram em terra, talvez esperando uma repriменда de Jesus por causa de seus fracassos, encontraram um braseiro com peixes e pão. O braseiro era para aquecê-los do frio, e o alimento, para restaurar-lhes as forças. O desjejum estava pronto, e Jesus ordena que eles tragam mais peixes, daqueles que acabaram de apanhar. Jesus os convida a comer. Os discípulos ficam calados, perplexos, admirados diante do Senhor ressurreto. Então, Jesus toma o pão e lhes dá, e de igual modo o peixe. Estabelecia-se ali a comunhão, o compartilhamento, o cenário da plena restauração. Warren Wiersbe destaca o amor de Jesus demonstrado em alimentar Pedro antes de tratar de suas necessidades espirituais. Ele deu a Pedro a oportunidade de se secar, de se aquecer, de satisfazer sua fome e de desfrutar comunhão pessoal. Sem dúvida, o espiritual é mais importante do que o físico, mas o cuidado com o físico prepara o caminho para o ministério espiritual.[4]

Uma restauração maravilhosa (21:15-17)

Jesus esperou até que todos se alimentassem. Depois, no meio do grupo, dirige-se a Pedro e lhe pergunta acerca de seu amor. Pedro confirma seu amor a Jesus, e recebe dele restauração plena e comissão imediata. Três diferentes perguntas são feitas; três respostas são dadas, e cada uma delas é seguida de uma ordem afetuosa para que Pedro o sirva publicamente.[5] F. F. Bruce destaca o fato de que são usados dois verbos que significam amar (*agapao* e *phileo*), duas palavras para designar o cuidado do rebanho (*bosko* e *poimano*), duas para o rebanho em si (*arnia* e *probatia*) e duas para o verbo "saber" (*oidia* e *ginosko*). Dos quatro pares de sinônimos mencionados, *agapao* e *phileo* é considerado mais interessante pelos comentaristas em geral. O Senhor ressurreto usa *agapao* em suas duas primeiras perguntas e *phileo* na terceira; Pedro usa *phileo* nas três respostas.[6]

Algumas verdades devem ser aqui destacadas.

Em primeiro lugar, *as perguntas de Jesus* (21:15-17). Jesus se dirige a Pedro por seu nome original, Simão, filho de João. Três foram as perguntas, porque três foram as vezes que Pedro negou Jesus. Para cada vez que Pedro negou, Jesus lhe deu a oportunidade de reafirmar seu amor. Onde abundou o pecado, superabundou a graça. Jesus virou o jogo de sua vida. Quando Pedro negou Jesus a primeira vez, começou a perder de 1 a 0. Ao negar pela segunda vez, passou a perder de 2 a 0. Na terceira negação, a goleada foi de 3 a 0. Quando Pedro afirmou seu amor pela primeira vez, o resultado passou a ser 3 a 1 para a queda. Ao declarar pela segunda vez seu amor, o resultado passou a 3 a 2 para a negação. Ao declarar pela terceira vez que amava a Jesus, o jogo ficou empatado, 3 a 3. Então, Jesus lhe disse: *Segue-me*. E foram 4 a 3 para a restauração de Pedro.

Cada pergunta feita por Jesus a Pedro tem revelações distintas.

A primeira pergunta. A pergunta feita no meio do grupo chega a ser constrangedora, pois Jesus indaga: *Simão, filho de João, tu me amas mais do que estes?* (21:15). Por que Jesus pergunta assim? Porque Pedro havia se colocado acima de seus condiscípulos, ao prometer a Cristo fidelidade irrestrita: *Ainda que todos desertem, eu nunca desertarei* (Mt 26:33). Com essa declaração, Pedro considera-se mais leal que seus pares. Afirma ser melhor do que eles e ter um amor mais acendrado e sacrificial do que os outros. Mais do que isso, Pedro não apenas

Manifestação, restauração e comissão

se coloca numa posição de superioridade em relação a seus condiscípulos, mas, também, promete lealdade extrema: [...] *Ainda que seja necessário morrer contigo, de modo nenhum te negarei* [...] (Mt 26:35). Por essa razão, Jesus pergunta a Pedro: *Simão, filho de João, tu me amas mais do que estes?*

A palavra "amor" usada por Jesus na pergunta vem do verbo *agapao,* que significa "amor sacrificial", amor que dá a vida pelo outro. Com isso, Jesus está perguntando a Pedro se ele reafirma tudo o que disse e prometeu na fatídica noite de sua prisão no Getsêmani. Nesse sentido, B. F. Westcott considera que *agapao,* o verbo que o Senhor usa nas duas primeiras perguntas, denota "o amor mais elevado que deve ser a fonte da vida cristã", enquanto Pedro, por usar *phileo,* afirma somente o amor natural da afeição pessoal. Quando, na terceira vez, o Senhor usa em sua pergunta o mesmo verbo que Pedro vem usando em suas respostas (*phileo*), o Senhor parece questionar até "esse amor moderado que ele tinha professado".[7]

A segunda pergunta. Na segunda pergunta, Jesus não usa novamente a expressão *mais do que estes,* porém repete a mesma palavra *agapao* para denotar o tipo de amor a que se refere. Estaria Pedro disposto e pronto, mesmo sem se considerar melhor do que os outros, a amar a Cristo a ponto de morrer por ele?

A terceira pergunta. Na terceira pergunta, Jesus desceu até o nível de Pedro, usando o mesmo termo para "amor" que Pedro usara.[8] Embora a palavra "amor" tenha sido traduzida na língua portuguesa da mesma forma que a segunda pergunta, houve uma mudança de termo. Jesus agora deixa de usar o verbo *agapao* para usar *phileo,* que caracteriza a afeição de um amigo, mas que não necessariamente implica o sacrifício que encerra o amor ágape.

Em segundo lugar, *as respostas de Pedro* (21:15-17). Nas três respostas, Pedro reafirmou seu amor ao Senhor Jesus, dizendo-lhe: *Sim, Senhor; tu sabes que te amo.* Quando Jesus fez-lhe a terceira pergunta, Pedro entristeceu-se e acrescentou: *Senhor, tu sabes todas as coisas e sabes que te amo.* Nas três respostas, Pedro usou não o verbo *agapao,* mas *phileo,* ou seja, Pedro não tem mais coragem de dizer que ama a Jesus a ponto de dar sua vida por ele. Pedro não ousa mais confiar em si mesmo para demonstrar sua fidelidade. Humildemente, confessa que não tem poder em si mesmo para revelar tão acendrado e sacrificial amor. Sua tristeza demonstrada em face da terceira pergunta de Jesus decorre do fato de o Senhor ter mudado a palavra para o mesmo gênero de amor (*phileo*) que Pedro estava empregando.

Em terceiro lugar, *os comissionamentos de Jesus a Pedro* (21:15-17). Diante da primeira pergunta e consequente resposta de Pedro, Jesus lhe diz: *Apascenta os meus cordeiros* (21:15. ARA). A palavra grega *boske,* "apascentar", significa literalmente "dar-lhes alimento". Os cordeiros são as ovelhas tenras, sensíveis e frágeis.[9] Está implícito que Jesus está restaurando não apenas a vida de Pedro, mas também seu ministério. A exigência para Pedro voltar à lide pastoral é amar a Jesus, o dono do rebanho. Jesus não lhe pergunta: "Pedro, você me teme? Você me honra? Você me admira?" A única condição para cuidar das ovelhas de Cristo é amar o pastor das ovelhas. John Charles Ryle diz que Jesus tem uma consideração tão carinhosa pelo seu rebanho que não o confiará a ninguém, exceto àqueles que o amam e, portanto, amarão a todos os que são seus, por sua causa. Aqueles que não amam verdadeiramente a Cristo nunca irão verdadeiramente amar as ovelhas de Cristo.[10] Pedro é convocado a dar alimento aos tenros cordeiros, a velar

Manifestação, restauração e comissão

por eles e a apascentá-los. Jesus, porém, deixa claro que os cordeiros lhe pertencem. Pedro vai cuidar do alheio. Pedro vai cuidar dos cordeiros que pertencem a Jesus, o bom, o grande e o supremo pastor!

Diante da segunda pergunta de Jesus e da correspondente resposta de Pedro, vem o segundo comissionamento: _Pastoreia as minhas ovelhas_ (21:16). A palavra grega _poimene_ tem um significado mais amplo que _boske,_ ou seja, fazer pelas ovelhas todas as atribuições de um pastor.[11] Pedro não é comissionado por Jesus para ser um bispo universal da igreja, mas para ser um pastor de ovelhas. Ele compreendeu bem isso quando escreveu sua primeira carta (1Pe 5:1-4).

Diante da terceira pergunta e consequente resposta de Pedro, Jesus lhe dá o último comissionamento: _Cuida das minhas ovelhas_ (21:17). As ovelhas não são de Pedro; são de Jesus. Ele as comprou com o preço de sangue. Pedro deve demonstrar seu amor a Jesus cuidando das ovelhas de Jesus. Concordo com F. F. Bruce quando ele diz que a missão que Pedro recebe é pastoral. Ao ser chamado pela primeira vez da sua ocupação de pescador para ser seguidor de Jesus, foi-lhe dito que dali em diante ele seria pescador de homens (Lc 5:10; Mc 1:17). Agora, ao anzol ou rede do pescador, é acrescentado o cajado de pastor.[12]

D. A. Carson diz que, estranhamente, alguns estudiosos católicos romanos usaram essa passagem para estabelecer a primazia de Pedro como o primeiro pontífice, com direitos de governo e autoridade.[13] Pedro nunca foi papa, nem o papa é sucessor de Pedro. A ordem de pastorear o rebanho de Deus é abrangente (At 20:28), e não um privilégio exclusivo de Pedro. O próprio Pedro reconheceu que ele não era um pastor acima de outros pastores, mas um presbítero entre outros presbíteros (1Pe 5:1-4).

Um futuro desvendado (21:18-23)

Três verdades devem ser aqui observadas.

Em primeiro lugar, *Jesus conhece o futuro do cristão, tanto na vida como na morte* (21:18). Jesus conhecia o passado de Pedro e também seu futuro. Sua vida do início ao fim estava sob o controle de Jesus. Este mostra a Pedro que, quando mais moço, era um homem livre para tomar suas decisões. Naquele tempo, porém, acovardou-se e negou seu Senhor para não ser preso e morto. Contudo, quando for velho, não terá mais liberdade para fugir de cerco do inimigo. Então, será apanhado e pregado numa cruz, como foi o seu senhor. Matthew Henry diz que, tendo indicado a Pedro o trabalho a realizar, Cristo lhe indica, a seguir, o sofrimento a enfrentar. Tendo lhe confirmado a honra de ser um apóstolo, agora Cristo lhe fala sobre outra primazia que lhe fora designada – a honra de ser um mártir.[14] D. A. Carson está correto ao afirmar que o próprio Pedro veio a reconhecer o princípio: sempre que qualquer cristão segue Cristo para sofrimento e morte, esse é um meio de glorificar a Deus (1Pe 4:14-16).[15]

Em segundo lugar, *Jesus ensina que a morte do cristão tem como propósito dar glória ao nome de Deus* (21:19). Todos os apóstolos, exceto João, morreram pelo viés do martírio. Os historiadores afirmam que Pedro foi crucificado no final do governo de Nero, por volta do ano 68 d.C.[16] Por não ser um cidadão romano como Paulo, Pedro foi preso, julgado e condenado à morte de cruz. Não se sentindo digno de morrer como o seu Senhor, pediu para ser crucificado de cabeça para baixo. F. F. Bruce destaca que, na época em que esse evangelho foi escrito, Pedro já tinha glorificado a Deus com seu martírio.[17] Eusébio, ilustre pai da igreja, fez referência ao martírio de Pedro, quando escreveu: "Mas Pedro parece ter pregado no Ponto e na Galácia e na Bitínia e na Capadócia

Manifestação, restauração e comissão

e na Ásia, aos judeus da Dispersão, e por último, tendo ido a Roma, ele foi crucificado de cabeça para baixo, pois assim ele mesmo pediu para morrer".[18] Tertuliano, no começo do século 3, confirma que, de fato, Pedro foi crucificado,[19] e, dessa forma, cumpriu-se o que prometera: *Darei a minha vida por ti* (13:37). A morte de Pedro não foi uma tragédia; sua morte glorificou a Deus! Concordo plenamente com o que diz Matthew Henry: "Aqueles que seguem a Cristo fielmente na graça certamente o seguirão rumo à glória".[20]

Em terceiro lugar, *Jesus ensina que não devemos especular acerca da condição dos outros cristãos; antes, devemos pensar sobre nós mesmos* (21:20-23). A tarefa de Pedro era pastorear as ovelhas de Cristo e morrer por ele. A tarefa de João era dar testemunho da história de Cristo, viver até uma idade avançada e morrer em paz. Pedro era o grande pastor, e João era a grande testemunha. Isso não os convertia em rivais ou competidores em termos de honra ou prestígio. Ambos eram servos e deviam cumprir sua vocação.[21] Quando Pedro, ansiosamente, quis saber acerca do futuro de João, Jesus lhe disse: *Se eu quiser que ele fique até que eu venha, que te importa? Segue-me tu!* (21:22). Pedro é conclamado a seguir Jesus não rumo à riqueza e à prosperidade, não para subir o pódio do poder e da fama. Pedro foi chamado a seguir Jesus rumo à morte e ao martírio!

Em vez de especularmos sobre o destino dos outros, devemos olhar para nós enquanto caminhamos para o lar. Obviamente, Jesus não está ensinando uma atitude egoísta nem uma postura de negligência em relação ao próximo. Está dizendo que jamais podemos esquecer nossa alma. Suas palavras *Segue-me tu!* significam literalmente: "Continua a seguir-me". No mesmo instante, Pedro começou a seguir Jesus. Mas, por um momento, ele desviou o olhar de Jesus,

João — As glórias do Filho de Deus

um erro que havia cometido duas vezes (Lc 5:8; Mt 14:30). Devemos ter o cuidado de não desviar os olhos dele e lançá-los para outros cristãos. "Olhar para Jesus" deve ser o objetivo e a prática de todo cristão (Hb 12:1,2).[22]

Uma grandeza inesgotável (21:24,25)

João optou por manter-se anônimo ao longo do livro. Percebe-se que ele mesmo é o discípulo amado que se reclinou sobre o peito de Jesus na hora da ceia. Agora, João acrescenta o fato de que ele mesmo foi quem escreveu o livro e, ao mesmo tempo, confirma sua veracidade e credibilidade como testemunha dos fatos relatados nesse evangelho.

Reafirmando o que disse anteriormente (20:30), João, agora, lança mão de uma hipérbole: *Jesus realizou ainda muitas outras coisas; se elas fossem escritas uma por uma, creio que nem no mundo inteiro caberiam os livros que seriam escritos* (21:25). O que o evangelista está dizendo é que a grandeza de Jesus e seus gloriosos feitos transcendem qualquer capacidade de registro. Sempre ficaremos aquém. Jamais esgotaremos a descrição e o registro de suas obras portentosas. Jesus é maior do que o ser humano pode perceber ou conhecer. João conclui dizendo que sua obra é só uma parte minúscula de todas as honras devidas ao Filho de Deus.[23]

Concordo com Charles Erdman quando ele diz que o sentido evidente dessa hipérbole é que nenhum escrito, ainda que orientado pela verdade, pode encerrar a glória infinita do Filho de Deus. Dessa glória, o evangelho de João fornece um vislumbre. No entanto, esse vislumbre é tão esplêndido e fascinante que sentimos prazer em demorar-nos em sua claridade, ansiando ter aquela visão mais nítida, quando o defrontaremos face a face, para sermos semelhantes a ele e para vê-lo como ele é.[24]

Manifestação, restauração e comissão

NOTAS DO CAPÍTULO **30**

1 MILNE, Bruce. *The Message of John*, p. 309.
2 WIERSBE, Warren W. *Comentário bíblico expositivo*. Vol. 5, p. 512.
3 HENRY, Matthew. *Matthew Henry comentário bíblico Novo Testamento – Mateus-João*, p. 1080.
4 WIERSBE, Warren W. *Comentário bíblico expositivo*. Vol. 5, p. 514.
5 ERDMAN, Charles R. *O evangelho de João*, p. 156.
6 BRUCE, F. F. *João: introdução e comentário*, p. 344.
7 WESTCOTT, B. F. *The gospel according to St. John*, p. 303; BRUCE, F. F. *João: introdução e comentário*, p. 345.
8 HENDRIKSEN, William. *João*, p. 927.
9 HENRY, Matthew. *Matthew Henry Comentário Bíblico Novo Testamento – Mateus-João*, p. 1086.
10 Ibid., p. 1084.
11 Ibid., p. 1086.
12 BRUCE, F. F. *João: introdução e comentário*, p. 345.
13 CARSON, D. A. *O comentário de João*, p. 678.
14 HENRY, Matthew. *Matthew Henry comentário bíblico Novo Testamento – Mateus-João*, p. 1086.
15 CARSON, D. A. *O comentário de João* p. 680.
16 HENRY, Matthew. *Matthew Henry comentário bíblico Novo Testamento – Mateus-João*, p. 1086.
17 BRUCE, F. F. *João: introdução e comentário*, p. 346.
18 EUSÉBIO. *História eclesiástica III,1*.
19 TERTULIANO, *Scorpiace* 15.
20 HENRY, Matthew. *Matthew Henry comentário bíblico Novo Testamento – Mateus-João*, p. 1087.
21 BARCLAY, William. *Juan II*, p. 313.
22 WIERSBE, Warren W. *Comentário bíblico expositivo*. Vol. 5, p. 516.
23 CARSON, D. A. *O comentário de João*, p. 686.
24 ERDMAN, Charles R. *O evangelho de João*, p. 158.

Sua opinião é importante para nós.
Por gentileza, envie-nos seus comentários pelo e-mail:

editorial@hagnos.com.br

Visite nosso site:

www.hagnos.com.br